례·기출문제 반영

경찰채용·승진 | 경찰간부 | 검찰직·법원직
교정보호직·승진 | 철도경찰직 | 해양경찰직

조충환·양건

형사소송법 1권

조충환·양건·오상훈 편저

THEMA

박문각

조충환 · 양건

형사소송법

THEMA

PREFACE

2025 테마 형사소송법 판례·기출증보판을 내면서

이번 2025 판례·기출증보판에서는 다음과 같은 사안에 중점을 두었습니다.

첫째, 기출문제 반영

작년 테마형사소송법 출간 이후의 2023년 기출문제(9급 법원직, 순경 2차, 경력채용, 7급 국가직 등)와 2024년 기출문제(경찰간부, 경찰승진, 순경 1차, 해경간부, 소방간부, 9급 검찰·마약수사·교정·보호·철도경찰, 변호사시험 등)를 전부 비교분석하여 테마와 객관식문제에 반영하였습니다.

둘째, 판례 반영

최근 판례(2024.6.1. 대법원 판례공보)까지 빠짐없이 추가하였으며, 특히 전원합의체 판결(예: 국선변호인선정사유 중 피고인이 구속된 때의 범위 등)에 따라 변경된 기존 판례들을 수정·교체·추가·삭제하였고, 기존 판례들도 최근 출제경향에 맞추어 수정·보완하였습니다.

셋째, 테 마

각 단원마다 사안별로 (판례)총정리 또는 문제화하여 기본서나 요약집(sub-note)을 보지 않고도 한눈에 내용이 정리되고, 사안마다 키워드와 기출을 색표기로 중요도를 파악하여 짧은 시간에 기본서를 총정리하고 뒤에 나온 객관식 문제를 쉽게 해결할 수 있도록 하였습니다.

넷째, 객관식문제(기출문제)

최근 판례와 기출문제까지 전부 비교·분석하여 최근 출제경향에 맞추어 선별하였습니다. 순서는 테마마다 이어서 관련 문제를 넣었고, 마지막에는 파트별 종합문제를 수록하였으며, 문제에서 빠진 기출문제들은 기출지문 종합문제로 배치하였습니다.

테마 형사소송법으로 반복학습 하신다면 테마 형사소송법 한 권만으로도 어느 시험에서나 고득점으로 합격·승진하는 데 아무런 지장이 없을 것입니다.
애독자 여러분께 진심으로 감사드리며, 절실한 심정으로 초지일관하시어 우수한 성적으로 합격·승진하시길 간절히 기원합니다.

2024. 6.

공편저자 조충환·양건·오상훈

차례

CONTENTS

1권

2권

차례
CONTENTS

제2장 증 거

4권

제3장 재 판

차례

CONTENTS

제5편

상소·비상구제절차·특별형사절차·재판의 집행과 형사보상

PART 01

서론

CHAPTER 01

형사소송법의 기초

제1절 형사소송법의 의의와 성격

THEMA 01

1. 형사소송법의 의의

의 의 · 범 위	형사소송법이란 형법(무엇을 범죄로 하고 그 범죄에 어떠한 형벌을 과할 것인가를 추상적으로 규정한 법률)을 구체적인 사건에 적용 · 실현하기 위한 절차를 규정하는 법률을 말한다. ▶ 형법이 범죄자의 개선을 위한 형벌의 개별화를 추구하는 경우에는 형사소송법에도 범죄자의 인격에 대한 조사절차가 마련될 필요가 있다. (○) 13. 경찰간부 ▶ 형사절차 ⇨ 수사절차, 공판절차, 집행절차를 포함(좁은 의미의 형사절차 ⇨ 공판절차를 의미)

2. 형사소송법의 성격

성 격	공 법	법은 공법(형법, 형사소송법, 민사소송법 등)과 사법(민법, 상법 등)으로 구분된다.
	절차법	형법 : 실체법, 윤리 · 도덕적 색채, 정적 · 고정적 성격 형사소송법 : 절차법, 기술적 · 동적 · 발전적 성격
	사법법	형사소송법은 사법법이므로 법적 안정성을 기본원리로 하고 있다(그러나 수사절차나 집행절차에 있어서는 법적 안정성보다는 합목적성이 더욱 강조되므로 사법법의 성격이 일관되게 유지되지 못하는 측면이 있음).
	형사법	① 형법과 함께 형사법에 속한다(형사법은 배분적 정의실현을 목적, 민사법은 평균적 정의실현을 목적). ② 정치적 색채가 강하게 나타나며 특히 정치에 민감한 법률이 형사소송법이다(정치적 변혁이 있는 곳에는 언제나 형사소송법의 개정이 뒤따름). ▶ 형사소송법은 형법과 함께 국가의 법치국가성과 민주화의 정도를 가늠하는 척도가 되는 규범이다. (○) 16. 경찰간부

타법과의 비교

형법과 비교	형 법	윤리적 · 도덕적 · 정적 · 고정적 성격 ⇨ 실체법
	형사소송법	기술적 · 동적 · 발전적 성격 ⇨ 절차법
민사소송법과 비교	민사소송법	평균적 정의 문제
	형사소송법	배분적 정의 문제, 정치적 색채

01 **다음 중 형사소송법에 관한 내용으로 옳은 것은?**

① 형사법은 평균적 정의실현을, 민사법은 배분적 정의실현을 목적으로 한다.
② 형법과 형사소송법의 관계는 민법과 민사소송법의 관계와 같다.
③ 넓은 의미에 있어 형사소송법은 수사절차나 집행절차까지 포함한다.
④ 형사소송법은 절차법으로서 도덕적 · 윤리적 성격이 강하며, 정치적 색채가 강하게 나타난다.

| 해설 ① 형사법은 배분적 정의실현을, 민사법은 평균적 정의실현을 목적으로 한다.
② 민사분쟁의 해결은 반드시 민사소송법이 정하는 절차에 따를 것을 요하지는 않으나, 형사문제는 형사절차에 의하지 않고는 실현될 수 없다.
③ 좁은 의미의 형사소송법이라 할 때에는 공판절차를 규율하는 법을 의미하지만, 넓은 의미에 있어서는 수사절차나 집행절차까지 포함한다.
④ 형사소송법은 정치적 색채가 강하게 나타나며 특히 정치에 민감한 법률이다. 정치적 변혁이 있는 곳에는 언제나 형사소송법의 개정이 뒤따른다. 도덕적 · 윤리적 성격이 강한 것은 형법의 성격이며, 형사소송법은 절차법으로서 기술적 · 동적 · 발전적 성격을 가지고 있다.

02 **다음 설명 중 옳지 않은 것을 모두 고른 것은?** 16. 경찰간부

㉠ 형사소송법은 한 국가의 정치와 법 문화의 수준, 즉 법치국가성과 민주화의 정도를 가늠하는 중요한 척도가 되는 규범이다.
㉡ 형법이 정적 법률관계에 관한 법이라면 형사소송법은 그러한 법률관계를 규명하기 위한 동적 · 발전적 과정을 규율한 법이다.
㉢ 절차법인 형사소송법은 실체법인 형법과 목적 · 수단의 관계에 놓여 이는 순수한 합목적성 규범이다.
㉣ 형법이 윤리적 색채를 강하게 띤 법이라면 형사소송법은 전적으로 기술적 색채를 띠고 있는 규범체계이다.

① ㉠, ㉣ ② ㉡, ㉢ ③ ㉢, ㉣ ④ ㉡, ㉢, ㉣

| 해설 ㉠㉡㉣ 형사소송법은 기술적 · 동적 · 발전적 성격을 가지고 있을 뿐 아니라, 형법과 함께 한 국가의 법치국가성과 민주화 정도를 가늠하는 중요한 척도가 되는 규범이기도 하다.
㉢ 형사소송법은 사법법이므로 법적 안정성(법에 의하여 보호되는 사회생활의 안정성을 의미하며, 법이 불명확하고 함부로 변경된다면 법적 안정성을 잃게 된다)을 기본원리로 하고 있다. 그러나 수사절차나 집행절차에 있어서는 법적 안정성보다는 합목적성(일정한 목적을 실현하는 데 적합한 성질)이 더욱 강조된다. 따라서 형사소송법은 순수한 합목적성을 가지는 규범이라고 볼 수는 없다.

Answer 1. ③ 2. ③

제2절 형사소송법의 법원(法源)과 적용범위

THEMA 02 형사소송법의 법원

<table>
<tr><td>의 의</td><td colspan="2">형사소송법의 법원(法源) : 형사소송법이 존재하고 있는 형식</td></tr>
<tr><td>헌 법</td><td colspan="2">헌법은 형사절차에 관하여 상세한 규정을 두고 있으므로 헌법도 형사소송법의 법원이 된다.</td></tr>
<tr><td rowspan="2">형사
소송법</td><td>형식적 의미의
형사소송법</td><td>형사소송법이라는 명칭을 가진 법전을 말함. ⇨ 가장 중요한 형사소송법의 법원임.</td></tr>
<tr><td>실질적 의미의
형사소송법</td><td>명칭 여하를 불문하고 형사소송절차를 규율하고 있는 법률체계의 전체를 말함.
〈실질적 의미의 형사소송법 예〉
① 법원조직법(▶ 정부조직법은 ×) ② 검찰청법
③ 변호사법 ④ 경찰관 직무집행법
⑤ 사법경찰관리직무범위에 관한 법률 ⑥ 소년법
⑦ 즉결심판에 관한 절차법 ⑧ 군사법원법
⑨ 조세범 처벌절차법 ⑩ 형사소송비용 등에 관한 법률
⑪ 형사보상 및 명예회복에 관한 법률
⑫ 형의 집행 및 수용자의 처우에 관한 법률(구 행형법)
⑬ 사면법 ⑭ 소송촉진 등에 관한 특례법
⑮ 국가보안법 ⑯ 관세법</td></tr>
<tr><td rowspan="3">규칙
·
명령</td><td>대법원규칙</td><td>대법원은 법률에 저촉되지 아니하는 범위 내에서 소송에 관한 절차, 법원의 내부규율과 사무처리에 관한 규칙을 제정할 수 있다(헌법 제108조). 따라서 대법원규칙도 형사소송법의 법원이 된다. 24. 경찰승진
▶ 형사절차의 기본적 구조나 피고인을 비롯한 소송관계자의 이해에 관한 사항은 법률에 의하여 규정될 것을 요하고, 소송절차에 관한 순수한 기술적 사항에 관하여만 법률에 저촉되지 아니한 범위 내에서 규칙에서 규정할 수 있음.
▶ 대법원예규(사법부 내부의 복무지침이나 업무처리의 통일을 기하기 위하여 마련한 지침) ⇨ 법원성 부정(인정 견해 有)</td></tr>
<tr><td>대통령령
·
법무부령</td><td>대통령령이나 법무부령의 형사소송법 법원성 인정 여부 : 견해 대립
▶ 헌법재판소 : 재기수사명령(재수사명령)이 있는 사건에 관하여 지방검찰청검사가 다시 불기소처분을 하고자 하는 경우에는 미리 그 명령청의 장의 승인을 얻도록 한 검찰사건사무규칙의 규정은 검찰청 내부의 사무처리지침에 불과할 뿐 법규적 효력을 가진 것은 아니다(헌재결 1991.7.8, 91헌마42). ∴ 법원성 부정 19. 순경 2차, 23. 경찰승진
▶ 대법원 : '재산형 등에 관한 검찰 집행사무규칙(구 검찰징수사무규칙)'에 대해서는 법원성을 인정(대판 2005.4.28, 2003다58850)</td></tr>
<tr><td></td><td></td></tr>
</table>

판 례	헌법재판소 판례	헌법재판소의 판례도 형사소송법의 중요한 법원이 된다.
	대법원 판례	상급법원 재판에서의 판단은 해당 사건에 관하여 하급심을 기속하고(법원조직법 제8조), 해당 사건 이외의 사건에 대해서는 일반적인 구속력을 가지지 않는다. 따라서 법원성을 인정하기는 곤란하다.
관습법	성문화된 법이 아니므로 형사소송법의 법원이 될 수 없다.	
국제 조약	형사소송과 관련한 국제조약도 형사소송법의 법원이 된다. 예 한미행정협정	

01 **형사소송법의 법원(法源)에 대한 설명으로 가장 적절하지 않은 것은?**(다툼이 있는 경우 판례에 의함) 23. 경찰승진

① 헌법은 피고인과 피의자의 기본적 인권의 보장을 위하여 형사절차에 관한 규정을 두고 있으며, 이러한 헌법의 규정은 형사소송법의 법원이 된다.

② 실질적 의미의 형사소송법이란 그 실질적 내용이 형사절차를 규정한 법률을 말하며, 법원조직법, 소년법, 소송촉진 등에 관한 특례법을 예로 들 수 있다.

③ 헌법 제108조에 의하여 대법원은 소송에 관한 절차, 법원의 내부규율과 사무처리에 관한 규칙을 제정할 수 있으며, 형사절차의 기본적 구조나 피고인을 비롯한 소송관계자의 이해에 관한 사항을 제한없이 규칙으로 제정할 수 있다.

④ 검찰사건사무규칙 제149조의 재기수사의 명령 관련 규정은 검찰청 내부의 사무처리지침에 불과한 것일 뿐 법규적 효력을 가진 것은 아니다.

해설 ①② 타당한 내용이다.
③ 대법원은 소송에 관한 절차, 법원의 내부규율과 사무처리에 관한 규칙을 법률에 저촉되지 아니하는 범위 내에서 제정할 수 있다(헌법 제108조). 형사절차는 법률에 의하여 규정될 것을 요하므로 형사절차의 기본적 구조나 피고인을 비롯한 소송관계자의 이해에 관한 사항은 법률에 의하여 규정될 것을 요하며, 소송절차에 관한 순수한 기술적 사항에 관해서만 법률에 저촉되지 아니한 범위 내에서만 규칙에서 규정할 수 있다(다수견해).
④ 헌재결 1991.7.8, 91헌마42

02 **형사소송법의 법원(法源)에 대한 설명으로 가장 적절한 것은?**(다툼이 있으면 판례에 의함) 19. 순경 2차

① 헌법은 최상위법으로 형사소송법의 법원이며, 검사의 영장신청과 사법경찰관에 대한 검사의 수사지휘는 헌법에 명시적으로 규정되어 있다.

② 실질적 의미의 형사소송법이란 내용과 명칭이 모두 형사소송법인 법률을 말하며 형사절차의 가장 중요한 법원이 된다.

Answer 1.③ 2.④

③ 대법원규칙은 헌법상 명시적 근거 없이 대법원이 법원의 내부규율과 사무처리의 통일을 위해 제정한 준칙에 불과하므로 형사절차의 법원이 될 수 없다.

④ 재기수사의 명령이 있는 사건에 관하여 지방검찰청 검사가 다시 불기소처분을 하고자 하는 경우에는 미리 그 명령청의 장의 승인을 얻도록 한 검찰사건사무규칙의 규정은 법규적 효력을 가진 것이 아니다.

| 해설 ① 헌법은 최상위법으로 형사소송법의 법원이다. 검사의 영장신청권은 헌법 제12조 제3항에 규정되어 있으나, 사법경찰관에 대한 검사의 수사지휘는 헌법에 명시적으로 규정되어 있지 않고 형사소송법 제196조 제1항에 규정되었다가 개정 형사소송법(2021. 1. 1. 시행)에서 폐지되었다.
② 실질적 의미의 형사소송법이란 명칭은 형사소송법이 아니지만, 그 실질적인 내용이 형사절차를 규율하는 법률을 말한다. 내용과 명칭이 모두 형사소송법인 법률은 형식적 의미의 형사소송법이다.
③ 대법원규칙은 헌법상 명시적 근거가 있으며(헌법 제108조), 형사절차의 법원이 될 수 있다.
④ 헌재결 1991.7.8, 91헌마42

03 다음 중 형사소송법의 법원에 관한 설명으로 타당한 것은 모두 몇 개인가?(통설 · 판례에 의함)

㉠ 형사소송법에는 피해자를 위한 배상명령절차규정도 있다. ㉡ 법원조직법, 정부조직법은 모두 형사소송법의 법원성이 인정된다. ㉢ 헌법재판소 판례나 국제조약도 형사소송법의 법원에 해당한다. ㉣ 조세범 처벌법, 법정 좌석에 관한 규칙은 형사소송법의 법원에 해당한다. ㉤ 검찰징수사무규칙(현 재산형 등에 관한 검찰 집행사무규칙)은 벌금형 등의 집행에 관한 사항을 정한 것으로서 검찰청 내부의 사무처리준칙에 불과하다고 볼 수 있다. ㉥ 형사소송법의 법원은 성문법에 한하며, 관습법은 제외된다. ㉦ 대법원예규도 형사소송법의 직접적인 법원이 된다는 것이 일반적인 견해이다.

① 1개 ② 2개 ③ 3개 ④ 4개

| 해설 ㉠ ×: 배상명령절차규정은 소송촉진 등에 관한 특례법에 규정되어 있다.
㉡ ×: 법원조직법은 형사소송법의 법원성이 인정되나, 정부조직법은 국가 행정사무의 체계적이고 능률적인 수행을 위하여 국가행정기관의 설치 · 조직과 직무범위의 대강을 정함을 목적으로 하는 법이므로 형사소송법의 법원성이 부정된다.
㉢ ○: 형사소송법의 법원에 해당한다.
㉣ ×: 조세범 처벌법은 형법의 법원이고, 조세범 처벌절차법이 형사소송법의 법원에 해당한다. 법정 좌석에 관한 규칙은 대법원규칙으로 형사소송법의 법원이 된다.
㉤ ×: 검찰징수사무규칙(현 재산형 등에 관한 검찰 집행사무규칙)은 벌금형 등의 집행에 관한 사항을 정한 것으로서 대외적으로 구속력을 갖는 법규명령이라고 할 것이고, 이를 검찰청 내부의 사무처리준칙에 불과하다고 볼 수는 없다(대판 2005.4.28, 2003다58850). ∴ 법원성 인정
㉥ ○ ㉦ ×: 대법원예규는 사법부 내부의 복무지침 등 업무처리에 관해 마련된 것으로서, 형사소송법의 직접적인 법원이 되지는 못한다고 보는 견해와 그 반대견해의 대립이 있다.

Answer 3. ②

THEMA 03

헌법에 규정된 형사절차	헌법에 규정이 없는 형사절차
• 형사절차법정주의와 적정절차의 원칙(제12조 제1항) 09. 순경 • 강제수사법정주의(제12조 제1항) 24. 경찰승진 • 고문금지와 진술거부권(제12조 제2항) 10. 순경, 16. 순경 2차, 18. 순경 1차, 19. 경찰간부, 24. 해경간부 • 영장주의(체포·구속·압수·수색시 검사의 신청에 의하여 법관이 발부한 영장제시)(제12조 제3항 본문) 09. 전의경, 16. 순경 2차 • 사후영장에 의한 체포(현행범인 경우와 장기 3년 이상의 죄를 범하고 도피 또는 증거인멸의 염려가 있을 때 사후에 영장청구 가능)(제12조 제3항 단서) 15. 경찰간부, 16. 순경 2차, 18. 순경 1차, 21. 해경간부 • 변호인의 조력을 받을 권리와 국선변호인(제12조 제4항) 10. 순경, 14. 경찰승진, 16. 순경 2차, 17. 경찰간부 • 구속사유와 변호인의 조력을 받을 권리의 고지(제12조 제5항) • 피의자 가족 등이 구속사유를 통지받을 권리(제12조 제5항) 09. 순경, 24. 해경간부 • 체포·구속적부심사청구권(제12조 제6항) 10. 순경, 14. 경찰승진, 15. 경찰간부, 16. 순경 2차, 18. 순경 1차, 21. 9급 검찰·마약·교정·보호·철도경찰, 21·24. 해경간부 • 자백배제법칙(피고인의 자백이 고문·폭행·협박·구속의 부당한 장기화 또는 기망 기타의 방법에 의하여 자의로 진술된 것이 아니라고 인정될 때 이를 유죄의 증거로 삼을 수 없다)과 자백보강법칙(정식재판에서 피고인의 자백이 그에게 불리한 유일한 증거일 때에는 이를 유죄의 증거로 할 수 없다)(제12조 제7항) 13. 순경, 11. 9급 검찰, 14·17. 경찰승진, 16. 순경 2차, 21. 9급 검찰·마약·교정·보호·철도경찰 • 일사부재리의 원칙(제13조 제1항) 09. 순경, 11. 9급 검찰, 14. 경찰승진 • 군사법원의 재판을 받지 아니할 권리(제27조 제2항) • 신속한 재판을 받을 권리(제27조 제3항) 09. 순경, 24. 해경간부	• 기피신청권(형사소송법 제18조) 12. 순경 • 보석청구권(동법 제94조) 10. 순경, 11. 9급 검찰, 17. 경찰간부 • 증인신문권(동법 제161조의 2) • 증거보전청구권(동법 제184조) 19. 경찰간부 • 구속영장실질심사제도(동법 제201조의 2) 12. 순경, 17. 경찰간부 • 집중심리원칙(동법 제267조의 2) 15. 경찰간부 • 구두변론주의(동법 제275조의 3) 15. 경찰간부 • 공판기일출석권(동법 제276조) 10. 순경 • 간이공판절차(동법 제286조의 2) 10·12. 순경, 11. 9급 검찰 • 증거신청권(동법 제294조) • 최후진술권(동법 제303조) 18. 순경 1차 • 이의신청권(동법 제304조) 19. 경찰간부·해경승진 • 변론재개신청권(동법 제305조) • 증거재판주의(동법 제307조) 14·17. 경찰승진, 24. 해경간부 • 위법수집증거배제법칙(적법절차에 따르지 않고 수집한 증거는 증거로 할 수 없다)(동법 제308조의 2) 09. 순경, 11. 9급 검찰, 14·17. 경찰승진, 13·18. 순경 1차, 24. 해경간부 • 전문법칙(동법 제310조의 2) 09. 7급 국가직, 10. 순경, 24. 해경간부 • 상소권(동법 제338조) • 불이익변경금지원칙(동법 제368조) 09. 순경, 17. 경찰승진 ▶ 공소장일본주의 ⇨ 형사소송규칙 제118조 제2항 (형사소송법에 규정 ×)

- 공개재판을 받을 권리(제27조 제3항)
- 무죄추정의 원칙(제27조 제4항) 09. 순경, 15·17·19. 경찰간부
- 피해자의 재판절차진술권(제27조 제5항) 09. 순경, 11. 9급 검찰, 13. 순경 1차
- 형사보상청구권(제28조) 09·10. 순경, 14·17. 경찰승진, 15·17·19. 경찰간부, 21. 9급 검찰·마약·교정·보호·철도경찰
- 과잉금지의 원칙(제37조 제2항)
- 국회의원 불체포특권(제44조)
- 대통령의 형사상 특권(제84조)
- 군인의 대법원 상고권(제110조)
- 헌법소원권(제111조 제1항) 19. 경찰간부

01 다음 중 형사절차와 관련하여 헌법에 명시적으로 규정한 것은 모두 몇 개인가? 21. 해경

㉠ 구속적부심사청구권	㉡ 형사보상청구권	㉢ 증거재판주의
㉣ 불이익변경금지원칙	㉤ 위법수집증거배제법칙	㉥ 자백보강법칙
㉦ 강제수사법정주의	㉧ 최후진술권	㉨ 고문금지와 진술거부권

① 3개 ② 4개 ③ 5개 ④ 6개

해설 헌법에 명시적으로 규정된 것은 ㉠㉡㉥㉦㉨이다.
㉠ 헌법 제12조 제6항 ㉡ 헌법 제28조
㉢ 형사소송법 제307조 제1항
㉣ 형사소송법 제368조, 제396조 제2항
㉤ 형사소송법 제308조의 2
㉥ 헌법 제12조 제7항
㉦ 헌법 제12조 제1항
㉧ 형사소송법 제302조, 제303조
㉨ 헌법 제12조 제2항

02 다음 중 헌법에 직접적인 명문규정이 있는 것은 모두 몇 개인가?

㉠ 보석청구권	㉡ 법정증거주의
㉢ 전문법칙	㉣ 간이공판절차
㉤ 공소장일본주의	㉥ 집중심리원칙
㉦ 구두변론주의	㉧ 사법경찰관에 대한 검사의 수사지휘권
㉨ 피구속자의 가족 등이 구속사유를 통지받을 권리	

Answer 1. ③ 2. ①

① 1개 ② 2개 ③ 3개 ④ 4개

해설 헌법에 명문의 규정이 있는 것은 ㉧(헌법 제12조 제5항)이다.
㉠ 형사소송법 제94조
㉡ 법정증거주의는 증거의 증명력을 법으로 정해 놓은 방식으로서 일정한 증거가 존재하면 반드시 일정한 사실을 인정해야 하는 원칙으로, 증거의 증명력을 법률로 규정해 놓지 않고 법관의 자유로운 판단에 맡기는 원칙인 자유심증주의와 대립하는 개념이다. 우리나라는 법정증거주의를 취하지 않고 자유심증주의를 취하고 있다.
㉢ 형사소송법 제310조의 2
㉣ 형사소송법 제286조의 2
㉤ 형사소송규칙 제118조 제2항
㉥ 형사소송법 제267조의 2
㉦ 형사소송법 제275조의 3
㉧ 사법경찰관에 대한 검사의 수사지휘권은 형사소송법 제196조 제1항에 규정이 있었으나, 검경수사권조정에 의해 폐지되었다.

03 대한민국헌법에서 형사절차와 관련하여 명시적으로 규정하고 있는 것만을 모두 고르면?

21. 9급 검찰 · 마약 · 교정 · 보호 · 철도경찰

㉠ 누구든지 체포 또는 구속을 당한 때에는 적부의 심사를 법원에 청구할 권리를 가진다.
㉡ 적법한 절차에 따르지 아니하고 수집한 증거는 증거로 할 수 없다.
㉢ 형사피의자 또는 형사피고인으로서 구금되었던 자가 법률이 정하는 불기소처분을 받거나 무죄판결을 받은 때에는 법률이 정하는 바에 의하여 국가에 정당한 보상을 청구할 수 있다.
㉣ 피고인의 자백이 고문 · 폭행 · 협박 · 구속의 부당한 장기화 또는 기망 기타의 방법에 의하여 자의로 진술된 것이 아니라고 인정될 때 또는 정식재판에 있어서 피고인의 자백이 그에게 불리한 유일한 증거일 때에는 이를 유죄의 증거로 삼거나 이를 이유로 처벌할 수 없다.
㉤ 영장에 의한 체포 · 긴급체포 또는 현행범인의 체포에 따라 체포된 피의자에 대하여 구속영장을 청구받은 판사는 지체 없이 피의자를 심문하여야 한다.

① ㉠, ㉢ ② ㉠, ㉢, ㉣
③ ㉡, ㉢, ㉣ ④ ㉡, ㉣, ㉤

해설 ㉠ 헌법 제12조 제6항
㉡ 형사소송법 제308조의 2
㉢ 헌법 제28조
㉣ 헌법 제12조 제7항
㉤ 형사소송법 제201조의 2 제1항

Answer 3. ②

04 다음 〈보기〉 중 형사절차와 관련하여 헌법상 명시적으로 규정하지 않은 것은 모두 몇 개인가?

24. 해경간부

㉠ 위법수집증거배제법칙
㉡ 체포·구속적부심사청구권
㉢ 고문금지와 불이익진술거부권
㉣ 자백배제법칙과 자백보강법칙
㉤ 일사부재리의 원칙
㉥ 범죄피해자 구조청구권
㉦ 증거재판주의
㉧ 전문법칙
㉨ 강제수사법정주의
㉩ 피의자 가족 등이 구속사유를 통지받을 권리
㉪ 신속한 재판을 받을 권리

① 1개 ② 2개 ③ 3개 ④ 4개

| 해설 ㉠㉦㉧은 헌법에 명시적으로 규정되어 있지 않으며, 나머지(㉡㉢㉣㉤㉥㉨㉩㉪)는 헌법에 명시적인 규정이 있다.

Answer 4. ③

THEMA 04 형사소송법의 적용범위

<table>
<tr><td>장소적
적용범위</td><td colspan="2">형사소송법은 대한민국영역 내에서 발생한 모든 사건에 적용된다(국적 불문).
대한민국의 영역은 영토·영해·영공뿐만 아니라 북한도 포함하며, 대한민국 영역 외에 있는 대한민국의 선박 또는 항공기 내도 포함된다.
▶ 북한 ⇨ 우리 영토의 일부(대판 1997.11.20, 97도2021 전원합의체)
▶ 외국에 소재한 대한민국영사관 내부 ⇨ 소재지 국가의 영토(대한민국의 영토 ×)(대판 2006.9.22, 2006도5010)
▶ 외국에 소재한 북한이익대표부 ⇨ 소재지 국가의 영토(대한민국이나 북한 영토 ×)(대판 2008.4.17, 2004도4899 전원합의체)</td></tr>
<tr><td rowspan="3">인적
적용범위</td><td colspan="2">형사소송법은 원칙적으로 대한민국 영역 내에 있는 모든 사람에게 적용된다. 다만, 다음과 같은 예외가 있다.</td></tr>
<tr><td>국내법상
예외</td><td>1. 대통령 : 대통령은 내란 또는 외환의 죄를 범한 경우를 제외하고는 재직 중 형사상의 소추를 받지 아니한다(헌법 제84조).
2. 국회의원 : 국회의원은 국회에서 직무상 행한 발언과 표결에 관하여 국회 외에서 책임을 지지 아니하며(헌법 제45조), 현행범인을 제외하고는 회기 중 국회의 동의 없이 체포 또는 구금되지 아니한다(헌법 제44조 제1항).
08·13. 순경, 15. 경찰간부, 13·17. 경찰승진
국회의원이 회기 전에 체포 또는 구금된 때에는 현행범인이 아닌 한 국회의 요구가 있으면 회기 중 석방된다(헌법 제44조 제2항).
▶ 국회의원은 현행범인인 경우에도 회기 중 국회의 동의 없이 체포 또는 구금되지 아니한다. (×)
▶ 국회의원이 회기 전에 체포 또는 구금된 때는 현행범인일지라도 국회의 요구가 있으면 회기 중 석방한다. (×)</td></tr>
<tr><td>국제법상
예외</td><td>1. 외국의 원수, 그 가족 및 대한민국 국민이 아닌 수행자
2. 신임받은 외국의 사절과 그 직원·가족
3. 승인받고 대한민국 영역 내에 주둔하는 외국의 군인에 대하여도 형사소송법이 적용되지 않는다.
▶ 주한미군의 경우는 SOFA협정에 따라 공무수행 중 범죄 등에 대해서는 1차적으로 미국의 형사소송법이 적용되고, 일반 형사범죄는 우리나라 형사소송법이 적용된다.</td></tr>
<tr><td>시간적
적용범위</td><td colspan="2">형사소송법이 개정된 후에 소송절차가 개시된 사건이라면 개정 신법을 적용함은 당연하나 소송절차 개시 후, 종결 전에 법의 개정이 있는 경우에는 신·구법 중 어느 법을 적용할 것인가가 문제된다.
1. 형사소송법은 형법과는 달리 소급효금지원칙은 적용되지 않으며, 신법을 적용할 것인가 구법을 적용할 것인가는 결국 입법정책의 문제이다.
2. 현행 형사소송법은 이러한 문제를 해결하기 위하여 부칙에 규정을 두고 있는바, 이 법은 이 법 시행 당시 수사 중이거나 법원에 계속 중인 사건에도 적용된다. 다만, 시행 전에 종전의 규정에 따라 행한 소송행위의 효력에는 영향을 미치지 아니한다고 함으로써 혼합주의를 취하고 있다(부칙 제2조 : 2007. 6. 1).</td></tr>
</table>

01 **형사소송법의 적용범위에 관한 다음 설명 중 옳지 않은 것은 모두 몇 개인가?**(다툼이 있는 경우 판례에 의함)

18. 경찰간부

> ㉠ 국회의원의 면책특권의 대상이 되는 행위는 직무상 발언과 표결이라는 의사표현행위 자체에 국한되지 아니하고 이에 통상적으로 부수하여 행하여지는 행위까지 포함한다.
> ㉡ 항소심이 신법 시행을 이유로 구법(2007. 6. 1. 법률 제8496호로 개정되기 전의 형사소송법)이 정한 바에 따라 적법하게 진행된 제1심의 증거조사절차 등을 위법하다고 보아 그 효력을 부정하고 다시 절차를 진행하는 것은 허용되지 아니하며, 다만 이미 적법하게 이루어진 소송행위의 효력을 부정하지 않는 범위 내에서 신법의 취지에 따라 절차를 진행하는 것은 허용된다.
> ㉢ 미국문화원 내에서 죄를 범한 대한민국 국민에게도 대한민국 재판권이 미친다.
> ㉣ 캐나다 시민권자인 피고인이 캐나다에서 위조사문서를 행사하였다는 내용으로 우리 법원에 기소된 경우, 외국인 국외범이라도 우리나라에 재판권이 있다고 보아야 한다.

① 1개 ② 2개 ③ 3개 ④ 4개

해설 ㉠ ○ : 대판 2011.5.13, 2009도14442
㉡ ○ : 대판 2008.10.23, 2008도2826
㉢ ○ : 대판 1986.6.24, 86도403
㉣ × : 위조사문서행사를 형법 제6조의 대한민국 또는 대한민국 국민의 법익을 직접적으로 침해하는 행위라고 볼 수도 없으므로 피고인의 행위에 대하여는 우리나라에 재판권이 없다(대판 2011.8.25, 2011도6507).

02 **형사소송법의 적용범위에 대한 설명으로 가장 적절하지 않은 것은?**(다툼이 있는 경우 판례에 의함)

20. 순경 2차

① 국회의원의 면책특권에 속하는 행위에 대하여 공소를 제기한 경우, 법원은 공소기각판결을 선고하여야 한다.
② 형사소송법 부칙(법률 제8496호, 2007. 6. 1) 제2조는 형사절차가 개시된 후 종결되기 전에 형사소송법이 개정된 경우 신법과 구법 중 어느 법을 적용할 것인지에 관한 입법례 중 이른바 혼합주의를 채택하여 구법 당시 진행된 소송행위의 효력은 그대로 인정하되 신법 시행 후의 소송절차에 대하여는 신법을 적용한다는 취지에서 규정된 것이다.
③ 일반 국민이 범한 특정 군사범죄와 그 밖의 일반 범죄가 형법 제37조 전단의 경합범 관계에 있다고 보아 하나의 사건으로 기소된 경우, 특정 군사범죄에 대하여 전속적인 재판권을 가지는 군사법원은 그 밖의 일반 범죄에 대하여도 재판권을 행사할 수 있다.
④ 근로기준법 개정(법률 제7465호, 2005. 3. 31)으로 종전에는 피해자의 의사에 상관없이 처벌할 수 있었던 동법 제112조 위반죄가 반의사불벌죄로 개정된 경우에 비록 부칙에 이에 대한 경과규정이 없을지라도 개정법률이 피고인에게 더 유리할 수 있기에 형법 제1조 제2항에 의하여 개정법률이 적용되어야 한다.

해설 ① 대판 1992.9.22, 91도3317
② 대판 2008.10.23, 2008도2826

Answer 1.① 2.③

③ 군사법원이 특정 군사범죄를 범한 일반 국민에 대하여 재판권을 가진다 하더라도 이는 어디까지나 해당 특정 군사범죄에 한하는 것이지 그 이전 또는 그 이후에 범한 다른 일반 범죄에 대해서까지 재판권을 가지는 것은 아니다(대결 2016.6.16, 2016초기318 전원합의체). ▶ 군사법원에 재판권이 있는 범죄에 대하여 군사법원에서 재판권을 가진다는 이유로 그 범죄와 경합범으로 기소된 다른 범죄에 대하여도 군사법원에 재판권이 있다고 본 종전 대법원의 견해(대판 2004.3.25, 2003도8253)는 변경되었다.
④ 대판 2005.10.28, 2005도4462

03 **형사소송법의 적용범위에 대한 설명으로 옳지 않은 것은?**(다툼이 있는 경우 판례에 의함)

17. 7급 국가직

① 국회의원의 면책특권에 속하는 행위에 대하여 공소가 제기된 경우 법원은 공소기각판결을 선고하여야 한다.

② 중국 북경시에 소재한 대한민국 영사관 내부에서 중국인이 사문서를 위조한 경우 우리나라 법원은 그 중국인에 대하여 재판권이 없다.

③ 내국 법인의 대표자인 외국인이 외국에서 그 법인에 대한 횡령죄를 범한 경우 행위지의 법률에 따르면 범죄를 구성하지 아니하거나 소추 또는 형의 집행을 면제할 경우가 아니라면 그 외국인에 대하여 우리나라 법원에 재판권이 있다.

④ 일반 국민이 범한 특정 군사범죄와 그 밖의 일반 범죄가 형법 제37조 전단의 경합범 관계에 있다고 보아 하나의 사건으로 기소된 경우라면, 특정 군사범죄에 대하여 전속적인 재판권을 가지는 군사법원은 그 밖의 일반 범죄에 대하여도 재판권을 행사할 수 있다.

| 해설 ① 대판 1992.9.22, 91도3317
② 중국 북경시에 소재한 대한민국 영사관 내부는 여전히 중국의 영토에 속하므로 그곳에서 외국인이 타인 명의의 여권발급신청서를 위조하는 행위(사문서위조)는 외국인의 국외범죄에 해당하나, 형법 제6조(외국인의 국외범처벌규정)의 적용대상은 아니므로 대한민국은 피고인에 대한 재판권이 없다(대판 2006.9.22, 2006도5010). ③ 대판 2017.3.22, 2016도17465
④ 일반 국민이 범한 특정 군사범죄(예 군용물절도)와 그 밖의 일반 범죄(예 허위공문서작성 및 동행사죄와 방위사업법위반죄)가 형법 제37조 전단의 경합범 관계에 있다고 보아 하나의 사건으로 기소된 경우라면, 특정 군사범죄에 대하여 전속적인 재판권을 가지는 군사법원은 그 밖의 일반 범죄에 대하여 재판권을 행사할 수 없다(대결 2016.6.16, 2016초기318 전원합의체).

04 **다음 중 형사소송법의 인적 적용범위에 관한 설명으로 옳지 않은 것은 모두 몇 개인가?**(다툼이 있으면 판례에 의함)

20. 해경 1차

㉠ 대통령은 내란 또는 외환의 죄를 범한 경우를 제외하고는 재직 중 형사소추를 받지 아니한다.
㉡ 국회의원은 국회에서 직무상 행한 발언과 표결에 관하여 국회 외에서 책임을 지지 아니하고, 현행범인을 제외하고는 회기 중 국회의 동의 없이 체포 또는 구금되지 아니한다.
㉢ 국회의원이 회기 전에 체포 또는 구금한 때에는 현행범인이 아닌 한 국회의 요구가 있으면 회기 중 석방한다.

Answer 3.④ 4.①

㉣ 국회의원의 면책특권에 속하는 행위에 대하여 공소를 제기할 수 없으므로 이에 반하여 공소가 제기된 것은 형사소송법 제327조 제2호의 공소제기의 절차가 법률의 규정에 위반하여 무효인 때에 해당되므로 공소를 기각하여야 한다.

① 0개 ② 1개 ③ 2개 ④ 3개

해설 모든 항목이 옳다(㉠ 헌법 제84조 ㉡㉢ 헌법 제44조, 제45조 ㉣ 대판 1992.9.22, 91도3317).

05 형사소송법의 적용범위와 관련하여 옳은 것은 모두 몇 개인가?(다툼이 있으면 판례에 의함)

㉠ 한반도의 평시상태에서 미합중국 군 당국은 미합중국 군대의 군속에 대하여 형사재판권을 가지지 않으므로, 미합중국 군대의 군속이 범한 범죄에 대하여 대한민국은 형사재판권을 바로 행사할 수 있다.
㉡ 외국의 원수, 그 가족 및 대한민국의 국민인 수행자에게는 형사소송법이 적용되지 아니한다.
㉢ 국회의원이 회기 전에 체포 또는 구금된 때에는 현행범일지라도 국회요구가 있으면 회기 중 석방한다.
㉣ 발언 내용이 허위라는 점을 인식하지 못하였더라도 발언 내용에 다소 근거가 부족하거나 진위 여부를 확인하기 위한 조사를 제대로 하지 않았다면, 그것이 직무 수행의 일환일지라도 이는 면책특권의 대상이 되지 아니한다.
㉤ 일반범죄에서 반의사불벌죄로 개정된 경우 피고인에 대하여는 개정법률이 적용되어야 하는 것이 아니라 행위시법이 적용되어야 할 것이므로 이 사건 공소제기 전에 피고인에 대한 처벌을 원하지 아니한다는 진술이 있었다 하더라도 실체판결을 하여야 한다.
㉥ 미합중국 국적을 가진 미합중국 군대의 군속인 피고인이 범행 당시 10년 넘게 대한민국에 머물면서 한국인 아내와 결혼하여 가정을 마련하고 직장 생활을 하는 등 생활근거지를 대한민국에 두고 있었던 경우에도 미합중국 군대의 군속에 관한 형사재판권 관련 조항이 적용될 수 있다.

① 1개 ② 2개 ③ 3개 ④ 4개

해설 ㉠ ○ : 대판 2006.5.11, 2005도798
㉡ × : 대한민국 국민인 수행자에게는 형사소송법이 적용된다.
㉢ × : 현행범일 때에는 국회요구가 있더라도 회기 중 석방되지 않는다.
㉣ × : 발언 내용 자체에 의하더라도 직무와는 아무런 관련이 없음이 분명하거나, 명백히 허위임을 알면서도 허위의 사실을 적시하여 타인의 명예를 훼손하는 경우 등까지 면책특권의 대상이 될 수는 없지만, 발언 내용이 허위라는 점을 인식하지 못하였다면 비록 발언 내용에 다소 근거가 부족하거나 진위 여부를 확인하기 위한 조사를 제대로 하지 않았다고 하더라도, 그것이 직무 수행의 일환으로 이루어진 것인 이상 이는 면책특권의 대상이 된다(대판 2007.1.12, 2005다57752).
㉤ × : 일반범죄에서 반의사불벌죄로 개정된 경우 개정법률이 피고인에게 더 유리할 것이므로 형법 제1조 제2항에 의하여 피고인에 대하여는 개정법률이 적용되어야 할 것인바, 이 사건 공소제기 전에 피고인에 대한 처벌을 원하지 아니한다고 진술한 사실을 알 수 있으므로, 위 피해자들에 대한 부분에 있어서는 개정법률 형사소송법 제327조 제2호에 따라 공소제기의 절차가 법률의 규정에 위반된다고 하여 공소기각의 판결을 선고하여야 한다(대판 2005.10.28, 2005도4462).

Answer 5. ①

ⓑ × : 미합중국 국적을 가진 미합중국 군대의 군속인 피고인이 범행 당시 10년 넘게 대한민국에 머물면서 한국인 아내와 결혼하여 가정을 마련하고 직장 생활을 하는 등 생활근거지를 대한민국에 두고 있었던 경우, 피고인은 대한민국과 아메리카합중국 간의 상호방위조약 제4조에 의한 시설과 구역 및 대한민국에서의 합중국 군대의 지위에 관한 협정에서 말하는 '통상적으로 대한민국에 거주하는 자'에 해당하므로, 피고인에게는 위 협정에서 정한 미합중국 군대의 군속에 관한 형사재판권 관련 조항이 적용될 수 없다(대판 2006.5.11, 2005도798). 따라서 대한민국의 형사재판권 적용대상이 된다.

06 형사소송법의 적용범위에 관한 설명 중 적절하지 않은 것은 모두 몇 개인가?(다툼이 있는 경우 판례에 의함)

㉠ 형사소송법의 개정이 있는 경우 신법 시행 당시 법원에 계속 중인 사건뿐만 아니라 수사 중인 사건에도 신법을 적용한다.

㉡ 국회의원인 피고인이, '구 국가안전기획부의 불법 녹음 내용'과, '검사들이 ○○그룹으로부터 떡값 명목의 금품을 수수하였다.'는 내용이 게재된 보도자료를 국회 법제사법위원회 개의 당일 국회 의원회관에서 기자들에게 배포한 행위는 면책특권의 대상이 되기 때문에 공소기각판결을 선고하여야 한다.

㉢ 미군범죄에 관하여 원칙적으로 오로지 합중국의 재산이나 안전에 대한 범죄, 또는 오로지 합중국 군대의 타구성원이나 군속 또는 그들의 가족의 신체나 재산에 대한 범죄, 공무집행 중의 작위 또는 부작위에 의한 범죄인 경우에는 합중국 군당국이 재판권을 행사할 1차적 권리를 가지며, 기타의 범죄의 경우에는 대한민국 당국이 재판권을 행사할 1차적 권리를 가진다.

㉣ 국회의원이 국회 예산결산위원회 회의장에서 법무부장관을 상대로 대정부질의를 하던 중, 대통령 측근에 대한 대선자금 제공 의혹과 관련하여 이에 대한 수사를 촉구하는 과정에서 한 발언은 미처 진위 여부를 정확하게 파악하지 못하거나 다소 근거가 부족한 채로 이 사건 발언을 하였다고 봄이 상당하므로, 면책특권의 범위를 벗어나는 것이라고 보아야 한다.

㉤ 필리핀국에서 카지노의 외국인 출입이 허용되어 있다 하여도, 형법 제3조에 따라, 필리핀국에서 도박을 한 피고인에게 우리나라 형법이 당연히 적용된다.

㉥ 독일인이 독일 내에서 북한의 지령을 받아 베를린 주재 북한이익대표부를 방문하고 그곳에서 북한공작원을 만났다면 위 각 구성요건상 범죄지는 모두 독일이므로 이는 외국인의 국외범에 해당하여, 형법 제5조와 제6조에서 정한 요건에 해당하지 않는 이상 위 각 조항을 적용하여 처벌할 수 없다.

① 1개　　② 2개　　③ 3개　　④ 4개

해설 ㉠ ○ : 부칙 제2조

㉡ ○ : 대판 2011.5.13, 2009도14442

판례보충 : 그러나 위 내용을 자신의 인터넷 홈페이지에 게재한 부분에 대해서는 형법 제20조의 정당행위에 해당한다고 볼 수 없다고 판시하였다(대판 2011.5.13, 2009도14442).

㉢ ○ : 대판 1980.9.9, 79도2062

판례보충 : 계엄령이 선포된 지역에서는 대한민국에게 재판권을 부여한 위 협정의 규정의 적용이 정지됨으로써 대한민국 법원은 계엄령이 해제될 때까지는 미합중국 군대의 구성원을 재판할 권한이 없게 되는 것이므로 계엄령 선포 전에 기소되어 대한민국 법원에 계속된 미합중국 군대의 구성원에 대한 대한민국 법원의 재판권도 계엄령 선포와 동시에 없어지게 되는 것이라고 할 것이다(대판 1980.9.9, 79도2062).

Answer 6. ①

㉣ ×: 국회 예산결산위원회 회의장에서 법무부장관을 상대로 대정부질의를 하던 중, 대통령 측근에 대한 대선자금 제공 의혹과 관련하여 이에 대한 수사를 촉구하는 과정에서 한 발언은 발언 내용이 허위라고 생각하면서도 발언을 하였다기보다는 당시 대통령을 둘러싼 정치자금 의혹이 제기되어 있던 상황에서 이에 대한 수사를 촉구하기 위하여 미처 진위 여부를 정확하게 파악하지 못하거나 다소 근거가 부족한 채로 이 사건 발언을 하였다고 봄이 상당하고, 따라서 이 사건 발언이 면책특권의 범위를 벗어나는 것이라고 보기는 어렵다 할 것이다(대판 2007.1.12, 2005다57752).
㉤ ○: 대판 2001.9.25, 99도3337
㉥ ○: 대판 2008.4.17, 2004도4899 전원합의체

07 형사소송법의 적용범위에 관한 설명으로 가장 적절한 것은?(다툼이 있는 경우 판례에 의함)

24. 경찰승진

① 대통령은 내란 또는 외환의 죄를 범한 경우를 제외하고는 재직 중에 수사를 받지 아니한다.
② 10년 넘게 대한민국에 머물면서 한국인 아내와 결혼하여 가정을 마련하고 직장생활을 하는 등 생활근거지를 대한민국에 두고 있는 미합중국 국적을 가진 미합중국 군대의 군속이 평시 상태의 대한민국 내에서 공무집행 중 저지른 교통사고처리 특례법 위반 범행에 대하여 대한민국의 형사재판권을 바로 행사할 수 있다.
③ 소급효금지의 원칙은 형사법의 대원칙으로서, 형사소송법의 개정이 이루어지는 경우 개정법 시행 당시 수사 중이거나 법원에 계속 중인 사건에 대해서는 신법을 적용하고 구법에 따라 이미 행한 소송행위의 효력은 인정되지 아니한다.
④ 국회의원 면책특권의 대상이 되는 행위는 국회의 직무수행에 필수적인 국회의원의 국회 내에서의 직무상 발언과 표결이라는 의사표현행위 자체에만 국한되며, 이에 통상적으로 행해지는 직무부수행위까지는 포함되지 않는다.

| 해설 ① 대통령은 내란 또는 외환의 죄를 범한 경우를 제외하고는 재직 중에 형사소추를 받지 아니한다(헌법 제84조). 수사의 가능 여부에 대해서는 논의가 있다.
② 대판 2006.5.11, 2005도798
③ 형사소송법은 형법과는 달리 소급효금지원칙은 적용되지 않으며, 신법을 적용할 것인가 구법을 적용할 것인가는 결국 입법정책의 문제이다. 형사소송법 2007년 개정부칙에 의하면, 개정에 있어서는 일반적으로 법 시행 당시 수사 중이거나 법원에 계속 중인 사건에도 개정 신법이 적용되나, 시행 전에 종전의 규정에 따라 행한 소송행위의 효력에는 영향을 미치지 아니한다(부칙 제2조)라고 규정함으로써 혼합주의를 취하고 있다.
④ 국회의원의 면책특권의 대상이 되는 행위는 직무상의 발언과 표결이라는 의사표현행위 자체에 국한되지 아니하고 이에 통상적으로 부수하여 행하여지는 행위까지 포함하고, 그와 같은 부수행위인지 여부는 결국 구체적인 행위의 목적, 장소, 태양 등을 종합하여 개별적으로 판단할 수밖에 없다(대판 1992.9.22, 91도3317).

Answer 7. ②

CHAPTER 02

형사소송법의 이념과 구조

제1절 형사소송법의 기본이념

THEMA 05 실체적 진실주의

의 의	소송의 대상인 사건에 대하여 객관적 진실을 발견하여 사안의 진상을 명백히 하자는 주의를 실체적 진실주의라 한다. ┌ 형식적 진실주의 : 민사소송(당사자 처분권주의) └ 실체적 진실주의 : 형사소송
내 용	1. 적극적 진실주의와 소극적 진실주의 ① 적극적 실체적 진실주의 : 범죄사실을 밝혀 죄 있는 자를 빠짐없이 벌해야 한다는 주의로서 대륙법계의 직권주의 소송구조에서 강조되었다. ② 소극적 실체적 진실주의 : 죄 없는 자를 유죄로 하여서는 안 된다는 주의로서 영미법계의 당사자주의적 소송구조에서 강조되었다. "열 사람의 범인을 놓치는 한이 있더라도 한 사람의 죄 없는 자를 벌해서는 안 된다."는 격언이나 "의심스러울 때에는 피고인의 이익으로(in dubio pro reo)"라는 격언 등은 이를 반영한 것이다. ▶ 현행 형사소송법의 해석 ⇨ 소극적 실체적 진실주의에 우선적인 의미 부여 ▶ 현대 자유민주주의 국가 ⇨ 소극적 실체적 진실주의 강조 ▶ 실체적 진실주의 ⇨ 직권주의와 당사자주의 모두에 부합 2. 실체적 진실주의의 제도적 구현 • 직권에 의한 증거조사(제295조) • 증거재판주의(제307조) • 자유심증주의(제308조) • 자백배제법칙(제309조), 자백보강법칙(제310조) • 상소제도(제361조의 5, 제383조) • 재심제도(제420조)
한 계	인간능력의 한계, 헌법 요청에 따른 한계(적법절차, 신속재판), 초소송법적 이익에 의한 제약(국가적 · 사회적 · 개인적 이익이 실체적 진실의 발견보다 더 클 때)

01 다음 중 실체적 진실주의에 대한 설명으로 잘못된 것은 모두 몇 개인가?

㉠ 범죄사실의 증명이 없는 경우 피고인에게 무죄를 선고하여야 한다는 형사소송법상 원칙은 "의심스러울 때에는 피고인의 이익으로"라는 법언과 관련이 있다.
㉡ 궐석재판제도는 소극적 실체적 진실주의와 관련이 있다.
㉢ "10명의 죄인을 방면하는 일이 있어도 한 사람의 죄 없는 사람이 처벌되어서는 안 된다."는 법언은 "모든 국민은 행위시의 법률에 의하여 범죄를 구성하지 아니하는 행위로 소추되지 아니하며 동일한 범죄에 대하여 거듭 처벌되지 아니한다."와 관련이 있다.
㉣ 증인에게 신문 전에 선서하게 하도록 하는 것은 적극적 실체적 진실주의와 관련이 있다.
㉤ 공판조서의 증명력의 제한은 소송에 있어서 실체적 진실의 발견의 제약요인이 된다.

① 1개 ② 2개 ③ 3개 ④ 4개

| 해설 ㉠ ○ : 무죄추정의 원칙은 증명의 단계에서 '의심스러울 때에는 피고인의 이익으로'라는 원칙으로 작용하여 실체적 진실발견에 영향을 미치고 있다.
㉡ × : 궐석재판(피고인 불출석 재판)은 신속재판의 원칙과 관련이 있다.
㉢ × : 전자는 소극적 실체적 진실주의와 관련이 있으나, 후자 즉 "모든 국민은 행위시의 법률에 의하여 범죄를 구성하지 아니하는 행위로 소추되지 아니하며 동일한 범죄에 대하여 거듭 처벌되지 아니한다."는 법적 안정성 차원에서 인정한 것이며, 실체적 진실주의와는 무관하다.
㉣ × : 증인선서는 증언의 진실성과 확실성을 담보하기 위한 제도로서, 소극적 실체적 진실주의와 관련이 있다.
㉤ × : 공판기일의 소송절차로서 공판조서에 기재된 것은 그 조서만으로 증명하고, 다른 자료에 의한 반증은 허용하지 않는다. 이를 공판조서의 증명력 제한이라 부른다. 이는 절차진행의 혼란을 막기 위함이지 실체적 진실발견과 관련되어 있는 것은 아니다.

02 다음 중 실체적 진실주의를 구현하기 위한 제도가 아닌 것으로만 묶은 것은?

㉠ 법원의 직권증거조사 ㉡ 필요적 보석의 원칙
㉢ 상소와 재심제도 ㉣ 기소편의주의
㉤ 증거재판주의 ㉥ 당사자처분권주의
㉦ 비상상고제도 ㉧ 영장주의
㉨ 피고인 진술거부권의 고지 ㉩ 자백보강법칙

① ㉠, ㉡, ㉢, ㉣ ② ㉡, ㉢, ㉥, ㉦, ㉩
③ ㉣, ㉤, ㉥, ㉧, ㉨ ④ ㉡, ㉣, ㉥, ㉦, ㉧, ㉨

| 해설 ㉠㉢㉤㉩은 실체적 진실주의를 구현하기 위한 제도에 해당한다.
㉡ 보석제도는 인권보장 측면에서 인정되는 제도이며, ㉣ 기소편의주의는 검사에게 공소제기 여부의 재량권을 부여하는 제도이며, 피의자를 불기소처분에 의해 신속히 형사절차에서 해방시키는 것은 신속한 재판의 이념과 일치하므로 신속재판의 원칙과 관계있고, ㉥ 당사자처분권주의는 민사소송에서 인정된다.
㉦ 비상상고는 확정판결에 대하여 심판의 법령위반을 바로잡기 위해 인정한 제도이며, ㉧㉨은 적정절차의 원칙과 관계가 있다.

Answer 1. ④ 2. ④

03 소극적 진실주의와 직접적 관계가 없는 것은 모두 몇 개인가?

㉠ 일사부재리의 원칙	㉡ 자백의 임의성
㉢ 자백의 보강법칙	㉣ 전문법칙
㉤ 불이익변경금지원칙	

① 1개 ② 2개 ③ 3개 ④ 4개

해설 ㉠ 일사부재리의 원칙이란 유·무죄의 실체재판이나 면소판결이 한번 확정된 사건에 대해서는 재차 심리·판결을 하는 것을 허용하지 않는다는 원칙으로 법적 안정성을 위한 제도이지 실체적 진실주의와는 직접적 관계가 없다.
㉡(임의성 없는 자백은 증거능력이 없으며) ㉢(피고인의 유일한 자백만으로는 유죄로 할 수 없고) ㉣(전문증거는 증거능력이 없다)은 억울한 피고인을 범죄자로 해서는 안 된다는 소극적 진실주의와 관계가 있다.
㉤ 불이익변경금지원칙은 피고인의 상소권 또는 정식재판청구권의 행사를 보장함을 목적으로 하는 제도이지 실체적 진실발견을 목적으로 하는 제도가 아니다.

04 적극적 실체적 진실주의와 배치되는 것은?

① 수사기관의 압수·수색
② 위법수집증거배제법칙
③ 검사의 증거보전청구
④ 자유심증주의

해설 ② 위법수집증거배제법칙은 증거능력의 제한에 관한 법칙으로 소극적 실체적 진실주의와 관계가 있다.
적극적 실체적 진실주의란 범죄사실을 명백히 하여 죄 있는 자를 빠짐없이 벌하도록 하는 것으로서 ①③④가 이에 합치된다.
자유심증주의는 법관이 자유롭게 증거의 실질적 가치 여부를 판단하여 사안의 진상을 파악할 수 있게 하는 주의로서 적극적 실체적 진실주의와 배치된 것으로 볼 수는 없다.

Answer 3.② 4.②

THEMA 06 적정절차의 원칙

<table>
<tr><td>의 의</td><td colspan="2">적정절차의 원칙이란 헌법정신을 구현한 공정한 법적 절차에 의하여 형벌권이 실현되어야 한다는 원칙을 말한다(헌법 제12조 제1항).
▶ 영국 Magna Charta에서 유래, 미국 수정헌법에 규정, 독일에서도 법치국가원리 인정
▶ 헌법 제12조 제1항의 적법절차란 법률이 정한 형식적 절차 및 그 실체적 내용이 모두 적정하여야 함을 말하는 것으로서 적정하다고 함은 공정하고 합리적이며 상당성이 있어 정의 관념에 합치되는 것을 뜻한다(대결 1988.11.16, 88초60). 19 · 20. 순경 1차, 20. 경찰간부, 11 · 16 · 19 · 22. 경찰승진
▶ 헌법 제12조 제1항의 "적법절차주의"는 절차의 적법성뿐만 아니라 절차의 적정성까지 보장되어야 한다는 뜻으로 이해되어야 한다(헌재결 1993.7.29, 90헌바35). 14. 7급 국가직, 20. 경찰승진, 21. 해경
▶ 헌법 제12조 제3항 본문(체포 · 구속 · 압수 · 수색을 할 때에 검사의 신청에 의하여 법관이 발부한 영장 제시)은 동조 제1항과 함께 적법절차원리의 일반조항에 해당하는 것으로서, 형사절차상의 영역에 한정되지 않고 입법, 행정 등 국가의 모든 공권력의 작용에 적용된다(헌재결 1992.12.24, 92헌가8). 04. 순경, 22. 경찰간부</td></tr>
<tr><td rowspan="4">공정한 재판의 원칙</td><td colspan="2">공정한 재판의 원칙이란 독립된 법관에 의하여 재판이 공정하게 진행되어야 한다는 것을 말한다.</td></tr>
<tr><td>공평한 법원의 구성</td><td>사법권의 독립, 법관의 신분보장, 법관과 법원직원의 제척 · 기피 · 회피 제도를 인정</td></tr>
<tr><td>피고인의 방어권 보장</td><td>• 제1회 공판기일 유예기간(제269조)
• 피고인의 공판정출석권(제276조)
• 피고인의 진술거부권(제283조의 2)
• 증거신청권(제294조)
• 증거보전청구권(제184조)</td></tr>
<tr><td>무기 평등의 원칙</td><td>변호인의 조력을 받을 권리를 인정, 국선변호인 제도 등</td></tr>
<tr><td>비례의 원칙</td><td colspan="2">강제처분은 소송의 목적을 달성하는 데 적합하고(적합성), 다른 수단에 의하여는 그 목적을 달성할 수 없을 뿐만 아니라(필요성) 그 행사로 인한 침해가 사건의 의미와 범죄혐의의 정도에 비추어 상당해야 한다(상당성)는 원칙을 말한다.</td></tr>
<tr><td>피고인 보호의 원칙</td><td colspan="2">진술거부권 고지와 같은 각종 고지제도가 이에 해당</td></tr>
</table>

01 다음 중 적정절차의 원칙을 구현하기 위한 제도로만 연결된 것은?

㉠ 구속기간의 제한	㉡ 피고인의 공판정출석권	㉢ 대표변호인제도
㉣ 재심제도	㉤ 증거보전청구권	㉥ 진술거부권의 고지
㉦ 제척 · 기피 · 회피제도		

① ㉠, ㉡, ㉢
② ㉡, ㉤, ㉥, ㉦
③ ㉢, ㉤, ㉥, ㉦
④ ㉢, ㉣, ㉤, ㉥

| 해설 ㉠㉢ 신속한 재판을 위한 제도
㉡㉤㉥㉦ 적정절차의 원칙을 위한 제도
㉣ 실체적 진실발견을 위한 제도

02 적법절차의 원칙에 대한 설명으로 옳지 않은 것은 모두 몇 개인가?(다툼이 있는 경우 판례에 의함)

㉠ 적법절차의 원칙은 형사절차의 적법성뿐만 아니라 적정성도 보장해야 함을 의미한다.
㉡ 헌법 제12조 제1항 제2문과 동조 제3항에서 적법절차의 원칙을 규정한 것은 법관이 헌법과 법률을 적용함에 있어 국가형벌권보다 개인의 인권옹호를 우위에 두라는 취지이다.
㉢ 직접주의와 전문법칙의 예외를 규정한 형사소송법 제314조는 그 내용에 있어서 합리성과 정당성을 갖춘 적정한 것이어서 적법절차에 합치하는 법률 규정이다.
㉣ 헌법상 영장제도와 적법절차원칙의 규정 취지에 비추어 볼 때, 형사재판 중인 피고인에 대하여 법원이 구속영장을 발부하는 경우에는 검사의 신청이 있어야 한다.
㉤ 헌법 제12조 제3항 본문(체포 · 구속 · 압수 · 수색을 할 때에 검사의 신청에 의하여 법관이 발부한 영장 제시)은 형사절차상의 영역에 한정되지 않고 입법, 행정 등 국가의 모든 공권력의 작용에 적용된다.

① 1개 ② 2개 ③ 3개 ④ 4개

| 해설 ㉠ ○ : 헌재결 1993.7.29, 90헌바35
㉡ ○ : 적법절차주의를 채택한 것은 적법절차가 국가형벌권의 실행절차인 형사소송을 규율하는 기본원리임을 명시하고, 국가형벌권의 행사는 피의자 또는 피고인의 인권을 침해하지 아니하는 한도 내에서만 그 적정성이 인정될 수 있음을 강조한 것이라고 보여진다(헌재결 1993.7.29, 90헌바35).
㉢ ○ : 헌재결 1998.9.30, 97헌바51
㉣ × : 헌법 제12조 제3항은 헌법 제12조 제1항과 함께 이른바 적법절차의 원칙을 규정한 것으로서 범죄수사를 위하여 구속 등의 강제처분을 함에 있어서는 법관이 발부한 영장이 필요하다는 것과 수사기관 중 검사만 법관에게 영장을 신청할 수 있다는 데에 그 의의가 있고, 형사재판을 주재하는 법원이 피고인에 대하여 구속영장을 발부하는 경우에도 검사의 신청이 있어야 한다는 것이 그 규정의 취지라고 볼 수는 없다(대결 1996.8.12, 96모46).
㉤ ○ : 헌재결 1992.12.24, 92헌가8

Answer 1. ② 2. ①

THEMA 07 **판례 정리**

- **적정절차 위배 ×**

1. **경찰공무원이나 검사의 신문을 받으면서** 자신의 신원을 밝히지 않고 지문채취에 불응하는 경우 벌금, 과료, 구류의 형사처벌을 받도록 하고 있는 경범죄처벌법 제1조 제42호는 **형벌에 의한 불이익을 부과함으로써 심리적·간접적으로 지문채취를 강제하고 그것도 보충적으로만 적용하도록 하고 있어** 적법절차의 원칙에 위반되지 아니한다(**헌재결 2004.9.23, 2002헌가17**). 17. 순경 2차, 15·16·18. 경찰간부, 10·11·14·15·16·19. 경찰승진
2. **17세 이상 모든 국민의 열 손가락 지문정보를 수집하여 경찰청장이 보관하고 있는** 지문정보를 범죄수사목적에 이용하는 행위는 **신체의 안정성을 저해한다거나 신체활동의 자유를 제약하는 것으로 볼 수 없으므로** 신체의 자유를 침해하거나 무죄추정원칙과 영장주의 내지 강제수사법정주의에 위배되지 않는다(**헌재결 2005.5.26, 99헌마513**). 11·14·15. 경찰승진, 12. 순경 3차, 13·18. 경찰간부
3. **법관이 아닌** 사회보호위원회가 치료감호의 종료 여부를 결정하도록 한 구 사회보호법규정은 **행정소송을 제기하여 법관에 의한 재판이 가능하다는 점 등을 고려할 때** 재판청구권을 침해하거나 적법절차에 위배되지 않는다(**헌재결 2005.2.3, 2003헌바1**). 12. 순경 3차, 13·18. 경찰간부, 11·12·14·21. 경찰승진
4. **구속기간은** 법원이 피고인을 구속한 상태에서 재판할 수 있는 기간을 **의미하는 것이지, 법원의 재판기간 내지 심리기간 자체를 제한하려는 규정이라 할 수는 없으며, 구속기간을 엄격히 제한하고 있다 하더라도 공정한 재판을 받을 권리가 침해된다고 볼 수는 없다**(**헌재결 2001.6.28, 99헌가14**). 10·11·14. 경찰승진, 16. 경찰간부
5. **형사소송법 제219조가 준용하는 제118조는 "압수·수색영장은 처분을 받는 자에게 반드시 제시하여야 한다."고 규정하고 있으나, 이는 영장제시가 현실적으로 가능한 상황을 전제로 한 규정으로 보아야 하고,** 피처분자가 현장에 없거나 현장에서 그를 발견할 수 없는 경우 등 영장제시가 현실적으로 불가능한 경우에는 **영장을 제시하지 아니한 채 압수·수색을 하더라도 위법하다고 볼 수 없다**(**대판 2015.1.22, 2014도10978 전원합의체**). 15. 순경 2차, 16. 경찰간부
6. **경찰관이** 간호사로부터 진료 목적으로 이미 채혈되어 있던 피고인의 혈액 중 일부를 주취운전 여부에 대한 감정을 목적으로 임의로 제출 받아 이를 압수한 경우, **당시 간호사가 위 혈액의 소지자 겸 보관자인 병원 또는 담당의사를 대리하여 혈액을 경찰관에게 임의로 제출할 수 있는 권한이 없었다고 볼 특별한 사정이 없는 이상, 그 압수절차가 피고인 또는 피고인의 가족의 동의 및 영장 없이 행하여졌다고 하더라도** 적법절차를 위반한 위법이 있다고 할 수 없다(**대판 1999.9.3, 98도968**). 15. 경찰간부 11·19. 경찰승진
7. **소송의 지연을 목적으로 함이 명백한 경우에 기피신청을 받은 법원 또는 법관이 이를 기각할 수 있도록 규정한** 형사소송법 제20조 제1항이 **헌법상 보장되는** 공정한 재판을 받을 권리를 침해하였다고 할 수 없다(**헌재결 2006.7.27, 2005헌바58**). 11. 경찰승진, 15·16. 경찰간부
8. 구치소 및 교도소에 수용되는 과정에서 **알몸 상태로 가운만 입고 전자영상장비에 의한 신체검사기에 올라가 다리를 벌리고 용변을 보는 자세로 쪼그려 앉아 항문 부위에 대한 검사는 흉기 기타 위험물이나 금지물품을 교정시설 내로 반입하는 것을 차단함으로써 수용자 및 교정시설 종사자들의 생명·신체의 안전과 교정시설 내의 질서를 유지한다는** 공적인 이익이 훨씬 크다 할 것이므로, 과잉금지원칙에 위배되어 청구인의 인격권 내지 신체의 자유를 침해한다고 볼 수 없다(**헌재결 2011.5.26, 2010헌마775**). 12. 경찰승진, 13. 경찰간부

유사판례: 교도관이 마약류사범에게 검사의 취지와 방법을 설명하고 반입금지품을 제출하도록 안내한 후 외부와 차단된 검사실에서 같은 성별의 교도관 앞에 돌아서서 하의속옷을 내린 채

상체를 숙이고 양손으로 둔부를 벌려 항문을 보이는 방법으로 실시한 정밀신체검사는 모욕감이 나 수치심에 비하여 공익이 보다 크므로 **과잉금지의 원칙에 위배되었다고 할 수 없다**(헌재결 2006.6.29, 2004헌마826).

비교판례 : 경찰관에게 **등을 보인 채 상의를 속옷과 함께 겨드랑이까지 올리고 하의를 속옷과 함께 무릎까지 내린 상태에서 3회에 걸쳐 앉았다 일어서게 하는 방법으로 실시한 정밀신체수색은 헌법 제10조의 인간의 존엄과 가치로부터 유래하는** 인격권 및 **제12조의** 신체의 자유를 침해하는 정도에 이르렀다고 **판단된다**(헌재결 2002.7.18, 2000헌마327). 15 · 16. 경찰승진, 17. 순경 2차

9. **도로교통법 제148조의 2 제1항 제1호의 '도로교통법 제44조 제1항을 2회 이상 위반한' 것에 개정된 위 도로교통법이 시행된 2011. 12. 9. 이전에** 구 도로교통법 제44조 제1항을 위반한 음주운전 전과까지 포함되는 것으로 해석하는 것이 형벌불소급의 원칙이나 일사부재리의 원칙 또는 비례의 원칙에 위배된다고 할 수 없다(**대판** 2012.11.29, 2012도10269). 16. 경찰간부
10. **진술을 요할 자가 외국거주로 인하여 진술할 수 없는 경우에 예외적으로 전문증거의 증거능력을 인정하는** 형사소송법 제314조 중 외국거주에 관한 부분이 명확성 원칙이나 공정한 재판을 받을 권리를 침해하였다고 볼 수는 없다(**헌재결** 2005.12.22, 2004헌바45). 14. 7급 국가직
11. **적법절차에 위배되는 행위의** 영향이 차단되거나 소멸되었다고 볼 수 있는 상태에서 수집한 증거는 **그 증거능력을 인정하더라도** 적법절차의 실질적 내용에 대한 침해가 일어나지는 않는다(**대판** 2013.3.14, 2010도2094). 13. 7급 국가직, 21. 경찰승진
12. **통고의 내용을 이행하지 않게 되면 고발되어 형사재판절차에서 통고처분의 위법 · 부당함을 얼마든지 다툴 수 있기 때문에** 통고처분에 대하여 행정심판이나 행정소송으로 다툴 수 없다는 관세법 규정은 재판받을 권리를 침해한다든가 적법절차의 원칙에 저촉된다고 볼 수 없다(**헌재결** 1998.5.28, 96헌바4). 04. 순경
13. 항소심이 **그 자신의 양형판단과 일치하지 아니한다고 하여 양형부당을 이유로** 제1심판결을 파기하는 것이 바람직하지 아니한 점이 있다고 하더라도 **양형심리 및 양형판단 방법이** 위법하다고까지 할 수는 없다. **그리고 위와 같은 판단의 근거가 된 양형자료와 그에 관한 판단 내용이** 모순 없이 설시되어 있는 경우에는 **양형의 조건이 되는 사유에 관하여** 일일이 명시하지 아니하여도 위법하다고 할 수 없다(**대판** 2015.7.23, 2015도3260).
14. **분리수용 및 처우제한에 대해 법원에 의한** 개별적인 통제절차를 두고 있지 않다는 점만으로 적법절차원칙에 위반된 것이라고 볼 수는 없다(**헌재결** 2014.9.25, 2012헌마523).
15. **금치기간 중** 집필제한과 서신수수제한**에 관한 형의 집행 및 수용자의 처우에 관한 법률의 규정은** 표현의 자유와 통신의 자유를 침해하지 아니한다(**헌재결** 2014.8.28, 2012헌마623).
16. **경찰공무원의** 증인적격을 인정한다 하더라도 **적법절차의 원칙에 반한다고 볼 수 없다**(헌재결 2001.11.29, 2001헌바41).
17. **증인신문사항의 서면제출을 명하고 이를 이행하지 않을 경우에 증거결정을 취소할 수 있는 권한의 근거가 되는 형사소송법 제279조(재판장의 소송지휘권) 및 제299조(불필요한 변론 등의 제한)가 헌법상 보장된** 무죄추정의 원칙 내지 공정한 재판을 받을 권리를 침해하였다고는 볼 수 없다(**헌재결** 1998.12.24, 94헌바46).
18. **'형의 집행 및 수용자의 처우에 관한 법률' 제112조 제3항 본문 중 제108조 제4호(금치처분을 받은 자에 대하여 30일 이내 공동행사 참가 정지)는** 통신의 자유, 종교의 자유를 침해하지 아니하며, **제108조 제6호(금치처분을 받은 자에 대하여 30일 이내 텔레비전시청 제한)는** 알 권리를 침해하지 아니한다. **제108조 제7호(금치처분을 받은 자에 대하여 30일 이내 자비구매품 사용제한)는** 일반적 행동의 자유를 침해하지 아니한다(**헌재결** 2016.5.26, 2014헌마45).

19. 특별사법경찰관이 관할구역 밖에서 수사할 경우 관할 검사장에 보고의무규정은 내부적 보고의무 규정에 불과하므로, 특별사법경찰관리가 이를 이행하지 않았다고 하여 적법절차의 실질적인 내용을 침해하는 경우에 해당하지 않는다(대판 2023.6.1, 2020도12157).

• **적정절차 위배** ○

1. 검사가 법원의 증인으로 채택된 수감자를 그 증언에 이르기까지 거의 매일 검사실로 하루 종일 소환하여 피고인측 변호인이 접근하는 것을 차단하고, 검찰에서의 진술을 번복하는 증언을 하지 않도록 회유·압박하는 한편, 때로는 검사실에서 그에게 편의를 제공하기도 한 행위는 피고인의 공정한 재판을 받을 권리를 침해한 것이다(대판 2002.10.8, 2001도3931). 13·15·18. 경찰간부, 11·15·19. 경찰승진
2. 금치처분을 받은 사람에게 원칙적으로 실외운동을 금지하되, 예외적으로 실외운동을 허용할 수 있도록 하는 '형의 집행 및 수용자의 처우에 관한 법률' 제112조 제3항 본문 중 제108조 제13호에 관한 부분은 헌법에 위반된다(헌재결 2016.5.26, 2014헌마45).
   ▶ 금치처분을 받은 사람에 대한 전면적 운동금지 규정인 '형의 집행 및 수용자의 처우에 관한 법률' 제145조 제2항에 대한 헌법재판소의 위헌결정(헌재결 2004.12.16, 2002헌마478) 11. 경찰승진, 12. 순경 3차, 15. 경찰간부에 따라 원칙적으로 실외운동을 금지하되, 예외적으로 실외운동을 허용할 수 있도록 형집행법이 개정된바 있다(제112조 제3항). 그러나 헌법재판소는 다시 이 규정에 대하여 금치처분을 받은 사람에 대한 실외운동은 원칙적으로 허용되어야 하고 징벌대상자의 특성을 고려하여 예외적으로만 제한되어야 한다는 이유로 다시 위헌결정을 하였다(헌재결 2016.5.26, 2014헌마45). 따라서 이제는 금치처분을 받은 사람에 대한 실외운동은 원칙적으로 허용되게 되었고 예외적으로만 금지할 수 있을 뿐이다.
3. 교정시설의 1인당 수용면적이 수형자의 인간으로서의 기본 욕구에 따른 생활조차 어렵게 할 만큼 지나치게 협소하다면, 이는 그 자체로 국가형벌권 행사의 한계를 넘어 수형자의 인간의 존엄과 가치를 침해하는 것이다(헌재결 2016.12.29, 2013헌마142).
4. 경찰관에게 등을 보인 채 상의를 속옷과 함께 겨드랑이까지 올리고 하의를 속옷과 함께 무릎까지 내린 상태에서 3회에 걸쳐 앉았다 일어서게 하는 방법으로 실시한 정밀신체수색은 헌법 제10조의 인간의 존엄과 가치로부터 유래하는 인격권 및 제12조의 신체의 자유를 침해하는 정도에 이르렀다고 판단된다(헌재결 2002.7.18, 2000헌마327). 15·16. 경찰승진, 17. 순경 2차
5. 선거관리위원회 위원·직원이 관계인에게 진술이 녹음된다는 사실을 미리 알려 주지 아니한 채 진술을 녹음하였다면, 그와 같은 조사절차에 의하여 수집한 녹음파일 내지 그에 터 잡아 작성된 녹취록은 형사소송법 제308조의 2에서 정하는 '적법한 절차에 따르지 아니하고 수집한 증거'에 해당한다(대판 2014.10.15, 2011도3509). 16. 경찰간부, 17. 순경 2차
   비교판례 : 개정된 공직선거법은 제272조의 2 제7항을 신설하여 선거관리위원회의 조사절차에서 관계인(피조사자)에게 진술거부권을 고지하도록 하는 규정을 마련하였다. 다만, "이 법은 공포한 날부터 시행하므로 그 시행 전에 이루어진 조사절차에서 관계자에게 질문을 하면서 미리 진술거부권을 고지하지 않았다고 하여 선거관리위원회 문답서의 증거능력이 당연히 부정된다고 할 수는 없다(대판 2014.1.16, 2013도5441)."고 하였다. – 진술거부권 불고지의 문제
6. 공정한 재판을 받을 권리 속에는 당사자주의와 구두변론주의가 보장되어 당사자가 공소사실에 대한 답변과 입증 및 반증하는 등 공격·방어권이 충분히 보장되는 재판을 받을 권리가 포함되어 있다. 범인필벌의 요구만을 앞세워 합리성과 정당성을 갖추지 못한 방법이나 절차에 의한 증거수집과 증거조사를 허용하는 것은 적법절차의 원칙 및 공정한 재판을 받을 권리에 위배되는 것이다(헌재결 1996.12.26, 94헌바1). 13. 7급 국가직

7. 헌법과 형사소송법이 정한 절차에 따르지 아니하고 수집한 증거는 물론 이를 기초로 하여 획득한 2차적 증거 역시 기본적 인권보장을 위해 마련된 적법한 절차에 따르지 않은 것으로서 원칙적으로 유죄인정의 증거로 삼을 수 없다(대판 2007.11.15, 2007도3061 전원합의체). 15. 경찰간부
8. 제1심 공판의 특례를 규정한 소송촉진 등에 관한 특례법 제23조(제1심 공판절차에서 피고인에 대한 송달불능보고서가 접수된 때로부터 6월이 경과하도록 피고인의 소재를 확인할 수 없는 때에는 피고인의 진술없이 재판할 수 있다. 다만, 사형 · 무기 또는 단기 3년 이상의 징역이나 금고에 해당하는 사건의 경우에는 그러하지 아니하다)는 피고인 불출석 상태에서 중형이 선고될 수도 있는 가능성을 배제하고 있지 아니할 뿐만 아니라 그 적용대상이 너무 광범위하므로, 과잉금지의 원칙에 위배되어 피고인의 공정한 재판을 받을 권리를 침해하는 것이다(헌재결 1998.7.16, 97헌바22). 04. 순경
   ▶ 위 위헌결정에 따라 '제1심 공판절차에서 피고인에 대한 송달불능보고서가 접수된 때부터 6개월이 지나도록 피고인의 소재를 확인할 수 없는 경우에는 피고인의 진술 없이 재판할 수 있다. 다만, 사형, 무기 또는 장기 10년이 넘는 징역이나 금고에 해당하는 사건의 경우에는 그러하지 아니한다.' 로 개정되었다(소송촉진에 관한 특례법 제23조). ∴ 피고인 불출석 재판 범위 축소
9. 형사재판의 피고인으로 출석하는 수형자에 대하여, 사복착용을 금지하고 교정시설에서 지급하는 재소자용 의류를 입도록 하는 '형의 집행 및 수용자의 처우에 관한 법률' 제88조는 공정한 재판을 받을 권리, 인격권, 행복추구권을 침해한다(헌재결 2015.12.23, 2013헌마712).

   비교판례

   ① 민사재판의 당사자로 출석하는 수형자에 대하여 사복착용을 금지하고 교정시설에서 지급하는 재소자용 의류를 입도록 하는 경우는 공정한 재판을 받을 권리, 인격권, 행복추구권을 침해하지 않는다(헌재결 2015.12.23, 2013헌마712).
   ② 수사 및 재판을 받는 동안 미결수용자에게 재소자용 의류를 입게 하는 것도 무죄추정의 원칙에 위반한다(헌재결 1999.5.27, 97헌마137). 07 · 08. 순경, 09. 전의경
   ③ 미결수용자에게 시설 안에서 재소자용 의류를 입게 하는 것은 구금 목적의 달성, 시설의 규율과 안전유지를 위한 필요최소한의 제한으로서 정당성 · 합리성을 갖춘 재량의 범위 내의 조치이다(헌재결 1999.5.27, 97헌마137).
10. 집회 및 시위에 관한 법률 중 야간시위금지 규정은 '해가 진 후부터 같은 날 24시까지의 시위'에 적용하지 아니한다고 보아야 할 것이므로, 이를 포함하고 있는 한 이 규정은 헌법에 위반된다(헌재결 2014.3.27, 2010헌가2 · 2012헌가13 병합).
11. 검사실에서의 계구사용을 원칙으로 하면서 심지어는 검사의 계구해제 요청이 있더라도 이를 거절하도록 규정한 계호근무준칙조항은 신체의 자유를 침해하므로 헌법에 위반된다(헌재결 2005.5.26, 2004헌마49).
12. 검사보관의 수사기록에 대하여 변호인의 열람 · 등사를 지나치게 제한하는 것은 신속 · 공정한 재판을 받을 권리를 침해하는 것이다(헌재결 1997.11.27, 94헌마60).

• 기 타

1. 음주운전과 관련한 도로교통법 위반죄의 범죄수사를 위하여 미성년자인 피의자의 혈액채취가 필요한 경우에도 피의자에게 의사능력이 있다면 피의자 본인만이 혈액채취에 관한 유효한 동의를 할 수 있고, 피의자에게 의사능력이 없는 경우에도 명문의 규정이 없는 이상 법정대리인이 피의자를 대리하여 동의할 수는 없다(대판 2014.11.13, 2013도1228). 16. 경찰간부, 17. 순경 2차 · 경찰승진
2. 수사기관이 피의자를 신문함에 있어서 피의자에게 미리 진술거부권을 고지하지 않은 때에는 그 피의자의 진술은 그 임의성이 인정되는 경우라도 증거능력이 부인되어야 한다(대판 1992.6.23, 92도682). 11. 경찰승진

3. 법원이 피고인의 구속 또는 그 유지 여부의 필요성에 관하여 한 재판의 효력이 검사나 다른 기관의 의견이나 불복이 있다 하여 좌우되거나 제한받는다면 영장주의원칙에 위배된다(헌재결 1993.12.23, 93헌가2). 19. 경찰간부
4. 변호인의 접견교통권은 피고인 또는 피의자나 피내사자의 인권보장과 방어준비를 위하여 필수불가결한 권리이므로 법령에 의한 제한이 없는 한 수사기관의 처분은 물론 법원의 결정으로도 이를 제한할 수 없다(대결 1996.6.3, 96모18).
5. 디엔에이감식시료채취영장 발부 과정에서 채취대상자에게 자신의 의견을 밝히거나 영장 발부 후 불복할 수 있는 절차 등에 관하여 규정하지 아니한 '디엔에이신원확인정보의 이용 및 보호에 관한 법률' 제8조는 과잉금지원칙을 위반하여 청구인들의 재판청구권을 침해한다(헌재결 2018.8.30, 2016헌마344).
6. 구 계엄법 제15조에서 정하고 있는 '제13조의 규정에 의하여 취한 계엄사령관의 조치'는 대외적으로 구속력이 있는 법규명령으로서 효력을 가진다. 그러므로 법원은 계엄포고에 대한 위헌·위법 여부를 심사할 권한을 가진다(대판 2018.11.29, 2016도14781).
7. 인접한 시기에 같은 피해자를 상대로 저질러진 동종 범죄에 대해서도 각각의 범죄에 따라 피해자 진술의 신빙성이나 그 신빙성 유무를 기초로 한 범죄 성립 여부를 달리 판단할 수 있고, 이것이 실체적 진실발견과 인권보장이라는 형사소송의 이념에 부합한다(대판 2022.3.31, 2018도19472).

01 **형사소송법의 이념인 적정절차의 원칙에 대한 설명으로 가장 적절하지 않은 것은?**(다툼이 있는 경우 판례에 의함) 17. 순경 2차

① 경찰관에게 등을 보인 채 상의를 속옷과 함께 겨드랑이까지 올리고 하의를 속옷과 함께 무릎까지 내린 상태에서 3회에 걸쳐 앉았다 일어서게 하는 방법으로 실시한 신체수색은 헌법 제10조 및 제12조에 의하여 보장되는 청구인들의 인격권 및 신체의 자유를 침해한 것이다.

② 음주운전과 관련한 도로교통법 위반죄의 범죄수사를 위하여 미성년자인 피의자의 혈액채취가 필요한 경우, 피의자에게 의사능력이 있다면 피의자 본인만이 혈액채취에 관한 유효한 동의를 할 수 있고, 피의자에게 의사능력이 없는 경우에도 명문의 규정이 없는 이상 법정대리인이 피의자를 대리하여 동의할 수는 없다.

③ 선거관리위원회 위원·직원이 선거범죄와 관련하여 조사시 관계인에게 진술이 녹음된다는 사실을 미리 알려 주지 아니한 채 진술을 녹음한 경우, 그와 같은 조사절차에 의하여 수집한 녹음파일 내지 그에 터 잡아 작성된 녹취록은 증거능력이 없다.

④ 범죄의 피의자로 입건된 사람들로 하여금 수사기관의 신문을 받으면서 자신의 신원을 밝히지 아니하고 지문채취에 불응하는 경우 벌금, 과료, 구류의 형사처벌을 받도록 하고 있는 구(舊) 경범죄처벌법 제1조 제42호 조항은 적법절차의 원칙에 위반된다.

Answer 1. ④

| 해설 | ① 헌재결 2002.7.18, 2000헌마327 ② 대판 2014.11.13, 2013도1228
③ 대판 2014.10.15, 2011도3509(비밀녹음의 증거능력 문제)
④ 범죄의 피의자로 입건된 사람들로 하여금 수사기관의 신문을 받으면서 자신의 신원을 밝히지 아니하고 지문채취에 불응하는 경우 벌금, 과료, 구류의 형사처벌을 받도록 하고 있는 구(舊) 경범죄처벌법 제1조 제42호 조항은 형벌에 의한 불이익을 부과함으로써 심리적 · 간접적으로 지문채취를 강제하고 그것도 보충적으로만 적용하도록 하고 있어 피의자에 대한 피해를 최소화하기 위한 고려를 하고 있으며, 법정형은 형법상의 제재로서는 최소한에 해당되므로 적법절차의 원칙에 위반되지 아니한다(헌재결 2004.9.23, 2002헌가17).

02 적정절차의 원칙에 대한 설명으로 가장 적절하지 않은 것은?(다툼이 있는 경우 판례에 의함)

19. 경찰승진

① 경찰관이 간호사로부터 진료 목적으로 이미 채혈되어 있던 피고인의 혈액 중 일부를 주취운전 여부에 대한 감정을 목적으로 임의로 제출받아 이를 압수한 경우, 당시 간호사가 혈액의 소지자겸 보관자인 병원 또는 담당의사를 대리하여 혈액을 경찰관에게 임의로 제출할 수 있는 권한이 없었다고 볼 특별한 사정이 없는 이상, 그 압수절차가 피고인 또는 피고인의 가족의 동의 및 영장 없이 행하여졌다고 하더라도 적법절차를 위반하였다고 볼 수 없다.

② 검사가 법원의 증인으로 채택된 수감자를 그 증언에 이르기까지 거의 매일 검사실로 하루 종일 소환하여 피고인측 변호인이 접근하는 것을 차단하고, 검찰에서의 진술을 번복하는 증언을 하지 않도록 회유 · 협박하는 한편, 때로는 검사실에서 그에게 편의를 제공하기도 한 행위는 피고인의 공정한 재판을 받을 권리를 침해한다.

③ 헌법 제12조 제1항 후문이 규정하고 있는 적법절차란 법률이 정한 절차 및 그 실체적 내용이 모두 적정하여야 함을 말하는 것이다.

④ 범죄의 피의자로 입건된 사람들로 하여금 경찰공무원이나 검사의 신문을 받으면서 자신의 신원을 밝히지 않고 지문채취에 불응하는 경우 벌금, 과료, 구류의 형사처벌을 받도록 하고 있는 구 경범죄처벌법 제1조 제42호 조항은 적법절차의 원칙에 위배된다.

| 해설 | ① 헌재결 2004.9.23, 2002헌가17
② 대판 2002.10.8, 2001도39311 ③ 대결 1988.11.16, 88초60
④ 형벌에 의한 불이익을 부과함으로써 심리적 · 간접적으로 지문채취를 강제하고 그것도 보충적으로만 적용하도록 하고 있어 적법절차의 원칙에 위반되지 아니한다(헌재결 2004.9.23, 2002헌가17).

03 다음 중 판례의 태도와 부합하지 아니한 것을 모두 고른 것은?

㉠ 변호인의 도움을 받을 권리는 실체적 진실주의를 희생하더라도 절차의 공정을 관철하겠다는 적법절차의 원칙의 표현이다.
㉡ 검사실에서의 계구사용을 원칙으로 하면서 심지어는 검사의 계구해제 요청이 있더라도 이를 거절하도록 규정한 계호근무준칙조항은 신체의 자유를 침해하므로 헌법에 위반된다.

Answer 2. ④ 3. ③

㉢ 증인신문사항의 서면제출을 명하고 이를 이행하지 않을 경우에 증거결정을 취소할 수 있는 권한의 근거가 되는 형사소송법 제279조(재판장의 소송지휘권) 및 제299조(불필요한 변론 등의 제한)가 헌법상 보장된 무죄추정의 원칙 내지 공정한 재판을 받을 권리를 침해하였다고는 볼 수 없다.
㉣ 구치소 및 교도소에 수용되는 과정에서 알몸 상태로 가운만 입고 전자영상장비에 의한 신체검사기에 올라가 다리를 벌리고 용변을 보는 자세로 쪼그려 앉아 항문 부위에 대한 검사는 신체의 자유를 침해한다고 볼 수 있다.

① ㉡, ㉢ ② ㉠ ③ ㉠, ㉣ ④ ㉡, ㉢, ㉣

| 해설 ㉠ × : 변호인의 도움을 받을 권리는 적법절차의 표현이지만 그렇다고 실체적 진실주의에 반하는 것은 아니다. 변호인의 도움을 통해 피고인은 더욱 많은 증거를 법원에 제출할 수 있어 실체적 진실발견에 도움이 된다.
㉡ ○ : 헌재결 2005.5.26, 2004헌마49
㉢ ○ : 헌재결 1998.12.24, 94헌바46
㉣ × : 구치소 및 교도소에 수용되는 과정에서 알몸 상태로 가운만 입고 전자영상장비에 의한 신체검사기에 올라가 다리를 벌리고 용변을 보는 자세로 쪼그려 앉아 항문 부위에 대한 검사는 흉기 기타 위험물이나 금지물품을 교정시설 내로 반입하는 것을 차단함으로써 수용자 및 교정시설 종사자들의 생명·신체의 안전과 교정시설 내의 질서를 유지한다는 공적인 이익이 훨씬 크다 할 것이므로, 신체의 자유를 침해한다고 볼 수 없다(헌재결 2011.5.26, 2010헌마775).

유사판례 : 교도관이 마약류사범에게 검사의 취지와 방법을 설명하고 반입금지품을 제출하도록 안내한 후 외부와 차단된 검사실에서 같은 성별의 교도관 앞에 돌아서서 하의속옷을 내린 채 상체를 숙이고 양손으로 둔부를 벌려 항문을 보이는 방법으로 실시한 정밀신체검사는 모욕감이나 수치심에 비하여 공익이 보다 크므로 과잉금지의 원칙에 위배되었다고 할 수 없다(헌재결 2006.6.29, 2004헌마826).

비교판례 : 경찰관에게 등을 보인 채 상의를 속옷과 함께 겨드랑이까지 올리고 하의를 속옷과 함께 무릎까지 내린 상태에서 3회에 걸쳐 앉았다 일어서게 하는 방법으로 실시한 정밀신체수색은 헌법 제10조의 인간의 존엄과 가치로부터 유래하는 인격권 및 제12조의 신체의 자유를 침해하는 정도에 이르렀다고 판단된다(헌재결 2002.7.18, 2000헌마327).

04 형사소송법의 이념에 관한 설명 중 틀린 것은 모두 몇 개인가?(다툼이 있으면 판례에 의함)

㉠ 헌법 제12조 제3항에 규정된 영장주의는 구속의 개시시점뿐만 아니라 구속영장의 취소 또는 실효의 여부도 법관의 판단에 의하여 결정되어야 한다는 것을 의미한다.
㉡ 대법원의 파기환송판결에 의하여 사건을 환송받은 법원이 2월의 구속기간의 만료에 따라 구속기간을 갱신하는 것은 신체의 자유를 제한하는 것이므로 무죄추정원칙에 위배된다.
㉢ 헌법상 영장제도와 적법절차원칙의 규정 취지에 비추어 볼 때, 형사재판 중인 피고인에 대하여 법원이 구속영장을 발부하는 경우에는 검사의 신청이 있어야 한다.
㉣ 민사재판의 당사자로 출석하는 수형자에 대하여 사복착용을 금지하고 교정시설에서 지급하는 재소자용 의류를 입도록 하는 경우는 공정한 재판을 받을 권리, 인격권, 행복추구권을 침해하지 않는다.

① 1개 ② 2개 ③ 3개 ④ 4개

Answer 4. ②

| 해설 ㉠ ○ : 헌재결 1993.12.23, 93헌가2

㉡ × : 대법원의 파기환송판결에 의하여 사건을 환송받은 법원은 형사소송법 제92조 제1항에 따라 2월의 구속기간이 만료되면 특히 계속할 필요가 있는 경우에는 2차(대법원이 형사소송규칙 제57조 제2항에 의하여 구속기간을 갱신한 경우에는 1차)에 한하여 결정으로 구속기간을 갱신할 수 있는 것이고, 한편 무죄추정을 받는 피고인이라고 하더라도 그에게 구속의 사유가 있어 구속영장이 발부, 집행된 이상 신체의 자유가 제한되는 것은 당연한 것이므로, 이러한 조치가 무죄추정의 원칙에 위배되는 것이라고 할 수는 없다(대판 2001.11.30, 2001도5225).

㉢ × : 법원이 피고인에 대하여 구속영장을 발부하는 경우에는 검사의 신청은 불필요하다(대결 1996.8.12, 96모46).

㉣ ○ : 헌재결 2015.12.23, 2013헌마712

비교판례 : 형사재판의 피고인으로 출석하는 수형자에 대하여, 사복착용을 금지하고 교정시설에서 지급하는 재소자용 의류를 입도록 하는 '형의 집행 및 수용자의 처우에 관한 법률' 제88조는 공정한 재판을 받을 권리, 인격권, 행복추구권을 침해한다(헌재결 2015.12.23, 2013헌마712).

05 **적법절차원칙에 대한 설명으로 가장 적절하지 않은 것은?**(다툼이 있는 경우 판례에 의함)

21. 경찰승진

① 법관이 아닌 사회보호위원회가 치료감호의 종료 여부를 결정하도록 한 구 사회보호법(1996. 12. 12. 법률 제5179호로 개정된 것) 제9조 제2항은 본 위원회의 결정에 대해 행정소송을 제기하여 법관에 의한 재판이 가능하다는 점 등을 고려할 때 재판청구권을 침해하거나 적법절차에 위배된다고 할 수 없다.

② 피고인의 구속기간은 법원이 피고인을 구속한 상태에서 재판할 수 있는 기간을 의미하는 것이지, 법원의 재판기간 내지 심리기간 자체를 제한하려는 규정이라고 할 수는 없으며, 구속기간을 엄격히 제한하고 있다 하더라도 공정한 재판을 받을 권리가 침해된다고 볼 수는 없다.

③ 형사소송법상 법원은 법률에 다른 규정이 없으면 누구든지 증인으로 신문할 수 있기 때문에 경찰 공무원의 증인적격을 인정하더라도 이를 적법절차의 원칙에 반한다고 할 수 없다.

④ 위법하게 수집한 증거는 위법수집의 영향이 차단되거나 소멸되었더라도 적법절차의 원칙에 따라 그 증거능력을 인정할 수 없다.

| 해설 ① 헌재결 2005.2.3, 2003헌바1

② 헌재결 2001.6.28, 99헌가14

③ 헌재결 2001.11.29, 2001헌바41

④ 적법절차에 위배되는 행위의 영향이 차단되거나 소멸되었다고 볼 수 있는 상태에서 수집한 증거는 그 증거능력을 인정하더라도 적법절차의 실질적 내용에 대한 침해가 일어나지 않는다(대판 2013.3.14, 2010도2094).

Answer 5. ④

06 헌법재판소 또는 대법원 판례의 입장에 관한 설명 중 적절하지 않은 것은 모두 몇 개인가?

> ㉠ 적법절차의 원리는 형사절차상의 영역에 한정되지 않고 입법, 행정 등 국가의 모든 공권력의 작용에 적용된다.
> ㉡ 경찰청장이 주민등록발급신청서에 날인되어 있는 지문정보를 보관·전산화하고 이를 범죄수사목적에 이용하는 행위는 무죄추정의 원칙과 영장주의 내지 강제수사법정주의에 위배된다.
> ㉢ 금치처분을 받은 사람에 대한 실외운동은 원칙적으로 금지하되, 징벌대상자의 특성을 고려하여 예외적으로 허용되어야 한다.
> ㉣ 통고처분에 대하여 행정심판이나 행정소송으로 다툴 수 없다는 관세법 규정은 재판받을 권리를 침해한다든가 적법절차의 원칙에 저촉된다고 볼 수 없다.
> ㉤ 소송의 지연을 목적으로 함이 명백한 경우에 기피신청을 받은 법원 또는 법관이 이를 기각할 수 있도록 규정한 형사소송법 제20조 제1항은 헌법상 보장되는 공정한 재판을 받을 권리를 침해하였다고 할 수 없다.

① 1개　② 2개　③ 3개　④ 4개

| 해설 ㉠ ○ : 형사절차상의 영역에 한정되지 않고 입법, 행정 등 국가의 모든 공권력의 작용에 적용된다(헌재결 1992.12.24, 92헌가8).

㉡ × : 17세 이상 모든 국민의 열 손가락 지문정보를 수집하여 경찰청장이 보관하고 있는 지문정보를 범죄수사목적에 이용하는 행위는 신체의 안정성을 저해한다거나 신체활동의 자유를 제약하는 것으로 볼 수 없으므로 신체의 자유를 침해하거나 무죄추정원칙과 영장주의 내지 강제수사법정주의에 위배되지 않는다(헌재결 2005.5.26, 99헌마513).

㉢ × : 원칙적으로 실외운동을 금지하되, 예외적으로 실외운동을 허용할 수 있도록 규정하고 있는 형집행법 제112조 제3항에 대하여 금치처분을 받은 사람에 대한 실외운동은 원칙적으로 허용되어야 하고 징벌대상자의 특성을 고려하여 예외적으로만 제한되어야 한다는 이유로 위헌결정을 하였다(헌재결 2016.5.26, 2014헌마45). 따라서 이제는 금치처분을 받은 사람에 대한 실외운동은 원칙적으로 허용되게 되었고 예외적으로만 금지할 수 있을 뿐이다.

㉣ ○ : 통고의 내용을 이행하지 않게 되면 고발되어 형사재판절차에서 통고처분의 위법·부당함을 얼마든지 다툴 수 있기 때문에 통고처분에 대하여 행정심판이나 행정소송으로 다툴 수 없다는 관세법 규정은 재판받을 권리를 침해한다든가 적법절차의 원칙에 저촉된다고 볼 수 없다(헌재결 1998.5.28, 96헌바4).

㉤ ○ : 헌재결 2006.7.27, 2005헌바58

Answer 6. ②

THEMA 08 신속재판의 원칙

의 의	재판은 가능한 한 신속히 진행·종료해야 한다는 원칙을 말하는 것으로 "사법은 신선할수록 향기가 높다."라고 한 Bacon의 말이나 "재판의 지연은 재판의 거부와 같다."라는 법언은 바로 재판의 신속이 형사소송의 목적임을 표현한 것이라 할 수 있다.
수사와 공소제기의 신속을 위한 제도	• 구속기간 제한(제202조, 제203조) • 기소편의주의(제247조 제1항) • 공소취소(제255조) • 공소시효제도(제249조)
공판절차의 신속을 위한 제도	① 공판준비절차(제266조의 5) ② 집중심리주의(제267조의 2) 13. 경찰승진 ▶ 형사소송법은 집중심리주의를 채택하여 심리에 2일 이상이 필요한 경우에는 부득이한 사정이 없는 한 매일 개정하고, 매일 개정하지 못하는 경우에도 특별한 사정이 없는 한 전회의 공판기일로부터 14일 이내에 다음 공판기일을 지정하도록 규정하고 있다. (○) 11. 순경 2차, 13. 경찰승진 ③ 대표변호인제도(제32조의 2) ④ 재판장의 소송지휘권(제279조) ⑤ 궐석재판(피고인 불출석재판)제도(제277조의 2) ⑥ 증거동의(제318조) ⑦ 법원의 구속기간 제한(제92조) ⑧ 심판범위 한정 ⑨ 판결선고기간 제한(소송촉진 등에 관한 특례법 제21조) ▶ 형사소송법은 신속한 판결선고를 위해 제1심에서는 공소가 제기된 날로부터 6월 이내에, 항소심 및 상고심에서는 항소 또는 상고가 제기된 날로부터 각 4월 이내에 판결을 선고하도록 규정하고 있다. (×) 11. 순경 2차
상소심 재판의 신속을 위한 제도	상소의 기간 등 제한(제358조)
재판의 신속을 위한 특수한 공판절차	• 간이공판절차(제286조의 2) • 약식절차(제448조) • 즉결심판절차(즉결심판에 관한 절차법)

01 **다음 중 신속하게 절차를 진행하기 위해서 인정하고 있는 것은 모두 몇 개인가?**

㉠ 집중심리주의	㉡ 직접심리주의
㉢ 상소기간제한	㉣ 재판장의 소송지휘권
㉤ 공판기일 전 증거제출	㉥ 약식절차
㉦ 즉결심판	㉧ 재정신청기간의 제한

① 3개 ② 4개 ③ 5개 ④ 6개

해설 ㉠㉢㉣㉤㉥㉦이 신속절차를 위한 제도에 해당한다.
㉡ 직접심리주의란 공판정에서 직접 증거 조사한 증거에 한해서 재판의 기초로 삼을 수 있다는 주의를 말하며, 이는 실체적 진실과 공정한 재판의 원칙을 달성하는 데 기여하는 것이지, 신속절차에 기여하는 제도는 아니다.
㉧ 재정신청기간이 경과하면 재정신청권은 상실되며(제260조 제3항), 이 규정은 법적 안정성의 차원이지 신속절차를 위한 제도와는 직접 관련이 없다고 보아야 한다.

02 **현행 형사소송법상 공판절차를 신속하게 진행하기 위하여 인정되고 있는 것이 아닌 것은?**

① 궐석재판제도 ② 공판기일 전의 증거조사와 증거제출
③ 재판장의 소송지휘권 ④ 공소시효제도

해설 ④ 공소시효제도 역시 신속한 진행을 위한 제도에 해당하기는 하나, 공소제기 전에 문제되므로 공판절차의 신속한 진행과는 관계가 없다.

03 **형사재판의 신속에 기여하는 소송제도에 해당하지 아니하는 것은?**

① 당사자의 증거동의 ② 간이공판절차
③ 영장제도 ④ 궐석재판제도

해설 ③ 영장제도는 인권보장을 위한 제도로써 적정절차와 관련이 있다.

Answer 1.④ 2.④ 3.③

THEMA 09 판례 정리

1. 구속만기 25일을 앞두고 제1회 공판이 있었다 하여, **헌법에 정한** 신속한 재판을 받을 권리를 침해하였다 할 수 없다(**대판** 1990.6.12, 90도672). 13. 7급 국가직, 10 · 13. 경찰승진, 18. 순경 1차
2. **위헌제청신청을 하였는데도 불구하고** 재판부 구성원의 변경, 재판의 전제성과 관련한 본안심리의 필요성, 청구인에 대한 송달불능 등을 이유로 **법원이 재판을 하지 않다가 5개월이 지나서야 그 신청을 기각했다면 재판을 특별히 지연시켰다고 볼 수 없다**(헌재결 1993.11.25, 92헌마169). 10 · 14. 경찰승진
3. 구속기간(제92조 제1항)은 법원이 피고인을 구속한 상태에서 재판할 수 있는 기간을 의미하는 것이지 '법원이 형사재판을 할 수 있는 기간' 내지 '법원이 구속사건을 심리하는 기간'으로 볼 수는 없다. 따라서 이 법률조항은 미결구금의 부당한 장기화로 인하여 피고인의 신체적 자유가 침해되는 것을 방지하기 위한 목적에서이지, 신속한 재판의 실현을 목적으로 법원의 심리기간 자체를 제한하려는 규정으로 볼 수 없다(헌재결 2001.6.28, 99헌가14). 10 · 14. 경찰승진, 17. 검찰 · 교정승진
4. 제1심 선고형기를 경과한 후에 제2심 공판이 개정되었다고 하여 반드시 이를 위법이라고 할 수 없고, 또 신속한 재판을 받을 권리를 박탈한 것이라고 할 수도 없다(대판 1972.5.23, 72도840). 13. 경찰승진, 18. 순경 1차
5. 합리적이고 적정한 변론 진행을 통하여 실현되는 공익은 피고인의 신속한 재판을 받을 권리가 제한되는 정도에 비하여 결코 작다고 할 수 없으므로, 형사소송법 변론의 분리 · 병합에 관한 조항(제300조)은 신속한 재판을 받을 권리를 침해한다고 할 수 없다(헌재결 2011.3.31, 2009헌바351).
6. 군사법경찰관의 구속기간을 연장을 허용하는 것은 과도한 기본권의 제한으로서, 과잉금지의 원칙에 위반하여 신체의 자유 및 신속한 재판을 받을 권리를 침해하는 것이다(헌재결 2003.11.27, 2002헌마193).
7. 국가보안법 제7조(찬양 · 고무) 및 제10조(불고지의 죄)의 범죄에 대하여서까지 형사소송법상의 수사기관에 의한 피의자구속기간 30일보다 20일이나 많은 50일을 인정한 것은 과잉금지의 원칙을 현저하게 위배하여 피의자의 신체의 자유, 무죄추정의 원칙 및 신속한 재판을 받을 권리를 침해한 것이다(헌재결 1992.4.14, 90헌마82).
8. 구속기간을 여러 차례에 걸쳐서 갱신하였다 하더라도 반드시 피고인의 신속한 재판을 받을 권리를 침해한 것이라고는 할 수 없다(대판 1967.1.24, 66도1632).

01 **신속한 재판의 원칙에 대한 설명으로 가장 적절하지 않은 것은?**(다툼이 있는 경우 판례에 의함)

21. 경찰승진

① 형사소송법은 집중심리주의를 채택하여 심리에 2일 이상이 필요한 경우에는 부득이한 사정이 없는 한 매일 계속 개정하고, 매일 개정하지 못하는 경우에도 특별한 사정이 없는 한 전회의 공판기일부터 14일 이내로 다음 공판기일을 지정해야 한다고 규정하고 있다.
② 형사피고인은 헌법에 의해 신속한 재판을 받을 권리를 보장받고 있다.
③ 구속사건에 대해서는 법원이 구속기간 내에 재판을 하면 되는 것이고 구속 만기 25일을 앞두고 제1회 공판이 있었다면 헌법이 정한 신속한 재판을 받을 권리를 침해하였다고 할 수 없다.
④ 형사소송법에 따르면 검사는 수사의 신속한 종결을 위해 피의자가 체포 또는 구속된 날부터 30일 이내에 공소장을 제출하여야 한다.

| 해설 ① 제267조의 2
② 헌법 제27조 제3항
③ 대판 1990.6.12, 90도672
④ 공소장 제출 기한의 제한 규정은 없다.

02 **신속한 재판의 원칙에 대한 설명으로 적절하지 않은 것을 모두 고르면?**(다툼이 있으면 판례에 의함)

㉠ 현저한 재판의 지연이 있다고 하더라도 형식재판으로 사건을 종결시킬 수는 없으나, 모든 사건은 공소제기 후 판결이 확정됨이 없이 25년을 경과하게 되면 공소시효가 완성된 것으로 보게 된다.
㉡ 국가보안법 제7조(찬양・고무) 및 제10조(불고지의 죄)의 범죄에 대하여 수사기관에 의한 피의자구속기간 30일보다 20일이나 많은 50일을 인정한 것은 피의자의 신체의 자유, 무죄추정의 원칙 및 신속한 재판을 받을 권리를 침해한 것은 아니다.
㉢ 형사소송법은 신속한 판결선고를 위해 제1심에서는 공소가 제기된 날로부터 6월 이내에, 항소심 및 상고심에서는 항소 또는 상고가 제기된 날로부터 각 4월 이내에 판결을 선고하도록 규정하고 있다.
㉣ 위헌제청신청을 하였는데도 불구하고 재판부 구성원의 변경, 재판의 전제성과 관련한 본안심리의 필요성, 청구인에 대한 송달불능 등을 이유로 법원이 재판을 하지 않다가 5개월이 지나서야 그 신청을 기각했다면 청구인은 신속한 재판을 받을 권리를 침해당한 것이다.
㉤ 구속기간을 여러 차례 갱신한 경우라도 신속재판을 받을 권리가 침해되었다고 볼 수 없다.
㉥ 형사소송법 제92조의 구속기간 제한규정을 재판의 심리기간 자체를 제한하려는 규정이라 할 수 없다.

① ㉠
② ㉠, ㉡, ㉢, ㉣
③ ㉠, ㉡, ㉣, ㉥
④ ㉠, ㉡, ㉢, ㉤

Answer 1.④ 2.②

| 해설 ㉠ × : '공소제기 후 판결이 확정됨이 없이 25년을 경과하게 되면 공소시효가 완성된 것으로 보게 된다.'는 제249조 제2항의 규정은 공소시효가 폐지된 범죄의 경우에는 적용되지 아니한다.
㉡ × : 국가보안법 제7조(찬양 · 고무) 및 제10조(불고지의 죄)의 범죄에 대하여서까지 형사소송법상의 수사기관에 의한 피의자구속기간 30일보다 20일이나 많은 50일을 인정한 것은 과잉금지의 원칙을 현저하게 위배하여 피의자의 신체의 자유, 무죄추정의 원칙 및 신속한 재판을 받을 권리를 침해한 것이다(헌재결 1992.4.14, 90헌마82).
㉢ × : 형사소송법에는 규정이 없고, 소송촉진 등에 관한 특례법 제21조에 규정이 있다.
㉣ × : 재판을 특별히 지연시켰다고 볼 수 없다(헌재결 1993.11.25, 92헌마169).
㉤ ○ : 대판 1967.1.24, 66도1632
㉥ ○ : 형사소송법 제92조 제1항에서 말하는 구속기간은 법원이 피고인을 구속한 상태에서 재판할 수 있는 기간을 의미하는 것이지 '법원이 형사재판을 할 수 있는 기간' 내지 '법원이 구속사건을 심리하는 기간'으로 볼 수는 없다(헌재결 2001.6.28, 99헌가14).

03 신속한 재판의 원칙에 대한 설명으로 가장 적절하지 않은 것은?(다툼이 있는 경우 판례에 의함)

23. 경찰승진

① 구속사건에 대해서는 법원이 구속기간 내에 재판을 하면 되는 것이고 구속만기 25일을 앞두고 제1회 공판이 있었다 하여 헌법에 정한 신속한 재판을 받을 권리를 침해하였다 할 수 없다.

② 검사와 피고인 쌍방이 항소한 경우에 제1심 선고 형기 경과 후 제2심 공판이 개정되었다고 해서 이를 위법이라 할 수 없고 신속한 재판을 받을 권리를 박탈한 것이라고 할 수 없다.

③ 신속한 재판을 받을 권리는 주로 피고인의 이익을 보호하기 위하여 인정된 기본권이지만 동시에 실체적 진실발견, 소송경제, 재판에 대한 국민의 신뢰와 형벌목적의 달성과 같은 공공의 이익에도 근거가 있기 때문에 어느 면에서는 이중적인 성격을 갖고 있다.

④ 형사소송법은 신속한 재판을 받을 권리와 관련하여 공판심리의 현저한 지연을 공소기각의 결정 사유로 명시하고 있다.

| 해설 ① 대판 1990.6.12, 90도672
② 대판 1972.5.23, 72도840
③ 헌재결 1995.11.30, 90헌마44
④ 현행법은 재판지연을 구제하기 위한 별도의 명문규정을 두고 있지 않다. 따라서 현저한 재판의 지연이 있었다고 하더라도 형식재판으로 사건을 종결시킬 수는 없다. 다만, 공소제기 후 판결이 확정됨이 없이 25년을 경과하게 되면 공소시효가 완성된 것으로 보게 되므로(제249조 제2항), 이러한 경우에는 면소판결로 종결하게 된다.

Answer 3. ④

종합문제

01 **형사소송이념의 상호관계에 관한 다음 설명으로 옳은 것은?**

① 형사소송의 목적원리인 실체적 진실주의, 적정절차와 신속한 재판의 원칙은 상호간 충돌이 일어나지 않는다.

② 형사소송의 최고의 이념은 실체적 진실의 발견에 있으며 적정절차의 원칙도 진실을 발견하기 위한 절차상의 보장이라는 의미에서 적정절차의 원칙은 실체적 진실주의와 일치한다고 할 수 있다.

③ 신속한 재판의 이념은 언제나 실체적 진실주의와 일치한다고 할 수 있다.

④ 적정절차와 신속한 재판을 강조하면 저절로 실체적 진실이 발견된다.

| 해설 ①④ 실체적 진실주의 · 적정절차의 원칙, 신속재판의 원칙은 서로 충돌을 일으킬 수 있는 긴장관계에 있다.
②③ 적정절차의 원칙도 진실을 발견하기 위한 절차적 보장이며, 신속재판 또한 실체진실을 발견하기 위하여도 요청된다는 의미에서 적정절차의 원칙과 신속재판의 이념은 일정 부분 실체적 진실주의와 일치한다고 할 수 있다.

02 **다음 중 형사소송의 이념과 구조에 대한 설명으로 가장 적절한 것은?**(다툼이 있는 경우 판례에 의함)

21. 경찰승진

① 형사소송법은 형사사법의 정의를 지향하고 있으며, 형법에 비하여 도덕적 · 윤리적 성격이 강하다.

② "열 사람의 범인을 놓치는 한이 있더라도 한 사람의 죄 없는 사람을 벌하여서는 안 된다."라는 격언은 적극적 실체적 진실주의의 표현이다.

③ 현행 형사소송법에는 직권주의와 당사자주의 요소가 혼재되어 있다.

④ 형사소송법은 절차법으로서 실체법인 형법과는 목적 · 수단의 관계에 놓여 있는 순수한 합목적적 규범이다.

| 해설 ① 형사소송법은 형사사법의 정의를 지향하고 있으며, 절차법으로서 기술적 · 동적 · 발전적 성격을 가지고 있다. 도덕적 · 윤리적 성격이 강한 것은 형법의 성격이다.
② 소극적 실체적 진실주의의 표현이다.
③ 헌재결 2012.5.31, 2010헌바128
④ 형사소송법은 사법법이므로 법적 안정성(법에 의하여 보호되는 사회생활의 안정성을 의미하며, 법이 불명확하고 함부로 변경된다면 법적 안정성을 잃게 된다)을 기본원리로 하고 있다. 그러나 수사절차나 집행절차에 있어서는 법적 안정성보다는 합목적성(일정한 목적을 실현하는 데 적합한 성질)이 더욱 강조된다. 따라서 형사소송법은 순수한 합목적성을 가지는 규범이라고 볼 수는 없다.

Answer 1.② 2.③

03 형사소송법 이념과 구조에 관한 설명 중 옳지 않은 것은?(다툼이 있는 경우 판례에 의함)

21. 경찰간부

① 형사소송의 구조를 당사자주의와 직권주의 중 어느 것으로 할 것인가의 문제는 입법정책의 문제로서 우리나라 형사소송법은 그 해석상 소송절차의 전반에 걸쳐 기본적으로 직권주의 소송 구조를 취하고 당사자주의 제도적 요소를 가미하고 있다.

② 적법절차의 원칙은 형사절차상의 영역에 한정되지 않고, 입법, 행정 등 국가의 모든 공권력의 사용에는 절차상의 적법성뿐만 아니라 법률의 구체적 내용도 합리성과 정당성을 갖춘 실체적인 적법성이 있어야 한다는 것을 의미한다.

③ 신속한 재판을 받을 권리는 주로 피고인의 이익을 보호하기 위하여 인정된 원칙이지만 동시에 실체진실의 발견, 소송경제, 재판에 대한 국민의 신뢰와 형벌목적의 달성과 같은 공공의 이익에도 근거를 두고 있다.

④ 검사조사실에 소환되어 피의자신문을 받을 때 포승과 수갑 사용을 정당화할 예외적 사정이 존재하지 않음에도 불구하고, 계호교도관이 포승과 수갑을 채운 상태에서 피의자조사를 받도록 한 것은 신체의 자유를 과도하게 침해한 것이며, 무죄추정원칙의 근본 취지에도 반한다.

| 해설 ① 형사소송의 구조를 당사자주의와 직권주의 중 어느 것으로 할 것인가의 문제는 입법정책의 문제이다. 우리나라 형사소송법은 그 해석상 직권주의적 요소와 당사자주의적 요소를 조화시킨 구조를 취하고 있으나(헌재결 2012.5.31, 2010헌바128), 기본적으로는 당사자주의를 기본 골격으로 하고 있다(대판 1984.6.12, 84도796).
② 헌재결 2009.6.25, 2007헌마451 ③ 헌재결 1995.11.30, 90헌마44 ④ 헌재결 2005.5.26, 2001헌마728

04 형사소송의 이념과 구조에 대한 설명으로 가장 적절하지 않은 것은?(다툼이 있는 경우 판례에 의함)

22. 경찰간부

① 적법절차의 원칙은 단순히 형사절차상의 제한된 범위 내에서만 적용되는 것이 아니라, 기본권 제한과 관련되든 아니든 모든 입법작용 및 행정작용에도 광범위하게 적용된다.

② 무죄추정의 원칙은 수사를 하는 단계뿐만 아니라, 판결이 확정될 때까지 형사절차와 형사재판 전반을 이끄는 대원칙이다.

③ 형사소송에 있어서 수사를 담당하였던 경찰공무원은 증인의 지위에 있을 수 없으므로, 그 수사담당 경찰공무원에 대한 증인적격을 인정하게 되면, 피고인에 대한 무죄추정의 원칙에 반한다.

④ 형사소송의 직권주의는 재판지연을 방지하여 능률적이고 신속한 재판을 진행할 수 있다는 장점이 있다.

| 해설 ① 헌재결 2001.11.29, 2001헌바41 ② 대판 2017.10.31, 2016도21231
③ 형사소송에 있어서 수사를 담당하였던 경찰공무원은 공판과정에서 제3자라고 할 수 있어 수사담당 경찰공무원이라 하더라도 증인의 지위에 있을 수 있음을 부정할 수 없다(헌재결 2001.11.29, 2001헌바41).
④ 재판지연을 방지하여 능률적이고 신속한 재판을 진행할 수 있다는 것은 직권주의 장점이다.

Answer 3. ① 4. ③

05 **다음은 형사소송의 이념에 대한 설명이다. 아래 ㉠부터 ㉣까지의 설명 중 옳고 그름의 표시(○, ×)가 바르게 된 것은?**(다툼이 있는 경우 판례에 의함) 22. 경찰승진

> ㉠ 헌법 제12조 제1항 후문이 규정하고 있는 적법절차란 법률이 정한 절차 및 그 실체적 내용이 모두 적정하여야 함을 말하고, 적정하다고 함은 공정하고 합리적이며 상당성이 있어 정의관념에 합치되는 것을 뜻한다.
> ㉡ 검사가 법원에 의하여 증인으로 채택된 수감자를 그 증언에 이르기까지 거의 매일 검사실로 하루 종일 소환하여 피고인측 변호인이 접근하는 것을 차단하고, 검찰에서의 진술을 번복하는 증언을 하지 않도록 회유·압박하는 한편, 때로는 검사실에서 그에게 편의를 제공하기도 한 행위만으로는 피고인의 공정한 재판을 받을 권리를 침해하였다고 할 수 없다.
> ㉢ 신속한 재판을 받을 권리는 주로 피고인의 이익을 보호하기 위하여 인정된 기본권이지만 동시에 실체적 진실발견, 소송경제, 재판에 대한 국민의 신뢰와 형벌목적의 달성과 같은 공공의 이익에도 근거가 있기 때문에 어느 면에서는 이중적인 성격을 갖고 있다.
> ㉣ 신속한 재판을 받을 권리와 관련하여 공판심리의 현저한 지연은 현행법상 명문으로 면소사유뿐만 아니라 공소기각 사유로도 규정하고 있다.

① ㉠(○), ㉡(×), ㉢(○), ㉣(×)
② ㉠(○), ㉡(×), ㉢(×), ㉣(○)
③ ㉠(×), ㉡(×), ㉢(○), ㉣(○)
④ ㉠(×), ㉡(○), ㉢(○), ㉣(×)

해설 ㉠ ○ : 대결 1988.11.16, 88초60
㉡ × : 공정한 재판을 받을 권리를 침해하였다고 할 수 있다(헌재결 2001.8.30, 99헌마496).
㉢ ○ : 헌재결 1995.11.30, 92헌마44
㉣ × : 현행법은 재판지연을 구제하기 위한 별도의 명문규정을 두고 있지 않다. 따라서 현저한 재판의 지연이 있었다고 하더라도 형식재판으로 사건을 종결시킬 수는 없다. 다만, 공소제기 후 판결이 확정됨이 없이 25년을 경과하게 되면 공소시효가 완성된 것으로 보게 되므로(제249조 제2항), 이러한 경우에는 면소판결로 종결하게 된다.

06 **형사소송의 이념과 기본원칙에 대한 설명으로 옳지 않은 것은?**(다툼이 있는 경우 판례에 의함)
22. 9급 검찰·마약·교정·보호·철도경찰

① 헌법과 형사소송법이 정한 절차에 따르지 아니하고 수집한 증거는 물론 이를 기초로 하여 획득한 2차적 증거 역시 기본권 인권보장을 위해 마련된 적법한 절차에 따르지 않은 것으로 원칙적으로 유죄 인정의 증거로 삼을 수 없다.
② 검사와 피고인 쌍방이 항소한 경우에 제1심 선고형기 경과 후 제2심 공판이 개정되었다면 이는 위법으로서 신속한 재판을 받을 권리를 박탈한 것이다.
③ 신속한 재판을 받을 권리는 주로 피고인의 이익을 보호하기 위하여 인정된 기본권이지만 동시에 실체적 진실 발견, 소송 경제, 재판에 대한 국민의 신뢰와 형벌목적의 달성과 같은 공공의 이익에도 근거가 있기 때문에 어느 면에서는 이중적 성격을 갖고 있다고 할 수 있다.
④ 실체진실주의는 형사소송의 지도이념이며, 이를 공판절차에서 구현하기 위하여 형사소송법은 법원이 직권에 의한 증거조사를 할 수 있도록 하고 있다.

Answer 5.① 6.②

| 해설 | ① 대판 2007.11.15, 2007도3061 전원합의체
② 검사와 피고인 쌍방이 항소한 경우에 제1심 선고형기 경과 후 제2심 공판이 개정되었다고 하여 이를 위법이라 할 수 없고, 신속한 재판을 받을 권리를 박탈한 것이라고 할 수 없다(대판 1972.5.23, 72도840).
③ 헌재결 1995.11.30, 92헌마44
④ 제295조

07 **형사소송의 법원(法源), 이념 및 구조에 관한 설명으로 가장 적절하지 않은 것은?**(다툼이 있는 경우 판례에 의함)
24. 경찰승진

① 적법절차란 법률이 정한 절차 및 그 실체적 내용이 모두 적정하여야 함을 말하는 것으로서 적정하다는 것은 공정하고 합리적이며 상당성이 있어 정의관념에 합치됨을 뜻한다.
② 형사소송법의 법원(法源)이 되는 헌법은 수사절차에 대하여 강제수사법정주의를 명시하고 있지 않다.
③ 대법원은 법률에 저촉되지 아니하는 범위 안에서 소송에 관한 절차, 법원의 내부규율과 사무처리에 관한 규칙을 제정할 수 있으며, 이에 대법원규칙인 형사소송규칙은 형사소송법의 법원(法源)이 된다.
④ 검사, 피고인 또는 변호인의 증거신청 및 법원의 증거조사에 관한 규정(형사소송법 제294조 및 제295조)에서 우리나라 형사소송법은 당사자주의와 직권주의가 혼합되어 있음을 알 수 있다.

| 해설 | ① 대결 1988.11.16, 88초60
② 헌법은 제12조 제1항에서 수사절차에 대하여 강제수사법정주의를 명시하고 있다.
③ 헌법 제108조
④ 당사자주의와 직권주의가 혼합되어 있음을 알 수 있다(제294조, 제295조 참조).

Answer 7. ②

제2절 형사소송의 기본구조

THEMA 10 형사소송의 기본구조

<table>
<tr><td>의 의</td><td colspan="2">소송의 이념을 달성하기 위하여 소송의 주체가 누구이고 소송주체 사이의 관계를 어떻게 설정할 것인가에 대한 이론이 소송구조론이다. 이러한 의미에서 소송구조론은 형사소송의 지도이념을 달성하기 위한 방법론이라고 할 수 있다.</td></tr>
<tr><td rowspan="2">규문주의와 탄핵주의의 소송구조</td><td>규문주의</td><td>규문주의란 소추기관과 재판기관이 분리되어 있지 않고 법원이 스스로 절차를 개시하여 심리하는 주의를 말한다. 이 주의에 의하면 피고인은 단지 조사의 대상이 될 뿐 어떠한 방어권도 갖지 못한다. 이러한 규문주의는 프랑스혁명을 계기로 자취를 감추게 되었다.</td></tr>
<tr><td>탄핵주의</td><td>① 탄핵주의는 재판기관과 소추기관을 분리하여 소추기관의 공소제기에 의하여 법원이 절차를 개시하는 주의를 말한다. 탄핵주의 소송구조하에서 불고불리의 원칙(법원은 공소제기된 사건에 대해서만 심판할 수 있다는 원칙)이 확립되고, 피고인도 소송의 주체로서 절차에 관여하여 형사절차는 소송의 구조를 갖게 된다.
② 우리 형사소송법도 공소는 검사가 제기하여 수행한다라고 규정하여 국가소추주의에 의한 탄핵주의 소송구조를 채택하고 있다.
③ 탄핵주의 소송구조는 소송의 주도적 지위를 누가 담당하느냐에 따라 직권주의와 당사자주의로 나뉜다.</td></tr>
</table>

01 다음 글이 설명하고 있는 형사소송구조와 어울리는 것만으로 묶은 것은?

09. 9급 국가직

> 재판기관이 스스로 절차를 개시하여 심리·재판하는 구조로, 소추기관과 재판기관이 동일하다. 소추기관이 재판까지 담당하는 이러한 구조하에서는 피고인이 단순히 심리의 객체가 되고, 소추 당시의 유죄심증이 재판단계에서 그대로 반영되어 유죄로 될 가능성이 크다.

① 비밀주의, 서면주의, 법정증거주의
② 탄핵주의, 국가소추주의, 기소법정주의
③ 직권주의, 조서재판주의, 불고불리주의
④ 당사자주의, 공판중심주의, 자유심증주의

| 해설 위 사안은 규문주의에 관한 내용이다. 탄핵주의와 관련이 있는 것이 들어있는 지문은 정답이 될 수 없다. 공개주의보다는 비밀주의, 구술주의보다는 서면주의, 자유심증주의보다는 법정증거주의가 규문주의 소송구조와 어울리는 제도라고 볼 수 있다.

02 탄핵주의에 관한 설명으로 옳지 않은 것은?

10. 9급 국가직

① 재판기관과 소추기관을 분리하여 소추기관의 공소제기에 의하여 법원이 절차를 개시하는 주의를 말한다.
② 피고인도 소송주체로서의 지위를 가지는 소송구조이다.
③ 우리 형사소송법은 국가소추주의에 의한 탄핵주의 소송구조를 채택하고 있다.
④ 소송에서의 주도적 지위를 법원에게 인정하는 직권주의 소송구조와 대립되는 개념이다.

| 해설 ①②③ 탄핵주의에 관한 내용이다.
④ 탄핵주의 소송구조는 소송의 주도권을 누가 담당하느냐에 따라 직권주의와 당사자주의로 나뉜다(직권주의 대립구조는 당사자주의다).

03 규문주의와 탄핵주의의 소송구조에 관한 설명이다. 옳은 것은?

① 탄핵주의 소송구조하에서는 피고인은 단지 조사의 객체일 뿐 어떠한 방어권도 갖지 못한다.
② 현재 문명국가에서는 모두 규문주의를 전제로 하고 있다.
③ 탄핵주의하에서는 피고인도 소송의 주체로서 절차에 관여하여 형사절차는 소송의 구조를 갖는다.
④ 불고불리의 원칙은 규문주의 소송구조하에서 확립되었다.

| 해설 ① 규문주의
② 탄핵주의를 전제로 한다.
④ 탄핵주의 소송구조하에서 확립되었다.

Answer 1. ① 2. ④ 3. ③

THEMA 11 직권주의와 당사자주의

직권주의	의 의	직권주의라 함은 소송의 주도적 지위를 법원에게 인정하는 소송구조를 말한다(대륙법 체계는 전통적으로 직권주의를 기본원리로 함).
	장 점	• 법원이 소송에서 주도적으로 활동하므로 실체적 진실발견에 효과적이다. • 심리의 능률과 신속을 도모할 수 있다. • 법원은 피고인에 대한 후견적 임무를 담당하여 뒤떨어진 소송능력을 보충하여 줄 수 있다.
	단 점	• 사건의 심리가 법원의 자의와 독단에 흐를 위험이 있다. • 피고인의 소송당사자로서의 지위가 형식적인 것이 되어 피고인의 방어권을 실질적으로 보장할 수 없으며 인권옹호에 소홀할 우려가 있다. • 법원이 소송에 몰입되어 제3자로서 공정성을 상실할 우려가 있다.
당사자주의	의 의	검사와 피고인에게 소송의 주도적 지위를 인정하여 당사자의 공격·방어에 의해 심리를 진행하고 법원은 제3자적 입장에서 당사자의 주장이나 입증활동을 판단하도록 하는 소송구조를 말한다(영미법 체계는 당사자주의를 기본원리로 함). ▶ 변증법적 원리 적용(주장－반박－판단) 12. 경찰간부
	장 점	• 당사자에 의한 증거수집·제출로 실체적 진실발견에 효과적이다. • 피고인의 방어권 행사가 충분히 보장된다. 02. 경찰승진
	단 점	• 심리의 능률과 신속을 달성하기 어렵다. • 소송의 운명이 당사자의 열의와 능력에 좌우되는 결과 형사절차의 민사소송화가 우려되며, 02. 경찰승진 국가형벌권의 행사가 당사자의 타협이나 거래의 대상이 될 위험이 있다.
입법론		직권주의와 당사자주의는 각기 장·단점이 있으므로 어느 한 주의만을 고집하여서는 안 되며, 양쪽의 장점을 살리는 합리적인 조화가 필요하다.
현행법상 기본구조		현행 형사소송법은 직권주의 요소와 당사자주의 요소를 조화시킨 소송구조를 취하고 있다(헌재결 2012.5.31, 2010헌바128). 24. 경찰승진 ▶ 당사자주의(기본골격) + 직권주의(대판 1983.3.8, 82도3248) 21. 경찰승진

01 **다음 중 형사소송법상 직권주의와 당사자주의에 대한 설명으로 옳지 않은 것은?**

① 소송의 운명이 당사자의 열의와 능력에 좌우되는 결과 형사절차의 민사소송화가 우려되는 것은 당사자주의 단점이다.

② 직권주의의 경우 형사절차가 지향하는 객관적 진실발견의 최종적 담보자는 법원이다.

③ 판례에 의하면 현행 형사소송법은 기본적으로 직권주의를 원칙으로 삼고 있다는 입장이다.

④ 직권주의는 법원의 주도적 활동을 인정함으로써 방어능력이 부족한 피고인의 보호에 충실하다.

| 해설 ③ 현행 형사소송법은 직권주의와 당사자주의 요소를 조화시킨 소송구조를 취하고 있다(헌재결 2012.5.31, 2010헌바128).

④ 직권주의는 법원이 소송에서 주도적으로 활동하여 방어력이 부족한 피고인의 소송능력을 보충하여 줄 수 있으므로 실체적 진실발견에 효과적이다. 당사자주의는 검사와 피고인에게 소송의 주도적 지위를 인정하여 당사자의 공격·방어에 의해 심리를 진행하고 법원은 제3자적 입장에서 당사자의 주장이나 입증활동을 판단하도록 하는 소송구조이므로 당사자에 의한 증거수집·제출로 이 역시 실체적 진실발견에 효과적이다. 따라서 직권주의와 당사자주의 모두 실체적 진실발견에 효과적인 제도이므로 양자 장점을 살리는 합리적인 조화가 필요하다.

02 **소송의 주도적 지위를 누가 담당하는가에 따른 구별 중 다음에 설명하고 있는 형사소송의 기본구조에 대한 설명으로 옳지 않은 것은?** 12. 경찰간부

- 대립·갈등하는 대립당사자의 소송활동
- 법원은 제3자의 입장에서 판단
- 변증법적 원리
- 탄핵주의와 결합

① 우리 형사소송에서 공소장일본주의가 이러한 기본구조의 표현이다.

② 피고인이 소송에서 적극적 방어권을 행사하기보다는 심리의 객체로 전락할 위험이 크다.

③ 이를 철저히 할 경우 형사소송의 스포츠화 또는 합리적 도박이 될 수 있다는 단점이 있다.

④ 이를 철저히 할 경우 검사와 피고인 사이에 공격·방어가 끊임없이 되풀이 되어 사건의 심리에 능률과 신속을 꾀할 수 없다.

| 해설 보기의 내용은 당사자주의에 대한 설명이다.

① 당사자주의의 소송구조를 유지하기 위해서는 공소장일본주의가 필요하며, ③④는 당사자주의 단점에 해당한다.

②는 직권주의의 단점에 관한 내용이다.

Answer 1. ③ 2. ②

THEMA 12 직권주의 요소와 당사자주의 요소

직권주의 요소	당사자주의 요소
• 공소장변경요구제도(제298조 제2항) 97. 9급 법원직, 12. 7급 국가직 ▶ 다만, 법원의 요구에 검사가 응하지 않을 경우에 공소장변경의 효과가 발생하지 않는 것은 직권주의 요소가 아니다. (○) 04. 행시, 05. 순경 2차 • 직권에 의한 증거조사(제295조) 05. 순경 2차 • 법원(재판장)의 증인신문(제161조의 2) 01. 경찰승진, 03. 101단, 04. 행시, 05. 순경 2차, 10. 교정특채 • 피고인에 대한 법원의 신문(제296조의 2) 04. 행시, 05. 순경 2차	• 심판범위확정(제254조 제4항, 제298조) • 공소장변경제도(제298조) • 당사자의 증거신청권(제294조) • 교호신문제도(제161조의 2) • 전문법칙(제310조의 2) • 공소장부본송달(제266조) 10. 교정특채 • 제1회 공판기일 유예기간(제269조) • 피고인의 진술권 · 진술거부권(제286조, 제289조) • 증거동의(제318조 제1항) ▶ 증거동의에 대한 진정성 판단(제318조 제1항) ⇨ 직권주의요소(○) • 공소장일본주의(규칙 제118조 제2항) 04. 7급 검찰, 02. 경찰승진 • 당사자의 최후진술(제302조, 제303조) 01 · 02. 경찰승진

01 다음 중 당사자주의 요소에 해당하는 것은 모두 몇 개인가?

㉠ 전문법칙	㉡ 공소장변경제도
㉢ 교호신문제도	㉣ 영장제도
㉤ 증거동의제도	㉥ 공판기일지정
㉦ 공소장부본송달	㉧ 제1회 공판기일 유예제도

① 3개 ② 4개 ③ 5개 ④ 6개

| 해설 ㉠㉡㉢㉤㉦㉧이 당사자주의적 요소에 해당한다.

㉠ 전문법칙(전문증거는 증거능력이 없다는 원칙)의 가장 중요한 근거는 당사자의 반대신문을 통해서 진술의 신빙성을 음미할 수 없으므로 증거로 사용할 수 없다는 것으로 당사자주의와 관련이 있다.

㉡ 공소장변경 없이 공소장에 기재된 공소사실과 다른 범죄사실을 유죄로 인정하게 되면, 피고인은 예측할 수 없는 공격을 받을 가능성이 있으므로 피고인의 방어권 행사를 용이하게 하기 위해서 공소장변경제도를 두고 있으므로 당사자주의적 요소에 해당한다.

㉢ 증인을 신청한 당사자와 그 상대방이 교차하여 증인을 신문하는 방식을 말하므로 당사자주의적 요소이다.

㉣ 영장제도는 인권보장을 위한 제도이지 직권주의 · 당사자주의의 문제가 아니다.

㉤ 증거능력이 없는 전문증거일지라도 당사자가 동의하면 증거능력이 인정되므로(제318조 제1항), 당사자주의적 요소에 해당한다.

㉥ 공판기일은 재판장이 지정하는데(제267조 제1항), 이는 직권주의적 요소이다.

Answer 1. ④

ⓐ 검사가 공소제기를 하면 법원은 공소장부본을 피고인이나 변호인에게 송달하게 되는데, 이는 피고인이 공소장부본을 통해 법원의 심판대상을 확인하고 방어에 필요한 준비를 할 수 있도록 하기 위한 것으로 당사자주의적 요소에 해당한다.
ⓞ 제1회 공판기일 유예제도(제269조)는 피고인을 위한 제도이므로 당사자주의적 요소이다.

02 다음 형사소송법 규정 중 당사자주의적 요소와 거리가 가장 먼 것은?

① 검사는 법원의 허가를 얻어 공소장에 기재한 공소사실 또는 적용법조의 추가, 철회 또는 변경을 할 수 있다. 이 경우에 법원은 공소사실의 동일성을 해하지 아니하는 한도에서 허가하여야 한다.
② 피고인이 공판기일에 출석하지 아니한 때에는 특별한 규정이 없으면 개정하지 못한다.
③ 법원은 공소의 제기가 있는 때에는 지체 없이 공소장의 부본을 피고인 또는 변호인에게 송달하여야 한다.
④ 법원은 심리의 경과에 비추어 상당하다고 인정할 때에는 공소사실 또는 적용법조의 추가 또는 변경을 요구하여야 한다.

| 해설 ④ 공소장변경요구제도는 직권주의적 요소에 해당한다.

03 형사소송의 구조에 대한 설명으로 옳지 않은 것은?

18. 9급 검찰·마약·교정·보호·철도경찰

① 소추기관과 재판기관이 분리되었는지 여부에 따라 규문주의와 탄핵주의로 구별된다.
② 소송의 스포츠화 또는 합법적 도박이 야기될 수 있다는 점은 당사자주의에 대한 비판이고, 사건의 심리가 국가기관의 자의적 판단이나 독단으로 흐를 수 있다는 점은 직권주의에 대한 비판이다.
③ 증인에 대한 교호신문절차, 증거동의제도는 당사자주의적 요소이다.
④ 피고인신문제도, 법원의 공소장변경 요구의무, 공소장일본주의는 직권주의적 요소이다.

| 해설 ①②③ 타당한 내용이다.
④ 피고인신문제도, 법원의 공소장변경 요구의무는 직권주의적 요소이지만, 공소장일본주의는 공판정에서 검사와 피고인의 공격·방어를 토대로 법원이 심증을 형성하도록 하는데 본래의 취지가 있으므로 당사자주의적 요소이다.

Answer 2. ④ 3. ④

THEMA

PART 02

수사와 공소

CHAPTER

01 수 사

제1절 수사의 의의와 구조

THEMA 13 수사의 의의와 구조

<table>
<tr>
<td rowspan="2">수사의 의의</td>
<td>수사 개념</td>
<td>수사라 함은 형사사건에 관하여 범죄혐의의 유무를 명백히 하여 공소제기 여부 및 공소유지 여부를 결정하기 위하여 범인을 발견・확보하고 증거를 수집・보전하는 수사기관의 활동을 말한다(대판 1999.12.7, 98도3329). 13. 경찰간부, 16. 경찰승진
▶ 사인의 현행범체포, 법원의 피고인구속 등 ⇨ 수사기관의 활동이 아니므로 수사가 아님. 내사, 불심검문, 변사자검시 등 ⇨ 수사가 아님.
▶ 수사는 공소제기 후에도 공소유지를 위하거나 공소유지 여부를 결정하기 위해 허용된다. 95. 경찰승진
▶ 수사기관의 범죄에 대한 주관적인 혐의(구체적 사실에 근거를 둔 혐의, 즉 구체적 혐의)로 언제든지 수사에 착수할 수 있다. 98. 경찰승진, 03. 순경
▶ 범죄인지 ⇨ 수사기관이 직접 범죄혐의를 인정하고 수사를 개시하는 경우를 말함(고소・고발・자수에 의해서 수사를 개시하는 경우 ⇨ 범죄를 인지 ×)
▶ 검사 또는 사법경찰관 ⇨ 범죄인지 권한(○), 사법경찰리 ⇨ 범죄인지 권한(×)
▶ 사법경찰관의 범죄인지 ⇨ 검사 지휘를 받을 필요 ×
▶ 범죄인지서 작성시가 수사개시는 아니며, 범죄인지는 실무상 용어일 뿐 아니라 법령상 용어이기도 하다.</td>
</tr>
<tr>
<td>내사와 구별</td>
<td>1. 수사는 범죄혐의가 인정된다고 생각할 때 수사기관이 개시하는 조사활동이라는 점에서 범죄혐의가 확인되지 아니한 단계에서 단순히 혐의 유무만을 조사하는 입건 전 조사(내사)와 구별된다. 입건 전 조사를 받고 있는 자를 용의자라고 하며, 수사기관의 범죄인지에 의해 입건 전 조사를 받은 자는 피의자가 된다.
▶ 내사 ⇨ '입건 전 조사'로 변경(경찰수사규칙 제19조 제1항)
▶ ┌ 피의자 ⇨ 소송법상의 각종 권리가 인정
└ 입건 전 조사를 받은 자 ⇨ 형사소송법 준용 × 14. 순경 1차
2. 입건 전 조사와 수사의 구별의 기준
┌ 형식적인 형사입건(형사사건등재부에 사건번호가 부여되는 때)으로 보는 입장
└ 실질적으로 범죄혐의가 있다고 보아 그에 대한 조사를 행하는 때로 보는 입장
▶ 후자의 견해에 의하면 아직 형식적인 형사입건은 되지 아니하였더라도 실질적으로 조사를 행한 경우라면 수사개시로 본다(대판 2001.10.26, 2000도2968).
▶ 진술거부권 고지 필요(대판 2015.10.29, 2014도5939)</td>
</tr>
<tr>
<td colspan="2">수사 특성</td>
<td>수사절차는 대상이나 사건이 다양하고 유동적이므로 공판절차와는 달리 획일적인 절차에 따라 진행할 수 없고 수사활동의 탄력성, 기동성, 임기응변성, 광역성 등이 요청되는 등 합목적적인 활동이 필요하게 된다.</td>
</tr>
</table>

수사 구조		
수사 구조	규문적 수사관	① 수사를 수사기관이 피의자를 조사하는 과정으로 이해 ▶ 수사기관과 피의자는 불평등한 수직관계 ② 강제처분은 수사기관의 고유한 권한, 영장은 허가장
	탄핵적 수사관	① 수사를 재판의 준비활동으로 이해, 피의자도 수사기관과 독립하여 공판준비활동을 행하게 된다. ▶ 수사기관과 피의자 대등 ② 강제처분은 법원이 장래의 재판을 위하여 하는 것이므로 그 필요성도 법원이 판단하며, 영장은 명령장 95. 7급 검찰
	소송적 수사관	① 수사절차는 검사는 기소・불기소의 결정에 대한 종국적 판단자이고, 사법경찰관과 피의자가 당사자로서 대립하는 3면관계를 가진다고 하여 수사절차를 마치 공판절차와 같은 소송구조로 파악하려는 이론이다(수사절차를 소송구조화하는 이론). ▶ 사법경찰관과 피의자 대등 ② 수사절차의 독자성을 강조하는 견해로서 피의자는 수사의 객체가 아니라 주체이다.

01 수사의 의의・구조에 관한 설명으로 틀린 것은 모두 몇 개인가?

㉠ Due Process는 실체진실주의보다 중요한 이념이라는 점을 그 논거로 하는 수사관은 규문적 수사관이다.
㉡ 수사절차를 소송구조화하는 이론에서는 피의자를 단순히 조사 또는 강제처분의 객체로 파악한다.
㉢ 범죄인지는 실무상 용어일 뿐 아니라 법령상 용어이기도 하다.
㉣ 수사기관의 범죄에 대한 주관적인 혐의로 언제든지 수사에 착수할 수 있다.
㉤ 사인의 현행범체포, 법원의 피고인구속 등도 수사에 해당한다.

① 1개 ② 2개 ③ 3개 ④ 없다.

| 해설 ㉠ × : due process는 실체진실주의보다 중요한 이념이라는 것은 탄핵적 수사관의 논거이다.
㉡ × : 수사절차를 소송구조화하는 이론에서는 피의자를 사법경찰관리와 대등하게 파악한다.
㉢ ○ : 경찰수사규칙에 제18조 제2항
㉣ ○ : 제199조 제1항
㉤ × : 수사기관의 활동이 아니므로 수사가 아니다.

02 다음의 수사에 대한 설명 중 옳지 않은 것은?(다툼이 있으면 판례에 의함)

① 수사란 범죄의 혐의 유무를 명백히 하여 공소의 제기와 유지 여부를 결정하기 위하여 범인을 발견・확보하고 증거를 수집・보전하는 수사기관의 활동을 말한다.
② 수사절차는 탄력성, 기동성, 임기응변성, 광역성 등이 요청되는 등 합목적적인 활동이 필요하게 된다.

Answer 1. ③ 2. ③

③ 비록 실질적으로 조사를 행한 경우라도 아직 형식적인 형사입건이 되지 아니하였다면 수사개시로 볼 수 없다.

④ 탄핵적 수사관의 경우 영장은 법원의 명령장의 성질을 띤다.

해설 ③ 검사가 범죄를 인지하는 경우에는 범죄인지서를 작성하여 사건을 수리하는 절차를 거치도록 되어 있으므로, 특별한 사정이 없는 한 수사기관이 그와 같은 절차를 거친 때에 범죄인지가 된 것으로 볼 것이나, 검사가 그와 같은 절차를 거치기 전에 범죄의 혐의가 있다고 보아 수사를 개시하는 행위를 한 때에는 이 때에 범죄를 인지한 것으로 보아야 한다(대판 2001.10.26, 2000도2968).

03 수사절차와 관련한 내용으로 옳은 것은?

① 인지절차가 이루어지기 전에 수사를 하는 경우에 그 수사가 위법하다고 볼 수 있고, 그 수사과정에서 작성된 피의자신문조서나 진술조서 등도 인지절차가 이루어지기 전이라서 그 증거능력이 부인된다.

② 수사기관에 의한 진술거부권 고지의 대상이 되는 피의자의 지위는 형식적인 사건수리 절차를 거친 때이므로, 실질이 피의자신문조서의 성격을 가지는 경우라는 이유로 수사기관은 진술을 듣기 전에 미리 진술거부권을 고지하여야 할 필요는 없다.

③ 수사기관의 범죄에 대한 주관적인 혐의로 언제든지 수사에 착수할 수 있는데, 주관적인 혐의란 반드시 구체적인 사실에 근거를 둔 혐의를 말하는 것은 아니므로 수사가 단순한 추측에 의한 것처럼 자의적으로 개시되는 것도 허용된다.

④ 내사는 아직 범죄혐의가 있다고 판단하기 전에 이루어지는 조사활동이므로 형사소송법의 규율대상이 되지 아니한다.

해설 ① 검사가 범죄인지서를 작성하여 사건을 수리하는 절차를 거치기 전에 범죄의 혐의가 있다고 보아 수사를 개시하는 행위를 한 때에는 이때에 범죄를 인지한 것으로 보아야 하고, 이러한 인지절차가 이루어지기 전에 수사를 하였다는 이유만으로 그 수사가 위법하다고 볼 수는 없고, 그 수사과정에서 작성된 피의자신문조서나 진술조서 등도 인지절차가 이루어지기 전이라는 이유만으로 그 증거능력을 부인할 수 없다(대판 2001.10.26, 2000도2968).
② 수사기관에 의한 진술거부권 고지의 대상이 되는 피의자의 지위는 형식적인 사건수리 절차를 거치기 전이라도 조사대상자에 대하여 범죄의 혐의가 있다고 보아 실질적으로 수사를 개시하는 행위를 한 때에 인정된다. 실질이 피의자신문조서의 성격을 가지는 경우에 수사기관은 진술을 듣기 전에 미리 진술거부권을 고지하여야 한다(대판 2015.10.29, 2014도5939).
③ 수사기관의 범죄에 대한 주관적인 혐의로 언제든지 수사에 착수할 수 있다. 주관적인 혐의란 구체적인 사실에 근거를 둔 혐의(구체적 혐의)여야 하며, 수사가 단순한 추측에 의한 것처럼 자의적으로 개시되는 것은 허용되지 아니한다.
④ 피의자는 소송법상의 각종 권리가 인정되나, 내사는 아직 범죄혐의가 있다고 판단하기 전에 이루어지는 조사활동이므로 형사소송법의 규율대상이 되지 아니한다.

Answer 3. ④

THEMA 14 수사의 조건

의 의	수사의 조건이란 수사절차의 개시와 실행에 필요한 전제조건을 말한다. 일반적으로 요구되는 수사의 조건으로는 수사의 필요성과 상당성을 들 수 있다. ▶ 수사의 조건은 수사의 합목적성을 강조하기 위함이 아니고, 인권보장을 위해서이다.
수사의 필요성	수사의 필요성이란 수사는 수사목적을 달성하기 위하여 필요한 때에 할 수 있다는 것을 말하며, 이에는 범죄혐의와 공소제기 가능성을 들 수 있다. ▶ 수사의 필요성 ⇨ 임의수사, 강제수사 모두에 해당 1. 범죄혐의와 수사 : 수사를 위해서는 일차적으로 수사기관에 의한 주관적인 범죄혐의가 존재함을 요한다. ▶ 다만, 구체적 사실에 근거하여 주위의 사정을 합리적으로 판단하여 범죄의 혐의유무를 판단하여야 한다. 01 · 03. 순경, 02. 경찰승진 2. 공소제기의 가능성 ① 공소제기의 가능성이 없는 사건은 수사의 필요성이 없다. 따라서 소송조건의 결여로 인하여 공소제기의 가능성이 없는 때에는 수사가 허용되지 아니한다(예 재판권 부존재). ② 친고죄에 있어 고소는 소송조건이므로 고소가 없으면 공소를 제기할 수 없다. 다만, 고소 가능성이 있으면 공소제기의 가능성도 있는 것이므로 고소가 없더라도 고소가능성이 있는 한 수사는 할 수 있다(제한적 허용설). ▶ 친고죄나 세무공무원 등의 고발이 있어야 논할 수 있는 죄(즉시고발사건)에 있어서 장차 고소나 고발이 있을 가능성이 없는 상태하에서 행해졌다는 등의 특단의 사정이 없는 한, 고소나 고발이 있기 전에 수사를 하였다는 이유만으로 그 수사가 위법하다고 볼 수 없다(대판 1995.2.24, 94도252). 10. 순경 · 7급 국가직, 10 · 16. 경찰승진 ▶ 세무공무원의 고발에 앞서 수사를 하고 세무서장이 공소제기 전에 고발을 하였다면 공소제기 절차가 무효라고 할 수 없다(대판 1995.3.10, 94도3373).
수사의 상당성	수사의 필요성이 인정되는 경우에도 수사는 수사의 목적달성에 상당하다고 인정되는 방법으로 할 것을 요한다. 상당성이 인정되는 수사방법으로 수사비례의 원칙과 신의칙을 들 수 있다. 1. 수사비례의 원칙 : 수사는 그 목적달성을 위해 필요한 최소한에 그쳐야 하며 수사결과 얻어지는 이익과 수사에 의한 법익침해가 부당하게 균형을 잃을 때에는 수사의 방법으로 허용되어서는 안 된다는 것을 수사비례의 원칙이라 한다(예 여자에 대한 전라수색, 경미사건의 피의자구속). 따라서 임의수사라도 상당한 범위 내에서만 가능하며, 강제수사는 법률의 규정이 있는 경우에 한하여 예외적으로만 그리고 가장 경미한 수단을 통하여 이루어져야 한다. 2. 수사의 신의칙 : 범죄의 혐의를 밝히기 위해 사술을 사용하거나 피의자를 곤궁 · 궁박상태에 빠뜨리는 방법은 사용해서는 안 된다는 것을 수사의 신의칙이라 한다. 특히 이와 관련하여 함정수사가 문제된다. ▶ 범인식별절차, 음주측정절차에서도 수사의 상당성은 존중되어야 한다.
수사조건 위반의 효과	수사조건을 위반한 수사는 준항고(제417조)의 대상이 될 뿐 아니라, 이에 의하여 수집된 증거는 위법수집증거배제법칙에 의거 증거능력이 배제된다. 뿐만 아니라 형법상 직권남용죄(형법 제123조)를 구성할 수도 있다.

01 다음 중 수사의 조건에 관한 내용으로 타당한 것은?(다툼이 있으면 판례에 의함)

① 수사의 필요성은 강제수사에 필요한 수사조건이다.
② 친고죄의 경우 고소가 없으면 수사도 할 수 없다.
③ 수사기관은 범죄혐의가 있다고 사료하는 때에는 수사하여야 한다.
④ 수사개시를 위한 범죄혐의는 수사기관의 객관적 혐의를 의미한다.

| 해설 ① 수사의 필요성은 임의수사, 강제수사 모두에 해당
② 친고죄에 있어 고소는 소송조건이므로 고소가 없으면 공소를 제기할 수 없다. 다만, 고소 가능성이 있으면 공소제기의 가능성도 있는 것이므로 고소가 없더라도 고소가능성이 있는 한 수사는 할 수 있다(대판 1995.2.24, 94도252).
③ 제195조, 제196조 제2항
④ 수사를 위해서는 일차적으로 수사기관에 의한 주관적인 범죄혐의가 존재함을 요한다. 다만, 구체적 사실에 근거하여 주위의 사정을 합리적으로 판단하여 범죄의 혐의 유무를 판단하여야 한다.

02 수사의 조건에 대한 설명 중 가장 적절하지 않은 것은?(다툼이 있는 경우 판례에 의함)

20. 순경 1차

① 수사기관은 범죄혐의가 있다고 사료하는 때에 수사를 개시하여야 하며, 여기서의 범죄혐의는 수사기관의 주관적 혐의일 뿐만 아니라 구체적 범죄혐의이다.
② 필요성과 상당성이라는 수사의 조건은 임의수사에는 적용되지 않고 강제수사에만 적용된다.
③ 친고죄나 세무공무원 등의 고발이 있어야 논할 수 있는 죄에 있어서 고소 또는 고발은 이른바 소추조건에 불과하고 당해 범죄의 성립 요건이나 수사의 조건은 아니므로 위와 같은 범죄에 관하여 고소나 고발이 있기 전에 수사를 하였다고 하더라도 그 수사가 장차 고소나 고발이 있을 가능성이 없는 상태하에서 행해졌다는 등의 특단의 사정이 없는 한 고소나 고발이 있기 전에 수사를 하였다는 이유만으로 그 수사가 위법하다고 볼 수는 없다.
④ 위법한 함정수사에 해당하는지 여부는 해당 범죄의 종류와 성질, 유인자의 지위와 역할, 유인의 경위와 방법, 유인에 따른 피유인자의 반응, 피유인자의 처벌 전력 및 유인행위 자체의 위법성 등을 종합하여 판단하여야 한다.

| 해설 ① 수사기관은 범죄혐의가 있다고 사료하는 때에 수사를 개시하여야 하며, 여기서의 범죄혐의란 증거에 의한 뒷받침이 필요한 객관적인 혐의가 아니라, 구체적인 사실에 근거를 둔 수사기관의 주관적인 혐의를 뜻한다.
② 필요성과 상당성이라는 수사의 조건은 임의수사와 강제수사 모두에 적용된다.
③ 대판 2011.3.10, 2008도7724
④ 대판 2013.3.28, 2013도1473

Answer 1.③ 2.②

THEMA 15 함정수사

기회제공형 함정수사	이미 범의를 가지고 있는 자에 대하여 범죄로 나아갈 기회를 제공하는 데 그치는 경우 ▶ 기회제공형의 경우는 수사의 상당성이 인정되어 적법하다는 점에 이론이 없다(따라서 피교사자 처벌가능). ▶ 기회제공형의 경우는 함정수사라고 말할 수 없다(대판 1992.10.27, 92도1377). 11. 순경, 15. 경찰승진, 16. 순경 2차, 17. 경찰간부
범의유발형 함정수사	전혀 범의가 없는 자에게 범의를 유발케 하는 경우 ▶ 범죄유발형 함정수사의 경우 신의칙에 반하므로 위법하다는 입장이 판례 · 다수설이다. 범죄유발형 함정수사는 수사기관(또는 수사기관과 밀접한 관련을 맺는 자)의 적극적인 유인 · 기망이 있어야 한다(수사기관과 직접 관련이 없는 자가 범행을 교사하는 경우 ⇨ 함정수사 ×). ▶ 비록 위법수사가 있더라도 공소제기 절차는 유효하므로(그 위법수사에 의해 수집한 증거를 배제할 이유는 될지언정) 실체재판을 하여야 하나(대판 1996.5.14, 96도561), 다만 함정수사의 경우는 예외적으로 공소제기 자체를 무효로 보아 공소기각판결로 종결하여야 한다(대판 2005.10.28, 2005도1247)임에 주의 11. 순경 1차, 13. 9급 법원직, 14. 경찰간부, 16. 순경 2차 · 9급 검찰 · 마약 · 교정 · 보호 · 철도경찰, 14 · 15 · 17. 경찰승진, 17. 변호사시험

관련판례

• 함정수사에 해당 ○

1. 경찰관들이 노래방의 도우미 알선 영업 단속 실적을 올리기 위하여 그에 대한 제보나 첩보가 없는데도 손님을 가장하고 들어가 도우미를 불러낸 경우 수사기관이 사술이나 계략 등을 써서 피고인의 범의를 유발케 한 것으로서 위법한 함정수사에 해당한다(대판 2008.10.23, 2008도7362). 12. 9급 국가직, 15. 순경 2차, 16. 경찰승진, 16. 경찰간부 · 7급 국가직, 17. 변호사시험, 18. 9급 검찰 · 마약 · 교정 · 보호 · 철도경찰
2. 수사기관과 직접 관련이 있는 유인자(예 정보원)가 피유인자와의 개인적인 친밀관계를 이용하여 피유인자의 동정심이나 감정에 호소하거나, 금전적 · 심리적 압박이나 위협 등을 가하거나, 거절하기 힘든 유혹을 하거나, 또는 범행방법을 구체적으로 제시하고 범행에 사용될 금전까지 제공하는 등으로 과도하게 개입함으로써 피유인자로 하여금 범의를 일으키게 하는 것은 위법한 함정수사에 해당한다(대판 2008.7.24, 2008도2794). 11. 경찰승진
3. 게임장에 잠복근무 중인 경찰관으로부터 게임점수를 환전해 줄 것을 요구받고 거절하였음에도 위 경찰관의 지속적인 요구에 어쩔 수 없이 게임점수를 현금으로 환전해 준 것은 본래 범의를 가지지 않은 자에 대하여 수사기관이 계략으로 범의를 유발하게 한 함정수사에 해당한다(대판 2021.7.29, 2017도16810).

• 함정수사에 해당 ×

1. 경찰관이 취객을 상대로 한 이른바 부축빼기 절도범을 단속하기 위하여 공원 인도에 쓰러져 있는 취객 근처에서 감시하고 있다가, 마침 피고인이 나타나 취객을 부축하여 10m 정도 끌고 가 지갑을 뒤지자 현장에서 체포하여 기소한 경우, 위법한 함정수사라고 볼 수 없다(대판 2007.5.31, 2007도1903). 14. 순경 1차, 16. 경찰간부 · 7급 국가직 · 순경 2차, 10 · 11 · 14 · 16 · 17 · 21. 경찰승진

2. 유인자가 수사기관과 직접적인 관련을 맺지 아니한 상태에서, 피유인자를 상대로 단순히 수차례 반복적으로 범행을 교사하였을 뿐, 수사기관이 사술이나 계략 등을 사용하였다고 볼 수 없는 경우는, 설령 그로 인하여 피유인자의 범의가 유발되었다 하더라도 위법한 함정수사에 해당하지 아니한다(대판 2008.7.24, 2008도2794). 10. 순경 2차, 11. 순경 1차, 14. 변호사시험, 17 · 18. 경찰간부, 18. 9급 검찰 · 마약 · 교정 · 보호 · 철도경찰, 10 · 14 · 16 · 17 · 21. 경찰승진
3. 甲이 수사기관에 체포된 동거남의 석방을 위한 공적을 쌓기 위하여 乙에게 필로폰 밀수입에 관한 정보제공을 부탁하면서 대가의 지급을 약속하고, 이에 乙이 丙에게, 丙은 丁에게 순차 필로폰 밀수입을 권유하여, 이를 승낙하고 필로폰을 받으러 나온 丁을 체포한 경우, 乙, 丙 등이 각자의 사적인 동기에 기하여 수사기관과 직접적인 관련이 없이 독자적으로 丁을 유인한 것으로서 위법한 함정수사에 해당하지 않는다(대판 2007.11.29, 2007도7680). 11. 순경 2차, 16. 경찰간부 · 7급 국가직
4. 수사기관이 피고인의 범죄사실을 인지하고도 피고인을 바로 체포하지 않고 추가 범행을 지켜보고 있다가 범죄사실이 많이 늘어난 뒤에야 피고인을 체포하였다는 사정만으로는 피고인에 대한 수사와 공소제기가 위법하다거나 함정수사에 해당한다고 할 수 없다(대판 2007.6.29, 2007도3164). 10 · 11 · 14 · 17 · 21. 경찰승진 · 순경 1차
5. 피고인의 뇌물수수가 공여자들의 함정교사에 의한 것이기는 하나, 뇌물공여자들에게 피고인을 함정에 빠뜨릴 의사만 있었고 뇌물공여의 의사가 전혀 없었다고 보기 어려울 뿐 아니라, 뇌물공여자들의 함정교사라는 사정은 피고인의 책임을 면하게 하는 사유가 될 수 없다(대판 2008.3.13, 2007도10804).
   – 유인자가 수사기관과 직접적인 관련을 맺고 있는 상황은 아니므로 함정수사문제는 아님. 14. 순경 1차, 16. 경찰승진
6. 이미 범행을 저지른 피고인을 검거하기 위하여 수사기관이 정보원을 이용하여 피고인을 검거장소로 유인한 것에 불과한 경우는 함정수사에 해당하지 아니한다(대판 2007.7.26, 2007도4532). 16 · 17. 경찰간부, 21. 경찰승진
7. 甲이 2005. 5. 25. 乙에게 필로폰 약 0.03g이 든 1회용 주사기를 교부하고, 같은 달 28. 18 : 00 무렵 필로폰 약 0.03g을 1회용 주사기에 넣고 생수로 희석한 다음 자신의 팔에 주사하여 투약하였는바, 乙이 위 사실을 검찰에 신고하여 甲이 체포되도록 한 경우, 乙이 수사기관과 관련을 맺은 상태에서 위 甲으로 하여금 위와 같이 필로폰을 교부하도록 하거나 필로폰을 투약하도록 유인했다고 볼 아무런 자료가 없다면 위 甲의 필로폰 투약 등이 함정수사에 의한 것이라고 할 수 없다(대판 2008.7.24, 2008도2794). 11. 경찰승진
8. 경찰관은 게임장에서 불법 환전이 이루어지고 있다는 신고를 받고 위 게임장에 손님으로 가장하여 잠입수사를 하였는데, 그 과정에서 위 게임장 종업원의 제안에 따라 회원카드를 발급받아 게임점수를 적립하였을 뿐 피고인 등에게 회원카드 발급 및 게임점수 적립을 적극적으로 요구하거나 다른 손님들과 게임점수의 거래를 시도한 적은 없는 경우라면, 이 부분 범행은 수사기관이 사술이나 계략 등을 써서 피고인의 범의를 유발한 것이 아니라 이미 이루어지고 있던 범행을 적발한 것에 불과하므로 이에 관한 공소제기가 함정수사에 기한 것으로 볼 수 없다(대판 2021.7.29, 2017도16810).
9. 함정수사라 함은 본래 범의를 가지지 아니한 자에 대하여 수사기관이 사술이나 계략 등을 써서 범죄를 유발케 하여 범죄인을 검거하는 수사방식을 말하는 것이므로 물품반출업무담당자가 소속회사에 밀반출행위를 사전에 알리고 그 정확한 증거를 확보하기 위하여 피고인의 밀반출행위를 묵인하였다는 것이므로 이는 함정수사에 비유할 수는 없는 것이다(대판 1987.6.9, 87도915). 22. 순경 2차

01 함정수사에 대한 설명으로 옳은 것은?(다툼이 있는 경우 판례에 따름)

21. 해경

① 수사기관과 직접적인 관련을 맺지 않은 유인자가 수차례 반복적으로 범행을 부탁하였을 뿐 수사기관이 사술이나 계략을 사용한 것으로 볼 수 없는 경우라도, 그로 인하여 피유인자의 범의가 유발되었다는 점이 입증되면 위법한 함정수사에 해당한다.

② 위법한 함정수사에 기한 공소제기는 그 절차가 법률의 규정에 위반하여 무효인 때 해당하므로 그 수사에 기하여 수집된 증거는 증거능력이 없으며, 따라서 법원은 형사소송법 제325조에 의하여 무죄판결을 선고해야 한다.

③ 수사기관이 피고인의 범죄사실을 인지하고도 피고인을 바로 체포하지 않고 추가범행을 지켜보고 있다가 범죄사실이 많이 늘어난 뒤에야 피고인을 체포하였다는 사정만으로는 피고인에 대한 수사와 공소제기가 위법하다거나 함정수사에 해당한다고 할 수 없다.

④ 경찰관이 절도범을 단속하기 위하여 취객 근처에서 감시하고 있다가, 피고인이 나타나 취객을 부축하여 10m 정도를 끌고 가 지갑을 뒤지자 현장에서 체포하여 기소한 경우 수사기관이 위계를 사용한 것으로 볼 수 있으므로 위법한 함정수사에 해당한다.

| 해설 ① 유인자가 수사기관과 직접적인 관련을 맺지 않은 상태에서 피유인자를 상대로 단순히 수차례 반복적으로 범행을 부탁하였을 뿐 수사기관이 사술이나 계략 등을 사용하였다고 볼 수 없는 경우는, 설령 그로 인하여 피유인자의 범의가 유발되었다 하더라도 위법한 함정수사에 해당하지 않는다(대판 2008.7.24, 2008도2794).

② 위법한 함정수사에 기한 공소제기는 그 절차가 법률의 규정에 위반하여 무효인 때 해당하므로 그 수사에 기하여 수집된 증거는 증거능력이 없다(대판 2008.10.23, 2008도7362). 따라서 법원은 형사소송법 제327 제2호에 의하여 공소기각판결을 선고해야 한다.

③ 대판 2007.6.29, 2007도3164

④ 경찰관이 절도범을 단속하기 위하여 취객 근처에서 감시하고 있다가, 피고인이 나타나 취객을 부축하여 10m 정도를 끌고 가 지갑을 뒤지자 현장에서 체포하여 기소한 경우 위법한 함정수사에 의한 공소제기라 할 수 없다(대판 2007.5.31, 2007도1903).

02 함정수사에 대한 설명으로 옳은 것만을 모두 고르면?(다툼이 있는 경우 판례에 의함)

22. 7급 국가직

㉠ 수사기관이 이미 범행을 저지른 범인을 검거하기 위해 정보원을 이용하여 범인을 검거장소로 유인한 경우, 함정수사로 볼 수 없다.

㉡ 수사기관이 피의자의 범죄사실을 인지하고도 바로 체포하지 않고 추가 범행을 지켜보고 있다가 범죄사실이 많이 늘어난 뒤에야 피의자를 체포하였다면 위법한 함정수사에 해당한다.

㉢ 아동·청소년의 성보호에 관한 법률의 아동·청소년대상 디지털 성범죄의 수사 특례에 따른 신분위장수사를 할 때에는 본래 범의를 가지지 않은 자에게 범의를 유발하는 행위를 하는 것이 허용된다.

Answer 1.③ 2.②

㉣ 유인자가 수사기관과 직접적인 관련을 맺지 아니한 상태에서 피유인자를 상대로 단순히 수차례 반복적으로 범행을 부탁하였을 뿐 수사기관이 사술이나 계략 등을 사용하였다고 볼 수 없는 경우, 설령 그로 인해 피유인자의 범의가 유발되었다 하더라도 위법한 함정수사에 해당하지 않는다.

① ㉠, ㉢ ② ㉠, ㉣ ③ ㉡, ㉢ ④ ㉡, ㉣

해설 ㉠ ○ : 대판 2007.7.26, 2007도4532
㉡ × : 수사기관이 피고인의 범죄사실을 인지하고도 피고인을 바로 체포하지 않고 추가 범행을 지켜보고 있다가 범죄사실이 많이 늘어난 뒤에야 피고인을 체포하였다는 사정만으로는 피고인에 대한 수사와 공소제기가 위법하다거나 함정수사에 해당한다고 할 수 없다(대판 2007.6.29, 2007도3164).
㉢ × : 아동 · 청소년의 성보호에 관한 법률의 아동 · 청소년대상 디지털 성범죄의 수사 특례에 따른 신분위장수사를 할 때에는 수사 관계 법령을 준수하고, 본래 범의(犯意)를 가지지 않은 자에게 범의를 유발하는 행위를 하지 않는 등 적법한 절차와 방식에 따라 수사하여야 한다(아동 · 청소년의 성보호에 관한 법률 시행령 제5조의 2).
㉣ ○ : 대판 2020.1.30, 2019도15987

03 함정수사에 관한 설명으로 가장 적절하지 않은 것은?(다툼이 있는 경우 판례에 의함)

22. 순경 1차

① 수사기관과 직접 관련이 있는 유인자가 피유인자와의 개인적인 친밀관계를 이용하여 피유인자의 동정심이나 감정에 호소하거나, 금전적 · 심리적 압박이나 위협 등을 가하거나, 거절하기 힘든 유혹을 하거나, 또는 범행방법을 구체적으로 제시하고 범행에 사용될 금전까지 제공하는 등으로 과도하게 개입함으로써 피유인자로 하여금 범의를 일으키게 하는 것은, 위법한 함정수사에 해당하여 허용되지 않는다.
② 본래 범의를 가지지 아니한 자에 대하여 수사기관이 사술이나 계략 등을 써서 범의를 유발케 하여 범죄인을 검거하는 함정수사는 위법함을 면할 수 없고, 이러한 함정수사에 기한 공소제기는 그 절차가 법률의 규정에 위반하여 무효인 때에 해당한다.
③ 범의를 가진 자에 대하여 단순히 범행의 기회를 제공하거나 범행을 용이하게 하는 것에 불과한 수사방법도 경우에 따라 허용될 수 있다.
④ 아동 · 청소년의 성보호에 관한 법률에 의하면 사법경찰관리는 아동 · 청소년을 대상으로 하는 디지털 성범죄에 대해 신분비공개수사는 가능하지만, 신분위장수사는 위법한 함정수사로서 허용되지 않는다.

해설 ① 대판 2008.7.24, 2008도2794
② 대판 2005.10.28, 2005도1247
③ 대판 1992.10.27, 92도1377
④ 아동 · 청소년의 성보호에 관한 법률에 의하면 사법경찰관리는 아동 · 청소년을 대상으로 하는 디지털 성범죄에 대해 신분비공개수사는 물론 신분위장수사도 가능하다(아동 · 청소년의 성보호에 관한 법률 제25조의 2 제1항 · 제2항).

Answer 3. ④

아동 · 청소년 대상 디지털 성범죄의 수사상 특례(2021. 3. 23. 신설)

1. 사법경찰관리는 신분비공개수사 또는 신분위장수사를 할 때 다음 각 호의 사항을 준수해야 한다(아동 · 청소년의 성보호에 관한 법률 시행령 제5조의 2).

> 1. 수사 관계 법령을 준수하고, 본래 범의(犯意)를 가지지 않은 자에게 범의를 유발하는 행위를 하지 않는 등 적법한 절차와 방식에 따라 수사할 것 22. 7급 국가직
> 2. 피해아동 · 청소년에게 추가 피해가 발생하지 않도록 주의할 것
> 3. 법 제25조의 2 제2항 제3호에 따른 행위를 하는 경우에는 피해아동 · 청소년이나 성폭력방지 및 피해자보호 등에 관한 법률 제2조 제3호의 성폭력피해자에 관한 자료가 유포되지 않도록 할 것

2. **신분비공개수사** : 사전에 상급 경찰관서 수사부서의 장의 승인을 받아야 함(3개월 초과 금지, 연장규정 ×)(제25조의 3 제1항).
   신분위장수사
   - 사법경찰관리는 검사에게 허가신청, 검사는 법원에 허가청구(제25조의 3 제3항)
   - 3개월 초과 금지. 3개월 범위 내 연장신청 · 청구 가능(총 기간은 1년 초과 금지)(제25조의 3 제8항)
   - 긴급신분위장 수사 : 긴급시 법원허가 없이 가능(개시 후 지체 없이 검사에게 허가신청, 48시간 이내에 법원허가를 받지 못한 때에는 즉시 신분위장 수사 중지)(제25조의 4 제1항 · 제2항)

3. 사법경찰관리가 신분비공개수사 또는 신분위장수사로 수집한 증거는 다음 각 호의 어느 하나에 해당하는 외에는 사용할 수 없다(제25조의 5).

> 1. 신분비공개수사 또는 신분위장수사의 목적이 된 디지털 성범죄나 이와 관련되는 범죄를 수사 · 소추하거나 그 범죄를 예방하기 위하여 사용하는 경우
> 2. 신분비공개수사 또는 신분위장수사의 목적이 된 디지털 성범죄나 이와 관련되는 범죄로 인한 징계절차에 사용하는 경우
> 3. 증거 및 자료 수집의 대상자가 제기하는 손해배상청구소송에서 사용하는 경우
> 4. 그 밖에 다른 법률의 규정에 의하여 사용하는 경우

04 함정수사에 대한 설명으로 가장 적절한 것은?(다툼이 있는 경우 판례에 의함) 23. 경찰승진

① 수사기관과 직접적인 관련을 맺지 아니한 상태에서 유인자가 피유인자를 상대로 단순히 수차례 반복적으로 범행을 부탁하였을 뿐 수사기관이 사술이나 계략 등을 사용하였다고 볼 수 없는 경우 설령 그로 인하여 피유인자의 범의가 유발되었다 하더라도 위법한 함정수사에는 해당하지 않는다.

② 본래 범의를 가지지 아니한 자에 대하여 수사기관이 사술이나 계략 등을 써서 범의를 유발케 하여 범죄인을 검거하는 함정수사에 기한 공소제기는 위법하지만, 형사소송법 제327조 제2호에 규정된 공소제기의 절차가 법률의 규정에 위반하여 무효인 때에 해당한다고 볼 수는 없다.

③ 수사기관이 사술 등을 써서 범행을 유발한 것이 아니라 이미 범행을 저지른 범인을 검거하기 위해 정보원을 이용하여 범인을 검거장소로 유인한 경우 이는 위법한 함정수사에 해당한다.

Answer 4. ①

④ 아동·청소년의 성보호에 관한 법률은 동법 소정의 디지털 성범죄에 대한 신분비공개수사를 허용하는 수사 특례규정을 마련하고 있지만, 다른 방법으로는 그 범죄의 실행을 저지하거나 범인의 체포 또는 증거의 수집이 어려운 경우라도 신분위장수사는 허용하지 않는다.

| 해설 ① 대판 2008.7.24, 2008도2794

② 본래 범의를 가지지 아니한 자에 대하여 수사기관이 사술이나 계략 등을 써서 범의를 유발케 하여 범죄인을 검거하는 함정수사에 기한 공소제기는 위법하지만, 형사소송법 제327조 제2호에 규정된 공소제기의 절차가 법률의 규정에 위반하여 무효인 때에 해당한다(대판 2005.10.28, 2005도1247). 따라서 법원은 공소기각판결을 선고하여야 한다.

③ 이미 범행을 저지른 범인을 검거하기 위해 정보원을 이용하여 범인을 검거장소로 유인한 것에 불과한 것은 함정수사로 볼 수 없다(대판 2007.7.26, 2007도4532).

④ 사법경찰관리는 아동·청소년을 대상으로 하는 디지털 성범죄에 대해 신분비공개수사는 물론 신분위장수사도 가능하다(아동·청소년의 성보호에 관한 법률 제25조의 2 제1항·제2항).

05 함정수사에 관한 설명 중 옳지 않은 것은 모두 몇 개인가?(다툼이 있는 경우 판례에 의함)

㉠ 수사기관이 범의를 가진 자에 대하여 범행의 기회를 주거나 단순히 사술이나 계략 등을 써서 범죄인을 검거하는 데 불과한 경우에는 이를 함정수사라고 할 수 없다.

㉡ 수사조건을 위반한 수사는 준항고의 대상이 될 뿐 아니라, 이에 의하여 수집된 증거는 위법수집증거배제법칙에 의거 증거능력이 배제된다.

㉢ 甲이 수사기관에 체포된 동거남의 석방을 위한 공적을 쌓기 위하여 乙에게 필로폰 밀수입에 관한 정보제공을 부탁하면서 대가의 지급을 약속하고, 이에 乙이 丙에게, 丙은 丁에게 순차 필로폰 밀수입을 권유하여, 이를 승낙하고 필로폰을 받으러 나온 丁을 체포한 사안에서, 乙·丙 등이 각자의 사적인 동기에 기하여 수사기관과 직접적인 관련이 없이 독자적으로 丁을 유인한 것으로서 위법한 함정수사에 해당하지 않는다.

㉣ 뇌물공여자들이 새롭게 당선된 군수인 피고인을 함정에 빠뜨리겠다는 의사로 뇌물을 공여한 것이었다면, 뇌물공여자들의 함정교사라는 사정은 피고인의 책임을 면하게 하는 사유가 될 수 있다.

㉤ 게임장에 잠복근무 중인 경찰관으로부터 게임점수를 환전해 줄 것을 요구받고 거절하였음에도 위 경찰관의 지속적인 요구에 어쩔 수 없이 게임점수를 현금으로 환전해 준 것은 함정수사에 해당하지 아니한다.

① 1개 ② 2개 ③ 3개 ④ 없다.

| 해설 ㉠ ○ : 대판 1992.10.27, 92도1377

㉡ ○ : 타당한 내용이다(제417조 참조).

㉢ ○ : 대판 2007.11.29, 2007도7680

㉣ × : 피고인의 뇌물수수가 공여자들의 함정교사에 의한 것이기는 하나, 뇌물공여자들에게 피고인을 함정에 빠뜨릴 의사만 있었고 뇌물공여의 의사가 전혀 없었다고 보기 어려울 뿐 아니라, 뇌물공여자들의 함정교사라는 사정은 피고인의 책임을 면하게 하는 사유가 될 수 없다(대판 2008.3.13, 2007도10804). – 함정교사에는 해당하나 이들은 수사기관과 직접적인 관련을 맺지 아니한 자이기 때문에 함정수사 문제는 아님.

Answer 5. ②

ⓔ ×: 게임장에 잠복근무 중인 경찰관으로부터 게임점수를 환전해 줄 것을 요구받고 거절하였음에도 위 경찰관의 지속적인 요구에 어쩔 수 없이 게임점수를 현금으로 환전해 준 것은 본래 범의를 가지지 않은 자에 대하여 수사기관이 계략으로 범의를 유발하게 한 함정수사에 해당한다(대판 2021.7.29, 2017도16810).

06 함정수사에 대한 설명으로 가장 적절한 것은?(다툼이 있는 경우 판례에 의함)

① 경찰관들이 노래방의 도우미 알선 영업 단속 실적을 올리기 위하여 그에 대한 제보나 첩보가 없는데도 손님을 가장하고 들어가 도우미를 불러낸 경우 위법한 함정수사에 해당한다.

② 피고인 甲이 乙에게 필로폰이 든 1회용 주사기를 교부하고, 필로폰을 1회용 주사기에 넣고 생수로 희석한 다음 자신의 팔에 주사하여 투약하였는바, 乙이 위 사실을 검찰에 신고하여 甲이 체포되도록 한 경우, 甲의 필로폰 투약 등은 함정수사에 의한 것이라고 할 수 있다.

③ 경찰관은 게임장에서 불법 환전이 이루어지고 있다는 신고를 받고 위 게임장에 손님으로 가장하여 잠입수사를 하였는데, 그 과정에서 위 게임장 종업원의 제안에 따라 회원카드를 발급받아 게임점수를 적립하였을 경우 함정수사에 기한 것으로 볼 수 있다.

④ 물품반출업무담당자가 소속회사에 밀반출행위를 사전에 알리고 그 정확한 증거를 확보하기 위하여 피고인의 밀반출행위를 묵인한 것은 함정수사에 비유할 수 있다.

해설 ① 대판 2008.10.23, 2008도7362

② 甲이 2005. 5. 25. 乙에게 필로폰 약 0.03g이 든 1회용 주사기를 교부하고, 같은 달 28. 18 : 00 무렵 필로폰 약 0.03g을 1회용 주사기에 넣고 생수로 희석한 다음 자신의 팔에 주사하여 투약하였는바, 乙이 위 사실을 검찰에 신고하여 甲이 체포되도록 한 경우, 乙이 수사기관과 관련을 맺은 상태에서 위 甲으로 하여금 위와 같이 필로폰을 교부하도록 하거나 필로폰을 투약하도록 유인했다고 볼 아무런 자료가 없다면 위 甲의 필로폰 투약 등이 함정수사에 의한 것이라고 할 수 없다(대판 2008.7.24, 2008도2794).

③ 경찰관은 게임장에서 불법 환전이 이루어지고 있다는 신고를 받고 위 게임장에 손님으로 가장하여 잠입수사를 하였는데, 그 과정에서 위 게임장 종업원의 제안에 따라 회원카드를 발급받아 게임점수를 적립하였을 뿐 피고인 등에게 회원카드 발급 및 게임점수 적립을 적극적으로 요구하거나 다른 손님들과 게임점수의 거래를 시도한 적은 없는 경우라면, 이 부분 범행은 수사기관이 사술이나 계략 등을 써서 피고인의 범의를 유발한 것이 아니라 이미 이루어지고 있던 범행을 적발한 것에 불과하므로 이에 관한 공소제기가 함정수사에 기한 것으로 볼 수 없다(대판 2021.7.29, 2017도16810).

④ 함정수사라 함은 본래 범의를 가지지 아니한 자에 대하여 수사기관이 사술이나 계략 등을 써서 범죄를 유발케 하여 범죄인을 검거하는 수사방식을 말하는 것이므로 물품반출업무담당자가 소속회사에 밀반출행위를 사전에 알리고 그 정확한 증거를 확보하기 위하여 피고인의 밀반출행위를 묵인하였다는 것이므로 이는 함정수사에 비유할 수는 없는 것이다(대판 1987.6.9, 87도915).

Answer 6. ①

THEMA 16 판례 정리

Ⅰ. 범인식별 절차

1. 일반적으로 용의자의 인상착의 등에 의한 범인식별 절차에서 용의자 한 사람을 단독으로 목격자와 대질시키거나 용의자의 사진 한 장만을 목격자에게 제시하여 범인 여부를 확인하게 하는 것은, 사람의 기억력의 한계 및 부정확성과 구체적인 상황하에서 용의자나 그 사진상의 인물이 범인으로 의심받고 있다는 무의식적 암시를 목격자에게 줄 수 있는 가능성으로 인하여, 그러한 방식에 의한 범인식별 절차에서의 목격자의 진술은, 그 용의자가 종전에 피해자와 안면이 있는 사람이라든가 피해자의 진술 외에도 그 용의자를 범인으로 의심할 만한 다른 정황이 존재한다든가 하는 등의 부가적인 사정이 없는 한 그 신빙성이 낮다고 보아야 한다(대판 2008.1.17, 2007도5201). 10. 경찰승진, 17. 경찰간부
2. 범죄식별절차에 있어 목격자의 진술의 신빙성을 높게 하기 위해서는 ㉮ 목격자의 진술 또는 묘사를 사전에 상세히 기록화한 다음, ㉯ 여러 사람을 동시에 목격자와 대면하게 한 후 범인을 지목하게 하여야 하고, ㉰ 상호 사전접촉을 못하도록 하여야 하며, ㉱ 대질과정・결과를 서면화하는 등의 조치를 취하여야 한다(대판 2008.1.17, 2007도5201). 10. 경찰승진, 17. 경찰간부
3. 강간피해자가 수사기관이 제시한 47명의 사진 속에서 피고인을 범인으로 지목하자 이어진 범인식별 절차에서 수사기관이 피해자에게 피고인만을 촬영한 동영상을 보여주거나 피고인만을 직접 보여주어 피해자로부터 범인이 맞다는 진술을 받고, 다시 피고인을 포함한 3명을 동시에 피해자에게 대면시켜 피고인이 범인이라는 확인을 받은 경우, 위 피해자의 진술은 그 신빙성이 낮다(대판 2008.1.17, 2007도5201). 10. 경찰승진
4. 야간에 짧은 시간 동안 강도의 범행을 당한 피해자가 어떤 용의자의 인상착의 등에 의하여 그를 범인으로 진술하는 경우에, 피해자가 범행 전에 용의자를 한번도 본 일이 없고 피해자의 진술 외에는 그 용의자를 범인으로 의심할 만한 객관적인 사정이 존재하지 않는 상태에서, 수사기관이 잘못된 단서에 의하여 범인으로 지목하고 신병을 확보한 용의자를 일대일로 대면하고 그가 범인임을 확인하였을 뿐이라면, 그 피해자의 진술에 높은 정도의 신빙성을 부여하기는 곤란하다(대판 2001.2.9, 2000도4946). 17. 경찰간부, 24. 해경승진
5. 피해자가 경찰관과 함께 범행 현장에서 범인을 추적하다 골목길에서 범인을 놓친 직후 골목길에 면한 집을 탐문하여 용의자를 확정한 경우, 그 현장에서 용의자와 피해자의 일대일 대면이 허용된다(대판 2009.6.11, 2008도12111). 10. 경찰승진, 17. 경찰간부, 24. 해경승진

Ⅱ. 음주측정

도로교통법 개정으로 인하여 2019.6.25.부터 음주운전 단속기준이 현행 혈중 알콜농도 0.05%에서 0.03%로 강화된다. 이에 따라 혈중 알콜농도 0.05%와 관련한 종전 판례의 내용도 현행법에 맞도록 조정이 있으리라고 본다. 다만, 개정법에 의하면 틀린 내용에 해당하는 기존 판례일지라도 새로운 판례가 나오기 전까지는 그대로 숙지하고 있을 필요가 있다. 왜냐하면, 비록 개정법에 의하면 적절한 내용은 아닐지라도 그 원리만은 의미가 있는 경우이거나, 법령이 개정되어 기존의 판례로 출제하기에는 부적절한 경우에도 각종 시험에서 간혹 기존의 판례 그대로 출제되는 경우가 있기 때문이다.

• 측정이 위법 ○

1. 위법한 강제연행 상태에서 호흡측정 방법에 의한 음주측정을 한 다음 **강제연행 상태로부터 시간적・장소적으로 단절되었다고 볼 수도 없고 피의자의 심적 상태 또한 강제연행 상태로부터 완전히 벗어났다고 볼 수 없는 상황에서 피의자가** 호흡측정 결과에 대한 탄핵을 하기 위하여 스스로 혈액채취 방법에

의한 측정을 할 것을 요구하여 혈액채취가 이루어졌다고 하더라도 **그러한 혈액채취에 의한 측정 결과 역시 유죄인정의 증거로 쓸 수 없다**(피고인이나 변호인이 이를 증거로 함에 동의한 경우에도 동일 : 대판 2013.3.14, 2010도2094). 14. 변호사시험, 16. 경찰간부 · 9급 교정 · 보호 · 철도경찰, 17 · 18. 경찰승진

▶ 위법한 강제연행 상태에서 호흡측정 방법에 의한 음주측정을 한 다음 강제연행 상태로부터 시간적 · 장소적으로 단절되었다고 볼 수도 없고 피의자의 심적 상태 또한 강제연행 상태로부터 완전히 벗어났다고 볼 수 없는 상황에서 피의자가 호흡측정 결과에 대한 탄핵을 하기 위하여 스스로 혈액채취 방법에 의한 측정을 할 것을 요구하여 혈액채취가 이루어진 경우, 그러한 채취에 의한 측정결과는 유죄의 증거로 쓸 수 있다. (×)

2. 음주측정을 위하여 당해 운전자를 강제로 연행하기 위해서는 수사상의 강제처분에 관한 형사소송법상의 절차에 따라야 하고, 이러한 절차를 무시한 채 이루어진 강제연행은 위법한 체포에 해당한다. 이와 같은 위법한 체포 상태에서 음주측정요구가 이루어진 경우, 운전자가 주취운전을 하였다고 인정할 만한 상당한 이유가 있다 하더라도 **위법한 음주측정요구에 해당하므로 음주측정불응죄로 처벌할 수 없다**(대판 2006.11.9, 2004도8404).

▶ 도로교통법상 음주측정에 관한 규정들을 근거로 음주운전을 하였다고 인정할 만한 상당한 이유가 있는 자에 대하여 경찰관서에 강제연행하여 음주측정을 요구할 수 있다. (×) 15. 순경 2차

3. 甲은 저녁을 먹으면서 술을 마신 뒤 빌라 주차장에 주차되어 있던 甲의 차량을 그대로 둔 채 귀가하였다. 다음날 아침에 공사를 할 수 없다며 차량을 이동시켜 달라는 취지의 신고전화를 하였고, 이에 경찰관은 차량을 이동할 것을 요구하는 전화를 하였다. 甲은 위 빌라 주차장에 도착하여 술 냄새가 나고 눈이 빨갛게 충혈 되어 있는 상태에서 차량을 약 2m 가량 운전하여 이동 · 주차하였으나, 누군가 피고인이 음주운전을 하였다고 신고를 하여 경찰관은 다시 현장에 출동하였고, 음주감지기에 의한 확인을 요구하였으나 '이만큼 차량을 뺀 것이 무슨 음주운전이 되느냐.'며 응하지 아니하였고, 임의동행도 거부하였다. 이에 경찰관은 甲을 음주운전죄의 현행범으로 체포하여 위 지구대로 데리고 가 음주측정을 요구한 경우, 사안이 경미하고, 도망하거나 증거를 인멸하였다고 단정하기 어려워 **甲을 현행범으로 체포한 것은 위법하고, 그와 같이 위법한 체포상태에서 이루어진 음주측정요구 또한 위법하다고 보지 않을 수 없다**(대판 2017.4.7, 2016도19907).

4. 동행하기를 거절하는 피고인의 팔을 잡아끌고 교통조사계로 데리고 간 것은 위법한 강제연행에 해당하므로, 교통조사계에서의 음주측정요구 역시 위법하다고 할 것이어서, **피고인이 그와 같은 음주측정요구에 불응하였다고 하여 음주측정불응죄로 처벌할 수는 없다**(대판 2015.12.24, 2013도8481).

5. 음주종료 후 4시간 정도 지난 시점에서 물로 입 안을 헹구지 아니한 채 호흡측정기로 측정한 혈중알코올농도 수치가 0.05%로 나타난 사안에서, **위 증거만으로는 피고인이 혈중알코올농도 0.05% 이상의 술에 취한 상태에서 자동차를 운전하였다고 인정하기 부족하다**(대판 2010.6.24, 2009도1856).

6. 음주운전을 종료한 후 40분 이상이 경과한 시점에서 길가에 앉아 있던 운전자를 술냄새가 난다는 점만을 근거로 **음주운전의 현행범으로 체포한 것은 적법한 공무집행으로 볼 수 없다**(대판 2007.4.13, 2007도1249). 19. 경찰승진

7. 물로 입 안을 헹굴 기회를 달라는 피고인의 요구를 무시한 채 호흡측정기로 측정한 혈중알코올농도 수치가 0.05%로 나타난 사안에서, **피고인이 당시 혈중알코올농도 0.05% 이상의 술에 취한 상태에서 운전하였다고 단정할 수 없다**(대판 2006.11.23, 2005도7034).

8. 피고인에 대한 음주측정시 구강 내 잔류 알코올 등으로 인한 과다측정을 방지하게 하기 위한 조치를 전혀 취하지 않았고, 1개의 불대만으로 연속적으로 측정한 점 등의 사정에 비추어, **혈중알코올농도 측정치가 0.058%로 나왔다는 사실만으로는 피고인이 음주운전의 법정 최저기준치인 혈중알코올농도 0.05% 이상의 상태에서 자동차를 운전하였다고 단정할 수 없다**(대판 2006.5.26, 2005도7528).

• **측정이 위법 ×**

1. 경찰관이 음주운전 단속시 운전자의 요구에 따라 곧바로 채혈을 실시하지 않은 채 호흡측정기에 의한 음주측정을 하고 1시간 12분이 경과한 후에야 채혈을 하였다는 사정만으로는 법령에 위배되지 아니한다(대판 2008.4.24, 2006다32132). 11. 순경, 14. 경찰승진
2. 음주운전을 목격한 피해자가 있는 상황에서 경찰관이 음주운전 종료시부터 약 2시간 후, 집에 있던 피고인을 임의동행하여 음주측정을 요구하였고, 음주측정 요구 당시에도 피고인은 상당히 술에 취한 것으로 보이는 상황이었다면 그 음주측정 요구는 적법하다(대판 1997.6.13, 96도3069). 14 · 17. 경찰승진
3. 경찰관이 술에 취한 상태에서 자동차를 운전한 것으로 보이는 피고인을 경찰관 직무집행법 제4조 제1항에 따른 보호조치 대상자로 보아 경찰서 지구대로 데려온 직후 3회에 걸쳐 음주측정을 요구한 것은 적법한 음주측정요구에 해당한다(대판 2012.2.9, 2011도4328). 15. 순경 2차
4. 음주측정은 당사자의 자발적 협조가 필수적인 것이므로 영장을 필요로 하는 강제처분이라 할 수 없다. 따라서 주취운전의 혐의자에게 영장 없는 음주측정에 응할 의무를 지우고 이에 불응한 사람을 처벌한다고 하더라도 헌법 제12조 제3항에 규정된 영장주의에 위배되지 아니한다(헌재결 1997.3.27, 96헌가11).
   ▶ 도로교통법의 음주측정불응죄를 근거로 영장 없이 호흡측정기에 의해 음주측정을 하는 것은 강제수사에 해당하는 것으로 영장주의에 반한다. (×) 15. 순경 2차
5. 운전자가 주취운전을 하였다고 인정할 만한 상당한 이유가 있다 하더라도 그 운전자에게 경찰공무원의 위법한 음주측정요구에 대해서까지 그에 응할 의무가 있다고 보아 이를 강제하는 것은 부당하므로 그에 불응하였다고 하여 음주측정거부에 관한 도로교통법 위반죄로 처벌할 수 없다(대판 2006.11.9, 2004도8404). 10. 경찰승진
6. 운전자의 호흡측정 결과에 불복이 없는 한 다시 음주측정을 하는 것은 원칙적으로 허용되지 아니한다. 그러나 음주운전 혐의가 있는 운전자에게 혈액채취에 의한 음주측정 규정은 운전자가 호흡측정 결과에 불복하는 경우에만 한정하여 허용하려는 취지의 규정이라고 해석할 수는 없다. 운전자의 자발적인 동의를 얻어 혈액채취에 의한 측정의 방법으로 다시 음주측정을 하는 것을 위법하다고 볼 수는 없다. 이 경우 운전자가 일단 호흡측정에 응한 이상 재차 음주측정에 응할 의무까지 당연히 있다고 할 수는 없으므로, 운전자의 혈액채취에 대한 동의의 임의성을 담보하기 위하여는 운전자의 자발적인 의사에 의하여 혈액채취가 이루어졌다는 것이 객관적인 사정에 의하여 명백한 경우에 한하여 혈액채취에 의한 측정의 적법성이 인정된다(대판 2015.7.9, 2014도16051).
7. 피고인이 술냄새가 나고, 혈색이 붉으며, 말을 할 때 혀가 심하게 꼬이고 비틀거리며 걷는 등 술에 취한 것으로 보이자 피고인을 경찰관 직무집행법 제4조 제1항에 따른 보호조치 대상자로 보아 순찰차 뒷자리에 태운 뒤 경찰서지구대로 데려왔으며, 경찰관들은 피고인이 지구대에 도착한 직후인 2009. 11. 3. 00 : 47부터 같은 날 01 : 09까지 피고인에게 3회에 걸쳐 음주측정을 요구한 것은 도로교통법 제44조 제2항에 따른 것이라고 할 것이므로, 그러한 음주측정 요구에 불응한 피고인의 행위는, 음주측정불응죄에 해당한다(대판 2012.2.9, 2011도4328).
   비교판례 : 화물차 운전자인 피고인이 경찰의 음주단속에 불응하고 도주하였다가 다른 차량에 막혀 더 이상 진행하지 못하게 되자 운전석에서 내려 다시 도주하려다 경찰관에게 지구대로 보호조치된 후 음주측정요구에 불응하고 경찰관을 상해한 경우, 술에 만취하여 정상적인 판단능력이나 의사능력을 상실할 정도에 있었다고 보기 어려운 점, 당시 상황에 비추어 평균적인 경찰관으로서는 보호조치를 필요로 하는 상태에 있었다고 판단하지 않았을 것으로 보이는 점, 경찰관이 보호조치를 하고자 하였다면, 당시 옆에 있었던 피고인 처에게 피고인을 인계하였어야 하는데도, 피고인 처의 의사에 반하여 지구대로 데려간 점 등 제반 사정을 종합할 때 피고인을

지구대로 데려간 행위를 적법한 보호조치라고 할 수 없고, 그와 같이 위법한 체포 상태에서 이루어진 음주측정요구에 불응하였다고 하더라도 음주측정거부죄나 공무집행방해죄로 처벌할 수 없다(다만, 상해죄 처벌은 가능)(대판 2012.12.13, 2012도11162).

▶ 경찰관 직무집행법 제4조 제1항 제1호의 보호조치요건이 갖추어지지 않았음에도, 경찰관이 실제로는 범죄수사를 목적으로 피의자에 해당하는 사람을 이 사건 조항의 피구호자로 삼아 그의 의사에 반하여 경찰서에 데려간 행위는 현행범체포나 임의동행 등의 적법요건을 갖추었다고 볼 사정이 없다면 위법한 체포에 해당한다. (○) 16. 경찰간부, 17. 순경 2차

8. 운전자가 경찰공무원에 대하여 호흡측정기에 의한 측정결과에 불복하고 혈액채취의 방법에 의한 측정을 요구할 수 있는 것은 경찰공무원이 운전자에게 호흡측정의 결과를 제시하여 확인을 구하는 때로부터 상당한 정도(30분)로 근접한 시점에 한정된다 할 것이고(음주측정 불응에 따른 불이익을 10분 간격으로 3회 이상 명확히 고지하고 최초 측정요구시로부터 30분이 경과한 때에 측정거부로 처리) 운전자가 정당한 이유 없이 그 확인을 거부하면서 상당한 시간이 경과한 후에야 호흡측정 결과에 이의를 제기하면서 혈액채취의 방법에 의한 측정을 요구하는 경우에는 이를 정당한 요구라고 할 수 없으므로, 이와 같은 경우에는 경찰공무원이 혈액채취의 방법에 의한 측정을 실시하지 않았다고 하더라도 호흡측정기에 의한 측정의 결과만으로 음주운전 사실을 증명할 수 있다(대판 2002.3.15, 2001도7121).

• 기 타

1. 음주운전과 관련한 도로교통법 위반죄의 범죄수사를 위하여 미성년자인 피의자의 혈액채취가 필요한 경우에도 피의자에게 의사능력이 있다면 피의자 본인만이 혈액채취에 관한 유효한 동의를 할 수 있고, 피의자에게 의사능력이 없는 경우에도 명문의 규정이 없는 이상 법정대리인이 피의자를 대리하여 동의할 수는 없다(대판 2014.11.13, 2013도1228). 16. 경찰간부, 17. 경찰승진, 18. 순경 3차

▶ 음주운전과 관련한 도로교통법 위반죄의 범죄수사를 위하여 미성년자인 피의자의 혈액채취가 필요한 경우에 피의자 의사능력 유무와 관계 없이 미성년자인 피의자를 대리하여 채혈에 관해 동의할 수 있다. (×)

2. 호흡측정기에 의한 음주측정을 요구하기 전에 사용되는 음주감지기 시험에서 음주반응이 나왔다고 할지라도 그것만으로 바로 운전자가 혈중알코올농도 0.05% 이상의 술에 취한 상태에 있다고 인정할 만한 상당한 이유가 있다고 볼 수는 없고, 거기에다가 운전자의 외관·태도·운전행태 등의 객관적 사정을 종합하여 술에 취한 상태에 있다고 인정할 만한 상당한 이유가 있는지 여부를 판단하여야 한다(대판 2003.1.24, 2002도6632). 14. 경찰승진

3. 운전자의 신체 이상 등의 사유로 호흡측정기에 의한 측정이 불가능 내지 심히 곤란하거나 운전자가 처음부터 호흡측정기에 의한 측정의 방법을 불신하면서 혈액채취에 의한 측정을 요구하는 경우 등에는 호흡측정기에 의한 측정의 절차를 생략하고 바로 혈액채취에 의한 측정으로 나아가야 할 것이고, 이와 같은 경우라면 호흡측정기에 의한 측정에 불응한 행위를 음주측정불응으로 볼 수 없다. 한편, 특별한 이유 없이 호흡측정기에 의한 측정에 불응하는 운전자에게 경찰공무원이 혈액채취에 의한 측정방법이 있음을 고지하고 그 선택 여부를 물어야 할 의무가 있다고는 할 수 없다(대판 2002.10.25, 2002도4220). 14. 경찰승진, 18. 순경 2차

4. 호흡측정기에 의한 음주측정치와 혈액검사에 의한 음주측정치가 다른 경우에 혈액검사에 의한 음주측정치가 호흡측정기에 의한 음주측정치보다 측정 당시의 혈중알코올농도에 더 근접한 음주측정치라고 보는 것이 경험칙에 부합한다(대판 2004.2.13, 2003도6905). 11. 순경, 18. 순경 2차

5. 위드마크 공식을 사용하여 수학적 방법에 따른 결과로 운전 당시의 혈중알코올농도를 추정할 수 있고, 이때 운전시점의 혈중알코올농도를 추정함에 있어서는, 피검사자의 평소 음주정도, 체질, 음주

속도, 음주 후 신체활동의 정도 등 다양한 요소들이 시간당 혈중알코올의 감소치에 영향을 미칠 수 있으나 그 시간당 감소치는 대체로 0.03%에서 0.008% 사이라는 것은 이미 알려진 신빙성 있는 통계자료에 의하여 인정되는바, 위와 같은 역추산 방식에 의하여 운전시점 이후의 혈중알코올분해량을 가산함에 있어서 시간당 0.008%는 피고인에게 가장 유리한 수치이므로 특별한 사정이 없는 한 이 수치를 적용하여 산출된 결과는 운전 당시의 혈중알코올농도를 증명하는 자료로서 증명력이 충분하다(대판 2001.8.21, 2001도2823). 10. 경찰승진

6. 경찰공무원이 운전자에게 음주 여부를 확인하기 위하여 음주측정기에 의한 측정의 전 단계에 실시되는 음주감지기에 의한 시험을 요구하는 경우, 음주감지기에 의한 시험을 거부한 행위도 음주측정기에 의한 측정에 응할 의사가 없음을 객관적으로 명백하게 나타낸 것으로 볼 수 있다(대판 2017.6.8, 2016도16121). – 따라서 음주감지기 시험 거부는 음주측정불응죄에 해당한다. 18. 순경 2차
7. 경찰공무원이 음주감지기에 의한 시험을 요구하였을 당시 피고인은 이미 운전을 종료한 지 약 2시간이 경과하였던 점, 피고인은 자신의 차량을 운전하여 이 사건 현장에 도착한 이후 일행들과 40분 이상 편의점 앞 탁자에 앉아 있었고 그 위에는 술병들이 놓여 있었으므로, 피고인이 운전을 마친 이후 이 사건 현장에서 비로소 술을 마셨을 가능성도 없지 않았던 점 등을 종합적으로 고려하여 보면, 피고인이 술에 취한 상태에서 자동차를 운전하였다고 인정할 만한 상당한 이유가 있다고 하기에 부족하다(대판 2017.6.8, 2016도16121). – 이 경우처럼 술에 취한 상태에서 자동차를 운전하였다고 인정할 만한 상당한 이유가 없으면 음주감지기 시험 거부는 음주측정불응죄에 해당하지 아니한다.
8. 음주측정불응죄에서 말하는 '경찰공무원의 측정에 응하지 아니한 경우'라 함은 전체적인 사건의 경과에 비추어 술에 취한 상태에 있다고 인정할 만한 상당한 이유가 있는 운전자가 음주측정에 응할 의사가 없음이 객관적으로 명백하다고 인정되는 때를 의미하는 것으로 봄이 타당하고, 그러한 운전자가 경찰공무원의 1차 측정에만 불응하였을 뿐 곧이어 이어진 2차 측정에 응한 경우와 같이 측정거부가 일시적인 것에 불과한 경우까지 음주측정불응죄가 성립한다고 볼 것은 아니다(대판 2015.12.14, 2013도8481).
9. "비록 운전시점과 혈중알코올농도의 측정 시점 사이에 시간 간격이 있고 그때가 혈중알코올농도의 상승기로 보이는 경우라 하더라도, 그러한 사정만으로 무조건 실제 운전 시점의 혈중알코올농도가 처벌기준치를 초과한다는 점에 대한 입증이 불가능하다고 볼 수는 없다." 이러한 경우 운전 당시에도 처벌기준치 이상이었다고 볼 수 있는지 여부는 운전과 측정 사이의 시간 간격, 측정된 혈중알코올농도의 수치와 처벌기준치의 차이, 음주량과 운전자의 행동 양상 등 증거에 의해 인정되는 여러 사정을 종합적으로 고려해 합리적으로 판단해야 한다(대판 2013.10.24, 2013도6285).
10. 음주측정불응죄에 있어서 경찰공무원의 측정은 같은 법 제44조 제2항 소정의 호흡조사에 의한 측정만을 의미하는 것으로서 같은 법 제44조 제3항 소정의 혈액채취에 의한 측정을 포함하는 것으로 볼 수 없음은 법문상 명백하다. 따라서, 신체 이상 등의 사유로 인하여 호흡조사에 의한 측정에 응할 수 없는 운전자가 혈액채취에 의한 측정을 거부하거나 이를 불가능하게 하였다고 하더라도 이를 들어 음주측정에 불응한 것으로 볼 수는 없다(대판 2010.7.15, 2010도2935).
11. 음주측정불응죄가 성립하기 위하여는 음주측정 요구 당시 운전자가 반드시 음주운전죄로 처벌되는 음주수치인 혈중알코올농도 0.05% 이상의 상태에 있어야 하는 것은 아니고 혈중알코올농도 0.05% 이상의 상태에 있다고 인정할 만한 상당한 이유가 있으면 되는 것이고, 나아가 술에 취한 상태에 있다고 인정할 만한 상당한 이유가 있는지 여부는 음주측정 요구 당시 개별 운전자마다 그의 외관·태도·운전 행태 등 객관적 사정을 종합하여 판단하여야 한다(대판 2004.10.15, 2004도4789).
12. 경찰공무원의 음주측정 요구에 응하지 아니한 이상 그 후 피고인이 스스로 경찰공무원에게 혈액채취의 방법에 의한 음주측정을 요구하였다 하더라도 음주측정불응죄의 성립에 영향이 없으며, 그

혈액채취에 의한 음주측정 결과 음주운전으로 처벌할 수 없는 혈중알코올농도 수치가 나왔다고 하여 음주측정 불응 당시 피고인이 혈중알코올농도 0.05% 이상의 술에 취한 상태에 있다고 인정할 만한 상당한 이유가 없었다고 볼 수는 없다(대판 2004.10.15, 2004도4789). 18. 순경 2차

13. 호흡측정기에 의한 음주측정을 요구하기 전에 사용되는 음주감지기 시험결과 음주반응이 나온 점, 음주측정을 요구받을 당시 피고인에게서 술 냄새가 났고, 혈색이 붉은 색을 띠고 있었으며, 걸음걸이 등 보행상태가 약간 흔들거렸던 점, 음주측정을 요구받은 피고인이 군인신분증을 보여주면서 자신은 군인이니 좀 봐주면 안 되겠냐고 부탁한 점 등을 종합해 볼 때, 음주측정요구를 받을 당시 술에 취한 상태에 있다고 인정할만한 상당한 이유가 있다고 판단되므로 음주측정요구에 불응한 경우 음주측정불응죄가 인정된다(대판 2004.10.15, 2004도4789).
14. 약 21분간 불대에 입을 대고 부는 시늉만 하면서 입을 떼버리는 것을 반복하여 호흡측정기에 음주측정 수치가 나타나지 아니하도록 한 행위는 음주측정불응의 죄에 해당한다(대판 2002.10.25, 2002도4220).

01 범인식별과 음주측정에 관한 판례의 내용으로 옳은 것(○)과 옳지 않은 것(×)을 올바르게 조합한 것은?(다툼이 있으면 판례에 의함)

㉠ 범인식별 절차에서 용의자 한 사람을 단독으로 목격자와 대질시키거나 용의자의 사진 한 장만을 목격자에게 제시하여 범인 여부를 확인하게 하는 것은, 신빙성이 낮다고 보아야 한다.
㉡ 피해자가 경찰관과 함께 범행 현장에서 범인을 추적하다 골목길에서 범인을 놓친 직후 골목길에 면한 집을 탐문하여 용의자를 확정한 경우라도, 그 현장에서 용의자와 피해자의 일대일 대면은 허용되지 아니한다.
㉢ 운전자가 주취운전을 하였다고 인정할 만한 상당한 이유가 있다면, 비록 그 운전자에게 경찰공무원의 위법한 음주측정요구가 있었다 할지라도 그에 응할 의무가 있다고 보아야 한다.
㉣ 주취운전의 혐의자에게 영장없는 음주측정에 응할 의무를 지우고 이에 불응한 사람을 처벌하는 것은 헌법 제12조 제3항에 규정된 영장주의에 위배된다.
㉤ 범인식별절차에서의 피해자의 진술을 신빙성이 높다고 평가할 수 있으려면, 범인의 인상착의 등에 관한 피해자의 진술 내지 묘사를 사전에 상세하게 기록한 다음, 용의자를 포함하여 그와 인상착의가 비슷한 여러 사람을 동시에 피해자와 대면시켜 범인을 지목하도록 하여야 하고, 용의자와 비교대상자 및 피해자들이 사전에 서로 접촉하지 못하도록 하여야 한다.

① ㉠(×), ㉡(○), ㉢(○), ㉣(○), ㉤(×)
② ㉠(○), ㉡(×), ㉢(×), ㉣(×), ㉤(○)
③ ㉠(×), ㉡(×), ㉢(×), ㉣(○), ㉤(×)
④ ㉠(○), ㉡(×), ㉢(○), ㉣(×), ㉤(○)

해설 ㉠ ○ : 대판 2008.1.17, 2007도5201
㉡ × : 피해자가 경찰관과 함께 범행 현장에서 범인을 추적하다 골목길에서 범인을 놓친 직후 골목길에 면한 집을 탐문하여 용의자를 확정한 경우, 그 현장에서 용의자와 피해자의 일대일 대면이 허용된다(대판 2009.6.11, 2008도12111).

Answer 1. ②

ⓒ ×: 운전자가 주취운전을 하였다고 인정할 만한 상당한 이유가 있다 하더라도 그 운전자에게 경찰공무원의 이와 같은 위법한 음주측정요구에 대해서까지 그에 응할 의무가 있다고 보아 이를 강제하는 것은 부당하므로 그에 불응하였다고 하여 음주측정 거부에 관한 도로교통법 위반죄로 처벌할 수 없다(대판 2006.11.9, 2004도8404).
ⓔ ×: 음주측정은 당사자의 자발적 협조가 필수적인 것이므로 영장을 필요로 하는 강제처분이라 할 수 없다. 따라서 주취운전의 혐의자에게 영장 없는 음주측정에 응할 의무를 지우고 이에 불응한 사람을 처벌한다고 하더라도 헌법 제12조 제3항에 규정된 영장주의에 위배되지 아니한다(헌재결 1997.3.27, 96헌가11).
ⓜ ○: 대판 2008.1.17, 2007도5201

02 음주측정에 관한 설명 중 가장 적절한 것은?(다툼이 있는 경우 판례에 의함) 17. 경찰승진

① 음주운전과 관련한 도로교통법위반죄의 범죄수사를 위하여 미성년자인 피의자의 혈액채취가 필요한 경우, 피의자에게 의사능력이 없다면 피의자의 법정대리인이 피의자를 대리하여 피의자의 혈액채취에 관한 유효한 동의를 할 수 있다.
② 위법한 강제연행 상태에서 호흡측정방법에 의한 음주측정을 한 다음, 강제연행 상태로부터 시간적·장소적으로 단절되었다고 볼 수 없는 상황에서 피의자가 호흡측정결과를 탄핵하기 위하여 스스로 혈액채취에 의한 측정을 할 것을 요구하여 혈액채취가 이루어진 경우 그러한 혈액채취에 의한 측정결과는 유죄인정의 증거로 쓸 수 있다.
③ 주취운전의 혐의자에게 영장 없는 음주측정에 응할 의무를 지우고 이에 불응한 사람을 처벌하는 것은 헌법 제12조 제3항에 규정된 영장주의에 위배된다.
④ 음주운전을 목격한 피해자가 있는 상황에서 경찰관이 음주운전 종료시부터 약 2시간 후 집에 있던 피고인을 임의동행하여 음주측정을 요구하였고, 음주측정 요구 당시에도 피고인이 상당히 취한 것으로 보이는 상황이었다면 그 음주측정 요구는 적법하다.

| 해설 ① 피의자에게 의사능력이 없는 경우에도 명문의 규정이 없는 이상 법정대리인이 피의자를 대리하여 동의할 수는 없다(대판 2014.11.13, 2013도1228).
② 피의자가 호흡측정 결과에 대한 탄핵을 하기 위하여 스스로 혈액채취 방법에 의한 측정을 할 것을 요구하여 혈액채취가 이루어졌다고 하더라도 그러한 혈액채취에 의한 측정 결과 역시 유죄인정의 증거로 쓸 수 없다(대판 2013.3.14, 2010도2094).
③ 음주측정은 당사자의 자발적 협조가 필수적인 것이므로 영장을 필요로 하는 강제처분이라 할 수 없다. 따라서 주취운전의 혐의자에게 영장없는 음주측정에 응할 의무를 지우고 이에 불응한 사람을 처벌한다고 하더라도 헌법 제12조 제3항에 규정된 영장주의에 위배되지 아니한다(헌재결 1997.3.27, 96헌가11).
④ 대판 1997.6.13, 96도3069

03 다음은 음주측정과 관련한 판례의 내용이다. 거리가 먼 것은?

① 척추장애로 지체장애 3급 장애인으로 등록된 피고인의 폐활량은 정상인의 약 26.9%, 1초간 노력성 호기량은 약 33.5%에 불과하고, 호흡측정기가 작동하기 위하여는 최소 1.251ℓ의 호흡유량이 필요하나 피고인의 폐활량은 0.71ℓ에 불과한 점 등에 비추어 음주측정에 불응한 것으로 볼 수 없다.

Answer 2.④ 3.③

② 음주운전을 종료한 후 40분 이상이 경과한 시점에서 길가에 앉아 있던 운전자를 술냄새가 난다는 점만을 근거로 음주운전의 현행범으로 체포한 것은 적법한 공무집행으로 볼 수 없다.
③ 운전시점과 혈중알코올농도의 측정 시점 사이에 시간 간격이 있고 그때가 혈중알코올농도의 상승기로 보이는 경우라면 실제 운전 시점의 혈중알코올농도가 처벌기준치를 초과한다는 점에 대한 입증이 불가능하다고 볼 수 있다.
④ 혈액검사에 의한 음주측정치가 호흡측정기에 의한 음주측정치보다 측정 당시의 혈중알콜농도에 더 근접한 음주측정치라고 보는 것이 경험칙에 부합한다.

| 해설 ① 대판 2010.7.15, 2010도2935
② 대판 2007.4.13, 2007도1249
③ "비록 운전시점과 혈중알코올농도의 측정 시점 사이에 시간 간격이 있고 그때가 혈중알코올농도의 상승기로 보이는 경우라 하더라도, 그러한 사정만으로 무조건 실제 운전 시점의 혈중알코올농도가 처벌기준치를 초과한다는 점에 대한 입증이 불가능하다고 볼 수는 없다." 이러한 경우 운전 당시에도 처벌기준치 이상이었다고 볼 수 있는지 여부는 운전과 측정 사이의 시간 간격, 측정된 혈중알코올농도의 수치와 처벌기준치의 차이, 음주량과 운전자의 행동 양상 등 증거에 의해 인정되는 여러 사정을 종합적으로 고려해 합리적으로 판단해야 한다(대판 2013.10.24, 2013도6285).
④ 대판 2004.2.11, 2008도7112

04 **음주운전 수사방법에 대한 판례의 태도가 아닌 것은 모두 몇 개인가?**

㉠ 호흡측정기에 의한 음주측정 전의 음주감지기 시험에서 음주반응이 나왔다고 할지라도 그것만으로 바로 운전자가 혈중알코올농도 0.05% 이상의 술에 취한 상태에 있다고 인정할 만한 상당한 이유가 있다고 볼 수는 없다.
㉡ 운전자가 주취운전을 했다고 인정할 만한 상당한 이유가 있다 하더라도 위법한 체포상태에서 음주측정요구가 이루어진 경우에는 이를 거부하더라도 음주측정거부죄로 처벌할 수 없다.
㉢ 운전자가 처음부터 호흡측정기에 의한 측정의 방법을 불신하면서 혈액채취에 의한 측정을 요구하는 경우일지라도 호흡측정기에 의한 측정의 절차를 생략하고 바로 혈액채취에 의한 측정으로 나아가야 할 것은 아니다.
㉣ 역추산 방식에 의하여 운전시점 이후의 혈중알코올분해량을 가산함에 있어서 시간당 0.008%는 피고인에게 가장 유리한 수치이긴 하나 개인적인 차이를 무시한 것이므로 이 수치를 적용하여 산출된 결과는 운전 당시의 혈중알코올농도를 증명하는 자료로써 증명력이 불충분하다.
㉤ 음주운전에 대한 수사과정에서 음주운전 혐의가 있는 운전자에 대하여 도로교통법에 따른 호흡측정이 이루어진 경우 과학적이고 중립적인 호흡측정 수치가 도출되었다 하여도 그 결과에 오류가 있다고 인정할 만한 객관적이고 합리적인 사정이 있는 경우라면 추가로 음주측정을 할 필요성이 있으므로, 경찰관이 혐의를 제대로 밝히기 위해 혈액채취에 의한 측정방법으로 재측정하는 것을 위법하다 할 수 없고 운전자는 이에 따라야 할 의무가 있다.

① 1개 ② 2개 ③ 3개 ④ 4개

Answer 4. ③

| 해설 ㉠ ○ : 대판 2003.1.24, 2002도6632
㉡ ○ : 대판 2006.11.9, 2004도8404
㉢ × : 운전자가 처음부터 호흡측정기에 의한 측정의 방법을 불신하면서 혈액채취에 의한 측정을 요구하는 경우에 호흡측정기에 의한 측정의 절차를 생략하고 바로 혈액채취에 의한 측정으로 나아가야 할 것이고, 이와 같은 경우라면 호흡측정기에 의한 측정에 불응한 행위를 음주측정 불응으로 볼 수 없다(대판 2002.10.25, 2002도4220).
㉣ × : 피검사자의 평소 음주정도, 체질, 음주속도, 음주 후 신체활동의 정도 등 다양한 요소들이 시간당 혈중알코올의 감소치에 영향을 미칠 수 있으나 그 시간당 감소치는 대체로 0.03%에서 0.008% 사이라는 것은 이미 알려진 신빙성 있는 통계자료에 의하여 인정되는바, 위와 같은 역추산 방식에 의하여 운전시점 이후의 혈중알코올분해량을 가산함에 있어서 시간당 0.008%는 피고인에게 가장 유리한 수치이므로 특별한 사정이 없는 한 이 수치를 적용하여 산출된 결과는 운전 당시의 혈중알코올농도를 증명하는 자료로서 증명력이 충분하다(대판 2001.8.21, 2001도2823).
㉤ × : 호흡측정이 이루어진 경우에 다시 음주측정을 하는 것은 원칙적으로 허용되지 아니한다. 그러나 호흡측정 결과에 오류가 있다고 인정할 만한 객관적이고 합리적인 사정이 있는 경우라면 운전자의 자발적인 동의를 얻어 혈액 채취에 의한 측정의 방법으로 다시 음주측정을 하는 것을 위법하다고 볼 수는 없다. 이 경우 운전자가 일단 호흡측정에 응한 이상 재차 음주측정에 응할 의무까지 당연히 있다고 할 수는 없다(대판 2015.7.9, 2014도16051).

05 음주운전 단속에 관한 판례의 입장으로 가장 적절하지 않은 것은?

① 경찰관의 음주운전 단속시 운전자의 요구에 따라 곧바로 채혈을 실시하지 않은 채 호흡측정기에 의한 음주측정을 하고 1시간 12분이 경과한 후에야 채혈을 하였다는 사정만으로 위 행위가 법령에 위배된다거나 객관적 정당성을 상실하여 운전자가 음주운전 단속과정에서 받을 수 있는 권익이 현저하게 침해되었다고 단정할 수 있다.

② 경찰공무원이 음주감지기에 의한 시험을 요구하였을 당시 피고인은 이미 운전을 종료한 지 약 2시간이 경과하였고, 피고인은 자신의 차량을 운전하여 이 사건 현장에 도착한 이후 일행들과 40분 이상 편의점 앞 탁자에 앉아 있었고 그 위에는 술병들이 놓여 있는 경우라면 음주감지기 시험 거부는 음주측정불응죄에 해당하지 아니한다.

③ 특별한 이유 없이 호흡측정기에 의한 측정에 불응하는 운전자에게 경찰공무원이 혈액채취에 의한 측정방법이 있음을 고지하고 그 선택 여부를 물어야 할 의무가 있다고는 할 수 없다.

④ 경찰공무원이 운전자에게 음주 여부를 확인하기 위하여 음주측정기에 의한 측정의 전 단계에 실시되는 음주감지기에 의한 시험을 요구하는 경우에 이를 거부한 행위도 음주측정불응죄에 해당한다.

| 해설 ① 경찰관이 음주운전 단속시 운전자의 요구에 따라 곧바로 채혈을 실시하지 않은 채 호흡측정기에 의한 음주측정을 하고 1시간 12분이 경과한 후에야 채혈을 하였다는 사정만으로는 위 행위가 법령에 위배된다거나 객관적 정당성을 상실하여 운전자가 음주운전 단속과정에서 받을 수 있는 권익이 현저하게 침해되었다고 단정하기 어렵다(대판 2008.4.24, 2006다32132).

Answer 5. ①

② 경찰공무원이 음주감지기에 의한 시험을 요구하였을 당시 피고인은 이미 운전을 종료한 지 약 2시간이 경과하였던 점, 피고인은 자신의 차량을 운전하여 이 사건 현장에 도착한 이후 일행들과 40분 이상 편의점 앞 탁자에 앉아 있었고 그 위에는 술병들이 놓여 있었으므로, 피고인이 운전을 마친 이후 이 사건 현장에서 비로소 술을 마셨을 가능성도 없지 않았던 점 등을 종합적으로 고려하여 보면, 피고인이 술에 취한 상태에서 자동차를 운전하였다고 인정할 만한 상당한 이유가 있다고 하기에 부족하다(대판 2017.6.8, 2016도16121).
— 이 경우처럼 술에 취한 상태에서 자동차를 운전하였다고 인정할 만한 상당한 이유가 없으면 음주감지기 시험 거부는 음주측정불응죄에 해당하지 아니한다.
③ 대판 2002.10.25, 2002도4220
④ 대판 2017.6.8, 2016도16121

06 음주측정에 관한 다음 설명 중 가장 적절한 것은?(다툼이 있으면 판례에 의함)

① 도로교통법의 음주측정불응죄를 근거로 영장 없이 호흡측정기에 의해 음주측정을 하는 것은 강제수사에 해당하는 것으로 영장주의에 반한다.

② 음주운전 중 교통사고를 야기한 직후 병원 응급실로 후송된 의식불명 피의자에 대하여 수사기관이 그의 혈액을 채취하여 이를 취득하기 위해서는 반드시 사전영장 또는 감정처분허가장을 발부받아야 한다.

③ 도로교통법상 음주측정에 관한 규정들을 근거로 음주운전을 하였다고 인정할 만한 상당한 이유가 있는 자에 대하여 경찰관서에 강제연행하여 음주측정을 요구할 수 있다.

④ 술에 취한 상태에서 자동차를 운전한 것으로 보이는 피고인을 경찰관이 적법하게 보호조치한 상태에서 3회에 걸쳐 음주측정을 요구한 것은 적법한 음주측정요구에 해당한다.

| 해설 ① 도로교통법 제41조 제2항에 규정된 음주측정은 성질상 강제될 수 있는 것이 아니며 궁극적으로 당사자의 자발적 협조가 필수적인 것이므로 이를 두고 법관의 영장을 필요로 하는 강제처분이라 할 수 없다. 따라서 주취운전의 혐의자에게 영장 없는 음주측정에 응할 의무를 지우고 이에 불응한 사람을 처벌한다고 하더라도 헌법 제12조 제3항에 규정된 영장주의에 위배되지 아니한다(헌재결 1997.3.27, 96헌가11).
② 사고현장으로부터 곧바로 후송된 병원 응급실 등의 장소는 형사소송법 제216조 제3항의 범죄 장소에 준한다 할 것이므로, 혈액을 영장 없이 압수할 수 있다. 다만 이 경우에도 사후에 지체 없이 법원으로부터 압수영장을 받아야 한다(대판 2012.11.15, 2011도15258). — '임의제출물의 압수'편 참조
③ 교통안전과 위험방지를 위한 필요가 없음에도 주취운전을 하였다고 인정할 만한 상당한 이유가 있다는 이유만으로 이루어지는 음주측정은 이미 행하여진 주취운전이라는 범죄행위에 대한 증거수집을 위한 수사절차로서의 의미를 가지는 것인데, 도로교통법상의 규정들이 음주측정을 위한 강제처분의 근거가 될 수 없으므로 위와 같은 음주측정을 위하여 당해 운전자를 강제로 연행하기 위해서는 수사상의 강제처분에 관한 형사소송법상의 절차에 따라야 하고, 이러한 절차를 무시한 채 이루어진 강제연행은 위법한 체포에 해당한다(대판 2006.11.9, 2004도8404).
④ 대판 2012.2.9, 2011도4328

Answer 6. ④

07 **다음 중 범인식별에 관한 설명으로 가장 옳지 않은 것은?**(다툼이 있는 경우 판례에 의함)

24. 해경승진

① 범인식별절차에서의 피해자의 진술을 신빙성이 높다고 평가할 수 있으려면, 범인의 인상착의 등에 관한 피해자의 진술 내지 묘사를 사전에 상세하게 기록한 다음, 용의자를 포함하여 그와 인상착의가 비슷한 여러 사람을 동시에 피해자와 대면시켜 범인을 지목하도록 하여야 하고, 용의자와 비교대상자 및 피해자들이 사전에 서로 접촉하지 못하도록 하여야 한다.

② 용의자의 인상착의 등에 의한 범인식별절차에서 용의자 한사람을 단독으로 목격자와 대질시키거나 용의자의 사진 한 장만을 목격자에게 제시하여 범인 여부를 확인하게 하는 것은 부가적인 사정이 없는 한 그 신빙성이 낮다.

③ 야간에 짧은 시간동안 강도의 범행을 당한 피해자가 어떤 용의자의 인상착의 등에 의하여 그를 범인으로 진술하는 경우에 피해자가 범행 전에 용의자를 한 번도 본 일이 없고 피해자의 진술 외에는 그 용의자를 범인으로 의심할 만한 객관적인 사정이 존재하지 않는 상태에서, 수사기관이 잘못된 단서에 의하여 범인으로 지목하고 신병을 확보한 피의자를 일대일로 대면하고 그가 범인임을 확인한 것이라면, 위 피해자의 진술은 그 신빙성이 낮다.

④ 피해자가 경찰관과 함께 범행 현장에서 강제추행을 저지른 범인을 추적하다 골목길에서 범인을 놓친 직후 골목길에 면한 집을 탐문하여 용의자를 확정한 경우, 그 현장에서 용의자와 피해자의 일대일 대면은 허용되지 않는다.

| 해설 ①② 대판 2008.1.7, 2007도5201

③ 대판 2001.2.9, 2000도4946

④ 피해자가 경찰관과 함께 범행 현장에서 범인을 추적하다 골목길에서 범인을 놓친 직후 골목길에 면한 집을 탐문하여 용의자를 확정한 경우, 그 현장에서 용의자와 피해자의 일대일 대면이 허용된다(대판 2009.6.11, 2008도12111).

Answer 7. ④

제2절 수사기관과 피의자

THEMA 17 수사기관의 의의 · 종류 · 권한 · 관할구역 등

<table>
<tr><td rowspan="4">의 의
및
종 류</td><td colspan="4">수사기관이란 법률상 수사권이 인정되는 국가기관을 말한다. 수사기관에는 검사와 사법경찰관리가 있으며, 사법경찰관리에는 일반사법경찰관리와 특별사법경찰관리가 있다. 고위공직자범죄에 대한 수사기관인 '고위공직자범죄수사처(이하 '공수처')에 대해서는 후술한다.</td></tr>
<tr><td rowspan="3">사법
경찰
관리</td><td rowspan="2">일반사법
경찰관리</td><td>형사소송법
제197조</td><td>사법경찰관 : 경무관, 총경, 경정, 경감, 경위
사법경찰리 : 경사, 경장, 순경</td></tr>
<tr><td>검찰청법
제47조</td><td>사법경찰관 : 검찰주사(보), 마약수사주사(보)
사법경찰리 : 검찰서기(보), 마약수사서기(보)</td></tr>
<tr><td>특별사법
경찰관리</td><td colspan="2">삼림, 해사, 전매, 세무, 군수사기관 기타 특별한 사항에 관하여 사법경찰관리의 직무를 수행하는 자('사법경찰관리의 직무를 수행할 자와 그 직무범위에 관한 법률'에 근거)
▶ 일반사법경찰관리와 특별사법경찰관리는 직무권한범위의 제한 여부에 의한 기준이다.</td></tr>
<tr><td rowspan="3">수사기관의
권한</td><td>검 사</td><td colspan="3">1. 검사는 범죄혐의가 있다고 사료하는 때에는 범인, 범죄사실과 증거를 수사한다(제196조).
2. 사법경찰관리에게는 인정되지 않고 검사에게만 인정하는 권한으로 영장청구권(제201조, 제215조), 판사에 대한 증거보전청구권(제184조), 참고인에 대한 증인신문청구권(제221조의 2), 피의자에 대한 감정유치청구권(제221조의 3), 변사체검시권(제222조), 보완수사요구권(제197조의 2), 시정조치요구권(제197조의 3), 재수사요청권(제245조의 8) 등이 있다.</td></tr>
<tr><td rowspan="2">사법
경찰
관리</td><td>사법
경찰관</td><td colspan="2">1. 경무관, 총경, 경정, 경감, 경위는 사법경찰관으로서 범죄의 혐의가 있다고 사료하는 때에는 범인, 범죄사실과 증거를 수사한다(제197조).
▶ 종래에는 사법경찰관에 '수사관'이 포함되었으나, 개정법에서 삭제됨.
2. 사법경찰관의 권한으로 검사에 대한 구속영장 신청(제201조 제1항), 피의자구속(제201조 제1항), 피의자신문(제200조 제1항), 참고인조사(제221조), 감정 · 번역 · 통역의 위촉(제221조), 실황조사(수사준칙 제43조), 피의자체포(제200조의 2, 제200조의 3, 제212조) 등을 들 수 있다.</td></tr>
<tr><td>사법
경찰리</td><td colspan="2">1. 경사, 경장, 순경은 사법경찰리로서 수사의 보조를 하여야 한다(제197조 제2항). 현행법상 사법경찰리는 수사의 보조기관이다. 각종 영장의 집행은 검사의 지휘에 의하여 사법경찰관리가 행하므로(제81조, 제115조), 영장집행권은 사법경찰리에게도 인정된다.
2. 구체적 사건에 관하여 특정한 수사명령을 받으면 사법경찰관의 사무를 취급할 권한이 인정되며, 이러한 사법경찰리를 실무상 사법경찰관사무취급이라 한다. ▶ 사법경찰관사무취급이 작성한 피의자신문조서, 참고인 진술조서, 압수조서는 권한 없는 자가 작성한 조서라고 할 수 없다(대판 1981.6.9, 81도1357).</td></tr>
</table>

수사기관의 관할구역	검사	검사는 법령에 특별한 규정이 있는 경우를 제외하고는 소속 검찰청의 관할구역 내에서 그 직무를 수행함이 원칙이나 수사상 필요한 때에는 관할구역 외에서 직무를 수행할 수 있다(검찰청법 제5조).
	사법경찰관리	사법경찰관리는 각 소속관서의 관할구역 내에서 직무를 행한다. 다만, 관할구역 내의 사건과 관련성이 있는 사실을 발견하기 위하여 필요한 경우, 관할구역이 불분명한 경우, 긴급을 요하는 등 수사에 필요한 경우에는 관할구역 외에서도 직무를 행할 수 있다(경찰수사규칙 제15조). 사법경찰관리가 관할구역 외에서 수사를 하거나, 관할구역 외의 사법경찰관의 촉탁을 받아 수사하는 경우에는 관할 지방검찰청의 검사장 또는 지청장에게 보고하여야 한다(제210조).
준수사항		1. 피의자에 대한 수사는 불구속 상태에서 함을 원칙으로 한다(제198조 제1항). 11 · 14 · 16. 경찰승진 ▶ 불구속수사원칙(○), 불구속재판원칙(×) 2. 검사 · 사법경찰관리와 그 밖에 직무상 수사에 관계있는 자는 피의자 또는 다른 사람의 인권을 존중하고 수사과정에서 취득한 비밀을 엄수하며 수사에 방해되는 일이 없도록 하여야 한다(동조 제2항). 3. 검사 · 사법경찰관리와 그 밖에 직무상 수사에 관계있는 자는 수사과정에서 수사와 관련하여 작성하거나 취득한 서류 또는 물건에 대한 목록을 빠짐 없이 작성하여야 한다(동조 제3항). 14. 경찰승진 ▶ 검사 및 사법경찰관리와 그 밖에 수사에 관계있는 자는 수사과정에서 수사와 관련하여 작성하거나 취득한 서류 또는 물건에 대하여 중요목록을 작성하여야 한다. (×) 12. 9급 교정 · 보호 · 철도경찰 4. 수사기관은 수사 중인 사건의 범죄 혐의를 밝히기 위한 목적으로 합리적인 근거 없이 별개의 사건을 부당하게 수사하여서는 아니 되고, 다른 사건의 수사를 통하여 확보된 증거 또는 자료를 내세워 관련 없는 사건에 대한 자백이나 진술을 강요하여서도 아니 된다(제198조 제4항 : 2022. 5. 9. 신설). 23. 경찰승진

01 수사기관의 설명으로 옳지 아니한 것은?

① 검찰주사(보), 마약수사주사(보)는 형사소송법상 일반사법경찰관에 해당한다.
② 경무관, 총경, 경정, 경감, 경위는 일반사법경찰관에 해당한다.
③ 삼림, 해사, 전매, 세무, 군수사기관 등은 특별사법경찰관리에 해당한다.
④ 군수사기관과는 달리 법원형사과장은 수사기관이 아니다.

| 해설 ① 검찰주사(보), 마약수사주사(보)는 형사소송법이 아니라 검찰청법상 일반사법경찰관에 해당한다.

Answer 1. ①

02 사법경찰관리에 관한 다음 설명 중 올바르지 않은 것은?

① 근로기준법에 의한 근로감독관은 그의 관할구역 안에서 발생하는 근로기준법위반죄에 관하여 사법경찰관의 직무를 수행한다.

② 교도소·소년교도소·구치소의 장은 해당 교도소 등에서 발생한 범죄에 관하여 사법경찰관의 직무를 수행한다.

③ 검사·사법경찰관리와 그 밖에 직무상 수사에 관계있는 자는 수사과정에서 수사와 관련하여 작성하거나 취득한 서류 또는 물건에 대한 목록을 빠짐 없이 작성하여야 한다.

④ 사법경찰리가 작성한 피의자신문조서, 참고인 진술조서, 압수조서는 권한 없는 자가 작성한 조서라고 할 수 있다.

| 해설 ① 사법경찰관리의 직무를 수행할 자와 그 직무범위에 관한 법률 제6조의 2
② 사법경찰관리의 직무를 수행할 자와 그 직무범위에 관한 법률 제3조
③ 제198조 제3항
④ 사법경찰관사무취급이 작성한 피의자신문조서, 참고인 진술조서, 압수조서는 권한 없는 자가 작성한 조서라고 할 수 없다(대판 1981.6.9, 81도1357).

03 다음 중 판례의 입장과 다른 것만으로 연결된 것을 고르면?

> 수사기관이 범죄사건을 수사함에 있어서는 피의자나 참고인의 진술 여하에 불구하고 피의자를 확정하고 그 피의사실을 인정할 만한 객관적인 모든 증거를 수집·조사하여야 할 ㉠ 직무상 권한과 의무가 있지만, 피의자나 참고인은 수사기관에 진실만을 진술하거나 증거를 제출하여야 할 ㉡ 법률상의 의무를 지는 것은 아니므로, 피의자나 참고인 등이 적극적으로 피의자의 무고함을 입증하는 등의 목적으로 허위의 증거를 조작하여 제출한 것이 아니라 단순히 증거를 감추거나 없애 버린 것만으로는 ㉢ 위계로써 수사기관으로 하여금 오인, 착각, 부지를 일으키게 하였다고 할 수 없다. 그러나 피고인이 회사의 전산시스템에서 관리하고 있던 보험금 출금 관련 데이터가 압수될 상황에 이르게 되자, 회사의 보험금 출금관련 전산데이터를 삭제한 행위는 ㉣ 위계로써 특별검사 등의 직무수행을 방해한 것이라고 볼 수 있다.

① ㉠, ㉢　　② ㉠　　③ ㉢　　④ ㉣

| 해설 수사기관이 범죄사건을 수사함에 있어서는 피의자나 참고인의 진술 여하에 불구하고 피의자를 확정하고 그 피의사실을 인정할 만한 객관적인 모든 증거를 수집·조사하여야 할 직무상 권한과 의무가 있지만, 피의자나 참고인은 수사기관에 진실만을 진술하거나 증거를 제출하여야 할 법률상의 의무를 지는 것은 아니므로, 피의자나 참고인 등이 적극적으로 피의자의 무고함을 입증하는 등의 목적으로 허위의 증거를 조작하여 제출한 것이 아니라 단순히 증거를 감추거나 없애 버린 것만으로는 위계로써 수사기관으로 하여금 오인, 착각, 부지를 일으키게 하였다고 할 수 없다. 따라서 피고인이 회사의 전산시스템에서 관리하고 있던 보험금 출금 관련 데이터가 압수될 상황에 이르게 되자, 회사의 보험금 출금관련 전산데이터를 삭제한 행위는 위계로써 특별검사 등의 직무수행을 방해한 것이라고 볼 수 없다(대판 2009.6.11, 2008도9437).

Answer 2. ④　3. ④

THEMA 18 검사와 사법경찰관과의 관계

검·경수사권조정에 의한 개정 형사소송법에 의하면, 검사와 형사소송법상 사법경찰관의 관계를 상호 협력관계로 설정하였으며, 모든 범죄의 1차적 수사권을 경찰에게 부여하고, 몇몇 범죄에 대해서만 검찰의 제1차적인 수사개시권을 인정하면서, 경찰은 자신이 수사한 사건이 범죄 혐의가 없다고 사료되는 때에는 검사에게 사건을 송치하지 않고 자체적으로 종결할 수 있게 되었다.

▶ 검·경수사권조정을 위한 개정 형사소송법은 2020. 2. 4. 공포, 2021년 1월 1일부터 시행 중에 있다.

▶ 최근 검·경수사권 재조정에 의해 검사의 제1차적인 수사개시 가능 범죄가 축소되었다. 검사의 직접수사 가능범죄로는 '부패범죄'와 '경제범죄' 등 대통령령으로 정한 범죄(공직자범죄, 선거범죄, 방위사업범죄, 대형참사범죄 등 4개 범죄는 직접수사대상에서 제외됨), 경찰공무원 및 고위공직자범죄수사처 소속 공무원이 범한 범죄, 위의 범죄 및 사법경찰관이 송치한 범죄와 관련하여 인지한 각 해당 범죄와 직접 관련성이 있는 범죄이다(검찰청법 제4조 제1항). <2022. 9. 10. 시행>

▶ 검사는 자신이 수사개시한 범죄에 대하여는 공소를 제기할 수 없다. 다만, 사법경찰관이 송치한 범죄에 대하여는 그러하지 아니한다(검찰청법 제4조 제2항). 이 규정은 이 법 시행 이후 공소제기하는 경우부터 적용(검찰청법 부칙 제2조). <2022. 9. 10. 시행>

1. 경찰청 소속 일반사법경찰관의 관계

협력관계	① 검사와 사법경찰관은 수사, 공소제기 및 공소유지에 관하여 서로 협력하여야 한다(제195조 제1항 : 개정). ▶ 검사수사지휘권 삭제 21. 해경간부·해경승진·해경 ▶ 검사와 사법경찰관은 수사 및 공소제기 뿐만 아니라 공소유지에 관하여도 서로 협력하여야 한다. (○) 24. 경찰간부 ② 수사를 위하여 준수하여야 하는 일반적 수사준칙에 관한 사항은 대통령령으로 정한다(동법 제2항 : 개정). ▶ 대통령령 ⇨ 검사와 사법경찰관의 상호협력과 일반적 수사준칙에 관한 규정(이하 수사준칙) ③ 검사와 사법경찰관은 다음 각 호의 어느 하나에 해당하는 사건의 경우에는 송치 전에 수사할 사항, 증거 수집의 대상, 법령의 적용, 범죄수익 환수를 위한 조치 등에 관하여 상호 의견을 제시·교환할 것을 요청할 수 있다. 이 경우 검사와 사법경찰관은 특별한 사정이 없으면 상대방의 요청에 응해야 한다(수사준칙 제7조 제1항). 1. 공소시효가 임박한 사건 2. 내란, 외환, 대공(對共), 선거(정당 및 정치자금 관련 범죄를 포함한다), 노동, 집단행동, 테러, 대형참사 또는 연쇄살인 관련 사건 3. 범죄를 목적으로 하는 단체 또는 집단의 조직·구성·가입·활동 등과 관련된 사건 4. 주한 미합중국 군대의 구성원·외국인군무원 및 그 가족이나 초청계약자의 범죄 관련 사건 5. 그 밖에 많은 피해자가 발생하거나 국가적·사회적 피해가 큰 중요한 사건 ▶ 제1항에도 불구하고 검사와 사법경찰관은 다음 각 호의 어느 하나에 따른 공소시효가 적용되는 사건에 대해서는 공소시효 만료일 3개월 전까지 수사준

협력관계	칙 제7조 제1항 각 호 외의 부분 전단에 규정된 사항 등에 관하여 상호 의견을 제시·교환해야 한다. 다만, 공소시효 만료일 전 3개월 이내에 수사를 개시한 때에는 지체 없이 상호 의견을 제시·교환해야 한다(수사준칙 제7조 제2항). 1. 공직선거법 제268조 2. 공공단체 등 위탁선거에 관한 법률 제71조 3. 농업협동조합법 제172조 제4항 4. 수산업협동조합법 제178조 제5항 5. 산림조합법 제132조 제4항 6. 소비자생활협동조합법 제86조 제4항 7. 염업조합법 제59조 제4항 8. 엽연초생산협동조합법 제42조 제5항 9. 중소기업협동조합법 제137조 제3항 10. 새마을금고법 제85조 제6항 11. 교육공무원법 제62조 제5항 ④ 검사와 사법경찰관은 수사와 사건의 송치, 송부 등에 관한 이견의 조정이나 협력 등이 필요한 경우 서로 협의를 요청할 수 있다. 이 경우 특별한 사정이 없으면 상대방의 협의 요청에 응해야 한다(수사준칙 제8조 제1항). ⑤ 수사준칙 제8조 제1항에 따른 협의에도 불구하고 이견이 해소되지 않는 경우로서 다음 각 호의 어느 하나에 해당하는 경우에는 해당 검사가 소속된 검찰청의 장과 해당 사법경찰관이 소속된 경찰관서(지방해양경찰관서 포함)의 장의 협의에 따른다(수사준칙 제8조 제2항). 22. 경찰승진, 23. 해경승진 1. 중요사건에 관하여 상호 의견을 제시·교환하는 것에 대해 이견이 있거나 제시·교환한 의견의 내용에 대해 이견이 있는 경우 2. 형사소송법 제197조의 2 제2항 및 제3항에 따른 정당한 이유의 유무에 대해 이견이 있는 경우 3. 법 제197조의 4 제2항 단서에 따라 사법경찰관이 계속 수사할 수 있는지 여부나 사법경찰관이 계속 수사할 수 있는 경우 수사를 계속할 주체 또는 사건의 이송 여부 등에 대해 이견이 있는 경우 4. 법 제245조의 8 제2항에 따른 재수사의 결과에 대해 이견이 있는 경우 ⑥ 대검찰청, 경찰청 및 해양경찰청 간에 수사에 관한 제도 개선 방안 등을 논의하고, 수사기관 간 협조가 필요한 사항에 대해 서로 의견을 협의·조정하기 위해 수사기관협의회를 둔다(수사준칙 제9조 제1항). ⑦ 수사기관협의회는 다음 각 호의 사항에 대해 협의·조정한다(수사준칙 제9조 제2항). 1. 국민의 인권보호, 수사의 신속성·효율성 등을 위한 제도 개선 및 정책 제안 2. 국가적 재난 상황 등 관련 기관 간 긴밀한 협조가 필요한 업무를 공동으로 수행하기 위해 필요한 사항 3. 그 밖에 제1항의 어느 한 기관이 수사기관협의회의 협의 또는 조정이 필요하다고 요구한 사항 ⑧ 수사기관협의회는 반기마다 정기적으로 개최하되, 제1항의 어느 한 기관이 요청하면 수시로 개최할 수 있다(수사준칙 제9조 제3항).

<table>
<tr>
<td>사법
경찰
관리에
대한
검사의
통제</td>
<td>위법·
부당
행위에
대한
통제</td>
<td>① 등본송부요구
㉠ 사법경찰관은 피의자를 신문하기 전에 수사과정에서 법령위반, 인권침해 또는 현저한 수사권 남용이 있는 경우 검사에게 구제를 신청할 수 있음을 피의자에게 알려주어야 한다(제197조의 3 제8항).
▶ 사법경찰관은 법 제197조의 3 제8항에 따라 검사에게 구제를 신청할 수 있음을 피의자에게 알려준 경우에는 피의자로부터 고지 확인서를 받아 사건기록에 편철한다. 다만, 피의자가 고지 확인서에 기명날인 또는 서명하는 것을 거부하는 경우에는 사법경찰관이 고지 확인서 끝부분에 그 사유를 적고 기명날인 또는 서명해야 한다(수사준칙 제47조).
㉡ 검사는 사법경찰관리의 수사과정에서 법령위반, 인권침해 또는 현저한 수사권 남용이 의심되는 사실의 신고가 있거나 그러한 사실을 인식하게 된 경우에는 사법경찰관에게 사건기록 등본의 송부를 요구할 수 있다(제197조의 3 제1항). 21. 순경 2차, 22. 소방간부, 23. 해경승진 검사는 사법경찰관에게 사건기록 등본의 송부를 요구할 때에는 그 내용과 이유를 구체적으로 적은 서면으로 해야 한다(수사준칙 제45조 제1항). 송부 요구를 받은 사법경찰관은 지체 없이 검사에게 사건기록 등본을 송부하여야 한다(제197조의 3 제2항).
▶ 수사준칙 제45조 제2항 : 요구를 받은 날로부터 7일 이내에 검사에게 사건기록 등본을 송부하여야 한다.
② 시정조치요구
㉠ 등본송부를 받은 검사는 필요하다고 인정되는 경우에는 사법경찰관에게 시정조치를 요구할 수 있다(제197조의 3 제3항). 23. 해경승진 검사는 사건기록 등본을 송부받은 날부터 30일(사안의 경중 등을 고려하여 10일의 범위에서 한 차례 연장할 수 있다.) 이내에 법 제197조의 3 제3항에 따른 시정조치 요구 여부를 결정하여 사법경찰관에게 통보해야 한다. 이 경우 시정조치 요구의 통보는 그 내용과 이유를 구체적으로 적은 서면으로 해야 한다(수사준칙 제45조 제3항).
㉡ 사법경찰관은 시정조치 요구를 통보받은 경우 정당한 이유가 있는 경우를 제외하고는 지체 없이 시정조치를 이행하고, 그 이행 결과를 서면에 구체적으로 적어 검사에게 통보해야 한다(수사준칙 제45조 제4항).
③ 송치요구
㉠ 통보를 받은 검사는 시정조치 요구가 정당한 이유 없이 이행되지 않았다고 인정되는 경우에는 사법경찰관에게 사건을 송치할 것을 요구할 수 있다(제197조의 3 제5항). 21. 순경 1차·2차
▶ 사법경찰관에게 사건송치를 요구하는 경우에는 그 내용과 이유를 구체적으로 적은 서면으로 해야 한다(수사준칙 제45조 제5항).
▶ 검사는 시정조치 불이행으로 인한 송치요구(제197조의 3 제6항), 위법하게 체포·구속된 자에 대한 송치명령(제198조의 2 제2항), 고소인의 이의신청에 의한 송치(제245조의 7 제2항)에 의거 사법경찰관으로부터 송치받은 사건에 관하여는 해당사건과 '동일성'을 해치지 아니하는 범위 내에서 수사할 수 있다(제196조 제2항). * 2022. 9. 10.부터 시행 23. 경찰승진
㉡ 송치요구를 받은 사법경찰관은 검사에게 사건을 송치하여야 한다(제197조의 3 제6항).</td>
</tr>
</table>

<table>
<tr>
<td rowspan="2">사법
경찰
관리에
대한
검사의
통제</td>
<td>위법·
부당
행위에
대한
통제</td>
<td>▶ 사법경찰관은 제197조의 3 제5항에 따라 서면으로 사건송치를 요구받은 날부터 7일 이내에 사건을 검사에게 송치해야 한다. 이 경우 관계 서류와 증거물을 함께 송부해야 한다(수사준칙 제45조 제6항).
▶ 검사는 공소시효 만료일의 임박 등 특별한 사유가 있을 때에는 송치요구서면에 그 사유를 명시하고 별도의 송치기한을 정하여 사법경찰관에게 통지할 수 있다. 이 경우 사법경찰관은 정당한 이유가 있는 경우를 제외하고는 통지받은 송치기한까지 사건을 검사에게 송치해야 한다(수사준칙 제45조 제7항).
④ 징계요구 : 검찰총장 또는 각급 검찰청 검사장은 사법경찰관리의 수사과정에서 법령위반, 인권침해 또는 현저한 수사권 남용이 있었던 때에는 권한 있는 사람에게 해당 사법경찰관리의 징계를 요구할 수 있고, 그 징계 절차는 공무원 징계령 또는 경찰공무원 징계령에 따른다(제197조의 3 제7항).
▶ 검찰총장 또는 각급 검찰청 검사장은 사법경찰관리의 징계를 요구할 때에는 서면에 그 사유를 구체적으로 적고 이를 증명할 수 있는 관계 자료를 첨부하여 해당 사법경찰관리가 소속된 경찰관서의 장에게 통보해야 하며(수사준칙 제46조 제1항), 경찰관서장은 징계요구에 대한 처리 결과와 그 이유를 징계를 요구한 검찰총장 또는 각급 검찰청 검사장에게 통보해야 한다(동조 제2항).</td>
</tr>
<tr>
<td>불송치
처분에
대한
통제</td>
<td>사법경찰관은 (고소·고발사건 포함) 범죄를 수사한 때에 범죄혐의가 있다고 인정되지 않는 경우에는 그 이유를 명시한 서면과 함께 관계서류와 증거물을 지체 없이 검사에게 송부하여야 한다. 21. 7급 국가직, 23. 순경 2차 이 경우 검사는 송부받은 날부터 90일 이내에 사법경찰관에게 반환하여야 한다(제245조의 5 제2호). 21. 순경 1차, 22. 소방간부, 23. 해경승진·순경 2차
▶ 사법경찰관은 불송치 결정을 하는 경우 불송치의 이유를 적은 불송치 결정서와 함께 압수물 총목록, 기록목록 등 관계 서류와 증거물을 검사에게 송부해야 한다(수사준칙 제62조 제1항).
▶ 사법경찰관이 사건을 수사한 결과, 불송치 결정 중 죄가 안됨, 공소권 없음에 해당하는 사건이 형법 제10조 제1항에 따라 피의자를 벌할 수 없는 경우, 기소되어 사실심계속 중인 사건과 포괄일죄를 구성하는 관계에 있는 경우에는 해당 사건을 검사에게 이송한다(수사준칙 제51조 제3항). 22. 순경 2차, 24. 경찰간부
① 이의신청
㉠ 사법경찰관은 불송치의 경우에는 그 송부한 날부터 7일 이내에 서면으로 고소인·고발인·피해자 또는 그 법정대리인(피해자가 사망한 경우에는 그 배우자·직계친족·형제자매를 포함한다)에게 사건을 검사에게 송치하지 아니하는 취지와 그 이유를 통지하여야 한다(제245조의 6).
㉡ 제245조의 6에 의한 불송치 통지를 받은 사람(고발인은 제외)은 해당 사법경찰관의 소속 관서의 장에게 이의를 신청할 수 있다(제245조의 7 제1항). 23. 경찰승진
▶ 2022. 9. 10.부터 시행, 이 법 시행 이후 해당 개정규정에 따른 이의신청을 하는 경우부터 적용
㉢ 사법경찰관은 이의 신청이 있는 때에는 지체 없이 검사에게 사건을 송치하고 관계 서류와 증거물을 송부하여야 하며, 처리결과와 그 이유를 제1항의 신청인에게 통지하여야 한다(제245조의 7 제2항).</td>
</tr>
</table>

02

사법 경찰 관리에 대한 검사의 통제	불송치 처분에 대한 통제	② 재수사요청 ㉠ 검사는 사법경찰관이 사건을 송치하지 아니한 것이 위법 또는 부당한 때에는 그 이유를 문서로 명시하여 사법경찰관에게 재수사를 요청할 수 있다(제245조의 8 제1항). 23. 경찰승진 ㉡ 사법경찰관은 재수사 요청이 있는 때에는 사건을 재수사하여야 한다(동조 제2항). 21. 순경 2차, 22. 소방간부 ㉢ 검사는 사법경찰관에게 재수사를 요청하려는 경우에는 관계 서류와 증거물을 송부받은 날부터 90일 이내에 해야 한다. 22. 경찰간부 다만, 다음 각 호의 어느 하나에 해당하는 경우에는 관계 서류와 증거물을 송부받은 날부터 90일이 지난 후에도 재수사를 요청할 수 있다(수사준칙 제63조 제1항). 22. 순경 1차 [1. 불송치 결정에 영향을 줄 수 있는 명백히 새로운 증거 또는 사실이 발견된 경우 2. 증거 등의 허위, 위조 또는 변조를 인정할 만한 상당한 정황이 있는 경우] ㉣ 검사는 재수사를 요청할 때에는 그 내용과 이유를 구체적으로 적은 서면으로 해야 한다. 이 경우 법 제245조의 5 제2호에 따라 송부받은 관계 서류와 증거물을 사법경찰관에게 반환해야 한다(수사준칙 제63조 제2항). ㉤ 검사는 법 제245조의 8에 따라 재수사를 요청한 경우 그 사실을 고소인 등에게 통지해야 한다(수사준칙 제63조 제3항). ㉥ 사법경찰관은 법 제245조의 8 제1항에 따른 재수사의 요청이 접수된 날부터 3개월 이내에 재수사를 마쳐야 한다(수사준칙 제63조 제4항). ㉦ 사법경찰관은 재수사요청에 따라 재수사를 한 경우 다음 각 호의 구분에 따라 처리한다(수사준칙 제64조 제1항). [1. 범죄의 혐의가 있다고 인정되는 경우 : 법 제245조의 5 제1호에 따라 검사에게 사건을 송치하고 관계 서류와 증거물을 송부 2. 기존의 불송치 결정을 유지하는 경우 : 재수사 결과서에 그 내용과 이유를 구체적으로 적어 검사에게 통보] ▶ 사법경찰관은 재수사 후 기소의견으로 사건을 검찰에 송치하거나 재차 불송치결정을 할 수 있다. (○) 23. 순경 2차 ㉧ 검사는 사법경찰관이 재수사 결과를 통보한 사건에 대해서 다시 재수사를 요청하거나 송치 요구를 할 수 없다. 다만, 검사는 사법경찰관이 사건을 송치하지 않은 위법 또는 부당이 시정되지 않아 사건을 송치받아 수사할 필요가 있는 다음 각 호의 경우에는 법 제197조의 3에 따라 사건송치를 요구할 수 있다(수사준칙 제64조 제2항). [1. 관련 법령 또는 법리에 위반된 경우 2. 범죄 혐의의 유무를 명확히 하기 위해 재수사를 요청한 사항에 관하여 그 이행이 이루어지지 않은 경우. 다만, 불송치 결정의 유지에 영향을 미치지 않음이 명백한 경우는 제외한다. 3. 송부받은 관계 서류 및 증거물과 재수사 결과만으로도 범죄의 혐의가 명백히 인정되는 경우 4. 공소시효 또는 형사소추의 요건을 판단하는 데 오류가 있는 경우]

<table>
<tr>
<td rowspan="2">사법
경찰
관리에
대한
검사의
통제</td>
<td>불송치
처분에
대한
통제</td>
<td>ⓩ 검사는 수사준칙 제64조 제2항 각 호 외의 부분 단서에 따른 사건송치 요구 여부를 판단하기 위해 필요한 경우에는 사법경찰관에게 관계 서류와 증거물의 송부를 요청할 수 있다. 이 경우 요청을 받은 사법경찰관은 이에 협력해야 한다(수사준칙 제64조 제3항).
ⓩ 검사는 재수사 결과를 통보받은 날(수사준칙 제64조 제3항에 따라 관계 서류와 증거물의 송부를 요청한 경우에는 관계 서류와 증거물을 송부받은 날을 말한다)부터 30일 이내에 수사준칙 제64조 제2항 각 호 외의 부분 단서에 따른 사건송치 요구를 해야 하고, 그 기간 내에 사건송치 요구를 하지 않을 경우에는 송부받은 관계 서류와 증거물을 사법경찰관에게 반환해야 한다(수사준칙 제64조 제4항).
ⓚ 사법경찰관은 불송치사건에 대하여 검사의 재수사요청으로 재수사 중인 사건에 대해 고소인 등(고발인은 제외)의 이의신청(제245조의 7 제1항)이 있는 경우에는 재수사를 중단해야 하며, 제245조의 7 제2항에 따라 해당 사건을 지체 없이 검사에게 송치하고 관계 서류와 증거물을 송부해야 한다(수사준칙 제65조). 22. 순경 1차</td>
</tr>
<tr>
<td>송치
처분에
대한
통제</td>
<td>경찰공무원인 사법경찰관은 범죄의 혐의가 있다고 인정되는 경우에는 지체 없이 검사에게 사건을 송치하고, 관계 서류와 증거물을 검사에게 송부하여야 한다(제245조의 5 제1호). 23. 순경 2차
① 보완수사요구
㉠ 검사는 송치사건의 공소제기 여부 결정 또는 공소의 유지에 관하여 필요한 경우, 사법경찰관이 신청한 영장의 청구 여부 결정에 관하여 필요한 경우에 사법경찰관에게 보완수사를 요구할 수 있다(제197조의 2 제1항). 21. 7급 국가직·해경, 22. 경찰승진
▶ 검사는 사법경찰관에게 송치사건 및 관련사건(법 제11조에 따른 관련사건 및 법 제208조 제2항에 따라 간주되는 동일한 범죄사실에 관한 사건을 말한다. 다만, 법 제11조 제1호의 경우에는 수사기록에 명백히 현출(現出)되어 있는 사건으로 한정한다)에 대해 다음 각 호의 사항에 관한 보완수사를 요구할 수 있다(수사준칙 제59조 제3항).

1. 범인에 관한 사항
2. 증거 또는 범죄사실 증명에 관한 사항
3. 소송조건 또는 처벌조건에 관한 사항
4. 양형 자료에 관한 사항
5. 죄명 및 범죄사실의 구성에 관한 사항
6. 그 밖에 송치받은 사건의 공소제기 여부를 결정하는 데 필요하거나 공소유지와 관련해 필요한 사항

▶ 검사는 사법경찰관이 신청한 영장(통신비밀보호법 제6조 및 제8조에 따른 통신제한조치허가서 및 같은 법 제13조에 따른 통신사실 확인자료 제공 요청 허가서를 포함한다. 이하 이 항에서 같다)의 청구 여부를 결정하기 위해 필요한 경우 법 제197조의 2 제1항 제2호에 따라 사법경찰관에게 보완수사를 요구할 수 있다. 이 경우 보완수사를 요구할 수 있는 범위는 다음 각 호와 같다(수사준칙 제59조 제4항).</td>
</tr>
</table>

<table>
<tr>
<td rowspan="1">사법
경찰
관리에
대한
검사의
통제</td>
<td>송치
처분에
대한
통제</td>
<td>
1. 범인에 관한 사항
2. 증거 또는 범죄사실 증명에 관한 사항
3. 소송조건 또는 처벌조건에 관한 사항
4. 해당 영장이 필요한 사유에 관한 사항
5. 죄명 및 범죄사실의 구성에 관한 사항
6. 법 제11조(법 제11조 제1호의 경우는 수사기록에 명백히 현출되어 있는 사건으로 한정한다)와 관련된 사항
7. 그 밖에 사법경찰관이 신청한 영장의 청구 여부를 결정하기 위해 필요한 사항

㉡ 검사는 사법경찰관으로부터 송치받은 사건에 대해 보완수사가 필요하다고 인정하는 경우에는 직접 보완수사를 하거나 법 제197조의 2 제1항 제1호에 따라 사법경찰관에게 보완수사를 요구할 수 있다. 다만, 송치사건의 공소제기 여부 결정에 필요한 경우로서 다음 각 호의 어느 하나에 해당하는 경우에는 특별히 사법경찰관에게 보완수사를 요구할 필요가 있다고 인정되는 경우를 제외하고는 검사가 직접 보완수사를 하는 것을 원칙으로 한다(수사준칙 제59조 제1항).

1. 사건을 수리한 날(이미 보완수사요구가 있었던 사건의 경우 보완수사 이행 결과를 통보받은 날을 말한다)부터 1개월이 경과한 경우
2. 사건이 송치된 이후 검사가 해당 피의자 및 피의사실에 대해 상당한 정도의 보완수사를 한 경우
3. 법 제197조의 3 제5항, 제197조의 4 제1항 또는 제198조의 2 제2항에 따라 사법경찰관으로부터 사건을 송치받은 경우
4. 제7조 또는 제8조에 따라 검사와 사법경찰관이 사건 송치 전에 수사할 사항, 증거수집의 대상 및 법령의 적용 등에 대해 협의를 마치고 송치한 경우

㉢ 검사는 법 제197조의 2 제1항에 따른 보완수사요구 여부를 판단하는 경우 필요한 보완수사의 정도, 수사 진행 기간, 구체적 사건의 성격에 따른 수사 주체의 적합성 및 검사와 사법경찰관의 상호 존중과 협력의 취지 등을 종합적으로 고려한다(수사준칙 제59조 제2항).
㉣ 검사는 법 제197조의 2 제1항에 따라 보완수사를 요구할 때에는 그 이유와 내용 등을 구체적으로 적은 서면과 관계 서류 및 증거물을 사법경찰관에게 함께 송부해야 한다. 다만, 보완수사 대상의 성질, 사안의 긴급성 등을 고려하여 관계 서류와 증거물을 송부할 필요가 없거나 송부하는 것이 적절하지 않다고 판단하는 경우에는 해당 관계 서류와 증거물을 송부하지 않을 수 있다(수사준칙 제60조 제1항).
㉤ 사법경찰관은 검사의 보완수사요구가 있는 때에는 정당한 이유가 없는 한 지체 없이 이를 이행하고, 그 결과를 검사에게 통보하여야 한다(제197조의 2 제2항).
㉥ 보완수사를 요구받은 사법경찰관은 제1항 단서에 따라 송부받지 못한 관계 서류와 증거물이 보완수사를 위해 필요하다고 판단하면 해당 서류와 증거물을 대출하거나 그 전부 또는 일부를 등사할 수 있다(수사준칙 제60조 제2항).
㉦ 사법경찰관은 법 제197조의 2 제1항에 따른 보완수사요구가 접수된 날부터 3개월 이내에 보완수사를 마쳐야 한다(수사준칙 제60조 제3항).
</td>
</tr>
</table>

<table>
<tr>
<td rowspan="1">사법 경찰 관리에 대한 검사의 통제</td>
<td>송치 처분에 대한 통제</td>
<td>
ⓞ 사법경찰관은 법 제197조의 2 제2항에 따라 보완수사를 이행한 경우에는 그 이행 결과를 검사에게 서면으로 통보해야 하며, 제1항 본문에 따라 관계 서류와 증거물을 송부받은 경우에는 그 서류와 증거물을 함께 반환해야 한다. 다만, 관계 서류와 증거물을 반환할 필요가 없는 경우에는 보완수사의 이행 결과만을 검사에게 통보할 수 있다(수사준칙 제60조 제4항).
ⓩ 사법경찰관은 법 제197조의 2 제1항 제1호에 따라 보완수사를 이행한 결과 법 제245조의 5 제1호에 해당하지 않는다고 판단한 경우에는 제51조 제1항 제3호에 따라 사건을 불송치하거나 같은 항 제4호에 따라 수사중지할 수 있다(수사준칙 제60조 제5항).
② 징계요구
㉠ 검찰총장 또는 각급 검찰청 검사장은 사법경찰관이 정당한 이유 없이 검사의 보완수사 요구에 따르지 아니하는 때에는 권한 있는 사람에게 해당 사법경찰관의 직무배제 또는 징계를 요구할 수 있다(제197조의 2 제3항).
㉡ 검찰총장 또는 각급 검찰청 검사장은 법 제197조의 2 제3항에 따라 사법경찰관의 직무배제 또는 징계를 요구할 때에는 그 이유를 구체적으로 적은 서면에 이를 증명할 수 있는 관계 자료를 첨부하여 해당 사법경찰관이 소속된 경찰관서장에게 통보해야 한다(수사준칙 제61조 제1항).
㉢ 직무배제 요구를 통보받은 경찰관서장은 정당한 이유가 있는 경우를 제외하고는 그 요구를 받은 날부터 20일 이내에 해당 사법경찰관을 직무에서 배제해야 한다(수사준칙 제61조 제2항).
㉣ 경찰관서장은 사법경찰관의 직무배제 또는 징계를 요구의 처리결과와 그 이유를 직무배제 또는 징계를 요구한 검찰총장 또는 각급 검찰청 검사장에게 통보해야 한다(수사준칙 제61조 제3항).
</td>
</tr>
<tr>
<td colspan="2">수사의 경합시 사건처리</td>
<td>
① 검사는 사법경찰관과 동일한 범죄사실을 수사하게 된 때에는 사법경찰관에게 사건을 송치할 것을 요구할 수 있다(제197조의 4 제1항). 21. 7급 국가직, 23. 경찰승진
▶ 검사는 사법경찰관에게 사건송치를 요구할 때에는 그 내용과 이유를 구체적으로 적은 서면으로 해야 한다(수사준칙 제49조 제1항).
② 동일 범죄사실 수사로 인한 검사로부터 사건송치요구를 받은 사법경찰관은 지체 없이 검사에게 사건을 송치하여야 한다. 다만, 검사가 영장을 청구하기 전에 동일한 범죄사실에 관하여 사법경찰관이 영장을 신청한 경우에는 해당 영장에 기재된 범죄사실을 계속 수사할 수 있다(제197조의 4 제2항). 21. 순경 2차, 23. 해경승진, 24. 경찰간부
▶ 사법경찰관은 수사의 경합에 따른 송치요구를 받은 날부터 7일 이내에 사건을 검사에게 송치해야 한다. 이 경우 관계 서류와 증거물을 함께 송부해야 한다(수사준칙 제49조 제2항).
③ 검사와 사법경찰관은 수사의 경합과 관련하여 동일한 범죄사실 여부나 영장청구・신청의 시간적 선후관계 등을 판단하기 위해 필요한 경우에는 그 필요한 범위에서 사건기록의 상호 열람을 요청할 수 있다(수사준칙 제48조 제1항). 21. 경력채용
④ 영장 청구・신청의 시간적 선후관계는 검사의 영장청구서와 사법경찰관의 영장신청서가 각각 법원과 검찰청에 접수된 시점을 기준으로 판단한다(수사준칙 제48조 제2항).
⑤ 검사는 제2항에 따른 사법경찰관의 영장신청서의 접수를 거부하거나 지연해서는 안 된다(수사준칙 제48조 제3항).
</td>
</tr>
</table>

<table>
<tr><td>사건의 이송</td><td>① 검사는 검찰청법 제4조 제1항 제1호 각 목에 해당되지 않는 범죄(직접 수사대상 사건에 해당되지 않는 범죄)에 대한 고소・고발・진정 등이 접수된 때에는 사건을 검찰청 외의 수사기관에 이송해야 한다(수사준칙 제18조 제1항).
② 검사는 다음 각 호의 어느 하나에 해당하는 때에는 사건을 검찰청 외의 수사기관에 이송할 수 있다(수사준칙 제18조 제2항).
1. 법 제197조의 4 제2항 단서(검사가 영장을 청구하기 전에 동일한 범죄사실에 관하여 사법경찰관이 영장을 신청한 경우에는 사법경찰관은 영장에 기재된 범죄사실을 계속 수사할 수 있다)에 따라 사법경찰관이 범죄사실을 계속 수사할 수 있게 된 때
2. 그 밖에 다른 수사기관에서 수사하는 것이 적절하다고 판단되는 때
③ 검사는 수사준칙 제18조 제1항 또는 제2항에 따라 사건을 이송하는 경우에는 관계 서류와 증거물을 해당 수사기관에 함께 송부해야 한다(수사준칙 제18조 제3항).
④ 검사는 수사준칙 제18조 제2항 제2호에 따른 이송을 하는 경우에는 특별한 사정이 없으면 사건을 수리한 날부터 1개월 이내에 이송해야 한다(수사준칙 제18조 제4항).</td></tr>
<tr><td>검사의 영장 불청구에 대한 심의</td><td>① 검사가 사법경찰관이 신청한 영장을 정당한 이유 없이 판사에게 청구하지 아니한 경우 사법경찰관은 그 검사 소속의 지방검찰청 소재지를 관할하는 고등검찰청에 영장청구 여부에 대한 심의를 신청할 수 있다(제221조의 5 제1항). 21. 7급 국가직・해경승진・순경 2차・해경
② 제1항에 관한 사항을 심의하기 위하여 각 고등검찰청에 영장심의위원회(이하 이 조에서 “심의위원회”라 한다)를 둔다(동조 제2항).
③ 심의위원회는 위원장 1명을 포함한 10명 이내의 외부 위원으로 구성하고, 위원은 각 고등검찰청 검사장이 위촉한다(동조 제3항).
④ 사법경찰관은 심의위원회에 출석하여 의견을 개진할 수 있다(동조 제4항).
⑤ 심의위원회의 구성 및 운영 등 그 밖에 필요한 사항은 법무부령으로 정한다(동조 제5항).</td></tr>
<tr><td>형사사법 업무와 관련된 문서작성</td><td>검사 또는 사법경찰관은 형사사법절차 전자화촉진법 제2조 제1호에 따른 형사사법 업무와 관련된 문서를 작성할 때에는 형사사법정보시스템을 이용해야 하며, 그에 따라 작성한 문서는 형사사법정보시스템에 저장・보관해야 한다. 다만, 다음 각 호의 어느 하나에 해당하는 문서로서 형사사법정보시스템을 이용하는 것이 곤란한 경우는 그렇지 않다(수사준칙 제67조).
1. 피의자나 사건관계인이 직접 작성한 문서
2. 형사사법정보시스템에 작성 기능이 구현되어 있지 않은 문서
3. 형사사법정보시스템을 이용할 수 없는 시간 또는 장소에서 불가피하게 작성해야 하거나 형사사법정보시스템의 장애 또는 전산망 오류 등으로 형사사법정보시스템을 이용할 수 없는 상황에서 불가피하게 작성해야 하는 문서</td></tr>
</table>

2. 그 밖의 사법경찰관리와의 관계

검찰청 소속 일반사법 경찰관리	① 사법경찰관의 직무를 행하는 검찰청 직원은 검사의 지휘를 받아 수사하여야 한다(제245조의 9 제2항). ② 사법경찰리의 직무를 행하는 검찰청 직원은 검사 또는 사법경찰관의 직무를 행하는 검찰청 직원의 수사를 보조하여야 한다(동조 제3항). ③ 사법경찰관리의 직무를 행하는 검찰청 직원에 대하여는 사법경찰관리의 규정(제197조의 2부터 제197조 : 신설의 4까지, 제221조의 5, 제245조의 5부터 제245조의 8까지)을 적용하지 아니한다(동조 제4항).
특별사법 경찰관리	① 삼림, 해사, 전매, 세무, 군수사기관 기타 특별한 사항에 관하여 사법경찰관리의 직무를 행할 특별사법경찰관리와 그 직무의 범위는 법률로 정한다(제245조의 10 제1항). ▶ 특별사법경찰관리와 그 직무의 범위는 '사법경찰관리의 직무를 수행할 자와 그 직무범위에 관한 법률'에 규정을 두고 있다. ▶ 선거관리위원, 세무공무원 : 특별사법경찰관리 × **관련판례** : 업무의 성질이 수사업무와 유사하거나 이에 준하는 경우에도 명문의 규정이 없는 한 함부로 그 업무를 담당하는 공무원을 사법경찰관리 또는 특별사법경찰관리에 해당한다고 해석할 수 없다. 세관공무원은 특별사법경찰관리에 해당하는 명문의 규정이 있으나, '조세범칙조사를 담당하는 세무공무원'은 규정이 없으므로 특별사법경찰관리에 해당하지 아니한다(**대판** 2022.12.15, 2022도8824). ② 특별사법경찰관은 모든 수사에 관하여 검사의 지휘를 받는다(동조 제2항). 21 · 22. 7급 국가직 ③ 특별사법경찰관은 범죄의 혐의가 있다고 인식하는 때에는 범인, 범죄사실과 증거에 관하여 수사를 개시 · 진행하여야 한다(동조 제3항). ④ 특별사법경찰관리는 검사의 지휘가 있는 때에는 이에 따라야 한다. 검사의 지휘에 관한 구체적 사항은 법무부령으로 정한다(동조 제4항). ⑤ 특별사법경찰관은 범죄를 수사한 때에는 지체 없이 검사에게 사건을 송치하고, 관계 서류와 증거물을 송부하여야 한다(동조 제5항). ⑥ 특별사법경찰관리에 대하여는 사법경찰관리의 규정(제197조의 2부터 제197조의 4까지, 제221조의 5, 제245조의 5부터 제245조의 8까지)을 적용하지 아니한다(동조 제6항). ▶ 검찰청법상 일반사법경찰관, 특별사법경찰관(사법경찰관직무법) ⇨ 검사의 포괄적인 지휘와 통제를 받으며, 형사소송법상의 사법경찰관과는 달리 수사종결권이나 영장청구심의신청권 등의 권리는 부여되지 않음. ⑦ 특별사법경찰관리는 관할구역 밖에서 수사하려는 경우에는 관할 지방검찰청 검사장 또는 지청장에게 미리 보고해야 한다. 다만, 긴급을 요구하여 미리 보고할 시간적 여유가 없을 때에는 사후에 보고할 수 있다(특별사법경찰관리의 수사준칙 제6조 제2항). **관련판례** : 특별사법경찰관이 관할구역 밖에서 수사할 경우 관할 검사장에 대한 보고의무 규정은 내부적 보고의무 규정에 불과하므로, 특별사법경찰관리가 보고의무를 이행하지 않았다고 하여 적법절차의 실질적인 내용을 침해하는 경우에 해당하지 않는다(**대판** 2023.6.1, 2020도12157).

01 수사절차에 대한 설명으로 가장 적절하지 않은 것은?

21. 순경 1차

① 사법경찰관이 검찰송치 결정을 한 경우에는 그 내용을 고소인 · 고발인 · 피해자 또는 그 법정대리인(피해자가 사망한 경우에는 그 배우자 · 직계친족 · 형제자매를 포함한다)과 피의자에게 통지해야 한다.

② 사법경찰관이 범죄를 수사한 후 범죄의 혐의가 인정되는 경우에는 지체 없이 검사에게 사건을 송치하고, 검사는 송치사건의 공소제기 여부 결정 또는 공소의 유지에 관하여 필요한 경우 사법경찰관에게 보완수사를 요구할 수 있으며, 특별히 직접 보완수사를 할 필요성이 인정되는 경우에는 예외적으로 직접 보완수사를 할 수 있다.

③ 사법경찰관리의 수사과정에서 현저한 수사권 남용이 의심되는 사실에 대하여, 형사소송법 제197조의 3의 절차에 따라 사법경찰관으로부터 사건기록 등본을 송부받은 검사는 필요하다고 인정되는 경우 사법경찰관에게 시정조치를 요구할 수 있고, 그 이행 결과를 통보받은 후 시정조치 요구가 정당한 이유 없이 이행되지 않았다고 인정되는 경우에는 사법경찰관에게 사건을 송치할 것을 요구할 수 있다.

④ 사법경찰관이 범죄를 수사한 후 범죄의 혐의가 인정되지 않아 불송치 결정을 하는 경우, 사법경찰관은 그 이유를 명시한 서면과 함께 관계 서류와 증거물을 지체 없이 검사에게 송부해야 하며, 검사는 송부받은 날로부터 60일 이내에 사법경찰관에게 그 서류 등을 반환하여야 한다.

| 해설 ① 수사준칙 제53조 제1항

② 출제 당시에는 옳은 내용이나, 그 후 '검사는 사법경찰관으로부터 송치받은 사건에 대해 보완수사가 필요하다고 인정하는 경우에는 직접 보완수사를 하거나 법 제197조의 2 제1항 제1호에 따라 사법경찰관에게 보완수사를 요구할 수 있다'로 개정되었다(수사준칙 제59조 제1항).

③ 제197조의 3

④ 사법경찰관이 범죄를 수사한 후 범죄의 혐의가 인정되지 않아 불송치 결정을 하는 경우, 사법경찰관은 그 이유를 명시한 서면과 함께 관계 서류와 증거물을 지체 없이 검사에게 송부해야 하며, 검사는 송부받은 날로부터 90일 이내에 사법경찰관에게 그 서류 등을 반환하여야 한다(제245조의 5 제2호).

02 다음 중 2021. 1. 1.부터 시행되는 개정 형사소송법의 내용으로 가장 옳지 않은 것은?

21. 해경승진

① 경무관, 총경, 경정, 경감, 경위는 사법경찰관으로서 모든 수사에 관하여 검사의 지휘를 받는다.

② 검사는 송치사건의 공소제기 여부 결정 또는 공소의 유지에 관하여 필요한 경우나 사법경찰관이 신청한 영장의 청구 여부 결정에 관하여 필요한 경우 사법경찰관에게 보완수사를 요구할 수 있다.

Answer 1. ②④ 2. ①

③ 사법경찰관은 고소·고발사건을 포함하여 범죄를 수사한 때 범죄의 혐의가 있다고 인정되는 경우에는 지체 없이 검사에게 사건을 송치하고, 관계 서류와 증거물을 검사하게 송부하여야 한다.

④ 검사가 사법경찰관이 신청한 영장을 정당한 이유 없이 판사에게 청구하지 아니한 경우, 관할 고등검찰청 영장심의위원회에 영장청구에 대한 심의를 청구할 수 있다.

| 해설 ① 경무관, 총경, 경정, 경감, 경위 등 형사소송법상의 일반사법경찰관에 대한 검사의 수사지휘권은 폐지되었으며, 검사와 사법경찰관은 수사, 공소제기 및 공소유지에 관하여 서로 협력하여야 하는 관계로 바뀌었다(제195조 제1항). 이와 달리 특별사법경찰관은 모든 수사에 관하여 검사의 지휘를 받는다(제245조의 10 제2항).
② 제197조의 2 제1항 ③ 제245조의 5 제1호 ④ 제221조의 5 제1항

03 **검사와 사법경찰관의 상호협력과 일반적 수사준칙에 관한 규정에서 검사와 사법경찰관리의 상호관계에 대한 설명 중 가장 적절하지 않은 것은?** 21. 경력채용

① 검사와 사법경찰관은 공소시효가 임박한 사건이나 내란, 외환, 선거, 테러, 대형참사, 연쇄살인 관련 사건, 주한 미합중국 군대의 구성원·외국인군무원 및 그 가족이나 초청계약자의 범죄 관련 사건 등 많은 피해자가 발생하거나 국가적·사회적 피해가 큰 중요한 사건의 경우에는 송치 전에 수사할 사항, 증거수집의 대상과 방법, 법령의 적용 등에 관하여 상호 의견을 제시·교환할 것을 요청할 수 있다.

② 검사와 사법경찰관은 수사와 사건의 송치, 송부 등에 관한 이견의 조정이나 협력 등이 필요한 경우 서로 협의를 요청할 수 있다.

③ 검사와 사법경찰관은 수사의 경합과 관련하여 동일한 범죄사실 여부나 영장청구·신청의 시간적 선후관계 등을 판단하기 위해 필요한 경우 그 필요한 범위에서 사건기록의 상호열람을 요청할 수 있다.

④ 검사 또는 사법경찰관은 법원송치, 검찰송치 등의 결정을 한 경우에는 그 내용을 고소인·고발인·피해자 또는 그 법정대리인과 피의자에게 통지해야 한다. 다만, 피의자중지 결정 또는 기소중지 결정을 한 경우에는 고소인 등에게만 통지한다.

| 해설 ① '증거수집의 방법'은 상호 의견을 제시·교환할 것을 요청할 수 있는 내용이 아니다(출제 당시 수사준칙 제7조). 수사준칙 제7조는 '검사와 사법경찰관은 공소시효가 임박한 사건, 내란, 외환, 대공(對共), 선거(정당 및 정치자금 관련 범죄를 포함한다), 노동, 집단행동, 테러, 대형참사 또는 연쇄살인 관련 사건, 범죄를 목적으로 하는 단체 또는 집단의 조직·구성·가입·활동 등과 관련된 사건, 주한 미합중국 군대의 구성원·외국인 군무원 및 그 가족이나 초청계약자의 범죄 관련 사건, 그 밖에 많은 피해자가 발생하거나 국가적·사회적 피해가 큰 중요한 사건 등 어느 하나에 해당하는 사건의 경우에는 송치 전에 수사할 사항, 증거 수집의 대상, 법령의 적용, 범죄수익 환수를 위한 조치 등에 관하여 상호 의견을 제시·교환할 것을 요청할 수 있다. 이 경우 검사와 사법경찰관은 특별한 사정이 없으면 상대방의 요청에 응해야 한다(수사준칙 제7조 제1항)'로 개정(2023. 10. 17. 개정)되었는데 이에 의할 경우에도 ①은 옳지 않은 지문이다.
② 수사준칙 제8조 제1항 ③ 수사준칙 제48조 제1항 ④ 수사준칙 제53조 제1항

Answer 3. ①

04 **검사와 사법경찰관리의 관계에 대한 설명으로 옳은 것만을 있는 대로 고른 것은?** 22. 소방간부

> ㉠ 검사는 사법경찰관리의 수사과정에서 법령위반, 인권침해 또는 현저한 수사권 남용이 의심되는 사실의 신고가 있거나 그러한 사실을 인식하게 된 경우에는 사법경찰관에게 사건기록 등본의 송부를 요구할 수 있다.
> ㉡ 사법경찰관리의 수사과정에서 법령위반을 이유로 검사의 송부 요구를 받은 사법경찰관은 지체 없이 검사에게 사건기록 등본을 송부하여야 한다. 송부를 받은 검사는 필요하다고 인정되는 경우에는 사법경찰관에게 시정조치를 요구할 수 있다.
> ㉢ 검사는 사법경찰관과 동일한 범죄사실을 수사하게 된 때에는 사법경찰관에게 사건을 송치할 것을 요구할 수 있고, 이 경우 사법경찰관은 지체 없이 검사에게 사건을 송치하여야 한다. 다만, 검사가 영장을 청구하기 전에 동일한 범죄사실에 관하여 사법경찰관이 영장을 신청한 경우에는 해당 영장에 기재된 범죄사실을 계속 수사할 수 있다.
> ㉣ 사법경찰관이 범죄를 수사한 후 범죄의 혐의가 인정되지 않아 불송치결정을 하는 경우 사법경찰관은 그 이유를 명시한 서면과 함께 관계 서류와 증거물을 지체 없이 검사에게 송부해야 하며, 검사는 송부받은 날부터 90일 이내에 사법경찰관에게 그 서류 등을 반환하여야 한다.
> ㉤ 검사는 고소·고발된 범죄 사건을 사법경찰관이 수사한 후 사건을 송치하지 아니한 것이 위법 또는 부당한 때에는 그 이유를 문서 또는 구두로 명시하여 사법경찰관에게 재수사를 요청해야 하고, 사법경찰관은 필요한 경우 사건을 재수사할 수 있다.

① ㉠　　② ㉠, ㉡　　③ ㉠, ㉡, ㉢
④ ㉠, ㉡, ㉢, ㉣　　⑤ ㉠, ㉡, ㉢, ㉣, ㉤

해설 ㉠ ○: 제197조의 3 제1항
㉡ ○: 제197조의 3 제2항·제3항
㉢ ○: 제197조의 4 제1항·제2항
㉣ ○: 제245조의 5 제2호
㉤ ×: 검사는 고소·고발된 범죄 사건을 사법경찰관이 수사한 후 사건을 송치하지 아니한 것이 위법 또는 부당한 때에는 그 이유를 문서로 명시하여 사법경찰관에게 재수사를 요청할 수 있다. 사법경찰관은 검사의 재수사요청이 있는 때에는 사건을 재수사하여야 한다(제245조의 8 제1항·제2항).

05 **형사소송법 제197조의 2(보완수사요구)에 대한 설명으로 가장 적절하지 않은 것은?** 22. 경찰승진

① 검사는 '송치사건의 공소제기 여부 결정 또는 공소의 유지에 관하여 필요한 경우' 또는 '사법경찰관의 신청한 영장의 청구 여부 결정에 관하여 필요한 경우'에 사법경찰관에게 보완수사를 요구할 수 있다.
② 사법경찰관은 형사소송법 제197조의 2 제1항에 따른 검사의 보완수사의 요구가 있는 때에는 정당한 이유가 없는 한 지체 없이 이를 이행하고, 그 결과를 검사에게 통보하여야 한다.
③ 형사소송법 제197조의 2 제1항에 따른 보완수사의 요구를 받은 사법경찰관과 검사 사이에 형사소송법 제197조의 2 제2항의 '정당한 이유의 유무'에 대하여 이견의 조정이 필요한 경우에 사법경찰관은 검사에 대하여 협의를 요청할 수 있다.

Answer 4. ④　5. ④

④ 형사소송법 제197조의 2 제2항에 따른 '정당한 이유의 유무'에 대하여 이견이 있어 협의를 요청받은 검사는 이에 응하지 않을 수 있으며, 이 경우에는 해당 검사가 소속된 검찰청의 장과 해당 사법경찰관이 소속된 경찰관서의 장의 협의에 따른다.

| 해설 ① 제197조의 2 제1항
② 제197조의 2 제2항
③ 수사준칙 제8조 제1항
④ 형사소송법 제197조의 2 제2항(검사의 보완수사요구) 및 제3항(사법경찰관 불이행)에 따른 '정당한 이유의 유무'에 대하여 이견이 있어 협의를 요청받은 검사는 이에 응하여야 한다(수사준칙 제8조 제1항 단서). 협의에도 불구하고 이견이 해소되지 않는 경우에는 해당 검사가 소속된 검찰청의 장과 해당 사법경찰관이 소속된 경찰관서의 장의 협의에 따른다(수사준칙 제8조 제2항).

06 **검 · 경수사권조정에 의한 검사와 사법경찰관의 관계에 관한 설명으로 옳은 것은?**

① 사법경찰관으로부터 불송치통지를 받은 고소인 또는 고발인은 사법경찰관의 소속 관서의 장에게 이의를 신청할 수 있다.
② 검사는 사법경찰관에게 송치사건 및 관련사건에 대해 범인에 관한 사항, 증거 또는 범죄사실 증명에 관한 사항, 소송조건 또는 처벌조건에 관한 사항, 양형 자료에 관한 사항, 죄명 및 범죄사실의 구성에 관한 사항, 그 밖에 송치받은 사건의 공소제기 여부를 결정하는 데 필요하거나 공소유지와 관련해 필요한 사항에 관한 보완수사를 요구할 수 있다.
③ 검사의 직접수사 가능범죄로는 부패범죄, 경제범죄, 공직자범죄, 선거범죄, 방위사업범죄, 대형참사범죄 등이고, 선거범죄는 2022. 12. 31.까지 검사의 직접수사개시가 가능하며, 검사는 자신이 수사개시한 범죄라도 공소제기는 할 수 있도록 개정되었다.
④ 검사는 사법경찰관으로부터 송치받은 모든 사건에 대하여, 해당사건과 동일성을 해치지 아니하는 범위 내에서만 수사할 수 있다.

| 해설 ① 고발인은 경찰의 불송치결정이 나면 이의신청을 할 수 없도록 개정되었다. 따라서 고발사건은 사법경찰관의 불송치결정으로 종결되고, 항고 및 재정신청절차를 이용할 수는 없다. 다만, 사법경찰관의 불송치가 위법 또는 부당할 때에는 90일 이내에 검사의 재수사요청을 통하여 구제받을 수는 있을 것이다.
② 검사는 형사소송법 제197조의 2 제1항 제1호에 따라 사법경찰관에게 송치사건 및 관련사건(형사소송법 제11조에 따른 관련사건 및 제208조 제2항에 따라 간주되는 동일한 범죄사실에 관한 사건을 말한다. 다만, 제11조 제1호의 경우에는 수사기록에 명백히 현출(現出)되어 있는 사건으로 한정한다)에 대해 다음 각 호의 사항에 관한 보완수사를 요구할 수 있다(수사준칙 제59조 제3항).

1. 범인에 관한 사항
2. 증거 또는 범죄사실 증명에 관한 사항
3. 소송조건 또는 처벌조건에 관한 사항
4. 양형 자료에 관한 사항
5. 죄명 및 범죄사실의 구성에 관한 사항
6. 그 밖에 송치받은 사건의 공소제기 여부를 결정하는 데 필요하거나 공소유지와 관련해 필요한 사항

Answer 6. ②

③ 검사의 직접수사 가능범죄로는 '부패범죄'와 '경제범죄' 등 대통령령으로 정한 중요 범죄(공직자범죄, 선거범죄, 방위사업범죄, 대형참사범죄 등 4개 범죄는 직접수사대상에서 제외됨), 경찰공무원 및 고위공직자범죄수사처 소속 공무원이 범한 범죄, 위의 범죄 및 사법경찰관이 송치한 범죄와 관련하여 인지한 각 해당 범죄와 직접 관련성이 있는 범죄이다(검찰청법 제4조 제1항 : 2022. 9. 10. 시행). 다만, 선거범죄는 2022. 12. 31.까지는 검사의 직접수사개시 가능하다(검찰청법 부칙 제3조).

▶ 검사는 자신이 수사개시한 범죄에 대하여는 공소를 제기할 수 없다. 다만, 사법경찰관이 송치한 범죄에 대하여는 그러하지 아니한다(검찰청법 제4조 제2항). 이 규정은 이 법 시행 이후 공소제기하는 경우부터 적용(검찰청법 부칙 제2조) 〈2022. 9. 10. 시행〉

④ 검사는 사법경찰관으로부터 기소의견으로 송치받은 경우와는 달리, 시정조치 불이행으로 인한 송치요구(제197조의 3 제6항), 위법하게 체포・구속된 자에 대한 송치명령(제198조의 2 제2항), 고소인의 이의신청에 의한 송치(제245조의 7 제2항)에 의거 사법경찰관으로부터 송치받은 사건에 관하여는 해당사건과 동일성을 해치지 아니하는 범위 내에서 수사할 수 있다(제196조 제2항).

07 검사와 사법경찰관의 상호협력과 일반적 수사준칙에 관한 규정상 사법경찰관의 사건송치에 관한 설명으로 가장 적절하지 않은 것은?

22. 순경 1차

① 사법경찰관이 사건을 수사한 결과, 불송치 결정 중 죄가 안됨에 해당하여 형법 제10조 제1항에 따라 피의자를 벌할 수 없는 경우에는 해당 사건을 검사에게 이송한다.

② 검사는 사법경찰관의 불송치 결정이 위법 또는 부당한 경우에는 관계 서류와 증거물을 송부받은 날로부터 90일 이내에 재수사를 요청할 수 있는데, 만약 불송치 결정에 영향을 줄 수 있는 명백히 새로운 증거 또는 사실이 발견된 경우에는 90일이 지난 후에도 재수사를 요청할 수 있다.

③ 사법경찰관은 수사결과에 따라 범죄의 혐의가 있다고 인정되는 경우에는 지체 없이 검사에게 사건을 송치하고 관계 서류와 증거물을 검사에게 송부하여야 하는데, 이 때 보완수사가 필요하다고 인정되는 경우에도 검사는 직접 보완수사할 수 없으며 사법경찰관에 대한 보완수사요구만 가능하다.

④ 사법경찰관이 재수사 중인 사건에 대해 형사소송법 제245조의 7 제1항에 따른 고소인 등의 이의신청이 있는 경우에는 사법경찰관은 재수사를 중단해야 하며, 같은 조 제2항에 따라 해당 사건을 지체 없이 검사에게 송치하고 관계 서류와 증거물을 송부해야 한다.

| 해설 ① 수사준칙 제51조 제3항

② 수사준칙 제63조 제1항

③ 검사는 사법경찰관으로부터 송치받은 사건에 대해 보완수사가 필요하다고 인정하는 경우에는 직접 보완수사를 하거나 법 제197조의 2 제1항 제1호에 따라 사법경찰관에게 보완수사를 요구할 수 있다(수사준칙 제59조 제1항).

④ 수사준칙 제65조

Answer 7. ③

08 **다음 중 형사소송법 제197조의 2(보완수사요구)에 관한 설명으로 가장 옳지 않은 것은?**

23. 해경승진

① 형사소송법 제197조의 2 제1항에 따른 보완수사의 요구를 받은 사법경찰관과 검사 사이에 형사소송법 제197조의 2 제2항의 '정당한 이유의 유무에 대하여 이견의 조정이 필요한 경우에 사법경찰관은 검사에 대하여 협의를 요청할 수 있다.

② 형사소송법 제197조의 2 제2항에 따른 '정당한 이유의 유무'에 대하여 이견이 있어 협의를 요청 받은 검사는 이에 응하지 않을 수 있으며, 이 경우에는 해당검사가 소속된 검찰청의 장과 해당 사법경찰관이 소속된 경찰관서의 장의 협의에 따른다.

③ 검사는 '송치사건의 공소제기여부 결정 또는 공소유지에 관하여 필요한 경우' 또는 사법경찰관이 신청한 영장의 청구여부 결정에 관하여 필요한 경우에 사법경찰관에게 보완수사를 요구할 수 있다.

④ 사법경찰관은 형사소송법 제197조의 2 제1항에 따른 검사의 보완수사요구가 있는 때에는 정당한 이유가 없는 한 지체 없이 이행하고, 그 결과를 검사에게 통보하여야 한다.

| 해설 ① 수사준칙 제8조 제1항

② 형사소송법 제197조의 2 제2항에 따른 '정당한 이유의 유무'에 대하여 이견이 있어 협의를 요청 받은 검사는 이에 응해야 하며(수사준칙 제8조 제1항), 협의에도 불구하고 이견이 해소되지 않는 경우에는 해당 검사가 소속된 검찰청의 장과 해당 사법경찰관이 소속된 경찰관서의 장의 협의에 따른다(동 준칙 제8조 제2항). ③④ 제197조의 2 제2항

09 **형사소송법의 개정내용에 대한 설명으로 가장 적절하지 않은 것은?**

23. 경찰승진

① 체포·구속장소의 감찰결과 피의자가 적법한 절차에 의하지 아니하고 체포 또는 구속된 것이라고 의심할 만한 상당한 이유가 있는 경우에 검사는 즉시 체포 또는 구속된 자를 석방하거나 사건을 검찰에 송치할 것을 명하여야 하는데, 이 송치요구에 따라 사법경찰관으로부터 송치받은 사건에 관하여 검사는 동일성을 해치지 아니하는 범위 내에서 수사할 수 있다.

② 수사기관이 수사 중인 사건의 범죄 혐의를 밝히기 위한 목적으로 합리적인 근거 없이 별개의 사건을 부당하게 수사하여서는 아니 된다.

③ 수사기관은 다른 사건의 수사를 통해 확보된 증거 또는 자료를 내세워 관련 없는 사건에 대한 자백이나 진술을 강요하여서는 아니 된다.

④ 사법경찰관의 불송치 결정에 대하여 형사소송법 제245조의 7에 따라 해당 사법경찰관의 소속 관서의 장에게 이의신청을 할 수 있는 주체에는 고발인이 포함된다.

| 해설 ① 제196조 제2항, 제198조의 2 제2항 ②③ 제198조 제4항

④ 사법경찰관으로부터 불송치 결정의 통지를 받은 사람(고발인을 제외한다)은 해당 사법경찰관의 소속 관서의 장에게 이의를 신청할 수 있다(제245조의 7 제1항).

Answer 8.② 9.④

10 수사에 관한 설명으로 가장 적절하지 않은 것은?

23. 순경 2차

① 사법경찰관은 고소·고발 사건을 포함하여 범죄를 수사한 때, 범죄 혐의가 있다고 인정되면 지체 없이 관계 서류와 증거물을 함께 첨부하여 검사에게 사건을 송치하고, 그 밖의 경우에는 그 이유를 명시한 서면만을 지체 없이 검사에게 송부하여야 한다.

② 검사는 사법경찰관과 동일한 범죄사실을 수사하게 된 때에는 사법경찰관에게 사건을 송치할 것을 요구할 수 있으며, 송치요구를 받은 사법경찰관은 원칙적으로 지체 없이 검사에게 사건을 송치하여야 한다.

③ 검사는 사법경찰관이 사건을 송치하지 아니한 것이 위법 또는 부당한 때에는 그 이유를 문서로 명시하여 재수사를 요청할 수 있는데, 사법경찰관은 재수사 후 기소의견으로 사건을 검찰에 송치하거나 재차 불송치결정을 할 수 있다.

④ 검사의 수사 개시는 예외적으로 인정되는데, 검사는 부패범죄, 경제범죄 등 대통령령으로 정하는 중요 범죄에 대해서는 수사를 개시할 수 있다.

| 해설 ① 사법경찰관은 고소·고발 사건을 포함하여 범죄를 수사한 때, 범죄 혐의가 있다고 인정되면 지체 없이 관계 서류와 증거물을 함께 첨부하여 검사에게 사건을 송치하고(제245조의 5 제1호), 그 밖의 경우에는 그 이유를 명시한 서면과 함께 관계 서류와 증거물을 지체 없이 검사에게 송부하여야 한다(동조 제2호).

② 제197조의 4 제1항·제2항

③ 수사준칙 제64조 제1항

④ 검찰청법 제4조 제1항

11 검사와 사법경찰관의 수사에 대한 설명이다. 옳고 그름의 표시가 모두 바르게 된 것은?

㉠ 검사는 법 제245조의 5 제1호에 따라 사법경찰관으로부터 송치받은 사건에 대해 보완수사가 필요하다고 인정하는 경우에는 특별히 직접 보완수사를 할 필요가 있다고 인정되는 경우를 제외하고는 사법경찰관에게 보완수사를 요구하는 것을 원칙으로 한다.

㉡ 공소시효가 임박한 사건에 대하여 검사와 사법경찰관이 송치 전에 수사할 사항, 증거 수집의 대상, 법령의 적용 등에 대하여 상호 의견을 제시·교환할 것을 요청할 수 있으나, 범죄수익 환수를 위한 조치 등에 관하여는 그러하지 아니한다.

㉢ 검사는 그 밖에 다른 수사기관에서 수사하는 것이 적절하다고 판단되어 이송을 하는 경우에는 특별한 사정이 없으면 사건을 수리한 날부터 3개월 이내에 이송해야 한다.

㉣ 사법경찰관은 법 제197조의 2 제1항에 따른 보완수사요구가 접수된 날부터 1개월 이내에 보완수사를 마쳐야 한다.

㉤ 사법경찰관은 법 제245조의 8 제1항에 따른 재수사의 요청이 접수된 날부터 3개월 이내에 재수사를 마쳐야 한다.

Answer 10. ① 11. ④

① ㉠(×), ㉡(×), ㉢(×), ㉣(×), ㉤(×)
② ㉠(×), ㉡(×), ㉢(○), ㉣(○), ㉤(×)
③ ㉠(○), ㉡(×), ㉢(○), ㉣(×), ㉤(○)
④ ㉠(×), ㉡(×), ㉢(×), ㉣(×), ㉤(○)

| 해설 ㉠ × : 검사는 사법경찰관으로부터 송치받은 사건에 대해 보완수사가 필요하다고 인정하는 경우에는 직접 보완수사를 하거나 법 제197조의 2 제1항 제1호에 따라 사법경찰관에게 보완수사를 요구할 수 있다. 다만, 송치사건의 공소제기 여부 결정에 필요한 경우로서 수사준칙 제59조 제1항 각호의 어느 하나에 해당하는 경우에는 특별히 사법경찰관에게 보완수사를 요구할 필요가 있다고 인정되는 경우를 제외하고는 검사가 직접 보완수사를 하는 것을 원칙으로 한다(수사준칙 제59조 제1항).
㉡ × : 검사와 사법경찰관은 송치 전에 수사할 사항, 증거 수집의 대상, 법령의 적용, 범죄수익 환수를 위한 조치 등에 관하여 상호 의견을 제시·교환할 것을 요청할 수 있다(수사준칙 제7조 제1항).
㉢ × : 검사는 그 밖에 다른 수사기관에서 수사하는 것이 적절하다고 판단되어 이송을 하는 경우에는 특별한 사정이 없으면 사건을 수리한 날부터 1개월 이내에 이송해야 한다(수사준칙 제18조 제4항).
㉣ × : 사법경찰관은 법 제197조의 2 제1항에 따른 보완수사요구가 접수된 날부터 3개월 이내에 보완수사를 마쳐야 한다(수사준칙 제60조 제3항).
㉤ ○ : 수사준칙 제63조 제4항

최신판례

특별사법경찰관이 관할구역 밖에서 수사할 경우 관할 검사장에 대한 보고의무 규정은 내부적 보고의무 규정에 불과하므로, **특별사법경찰관리가** 보고의무를 이행하지 않았다고 하여 적법절차의 실질적인 내용을 침해하는 경우에 해당하지 않는다(**대판** 2023.6.1, 2020도12157).

THEMA 19

전문수사자문위원제도와 관련된 내용으로 옳은 것은?

① 검사는 공소제기 여부와 관련된 사실관계를 분명히 하기 위하여 필요한 경우에는 직권이나 피의자 또는 변호인의 신청에 의하여 전문수사자문위원을 지정하여 수사절차에 참여하게 하고 자문을 들을 수 있다.

② 전문수사자문위원을 수사절차에 참여시키고자 할 경우 검사는 법원에 각 사건마다 1인 이상의 전문수사자문위원 지정신청을 하여야 한다.

③ 검사는 전문수사자문위원이 제출한 서면이나 전문수사자문위원의 설명 또는 의견의 진술에 관하여 피의자 또는 변호인에게 구술 또는 서면에 의한 의견진술의 기회를 줄 수 있다.

④ 검사는 자문위원의 지정사실을 피의자 또는 변호인에게 서면으로 통지하여야 하고, 피의자 또는 변호인은 검사의 전문수사자문위원 지정에 대하여 지방검찰청검사장에게 이의를 제기할 수 있다.

| 해설

① 제245조의 2 제1항

▶ 2007년 개정 형사소송법은 첨단산업분야, 지적재산권, 국제금융 기타 전문적인 지식이 필요한 사건에서 법관이나 검사가 전문가의 조력을 받아 재판 및 수사절차를 보다 충실하게 할 필요가 있어 전문심리위원(공판절차에서 설명) 및 전문수사자문위원 제도를 도입하였다.

② 전문수사자문위원을 수사절차에 참여시킨 경우 검사는 각 사건마다 1인 이상의 전문수사자문위원을 지정하여야 한다(제245조의 3 제1항).

③ 구술 또는 서면에 의한 의견진술의 기회를 주어야 한다(제245조의 2 제3항).

④ 검사는 자문위원의 지정사실을 피의자 또는 변호인에게 구두 또는 서면으로 통지하여야 하고(운영규칙 제3조 제3항), 피의자 또는 변호인은 검사의 전문수사자문위원 지정에 대하여 관할 고등검찰청 검사장에게 이의를 제기할 수 있다(제245조의 3 제3항). »①

01 다음은 전문수사자문위원에 대한 설명이다. 적절하지 않은 것은 모두 몇 개인가?

10. 7급 국가직, 14. 순경 1차

㉠ 검사는 공소제기 여부와 관련된 사실관계를 분명하게 하기 위하여 필요한 경우에는 직권이나 피의자 또는 변호인의 신청에 의하여 전문수사자문위원을 지정하여 수사절차에 참여하게 하고 자문을 들을 수 있다. ㉡ 전문수사자문위원은 전문적인 지식에 의한 설명 또는 의견을 기재한 서면을 제출하거나 전문적인 지식에 의하여 설명이나 의견을 진술할 수 있다. 이에 대해서 검사는 피의자 또는 변호인에게 구술 또는 서면에 의한 의견진술의 기회를 줄 수 있다. ㉢ 검사는 상당하다고 인정하는 때에는 전문수사자문위원의 지정을 취소할 수 있다. ㉣ 피의자 또는 변호인은 검사의 전문수사자문위원 지정에 대하여 관할 지방검찰청검사장에게 이의를 제기할 수 있다.

① 1개 ② 2개 ③ 3개 ④ 4개

| 해설 ㉠ ○ : 제245조의 2 제1항

㉡ × : 검사는 피의자 또는 변호인에게 구술 또는 서면에 의한 의견진술의 기회를 주어야 한다(제245조의 2 제3항).

㉢ ○ : 제245조의 3 제2항

㉣ × : 피의자 또는 변호인은 검사의 전문수사자문위원 지정에 대하여 관할 고등검찰청검사장에게 이의를 제기할 수 있다(제245조의 3 제3항).

Answer 1. ②

THEMA 20 피의자

<table>
<tr><td>의 의</td><td colspan="2">피의자라 함은 수사기관에 의해 범죄혐의를 받고 수사가 개시된 자를 말한다.</td></tr>
<tr><td>피의자의 시기와 종기</td><td colspan="2">1. 피의자의 시기(始期) : 수사가 개시된 때
수사준칙상 수사개시(제16조 제1항)
• 피혐의자의 수사기관 출석조사
• 피의자신문조서의 작성
• 긴급체포
• 체포·구속영장의 청구 또는 신청
• 사람의 신체, 주거, 관리하는 건조물, 자동차, 선박, 항공기 또는 점유하는 방실에 대한 압수·수색 또는 검증영장(부검을 위한 검증영장은 제외한다.)의 청구 또는 신청
피의자 지위 발생
수사기관이 범죄 혐의 있음을 외부적으로 표시하는 활동을 한 때(실질설) : 대판 2001.10.26, 2000도2968
▶ 실질설에 의할 때 입건 전 임의동행 형식으로 연행시, 현행범 체포시(사인에 의한 현행범체포 ⇨ 인도시)가 피의자가 된다.
고소·고발·자수 : 고소·고발·자수가 있는 때 피의자 지위 발생(서면에 의한 고소·고발 ⇨ 서면이 수사기관에 접수된 때, 구두에 의한 고소·고발 ⇨ 수사기관이 조서를 작성한 때)
2. 피의자의 종기(終期) : 피의자는 공소제기 또는 즉결심판청구에 의해 피고인의 지위로 전환된다. 또한 불기소처분확정에 의해 피의자의 지위가 상실되므로, 검사의 불기소처분에 대한 검찰항고, 재정신청, 헌법소원을 제기한 경우에는 절차가 종결될 때까지는 피의자의 지위가 존속된다. 13. 경찰간부</td></tr>
<tr><td>피의자의 소송법상 지위</td><td colspan="2">1. 피의자는 단순한 조사의 객체가 아니라 인격권의 주체로서의 지위를 가지고 있다.
2. 수사절차에서 사실해명을 위해 불가피한 활동에 협조할 의무(절차의 대상으로서 지위)를 진다.</td></tr>
<tr><td rowspan="2">피의자 권리</td><td>○</td><td>• 증거보전청구권 09. 순경 1차, 09·16. 경찰승진
• 긴급체포 후 석방시 관련서류에 대한 열람·등사청구권
• 접견교통권
• 체포·구속적부심사청구권 09·16. 경찰승진
• 진술거부권 09·16. 경찰승진</td></tr>
<tr><td>×</td><td>• 수사서류 열람·등사권 01. 순경 1차, 02. 순경 2차, 04. 경찰승진
• 보석청구권 12. 경찰간부
• 수사상 증인신문청구권 12. 경찰간부, 16. 경찰승진
• 수사중지청구권
• 정식재판청구권 02. 경찰승진
• 기피신청권
• 관할이전청구권
• 구속집행정지청구권 09. 경찰승진</td></tr>
</table>

01 **피의자에 대한 설명으로 가장 적절하지 않은 것은?**(다툼이 있는 경우 판례에 의함) 21. 경찰승진

① 피의자는 수사의 개시부터 공소제기 전까지의 개념으로서 진범인가의 여부를 불문한다.
② 수사기관에 의한 진술거부권 고지대상이 되는 피의자의 지위는 수사기관이 조사대상자에 대한 범죄혐의가 있다고 보아 실질적으로 '수사를 개시하는 행위를 한 때'에 인정된다.
③ 형사소송법상 피의자의 권리와 피고인의 권리는 동일하다.
④ 형사소송법은 피의자의 지위를 강화하기 위해 진술거부권, 변호인의 조력을 받을 권리, 구속적부심사청구권, 압수·수색·검증에의 참여권 등을 보장하고 있다.

| 해설 ① 피의자는 수사의 개시부터 공소제기 전까지의 개념으로서 진범인가의 여부를 불문한다. 진범의 여부는 재판을 통해 밝혀지기 때문이다.
② 피의자의 지위는 수사기관이 조사대상자에 대한 범죄혐의가 있다고 보아 실질적으로 '수사를 개시하는 행위를 한 때'에 인정된다(대판 2001.10.26, 2000도2968).
③ 반드시 동일하지는 않다.
④ 형사소송법은 피의자의 지위를 강화하기 위해 진술거부권(제244조의 3 제1항), 변호인의 조력을 받을 권리(제90조·제209조), 구속적부심사청구권(제214조의 2 제1항), 압수·수색·검증에의 참여권(제121조·제219조) 등을 보장하고 있다.

02 **형사소송법상 피의자에게 인정되는 권리가 아닌 것은?** 16. 경찰승진

① 수사상의 증인신문청구권　　② 체포·구속적부심사청구권
③ 진술거부권　　④ 증거보전청구권

| 해설 수사상의 증인신문청구권은 검사에게만 인정되고(제221조의 2 제1항), 나머지는 피의자에게 인정되는 권리이다(② 제214조의 2 제1항 ③ 제244조의 3 제1항 ④ 제184조 제1항).

Answer 1. ③　2. ①

제3절 수사의 개시

THEMA 21

다음 중 수사의 단서 및 개시에 관한 내용으로 옳은 것은?

① 진정이 있는 경우에 즉시 수사가 개시되고 피진정인은 피의자가 된다.
② 변사자검시, 불심검문, 범죄인지, 자수는 수사의 단서에 해당한다.
③ 고소・고발・자수가 있으면 즉시 수사가 개시되고 피의자 지위로 전환된다.
④ 수사개시의 원인을 수사의 단서라고 하며, 다른 사건 수사 중 범죄발견이나 범죄신고 등은 수사기관 자신의 체험에 의한 경우이다.

| 도움말 수사의 단서

수사개시원인을 수사의 단서라 하며, 수사의 단서에는 수사기관 자신의 체험에 의한 경우(예 현행범체포, 변사자검시, 불심검문, 다른 사건 수사 중 범죄발견, 기사・풍문, 세평)와 타인의 체험에 의한 경우(예 고소, 고발, 자수, 진정, 범죄신고)가 있다.

▶ 고소・고발・자수를 제외한 수사의 단서 ⇨ 범죄인지에 의해 수사개시
▶ 고소・고발・자수 ⇨ 즉시 수사가 개시되고 피의자 지위로 전환
▶ 형사소송법에 규정된 수사단서 ⇨ 현행범체포, 변사자검시, 고소, 고발, 자수
▶ 수사가 개시되면 그 대상이 된 사람은 피의자가 된다.

| 해설

① 진정이 있다고 하여 바로 수사가 개시되는 것은 아니고 내사단계를 거쳐 범죄혐의가 있다고 인정될 때 수사가 개시되고 피진정인은 피의자의 지위에 놓이게 된다.
② 변사자검시, 불심검문, 자수는 수사의 단서에 해당하나, 범죄인지는 수사개시 그 자체이다.
④ 다른 사건 수사 중 범죄발견은 수사기관 자신의 체험에 의한 수사의 단서이나, 범죄신고는 타인의 체험에 의한 수사의 단서이다. » ③

01 수사의 단서와 관련하여 옳은 내용은?

① 범죄인지, 신문기사, 풍설 등은 수사의 단서에 해당하나, 증인신문은 수사의 단서라고 할 수 없다.
② 고소나 세평 등은 수사의 단서 중 즉시 수사가 개시되어 피고인의 지위를 가지게 된다.
③ 진정·자수·범죄신고, 불심검문은 타인의 체험에 의한 수사의 단서이다.
④ 현행범체포, 변사자검시, 고소, 고발, 자수 등은 형사소송법에 규정된 수사단서이다.

| 해설 ① 신문기사, 풍설은 수사의 단서에 해당한다. 범죄인지는 수사개시를 말하며 증인신문은 증거조사의 한 방법이다.
② 고소는 수사의 단서이면서 즉시 수사가 개시되는 요건이기도 하나, 세평은 수사의 단서에 불과하다.
③ 진정·자수·범죄신고는 타인의 체험에 의한 수사의 단서이나, 불심검문은 수사기관 자신의 체험에 의한 수사의 단서이다.

02 검사와 사법경찰관의 상호협력과 일반적 수사준칙에 관한 규정상 사법경찰관이 그 행위에 착수한 때에는 수사를 개시한 것으로 보고 해당 사건을 즉시 입건해야 하는 경우가 아닌 것은?

21. 순경 2차

① 피혐의자의 수사기관 출석조사
② 피의자신문조서의 작성
③ 현행범인 체포
④ 체포·구속영장의 청구 또는 신청

| 해설 검사 또는 사법경찰관이 다음 각 호의 어느 하나에 해당하는 행위에 착수한 때에는 수사를 개시한 것으로 본다. 이 경우 검사 또는 사법경찰관은 해당 사건을 즉시 입건해야 한다(수사준칙 제16조 제1항).

1. 피혐의자의 수사기관 출석조사
2. 피의자신문조서의 작성
3. 긴급체포
4. 체포·구속영장의 청구 또는 신청
5. 사람의 신체, 주거, 관리하는 건조물, 자동차, 선박, 항공기 또는 점유하는 방실에 대한 압수·수색 또는 검증영장(부검을 위한 검증영장은 제외한다)의 청구 또는 신청

Answer 1.④ 2.③

THEMA 22 불심검문

의 의	불심검문(직무질문)이란 경찰관이 행동이 수상한 사람을 발견한 때에 이를 정지시켜 질문하는 것을 말한다(경찰관 직무집행법 제3조 제1항).
불심검문대상 15. 경찰승진, 16. 순경 2차	1. 수상한 행동이나 그 밖의 주위의 사정을 합리적으로 판단하여 죄를 범하였거나 범하려고 하고 있다고 의심할 만한 상당한 이유가 있는 사람 2. 이미 행하여진 범죄나 행하여지려고 하는 범죄행위에 관하여 그 사실을 안다고 인정되는 사람
불심검문방법	1. 정지 및 질문 ① 정지와 그 한계 : 정지는 질문을 위한 수단이므로 강제수단에 의하여 정지시키는 것은 허용되지 아니하나, 강제에 이르지 않는 정도의 유형력의 행사는 가능 예 길을 막거나 몸에 손을 대는 정도 ② 질문의 방법 : 질문을 하는 경우 경찰관은 상대방에게 신분증을 제시하면서 소속과 성명을 밝히고 그 목적과 이유를 설명하여야 한다(경찰관 직무집행법 제3조 제4항). 거동불심자에게 행선지나 용건 또는 성명·주소·연령 등을 묻고 필요시 소지품 내용을 질문하여 수상한 점을 밝히는 방법에 의한다. 질문에 대하여 상대방은 답변을 강요당하지 아니한다(동법 제3조 제7항). ▶ 진술거부권고지 불필요 2. 동행요구 ① 정지한 장소에서 질문함이 당해인에게 불리하거나, 교통에 방해가 된다고 인정되는 때에 한하여 부근의 경찰서 등에 동행을 요구할 수 있다(동법 제3조 제2항). 14. 9급 교정·보호·철도경찰, 16. 순경 2차, 11·17. 경찰승진 이 경우에도 상대방은 동행요구를 거절할 수 있음은 물론이다. 11. 경찰승진, 15. 9급 교정·보호·철도경찰 ② 동행을 요구할 경우 경찰관의 신분증명과 동행의 목적, 동행장소의 고지의무를 규정하고 있고(동법 제3조 제4항), 동행 후에는 가족 등에게 동행한 경찰관의 신분, 동행장소, 동행목적과 이유를 고지하거나 본인으로 하여금 즉시 연락할 기회를 부여하여야 하며, 변호인의 조력을 받을 권리가 있음을 고지하여야 한다(동조 제5항). 13. 9급 검찰·마약수사, 14. 경찰간부, 15. 경찰승진 ③ 동행을 한 경우에 경찰관은 상대방을 6시간 초과하여 머무르게 할 수 없다(동조 제6항). 13. 9급 검찰·마약수사, 15·17·22. 경찰승진, 24. 9급 교정·보호·철도경찰 ▶ 6시간 동안 구금을 허용하는 것은 아니다(대판 1997.8.22, 97도1240).
소지품검사	1. 소지품검사의 허용성 ┌ 흉기 ⇨ 질문을 할 때 흉기소지 여부를 조사할 수 있다(경찰관 직무집행법 제3조 제3항). 10. 순경 2차 ▶ 의복·손가방 등 휴대품에 한정(잠금장치된 물품이나 조사받는 자의 직접 접촉 범위 내에 존재하지 아니한 물건 ⇨ 대상 ×) └ 흉기를 제외한 일반소지품검사 ⇨ 규정은 없으나 허용된다고 본다(다수설). 2. 한계 : 외표검사(Stop and Frisk) 허용, 흉기조사의 경우는 폭력을 사용하지 않는 범위 내에서 가능, 일반소지품검사의 경우에는 실력행사에 의한 조사(내부를 직접 뒤지거나, 강압적인 방법으로 소지품을 보이도록 요구)는 허용되지 않는다고 해야 한다.
자동차검문	1. 교통검문 : 도로교통법 위반의 단속을 위한 검문 2. 경계검문 : 불특정한 일반범죄의 예방과 검거를 목적으로 하는 검문 3. 긴급수배검문 : 특정범죄가 발생한 때 범인검거와 수사정보수집을 목적으로 행하는 검문

01 **경찰관 직무집행법상 불심검문에 대한 설명으로 적절하지 않은 것은 모두 몇 개인가?**(다툼이 있는 경우 판례에 의함) 21. 경찰승진

㉠ 불심검문 대상자에게 형사소송법상 체포나 구속에 이를 정도의 혐의가 없을지라도, 경찰관은 당시의 구체적 상황과 사전에 얻은 정보나 전문적 지식 등에 기초하여 객관적·합리적인 기준에 따라 불심검문 대상 여부를 판단한다.
㉡ 불심검문에 따른 동행요구는 형사소송법상 임의수사로서 임의동행의 한 종류로 취급하여야 한다.
㉢ 검문하는 사람이 경찰관이고 검문하는 이유가 범죄행위에 관한 것임을 검문받는 사람이 충분히 알고 있었다고 보이는 경우에는 경찰관이 신분증을 제시하지 않았다고 하여 그 불심검문이 위법한 공무집행이라고 할 수 없다.
㉣ 검문 중이던 경찰관들이, 자전거를 이용한 날치기 사건 범인과 흡사한 인상착의의 사람이 자전거를 타고 다가오는 것을 발견하고 정지를 요구하였으나 멈추지 않아, 앞을 가로막고 소속과 성명을 고지한 후 검문에 협조해 달라고 하였음에도 불응하고 그대로 전진하자, 따라가서 재차 앞을 막고 검문에 응하라고 요구한 경우, 이는 적법한 불심검문에 해당한다.
㉤ 경찰관은 임의동행에 앞서 당해인에 대해 진술거부권과 변호인의 조력을 받을 권리를 고지해야 한다.

① 2개 ② 3개 ③ 4개 ④ 5개

해설 ㉠ ○ : 대판 2014.12.11, 2014도7976
㉡ × : 임의동행은 경찰관 직무집행법 제3조 제2항에 따른 행정경찰 목적의 경찰활동으로 행하여지는 것 외에도 형사소송법 제199조 제1항에 따라 범죄수사를 위하여 오로지 피의자의 자발적인 의사에 의하여 이루어진 경우에도 가능하다(대판 2020.5.14, 2020도398). 전자는 범죄의 예방과 진압을 위한 행정경찰상의 처분이라는 성질을 가지나, 후자는 임의수사로서의 성질을 가지기 때문에 양자가 구별된다는 견해와 경찰관 직무집행법 제3조는 보안경찰작용으로서의 불심검문과 범죄수사작용으로서의 불심검문을 함께 규정하고 있기 때문에 경찰관 직무집행법상의 동행요구는 보안경찰작용으로서의 동행요구와 범죄수사작용으로서의 동행요구로 나누어진다고 보는 견해가 대립한다. 불심검문에 의한 임의동행으로 인하여 수사가 계속된 경우에는 형사소송법에 의한 임의동행과 동일하게 보아야 함은 물론이다.
㉢ ○ : 대판 2014.12.11, 2014도7976
㉣ ○ : 대판 2012.9.13, 2010도6203
㉤ × : 경찰관은 불심검문에서 동행 후에는 변호인의 조력을 받을 권리가 있음을 고지하여야 하나(경찰관 직무집행법 제3조 제5항), 진술거부권을 고지할 필요는 없다.

02 **불심검문에 관한 설명으로 옳은 것은?**(다툼이 있으면 판례에 의함) 21. 소방간부

① 불심검문의 대상자에게는 형사소송법상 체포나 구속에 이를 정도의 혐의가 있어야 한다.
② 경찰관은 목적 달성에 필요한 최대한의 범위에서 사회통념상 용인될 수 있는 상당한 방법으로 그 대상자를 정지시킬 수 있고, 질문에 수반하여 흉기의 소지 여부도 조사할 수 있다.
③ 불심검문을 하게 된 경위, 불심검문 당시의 현장상황과 검문을 하는 경찰관들의 복장 등을 종합적으로 고려하여, 검문하는 사람이 경찰관이고 검문하는 이유가 범죄행위에 관한

Answer 1. ① 2. ③

것임을 피고인이 충분히 알고 있었다고 보이는 경우에는 신분증을 제시하지 않았다고 하여 그 불심검문이 위법한 공무집행이라고 할 수 없다.

④ 경찰관은 동행요구를 하여 동행한 사람을 6시간 초과하여 경찰관서에 머무르게 할 수 없는데 이는 임의동행한 사람을 6시간 동안 경찰관서에 구금하는 것이 당연히 허용된다는 것을 의미한다.

⑤ 동행의 경우 오로지 대상자의 자발적인 의사에 의하여 수사관서 등에 동행이 이루어졌음이 주관적인 사정에 의하여 명백하게 입증된 경우에 한하여 그 적법성이 인정된다.

| 해설 ① 반드시 불심검문 대상자에게 형사소송법상 체포나 구속에 이를 정도의 혐의가 있을 것을 요한다고 할 수는 없다(대판 2014.12.11, 2014도7976).

② 경찰관은 목적 달성에 필요한 최소한의 범위 내에서 사회통념상 용인될 수 있는 상당한 방법으로 그 대상자를 정지시킬 수 있고, 질문에 수반하여 흉기의 소지 여부도 조사할 수 있다(대판 2014.12.11, 2014도7976).

③ 대판 2004.10.14, 2004도4029

④ 동행요구에 의한 동행을 할 경우에 경찰관은 당해인을 6시간을 초과하여 경찰관서에 머물게 할 수 없다(경찰관 직무집행법 제3조 제6항). 6시간이 초과되지 아니하는 범위 내에서 동의하에 머물게 할 수 있을 뿐이며, 이를 초과하여 머물게 하여서는 안된다는 의미이다. 따라서 임의동행한 사람을 6시간 동안 경찰관서에 구금하는 것이 당연히 허용된다는 것을 의미하는 것이 아니다(대판 1997.8.22, 97도1240).

⑤ 동행의 경우 오로지 대상자의 자발적인 의사에 의하여 수사관서 등에 동행이 이루어졌음이 객관적인 사정에 의하여 명백하게 입증된 경우에 한하여 그 적법성이 인정된다(대판 2015.12.24, 2013도8481).

03 불심검문과 관련하여 옳지 않은 것은 모두 몇 개인가?(다툼이 있으면 판례에 의함)

㉠ 경찰관 직무집행법은 불심검문에 관하여 질문시의 흉기소지 조사 및 소지품 검사에 대하여 명문으로 규정이 있으며, 동행을 요구할 때에는 경찰장구를 사용할 수 있다.

㉡ 불심검문을 하는 경찰관이 누구임을 물음에 대하여 도망하려하는 자는 현행범으로 간주되어 체포될 수 있다.

㉢ 답변을 강요하기 위한 최소한의 유형력 행사는 허용된다.

㉣ 피검문자가 신분증을 교부한 후 경찰관에게 큰소리로 욕설을 하자 경찰관이 모욕죄의 현행범으로 체포하겠다고 고지하고 나서 그의 어깨를 붙잡은 것은 적법하다.

㉤ 경찰관은 동행한 사람의 가족이나 친지 등에게 동행한 경찰관의 신분, 동행 장소, 동행 목적과 이유를 알리거나 본인으로 하여금 즉시 연락할 수 있는 기회를 주어야 하나, 변호인의 도움을 받을 권리가 있음을 알려야 할 필요는 없다.

① 1개 ② 2개 ③ 3개 ④ 4개

| 해설 ㉠ × : 경찰관 직무집행법은 불심검문에 관하여 질문시 흉기의 소지 여부는 조사할 수 있는 규정이 있으나(경찰관 직무집행법 제3조 제3항), 소지품 검사에 대하여는 명문의 규정이 없으며, 동행을 요구할 때에 경찰장구를 사용할 수 없다(동법 제10조의 2 참조).

㉡ ○ : 제211조 제2항

㉢ × : 답변을 강요하기 위한 어떠한 유형력 행사도 허용될 수 없다.

Answer 3. ④

ⓔ ×: 피고인은 경찰관의 불심검문에 응하여 이미 운전면허증을 교부한 상태이고, 경찰관뿐 아니라 인근 주민도 욕설을 직접 들었으므로, 피고인이 도망하거나 증거를 인멸할 염려가 있다고 보기는 어렵고, 피고인의 모욕 범행은 불심검문에 항의하는 과정에서 저지른 일시적·우발적인 행위로서 사안 자체가 경미할 뿐 아니라, 피해자인 경찰관이 범행 현장에서 즉시 범인을 체포할 급박한 사정이 있다고 보기도 어려우므로, 경찰관이 피고인을 체포한 행위는 적법한 공무집행이라고 볼 수 없고, 피고인이 체포를 면하려고 반항하는 과정에서 상해를 가한 것은 불법체포로 인한 신체에 대한 현재의 부당한 침해에서 벗어나기 위한 행위로서 정당방위에 해당한다(대판 2011.5.26, 2011도3682).
ⓜ ×: 경찰관은 동행한 사람의 가족이나 친지 등에게 동행한 경찰관의 신분, 동행 장소, 동행 목적과 이유를 알리거나 본인으로 하여금 즉시 연락할 수 있는 기회를 주어야 하며, 변호인의 도움을 받을 권리가 있음을 알려야 한다(동법 제3조 제5항).

02

04 **불심검문에 관한 설명 중 가장 적절한 것은?**(다툼이 있는 경우 판례에 의함)

23. 경찰 1차, 전의경 경채

① 경찰관이 불심검문 대상자 해당 여부를 판단할 때에는 불심검문 당시의 구체적 상황은 물론 사전에 얻은 정보나 전문적 지식 등에 기초하여 그 대상자인지를 객관적·합리적 기준에 따라 판단하여야 하므로, 불심검문의 적법요건으로 불심검문 대상자에게 형사소송법상 체포나 구속에 이를 정도의 혐의가 있을 것을 요한다.

② 행정경찰 목적의 경찰활동으로 행하여지는 경찰관 직무집행법 제3조 제2항 소정의 질문을 위한 동행요구가 형사소송법의 규율을 받는 수사로 이어지는 경우에는 형사소송법 제199조 제1항 및 제200조 규정에 의하여야 한다.

③ 경찰관 직무집행법 제3조 제4항은 경찰관이 불심검문을 하고자 할 때에는 자신의 신분을 표시하는 증표를 제시하여야 한다고 규정하고 있고, 동법 시행령은 위 법에서 규정한 신분을 표시하는 증표가 경찰관의 공무원증이라고 규정하고 있으므로, 경찰관이 불심검문 과정에서 공무원증을 제시하지 않았다면 어떠한 경우라도 그 불심검문은 위법한 공무집행에 해당한다.

④ 경찰관 직무집행법 제3조 제6항은 불심검문에 관하여 임의동행한 사람을 6시간을 초과하여 경찰관서에 머물게 할 수 없다고 규정하고 있으므로, 대상자를 6시간 동안 경찰관서에 구금하는 것이 허용된다.

| 해설 ① 불심검문 대상자 해당 여부를 판단할 때에는 불심검문 당시의 구체적 상황은 물론 사전에 얻은 정보나 전문적 지식 등에 기초하여 불심검문 대상자인지를 객관적·합리적인 기준에 따라 판단하여야 하나, 반드시 불심검문 대상자에게 형사소송법상 체포나 구속에 이를 정도의 혐의가 있을 것을 요한다고 할 수는 없다(대판 2014.2.27, 2011도13999).
② 대판 2006.7.6, 2005도6810
③ 불심검문을 하게 된 경위, 불심검문 당시의 현장상황과 검문을 하는 경찰관들의 복장, 피고인이 공무원증 제시나 신분 확인을 요구하였는지 여부 등을 종합적으로 고려하여, 검문하는 사람이 경찰관이고 검문하는 이유가 범죄행위에 관한 것임을 피고인이 충분히 알고 있었다고 보이는 경우에는 신분증을 제시하지 않았다고 하여 그 불심검문이 위법한 공무집행이라고 할 수 없다(대판 2014.12.11, 2014도7976).
④ 임의동행한 자를 6시간 동안 경찰관서에 구금하는 것을 허용하는 것은 아니다(대판 1997.8.22, 97도1240).

Answer 4. ②

05 **경찰관 직무집행법상 불심검문에 대한 설명으로 적절하지 않은 것을 모두 고른 것은?**(다툼이 있는 경우 판례에 의함) 22. 경찰승진

> ㉠ 경찰관은 수상한 행동이나 그 밖의 주위 사정을 합리적으로 판단하여 볼 때 어떠한 죄를 범하였거나 범하려 하고 있다고 의심할만한 상당한 이유가 있는 사람을 정지시켜 질문할 수 있다.
> ㉡ 경찰관의 동행요구를 받은 사람은 이를 거절할 수 있으며, 경찰관은 동행요구에 응하여 동행한 사람을 6시간을 초과하여 경찰관서에 머물게 할 수 없다.
> ㉢ 불심검문을 하게 된 경위, 불심검문 당시의 현장상황과 검문을 하는 경찰관들의 복장, 불심검문 대상자가 공무원증 제시나 신분 확인을 요구하였는지 여부 등을 종합적으로 고려하여, 검문하는 사람이 경찰관이고 검문하는 이유가 범죄행위에 관한 것임을 불심검문 대상자가 충분히 알고 있었다고 하더라도 경찰관이 신분증을 제시하지 않은 이상 그 불심검문은 적법한 공무집행이라 할 수 없다.
> ㉣ 경찰관이 불심검문 대상자 해당 여부를 판단할 때에는 불심검문 당시의 구체적 상황은 물론 사전에 얻은 정보나 전문적 지식 등에 기초하여 객관적 · 합리적인 기준에 따라 판단하여야 하고, 반드시 불심검문 대상자에게 형사소송법상 체포나 구속에 이를 정도의 혐의가 있을 것을 요한다.

① ㉠, ㉡ ② ㉠, ㉢
③ ㉡, ㉢ ④ ㉢, ㉣

| 해설 ㉠ ○ : 경찰관 직무집행법 제3조 제1항
㉡ ○ : 경찰관 직무집행법 제3조 제2항 · 제6항
㉢ × : 불심검문을 하게 된 경위, 불심검문 당시의 현장상황과 검문을 하는 경찰관들의 복장, 불심검문 대상자가 공무원증 제시나 신분 확인을 요구하였는지 여부 등을 종합적으로 고려하여, 검문하는 사람이 경찰관이고 검문하는 이유가 범죄행위에 관한 것임을 불심검문 대상자가 충분히 알고 있었다고 보이는 경우에는 신분증을 제시하지 않았다고 하더라도 그 불심검문이 위법한 공무집행이라고 할 수 없다(대판 2014.12.11, 2014도7976).
㉣ × : 경찰관이 불심검문 대상자 해당 여부를 판단할 때에는 불심검문 당시의 구체적 상황은 물론 사전에 얻은 정보나 전문적 지식 등에 기초하여 불심검문 대상자인지를 객관적 · 합리적인 기준에 따라 판단하여야 하나, 반드시 불심검문 대상자에게 형사소송법상 체포나 구속에 이를 정도의 혐의가 있을 것을 요한다고 할 수는 없다(대판 2014.2.27, 2011도13999).

Answer 5. ④

06 **다음 중 불심검문에 대한 설명으로 가장 옳은 것은?**(다툼이 있는 경우 판례에 의함) 24. 해경간부

① 검문하는 사람이 경찰관이고 검문하는 이유가 범죄행위에 관한 것임을 피검문자가 충분히 알고 있었다고 보이는 경우라도 검문시 경찰관이 신분증을 제시하지 않았다면 그 불심검문은 위법한 공무집행에 해당한다.

② 동행을 한 경우에 경찰관은 동행한 사람의 가족이나 친지 등에게 동행한 경찰관의 신분, 동행 장소, 동행 목적과 이유를 알리거나 본인으로 하여금 즉시 연락할 수 있는 기회를 주어야 하며, 변호인의 도움을 받을 권리가 있음을 알려야 한다.

③ 경찰관이 불심검문 대상자에의 해당 여부를 판단할 때에는 불심검문 당시의 구체적인 상황은 물론 사전에 얻은 정보나 전문적 지식 등에 기초하여 불심검문 대상자인지를 객관적·합리적인 기준에 따라 판단하여, 반드시 불심검문 대상자에게 형사소송법상 체포나 구속에 이를 정도의 혐의가 있을 것을 요한다.

④ 검문 중이던 경찰관들이 자전거를 이용한 날치기 사건 범인과 흡사한 인상착의의 피고인이 자전거를 타고 다가오는 것을 발견하고 정지를 요구하였으나 멈추지 않아 앞을 가로막고 소속과 성명을 고지한 후 검문에 협조해 달라는 취지로 말하였음에도 불응하고 그대로 전진하자, 따라가서 재차 앞을 막고 검문에 응하라고 요구한 것은 적법한 불심검문에 해당하지 않는다.

| 해설 ① 검문하는 사람이 경찰관이고 검문하는 이유가 범죄행위에 관한 것임을 피고인이 충분히 알고 있었다고 보이는 경우에는 신분증을 제시하지 않았다고 하여 그 불심검문이 위법한 공무집행이라고 할 수 없다(대판 2014.12.11, 2014도7976).

② 경찰관직무집행법 제3조 제5항

③ 반드시 불심검문 대상자에게 형사소송법상 체포나 구속에 이를 정도의 혐의가 있을 것을 요한다고 할 수는 없다(대판 2014.2.27, 2011도13999).

④ 범행의 경중, 범행과의 관련성, 상황의 긴박성, 혐의의 정도, 질문의 필요성 등에 비추어 경찰관들은 목적 달성에 필요한 최소한의 범위 내에서 사회통념상 용인될 수 있는 상당한 방법을 통하여 경찰관직무집행법 제3조 제1항에 규정된 자에 대해 의심되는 사항을 질문하기 위하여 정지시킨 것으로 보아야 한다(대판 2012.9.13, 2010도6203).

Answer 6. ②

THEMA 23 변사자검시

의 의	변사자검시란 사람의 사망이 범죄로 인한 것인가의 여부를 판단하기 위하여 검사가 변사체의 상황을 조사하는 것을 말한다(제222조 제1항). ▶ 변사자검시권 ⇨ 검사(사법경찰관 ×)
객 체	1. 판례에 의하면 변사자라 함은 자연사 이외의 사망으로 그 원인이 분명하지 않은 자를 말한다. 따라서 범죄로 인하여 사망한 것이 명백한 자는 변사자에 포함되지 않는다(대판 2003.6.27, 2003도1331). 2. 익사 또는 천재·지변에 의하여 사망한 것이 명백한 사체 ⇨ 검시대상 ×
영장요부	1. 변사자검시는 수사의 단서에 불과하므로 영장을 요하지 아니한다. ▶ 검시를 통해 범죄혐의가 인정 ⇨ 수사를 개시(긴급시 영장 없이 검증 가능 : 제222조 제2항) 2. 변사자검시 목적 타인의 주거에 침입 ⇨ 주거권자의 동의가 없는 한 영장을 요한다(다수설).
검시 후의 처리	검사를 마치면 검시조서(검증조서 ×)를 작성하여야 하며, 처리결과 등을 유족에게 통지하여야 한다. 범죄로 인한 것이 아님이 명백한 경우 사체를 유족에게 인도하여야 한다.

01 변사자에 대한 설명으로 적절한 것은 모두 몇 개인가?(다툼이 있는 경우 판례에 의함)

㉠ 변사자란 부자연한 사망으로서 그 사인이 분명하지 않은 자뿐만 아니라 범죄로 사망한 것이 명백한 자도 포함된다.
㉡ 변사자는 수사의 단서로서 발견 즉시 수사가 개시된다.
㉢ 변사자가 있는 때에는 그 소재지를 관할하는 지방검찰청 검사가 검시하여야 하며, 검시로 범죄의 혐의를 인정하고 긴급을 요할 때에는 영장 없이 검증할 수 있다.
㉣ 검사는 검시를 했을 경우에는 검시조서를, 검증영장이나 같은 긴급검증을 했을 경우에는 검증조서를 각각 작성하여 사법경찰관에게 송부해야 한다.
㉤ 사법경찰관은 변사자 또는 변사한 것으로 의심되는 사체가 있으면 변사사건 발생사실을 검사에게 통보해야 한다.
㉥ 사법경찰관은 검사의 명에 따라 검시를 했을 경우에는 검시조서를, 검증영장이나 긴급검증 등을 했을 경우에는 검증조서를 각각 작성하여 검사에게 송부해야 한다.

① 1개 ② 2개 ③ 3개 ④ 4개

| 해설 | ㉠ × : 변사자란 부자연한 사망으로서 그 사인이 분명하지 않은 자를 의미하고, 그 사인이 명백한 자의 사체는 변사자검시방해죄의 객체가 될 수 없다(대판 2003.6.27, 2003도1331).

Answer 1.④

㉡ × : 변사자는 수사의 단서이므로 발견 즉시 수사가 개시되는 것이 아니라 검시를 통해 범죄혐의가 있다고 사료하는 때에는 수사가 개시된다.

검사 : 범죄혐의가 있다고 사료 ⇨ 수사한다(제196조).
사법경찰관(경무관, 총경, 경정, 경감, 경위) : 범죄혐의가 있다고 사료 ⇨ 수사한다(제197조).

㉢ ○ : 제222조 제1항 · 제2항
㉣ ○ : 수사준칙 제17조 제2항
㉤ ○ : 수사준칙 제17조 제1항
㉥ ○ : 수사준칙 제17조 제3항

02 다음 중 변사자 검시에 관한 설명으로 옳은 것은 모두 몇 개인가? 22. 해경승진

㉠ 변사자의 검시는 수사가 아닌 수사의 단서에 불과하다.
㉡ 검시는 검증과 유사하므로 유족의 동의가 없으면 판사의 영장을 발부받아 검시를 하여야 한다.
㉢ 검사와 사법경찰관의 상호협력과 일반적 수사준칙에 관한 규정 제17조 제1항에 의하면 사법경찰관리는 변사자 또는 변사의 의심이 있으면 관할 지방검찰청 또는 지청의 검사에게 보고하고 지휘를 받아야 한다. 단, 긴급을 요하는 경우 그러하지 아니하다.
㉣ 변사자 또는 변사의 의심있는 사체가 있는 때에는 그 소재지를 관할하는 사법경찰관이 검시하여야 한다.

① 없 음 ② 1개 ③ 2개 ④ 3개

해설 ㉠ ○ : 변사자의 검시는 수사의 단서에 불과하며, 검시를 통해 범죄혐의가 인정되면 수사를 개시하게 된다.

㉡ × : 검시는 변사자의 상황을 조사하는 것이므로 수사의 단서에 불과하여 영장이 필요 없다. 변사자검시 후 사체해부 등 검증처분은 수사개시 이후의 처분이므로 영장이 있어야 하나, 대상이 사체라는 특수성과 수사의 긴급성 때문에 영장주의 예외가 인정된다(제222조 제2항).

㉢ × : 사법경찰관은 변사자 또는 변사한 것으로 의심되는 사체가 있으면 변사사건 발생사실을 검사에게 통보해야 한다(수사준칙 제17조 제1항).

㉣ × : 변사자검시의 주체는 변사자 또는 변사의 의심이 있는 사체의 소재지를 관할하는 지방검찰청 검사이다(제222조 제1항).

Answer 2. ②

THEMA 24 고소의 의의

의 의	고소는 범죄의 피해자 또는 그와 일정한 관계에 있는 자(고소권자)가 수사기관에 범죄사실을 신고함으로써 범인의 처벌을 구하는 의사표시를 말한다. ▶ 고발 · 자수와의 구별 : 고소는 피해자나 고소권자의 의사표시인 점에서 그 이외의 사람이 수사기관에 범죄사실을 신고하는 고발과 구별되며, 자기의 범죄사실을 신고하는 것이 아닌 점에서 자수와 구별된다.
수사기관에 신고	고소는 수사기관에 대한 범죄사실의 신고이다. 따라서 법원에 진정서를 제출하거나 98. 경찰승진 피고인의 처벌을 바란다고 증언함은 고소가 아니다. ▶ 검사 또는 사법경찰관은 고소 또는 고발을 받은 경우에는 이를 수리해야 한다(수사준칙 제16조의 2 제1항). ▶ 검사 또는 사법경찰관은 고소 또는 고발에 따라 범죄를 수사하는 경우에는 고소 또는 고발을 수리한 날부터 3개월 이내에 수사를 마쳐야 한다(동 준칙 제16조의 2 제2항).
범죄사실의 신고	고소는 범죄사실의 신고이므로 범죄사실을 특정해야 한다. 그 특정의 정도는 고소인의 의사가 구체적으로 어떤 범죄사실을 지정하여 범인의 처벌을 구하고 있는지를 확정할 수만 있으면 족하다. 05. 순경 2차, 11. 경찰승진 ▶ 상대적 친고죄의 경우(비동거친족의 물건을 절취하는 경우처럼 일정한 신분관계가 있기 때문에 친고죄로 되는 범죄)에는 범인과의 신분관계를 적시하여야 한다. **관련판례** 1. 범행기간을 특정하고 있는 고소에 있어서는 특정된 기간 중에 저지른 모든 범죄에 대하여 범인의 처벌을 구하는 의사표시라고 봄이 상당하다(대판 1985.7.23, 85도1213). 12. 순경 1차 2. 범인의 이름을 모르거나 잘못 기재했더라도 고소로서 유효하다(대판 1999.4.23, 99도576). 3. 범행의 일시 · 장소 · 방법 · 죄명 등을 명확하게 기술하지 않았거나 틀린 곳이 있더라도 고소의 효력에는 영향이 없다(대판 1984.10.23, 84도1704). 22 · 24. 경찰간부 4. 고소장에 붙인 죄명에 구애될 것이 아니라 고소 내용에 의하여 결정〔명예훼손죄 고소 ⇨ 모욕죄를 구성 : 모욕죄에 대한 고소로서의 효력을 갖는다(대판 1981.6.23, 81도1250).〕 5. 어떤 죄로 고소를 당한 사람(甲)이 그 죄의 혐의가 없다면 고소인이 자신을 무고한 것이므로 처벌을 해달라는 고소장을 제출한 경우 고소 당한 범죄가 유죄로 인정되는 경우에는 '고소인(乙)을 처벌해 달라.'는 甲의 고소장 제출은 무고죄가 될 수 있다(대판 2007.3.15, 2006도9453).
범죄처벌을 구하는 의사표시	1. 고소는 범인처벌을 구하는 의사표시이어야 하므로 단순히 도난신고나 피해전말서 제출만으로는 고소가 아니다(대판 2008.11.27, 2007도4977). 15. 경찰승진, 15 · 16. 9급 교정 · 보호 · 철도경찰 **관련판례** • 피해자가 고소장을 제출하여 처벌을 희망하는 의사를 분명히 표시한 후, 고소를 취소한 바 없다면 비록 고소 전에 피해자가 처벌을 원치 않았다 하더라도 그 후에 한 피해자의 고소는 유효하다(대판 2008.11.27, 2007도4977). 13. 순경 2차 • 고소인이 사건 당일 범죄사실을 신고하면서 현장에 출동한 경찰관에게 고소장을 교부하였다고 하더라도, 경찰서에 도착하여 최종적으로 고소장을 접수시키지 아니하기로 결심하고 고소장을 반환받은 것이라면, 고소장이 수사기관에 적법하게 수리되어 고소의 효력이 발생되었다고 할 수 없다(대판 2008.11.27, 2007도4977).

2. 고소권자는 처벌의사를 표시할 능력(고소능력)이 있어야 한다. 고소능력은 피해를 입은 사실을 이해하고 고소에 따른 사회생활상의 이해관계를 알아차릴 수 있는 사실상의 의사능력으로서 민법상 행위능력과 구별된다(대판 2011.6.24, 2011도4451). 13. 9급 법원직, 14. 9급 검찰·마약수사, 17. 경찰승진·경찰간부

01 **고소에 관한 다음 설명 중 옳지 않은 것은 모두 몇 개인가?**(판례에 의함)

㉠ 고소장에 명예훼손죄라는 죄명을 붙이고, 명예훼손에 관한 사실을 적어 두었으나 그 사실이 명예훼손죄를 구성하지 않고 원심판시와 같이 모욕죄를 구성하는 경우에는 위 고소는 모욕죄에 대한 고소로서의 효력을 갖는다.
㉡ 피해자가 고소장을 제출하여 처벌을 희망하는 의사를 분명히 표시한 후, 고소를 취소한 바 없다면 비록 고소 전에 피해자가 처벌을 원치 않았다 하더라도 그 후에 한 피해자의 고소는 유효하다.
㉢ 고소인이 사건 당일 범죄사실을 신고하면서 현장에 출동한 경찰관에게 고소장을 교부하였다면, 경찰서에 도착하여 최종적으로 고소장을 접수시키지 아니하기로 결심하고 고소장을 반환받은 것이라도 고소장이 수사기관에 적법하게 수리되어 고소의 효력이 발생되었다고 할 수 있다.
㉣ 범인의 성명이 불명이거나 또는 오기가 있었다거나 범행의 일시·장소·방법 등이 명확하지 않거나 틀린 곳이 있다고 하더라도 고소의 효력에는 영향이 없다.
㉤ 피고인이 고소·고발에 수반하여 이를 알지 못하는 수사기관에 개인정보를 알려준 행위는 개인정보보호법에 따른 개인정보 '누설'에 해당한다.

① 1개 ② 2개 ③ 3개 ④ 4개

해설 ㉠ ○ : 대판 1981.6.23, 81도1250
㉡ ○ : 대판 2008.11.27, 2007도4977
㉢ × : 비록 고소인이 사건 당일 범죄사실을 신고하면서 현장에 출동한 경찰관에게 고소장을 교부하였다고 하더라도, 경찰서에 도착하여 최종적으로 고소장을 접수시키지 아니하기로 결심하고 고소장을 반환받은 것이라면, 고소장이 수사기관에 적법하게 수리되어 고소의 효력이 발생되었다고 할 수 없다. 나아가 고소인이 당시 피고인들에 대하여 처벌 불원의 의사를 표시하였다고 하더라도, 애초 적법한 고소가 없었던 이상, 그로부터 3개월이 지나 제기된 이 사건 고소가 재고소의 금지를 규정한 형사소송법 제232조 제2항에 위반된다고 볼 수도 없다(대판 2008.11.27, 2007도4977).
㉣ ○ : 대판 1984.10.23, 84도1704
㉤ ○ : 대판 2022.11.10, 2018도1966

Answer 1. ①

02 고소에 관한 다음 설명 중 옳은 것은 모두 몇 개인가?(다툼이 있으면 판례에 의함)

㉠ 강간 피해 당시 14세의 정신지체아(지능지수 49, 발달성숙도 및 사회적응성이 10세 1개월 수준)가 범행일로부터 약 1년 5개월 후 담임교사 등 주위 사람들에게 피해사실을 말하고 비로소 그들로부터 고소의 의미와 취지를 설명 듣고 고소에 이른 경우, 위 설명을 들은 때 고소능력이 생겼다고 보아야 한다.

㉡ 피해자가 만 19세인 미성년인 경우 고소를 위임할 능력이 없다고 보아야 할 것이고, 당시 미성년자이므로 그 고소위임은 법정대리인인 후견인만이 할 수 있다.

㉢ 피해자가 고소장을 제출하여 처벌을 희망하는 의사를 분명히 표시한 후 고소를 취소한 바 없다면 비록 고소 전에 피해자가 처벌을 원치 않았다 하더라도 그 후에 한 피해자의 고소는 유효하다.

㉣ 어떤 죄로 고소를 당한 사람이 그 죄의 혐의가 없다면 고소인이 자신을 무고한 것이므로 처벌을 해달라는 고소장을 제출한 것은 자신의 결백을 주장하기 위한 것이라고 할 수 있으므로 고소인을 무고한다는 범의를 인정할 수 없다고 할 것이다.

㉤ 피해자가 경찰청 인터넷 홈페이지에 '피고인을 철저히 조사해 달라.'는 취지의 민원을 접수하는 형태로 피고인에 대한 조사를 촉구하는 의사표시를 한 것은 형사소송법에 따른 적법한 고소로 보아야 한다.

① 1개 ② 2개
③ 3개 ④ 4개

해설 ㉠ ○ : 대판 2007.10.11, 2007도4962

㉡ × : 피해자가 만 19세인 경우 고소를 위임할 능력이 있다고 보아야 할 것이고, 당시 미성년자이므로 그 고소위임은 법정대리인인 후견인만이 할 수 있다는 논지는 이유 없다(대판 1999.2.9, 98도2074).

민법상 성년 : 만 20세 이상 ⇨ 만 19세 이상으로 개정(2013. 7. 1. 시행)

㉢ ○ : 대판 2008.11.27, 2007도4977

㉣ × : 어떤 죄로 고소를 당한 사람(甲)이 그 죄의 혐의가 없다면 고소인(乙)이 자신을 무고한 것이므로 처벌을 해달라는 무고죄의 고소장을 제출한 것은 甲의 행위가 유죄로 인정될 경우에, 설사 그것이 자신의 결백을 주장하기 위한 것이라고 하더라도 고소인(乙)을 무고한다는 범의를 인정할 수 있다(대판 2007.3.15, 2006도9453). ∴ 고소 당한 범죄가 유죄로 인정되는 경우에는 '고소인(乙)을 처벌해 달라.'는 甲의 고소장 제출은 무고죄가 될 수 있다.

㉤ × : 피해자가 경찰청 인터넷 홈페이지에 '피고인을 철저히 조사해 달라.'는 취지의 민원을 접수하는 형태로 피고인에 대한 조사를 촉구하는 의사표시를 한 것은 형사소송법에 따른 적법한 고소로 보기 어렵다(대판 2012.2.23, 2010도9524).

Answer ⇨ 2. ②

THEMA 25 친고죄, 반의사불벌죄

친고죄	친고죄란 피해자의 고소가 있을 때에만 공소제기가 가능한 범죄를 말한다〔피해자의 명예보호, 침해법익의 경미함, 가족관계의 정의(情誼) 등을 고려한 것임〕. ▶ 친고죄의 경우 고소 × ⇨ 공소제기 ×, 고소 없이 공소제기 ⇨ 공소기각판결 1. 절대적 친고죄 : 범인의 신분관계와는 무관하게 범죄성질 자체로 인하여 친고죄로 된 경우임. ㉠ 모욕죄, 사자명예훼손죄, 비밀침해죄, 업무상 비밀누설죄 2. 상대적 친고죄 : 범인과 피해자와의 일정한 신분관계가 있는 경우에만 친고죄로 된 경우임. ㉠ 분가하여 살고 있는 형의 물건을 훔친 동생은 형법 제328조 제2항(친족상도례)에 의거 친고죄가 됨(함께 살고 있는 경우 ⇨ 형면제) **친족상도례**(형법 제328조) • 제1항 : 직계혈족, 배우자(내연의 처 ×), 동거친족, 동거가족 또는 그 배우자 간의 재산범죄는 그 형을 면제 ㉠ 아들이 아버지물건 절취 ▶ 배우자 ⇨ 직계혈족, 동거친족, 동거가족 모두의 배우자를 의미(대판 2011.5.13, 2011도1765) • 제2항 : 제1항 이외의 친족간의 재산범죄는 친고죄 ▶ 사돈지간인 자를 기망하여 재물을 편취한 경우에 사돈은 민법상 친족으로 볼 수 없으므로 친족상도례를 적용할 수 없다(대판 2011.4.28, 2011도2170). 12. 경찰승진 • 제3항 : 친족상도례는 친족관계에 있는 자에게만 적용되므로 비친족에게는 친족상도례의 적용이 없다. ㉠ 甲과 乙이 공동하여 따로 살고 있는 乙의 외사촌 동생의 물건을 절취한 경우 ⇨ 甲(비친고죄), 乙(친고죄)
반의사불벌죄	반의사불벌죄란 피해자가 처벌을 원치 않는다는 명시적인 의사표시를 하는 경우에 그 의사에 반하여 처벌할 수 없는 범죄를 말한다. ㉠ 폭행죄, 협박죄, 명예훼손죄, 출판물에 의한 명예훼손죄 등 ▶ 반의사불벌죄는 고소 없어도 공소제기 가능 ▶ 다만, 처벌불원의사표시 有 ⇨ 공소제기 × ▶ 처벌불원의사표시가 있는데도 공소제기 ⇨ 공소기각판결 ▶ 처벌불원의사 부존재는 법원이 직권으로 조사・판단하여야 한다. 15. 순경 1차, 21. 순경 2차 ▶ 처벌을 희망하지 않는다는 의사표시 또는 처벌희망 의사표시의 철회 ⇨ 피해자인 청소년(미성년자)에게 의사능력이 있는 이상 단독으로 가능하며, 법정대리인의 동의 불필요(대판 2009.11.19, 2009도6058 전원합의체) ▶ 반의사불벌죄에 있어서 피해자가 성년인 경우 ⇨ 피해자의 父는 피고인에 대한 처벌을 희망하지 아니한다는 의사를 표시할 수 없다(대판 2013.9.26, 2012도568). 15. 순경 1차, 22. 경찰승진・변호사시험 ▶ 처벌불원의 의사표시를 피해자가 사망한 후 그 상속인이 피해자를 대신하여 할 수 있는 지 여부 ⇨ 불가능(대판 2010.5.27, 2010도2680) ▶ 반의사불벌죄에서 성년후견인은 명문의 규정이 없는 한 의사무능력자인 피해자를 대리하여 피고인 또는 피의자에 대하여 처벌을 희망하지 않는다는 의사를 결정하거나 처벌을 희망

하는 의사표시를 철회하는 행위를 할 수 없다. 이는 성년후견인이 소송행위를 할 때 가정법원의 허가를 얻었더라도 마찬가지이다. 교통사고처리 특례법은 물론 형법・형사소송법에도 반의사불벌죄에서 피해자의 처벌불원의사에 관하여 대리가 가능하다거나 법정대리인의 대리권에 피해자의 처벌불원 의사표시가 포함된다는 규정을 두고 있지 않다. 따라서 반의사불벌죄의 처벌불원의사는 원칙적으로 대리가 허용되지 않는다고 보아야 한다(대판 2023.7.17, 2021도11126 전원합의체).

▶ 강간 등 성범죄, 결혼 목적 약취・유인죄 등 ⇨ 친고죄 ×, 공중 밀집 장소에서의 추행, 통신매체를 이용한 음란행위 ⇨ 친고죄 ×, 간통죄와 혼인빙자간음죄 ⇨ 범죄 폐지

▶ 디지털콘텐츠 거래가 이루어지는 웹사이트를 운영하면서 영리를 위해 상습적으로 다른 사람의 저작재산권을 침해한 경우 비친고죄이므로(저작권침해는 일반적으로는 친고죄임) 고소가 소추조건에 해당하지 않는다(대판 2011.9.8, 2010도14475).

▶ 건설업에서 2차례 이상 도급이 이루어진 경우, 하수급인의 처벌을 희망하지 아니하는 근로자의 의사표시에는 직상 수급인인 피고인의 처벌을 희망하지 아니하는 의사표시도 포함되어 있다(대판 2015.11.12, 2013도8417).

▶ 부정수표단속법 위반의 경우 부정수표가 회수되거나 수표소지인의 처벌을 희망하지 아니하는 의사의 표시가 제1심판결 선고 이전까지 이루어지는 경우에는 공소기각의 판결을 선고하여야 할 것이다(대판 2009.12.10, 2009도9939).

비친고죄와 고소

비친고죄로 고소 ⇨ 검사가 사건을 친고죄로 공소제기한 경우 고소가 유효하게 존재하는지를 직권으로 조사・심리하여야 한다(대판 2015.11.17, 2013도7987). 23. 9급 법원직

비친고죄로 공소장변경

친고죄로 기소(고소가 없거나 고소가 취소) ⇨ 비친고죄로 공소장변경이 허용된 경우에 그 공소제기의 흠은 치유된다(대판 2011.5.13, 2011도2233). 14. 9급 법원직

비교판례 : 비친고죄로 기소(고소 없거나 고소취소)되었다가 친고죄로 공소장이 변경된 경우에 나중에 고소장의 제출이 있더라도 공소제기 절차의 하자는 치유되지 아니한다(대판 1982.9.14, 82도1504).

친고죄와 양벌규정

친고죄에 있어 행위자의 범죄에 대한 고소가 있으면 양벌규정에 의하여 처벌받는 자에 대하여 별도의 고소를 필요로 하지 않는다(대판 1996.3.12, 94도2423).

01 반의사불벌죄에 대한 설명으로 가장 적절하지 않은 것은?(다툼이 있는 경우 판례에 의함)

18. 순경 1차

① 폭행죄는 피해자의 명시한 의사에 반하여 공소를 제기할 수 없는 반의사불벌죄로서 처벌불원의 의사표시는 의사능력이 있는 피해자가 단독으로 할 수 있는 것이고, 피해자가 사망한 후 그 상속인이 피해자를 대신하여 처벌불원의 의사표시를 할 수는 없다고 보아야 한다.

Answer 1.④

② 반의사불벌죄에 있어서 처벌불원의 의사표시의 부존재는 소위 소극적 소송조건으로서 직권조사사항이라 할 것이므로 당사자가 항소이유로 주장하지 아니하였다고 하더라도 원심은 이를 직권으로 조사・판단하여야 한다.

③ 형사소송법 제233조에서 고소와 고소취소의 불가분에 관한 규정을 함에 있어서 반의사불벌죄에 이를 준용하는 규정을 두지 아니한 것은 입법의 불비로 볼 것은 아니다.

④ 형사소송법 제232조 제1항 및 제3항에 의하면, 반의사불벌죄에 있어서 처벌을 희망하는 의사표시의 철회는 제1심판결 선고 전까지 이를 할 수 있다고 규정하고 있는데, 항소심에 이르러 비로소 반의사불벌죄가 아닌 죄에서 반의사불벌죄로 공소장변경이 있었다면 항소심인 제2심을 제1심으로 볼 수 있다.

| 해설 | ① 대판 2010.5.27, 2010도2680
② 대판 2009.12.10, 2009도9939 ③ 대판 1994.4.26, 93도1689
④ 형사소송법 제232조 제1항 및 제3항에 의하면, 반의사불벌죄에 있어서 처벌을 희망하는 의사표시의 철회는 제1심판결 선고 전까지 이를 할 수 있다고 규정하고 있는데, 항소심에 이르러 비로소 반의사불벌죄가 아닌 죄에서 반의사불벌죄로 공소장변경이 있었다 하여 항소심인 제2심을 제1심으로 볼 수는 없다(대판 1988.3.8, 85도2518).

02 반의사불벌죄와 관련하여 옳지 않은 것은 모두 몇 개인가?(다툼이 있으면 판례에 의함)

㉠ 고소권자가 비친고죄로 고소한 사건이더라도 검사가 사건을 친고죄로 구성하여 공소를 제기하였다면, 공소장 변경절차를 거쳐 공소사실이 비친고죄로 변경되지 아니하는 한, 법원으로서는 친고죄에서 소송조건이 되는 고소가 유효하게 존재하는지를 직권으로 조사・심리하여야 한다.
㉡ 피해자의 모(母) 명의로 작성된 '피해자는 가해자측과 합의를 하였기에 차후 민・형사상의 이의를 제기하지 않겠다.'는 취지의 합의서에 피해자 자신의 처벌불원의사가 포함되어 있다고 볼 여지가 있다.
㉢ 피해자가 '상해한 것만 고소하겠다.'고 경찰에 진술한 것만으로는 피해자가 피고인에 대해 명예훼손의 공소사실에 관한 처벌을 희망하지 않는 의사를 표시했다거나 처벌을 희망하는 의사를 철회했다고 볼 수 없다.
㉣ 피고인과 친족관계에 있는 피해자에 대한 '흉기휴대 공갈'의 '폭력행위 등 처벌에 관한 법률 위반죄'에 있어서, 피고인의 처벌을 바라지 않는 의사표시의 합의서가 제1심판결 선고 전에 제출되었다면 공소기각판결을 하여야 한다.
㉤ 피해자는 자동차교통사고합의서를 제출함으로써 피고인의 처벌을 희망하지 아니한다는 의사를 명시적으로 표시하였다고 할 것이고, 그 후 위 합의를 무효화한다는 의사표시를 하였다고 하더라도 반의사불벌죄에 있어서는 처벌을 희망하지 아니하는 의사를 명시적으로 표시한 이후에는 다시 처벌을 희망하는 의사를 표시할 수 없다.
㉥ 친고죄에서 행위자에 대한 고소가 있으면 양벌규정에 의하여 처벌받는 자에 대하여도 고소의 효력이 미친다.

① 1개 ② 2개 ③ 3개 ④ 없 음

Answer 2. ④

| 해설 ㉠ ○ : 대판 2015.11.17, 2013도7987
㉡ ○ : 대판 2009.12.24, 2009도11859
㉢ ○ : 반의사불벌죄에서 피해자가 처벌을 희망하지 않는 의사표시나 처벌을 희망하는 의사표시를 철회했다고 인정하기 위해서는 피해자의 진실한 의사가 명백하고 믿을 수 있는 방법으로 표현되어야 한다(대판 2009.12.24, 2009도11610).
㉣ ○ : 피고인과 친족관계에 있는 피해자에 대한 '흉기휴대 공갈'의 '폭력행위 등 처벌에 관한 법률 위반죄'를 형법 제354조, 제328조에 의하여 피해자의 고소가 있어야 논할 수 있는 친고죄로 보고, 제1심판결 선고 전에 피고인의 처벌을 바라지 아니하는 의사가 표시된 합의서가 제출되었다는 이유로, 형사소송법 제327조 제5호에 의하여 공소를 기각한 원심판결을 수긍한 판례이다(대판 2010.7.29, 2010도5795).
㉤ ○ : 대판 1994.2.25, 93도3221 ㉥ ○ : 대판 1996.3.12, 94도2423

03 친고죄, 반의사불벌죄에 있어서 고소와 관련한 내용으로 잘못된 것은?

① 친고죄란 피해자의 고소가 있을 때에만 공소제기가 가능한 범죄를 말하며, 피해자의 명예보호, 침해법익의 경미함, 가족관계의 정의(情誼) 등을 고려한 것이다.

② 상대적 친고죄란 범인과 피해자와의 일정한 신분관계가 있는 경우에만 친고죄로 된 경우를 말하며, 분가하여 살고 있는 형의 물건을 훔친 동생은 형법 제328조 제2항에 의거 친고죄가 된다.

③ 반의사불벌죄란 피해자가 처벌을 원치 않는다는 명시적인 의사표시를 하는 경우에 그 의사에 반하여 처벌할 수 없는 범죄를 말하며, 피해자에 대한 신속한 피해배상을 촉진하고, 개인적 차원의 분쟁해결을 존중하려는 취지에서 인정한 제도이다.

④ 개정법에서 형법 및 성폭력범죄의 처벌에 관한 특례법상의 강간 등 성범죄가 친고죄에서 삭제되었으나, 아동·청소년의 성보호에 관한 법률에 규정된 공중 밀집 장소에서의 추행, 통신매체를 이용한 음란행위 등 반의사불벌죄로 규정되어 있던 조항은 그대로 존치하였다.

| 해설 ④ 형법 및 성폭력범죄의 처벌에 관한 특례법상의 강간 등 성범죄가 친고죄에서 삭제되었으며, 아동·청소년의 성보호에 관한 법률에 규정된 공중 밀집 장소에서의 추행, 통신매체를 이용한 음란행위 등 반의사불벌죄로 규정되어 있던 조항도 삭제되었다(2013. 6. 19. 시행).

04 반의사불벌죄에 대한 설명으로 가장 적절한 것은?(다툼이 있는 경우 판례에 의함) 22. 경찰승진

① 항소심에 이르러 비로소 반의사불벌죄가 아닌 죄에서 반의사불벌죄로 공소장이 변경되었더라도, 항소심에서 피해자가 밝힌 처벌불원의사를 받아들여 피고인에 대한 폭행죄의 공소를 기각하는 것은 형사소송법 제232조 제3항 및 제1항의 처벌을 희망하는 의사표시의 철회가능시기에 관한 법리오해의 위법이 있다.

② 반의사불벌죄에 있어서 피해자의 피고인 또는 피의자에 대한 처벌을 희망하지 않는다는 의사표시 또는 처벌을 희망하는 의사표시의 철회는 미성년자인 피해자에게 의사능력이 있더라도 피해자가 단독으로 이를 할 수 없고, 법정대리인의 동의가 있거나 법정대리인의 대리가 필요하다.

Answer 3.④ 4.①

③ 반의사불벌죄에 있어서의 '피해자의 명시한 의사'에 관하여도 친고죄의 고소불가분의 원칙에 관한 규정이 준용되므로 처벌을 희망하는 의사표시의 철회는 다른 공범자에 대하여도 효력이 미친다.

④ 피해자가 나이 어린 미성년자인 경우 그 법정대리인이 밝힌 처벌불원의 의사표시에 피해자 본인의 의사가 포함되어 있는지는 대상 사건의 유형 및 내용, 피해자의 나이, 합의의 실질적인 주체 및 내용, 합의 전후의 정황, 법정대리인 및 피해자의 태도 등을 종합적으로 고려하여 판단해야 하는 것인데, 해당 처벌불원의 의사표시의 존재 여부는 당사자가 항소이유로 주장하지 아니한 이상 항소심 법원이 이를 직권으로 조사·판단할 필요는 없다.

해설 ① 대판 1988.3.8, 85도2518

② 반의사불벌죄에 있어서 피해자의 피고인 또는 피의자에 대한 처벌을 희망하지 않는다는 의사표시 또는 처벌을 희망하는 의사표시의 철회는 의사능력이 있는 피해자가 단독으로 이를 할 수 있고, 거기에 법정대리인의 동의가 있어야 한다거나 법정대리인에 의해 대리되어야만 한다고 볼 것은 아니다(대판 2009.11.19, 2009도6058 전원합의체).

③ 반의사불벌죄는 친고죄와는 달리 주관적불가분의 원칙이 적용되지 아니한다. 따라서 처벌을 희망하는 의사표시의 철회는 다른 공범자에 대하여 효력이 미치지 아니한다(대판 1994.4.26, 93도1689).

④ 반의사불벌죄에 있어서 처벌불원의 의사표시의 부존재는 소위 소극적 소송조건으로서 직권조사사항이라 할 것이므로 당사자가 항소이유로 주장하지 아니하였다고 하더라도 법원은 이를 직권으로 조사·판단하여야 한다(대판 2009.12.10, 2009도9939).

05 친고죄와 반의사불벌죄에 관한 설명 중 옳은 것(○)과 옳지 않은 것(×)을 올바르게 조합한 것은? (다툼이 있는 경우 판례에 의함)

22. 변호사시험

㉠ 제1심 법원이 반의사불벌죄로 기소된 피고인에 대하여 소송촉진 등에 관한 특례법 제23조에 따라 피고인에 대한 송달불능보고서가 접수된 때부터 6개월이 지나도록 피고인의 소재를 확인할 수 없어 피고인의 진술 없이 유죄를 선고하여 판결이 확정된 경우, 만일 피고인이 항소권회복청구를 함으로써 항소심 재판을 받게 되었다면 피해자는 그 항소심 절차에서 처벌을 희망하는 의사표시를 철회할 수 없다.

㉡ 반의사불벌죄에 있어서 청소년인 피해자에게 비록 의사능력이 있다 하더라도 피고인에 대하여 처벌을 희망하지 않는다는 의사표시 또는 처벌을 희망하는 의사표시의 철회는 피해자가 단독으로 이를 할 수 없고 법정대리인의 동의는 있어야 한다.

㉢ 고소는 제1심 판결선고 전까지 취소할 수 있으므로 친고죄의 공범 중 일부에 대하여 제1심 판결이 선고된 후라도 제1심 판결선고 전의 다른 공범자에 대하여는 그 고소를 취소할 수 있고, 고소를 취소한 경우 친고죄에 대한 고소 취소로서의 효력이 있다.

㉣ 친고죄에 있어서의 피해자의 고소권은 공법상의 권리라고 할 것이므로 법이 특히 명문으로 인정하는 경우를 제외하고는 자유처분을 할 수 없고, 따라서 일단 제기한 고소는 취소할 수 있으나 고소 전에 고소권을 포기할 수는 없다.

① ㉠(○), ㉡(○), ㉢(×), ㉣(×)
② ㉠(○), ㉡(×), ㉢(×), ㉣(○)

Answer 5. ②

③ ㉠(×), ㉡(○), ㉢(○), ㉣(×)
④ ㉠(×), ㉡(×), ㉢(○), ㉣(○)
⑤ ㉠(×), ㉡(×), ㉢(×), ㉣(○)

| 해설 ㉠ ○ : 대판 2016.11.25, 2016도9470
㉡ × : 피해자가 단독으로 이를 할 수 있고, 거기에 법정대리인의 동의가 있어야 한다거나 법정대리인에 의해 대리되어야만 한다고 볼 것은 아니다(대판 2009.11.19, 2009도6058 전원합의체).
㉢ × : 친고죄의 공범 중 그 일부에 대하여 제1심판결이 선고된 후에는 제1심판결 선고 전의 다른 공범자에 대하여는 그 고소를 취소할 수 없고 그 고소의 취소가 있다 하더라도 그 효력을 발생할 수 없다. 이러한 법리는 필요적 공범이나 임의적 공범이나를 구별함이 없이 모두 적용된다(대판 1985.11.12, 85도1940).
㉣ ○ : 대판 1967.5.23, 67도471

06 **다음 〈보기〉 중 친고죄와 반의사불벌죄에 대한 설명으로 옳은 것만을 있는 대로 고른 것은?**(다툼이 있는 경우 판례에 의함)
22. 해경간부

> ㉠ 제1심 법원이 반의사불벌죄로 기소된 피고인에 대하여 소송촉진 등에 관한 특례법 제23조에 따라 피고인에 대한 송달불능보고서가 접수된 때부터 6개월이 지나도록 피고인의 소재를 확인할 수 없어, 피고인의 진술 없이 유죄를 선고하여 판결이 확정된 경우, 만일 피고인이 항소권회복청구를 함으로써 항소심 재판을 받게 되었다면 피해자는 그 항소심 절차에서 처벌을 희망하는 의사표시를 철회할 수 없다.
> ㉡ 반의사불벌죄에 있어서 청소년인 피해자에게 비록 의사능력이 있다 하더라도 피고인에 대하여 처벌을 희망하지 않는다는 의사표시 또는 처벌을 희망하는 의사표시의 철회는 피해자가 단독으로 이를 할 수 없고 법정대리인의 동의가 있어야 한다.
> ㉢ 고소는 제1심판결 선고 전까지 취소할 수 있으므로 친고죄의 공범 중 일부에 대하여 제1심판결이 선고된 후라도 제1심판결 선고 전의 다른 공범자에 대하여는 그 고소를 취소할 수 있고, 고소를 취소한 경우 친고죄에 대한 고소 취소로서의 효력이 있다.
> ㉣ 친고죄에 있어서의 피해자의 고소권은 공법상의 권리라고 할 것이므로 법이 특히 명문으로 인정하는 경우를 제외하고는 자유처분을 할 수 없고, 따라서 일단 제기한 고소는 취소할 수 있으나 고소 전에 고소권을 포기할 수는 없다.

① ㉠, ㉡ ② ㉠, ㉢ ③ ㉡, ㉢ ④ ㉠, ㉣

| 해설 ㉠ ○ : 대판 2016.11.25, 2016도9470
㉡ × : 반의사불벌죄에 있어서 피해자의 피고인 또는 피의자에 대한 처벌을 희망하지 않는다는 의사표시 또는 처벌을 희망하는 의사표시의 철회는, 의사능력이 있는 피해자가 단독으로 이를 할 수 있고, 거기에 법정대리인의 동의가 있어야 한다거나 법정대리인에 의해 대리되어야만 한다고 볼 것은 아니다(대판 2009.11.19, 2009도6058 전원합의체).
㉢ × : 친고죄의 공범 중 그 일부에 대하여 제1심판결이 선고된 후에는 제1심판결 선고 전의 다른 공범자에 대하여는 그 고소를 취소할 수 없고 그 고소의 취소가 있다 하더라도 그 효력을 발생할 수 없다(대판 1985.11.12, 85도1940).
㉣ ○ : 대판 1967.5.23, 67도471

Answer 6. ④

THEMA 26 고소권자

피해자	① 범죄로 인한 피해자(간접피해자 ×)는 고소할 수 있다(제223조). ▶ 사기죄에 있어 피해자에게 채권이 있는 자 ⇨ 간접피해자 ∴ 고소권 × ② 자기 또는 배우자의 직계존속은 고소할 수 없다(제224조). ▶ 성폭력범죄의 처벌 및 피해자보호 등에 관한 법률, 가정폭력방지 및 피해자보호 등에 관한 법률 ⇨ 자기 또는 배우자의 직계존속도 고소 가능 ③ 범죄피해자는 법인 또는 법인격 없는 단체 포함 ④ 고소권 ⇨ 양도, 상속대상 ×(특허권 등은 고소권 이전 가능)
피해자의 법정대리인	① 피해자의 법정대리인은 독립하여 고소할 수 있다(제225조 제1항). ▶ 재산관재인, 파산관재인 ⇨ 법정대리인 × ② '독립하여 고소할 수 있다.'에서 독립의 의미 • 고유권설(판례) : 고소권은 법정대리인의 고유권이다. - 피해자 본인은 법정대리인의 고소 취소 × - 고소기간도 법정대리인이 범인을 안 날부터 진행 • 독립대리권설 : 고소권은 독립대리권이다. - 본인의 권리가 상실되면 독립대리권도 소멸 - 본인은 법정대리인이 한 고소를 취소할 수 있음. ▶ 위 학설의 대립은 법정대리인이 행한 고소의 성질에 관한 것이지 피해자 본인이 행한 고소의 성질에 관한 문제는 아니다. 따라서 피해자 본인이 행한 고소에 대하여 법정대리인은 취소할 수 없음에 주의 법정대리인 : 친권을 행사하는 부모(미성년자), 한정후견인, 성년후견인 등과 같이 무능력자의 행위를 일반적으로 대리할 수 있는 자를 말함(재산관리인 · 파산관재인 · 법인의 대표자 ⇨ 법정대리인 ×). ▶ 개정민법 시행(2013. 7. 1)으로 성년은 19세 이상(미성년자는 19세 미만)이며, 한정치산자와 금치산자는 각각 피한정후견인과 피성년후견인으로 변경되었다.
피해자의 배우자 · 친족	① 피해자의 법정대리인이 피의자이거나, 법정대리인의 친족이 피의자인 때에는 피해자의 친족은 독립하여 고소할 수 있다(제226조). – 고유권으로 봄이 타당 ▶ 피해자의 생모가 미성년자인 피해자의 법정대리인을 고소한 경우 ② 피해자가 사망한 경우 그 배우자 · 직계친족 또는 형제자매가 고소권을 행사할 수 있다. 다만, 피해자의 명시적인 의사에 반하지 못한다(제225조 제2항). ③ 사망자의 명예를 훼손한 죄에 대하여는 그 친족 또는 자손이 고소할 수 있다(제227조).
지정 고소권자	친고죄에서 고소할 자가 없는 경우에 이해관계인의 신청이 있으면 검사는 10일 이내에 고소할 수 있는 자를 지정하여야 한다(제228조). 검사로부터 지정받은 자가 지정고소권자이다.

01 **고소권자에 관한 설명 중 가장 옳지 않은 것은?**(다툼이 있는 경우 판례에 의함) 17. 경찰간부

① 피해자의 법정대리인이 피의자이거나 법정대리인의 친족이 피의자인 때에는 피해자의 친족은 독립하여 고소할 수 있다.

② 생모라고 하더라도 고소 당시 배우자 甲과 이혼하였다면 甲의 아들(피해자)을 위하여 독립하여 고소할 수 없다.

③ 법정대리인은 피해자의 고소권 소멸 여부와 관계없이 고소할 수 있고, 피해자의 명시적 의사에 반하여도 고소할 수 있다.

④ 민법상 행위능력이 없는 자라도 피해를 받은 사실을 이해하고 사회생활상의 이해관계를 알 수 있는 사실상의 의사능력이 있다면 고소할 수 있다.

| 해설 ① 제226조 ② 모자관계는 호적에 입적되어 있는 여부와는 관계없이 자의 출생으로 법률상 당연히 생기는 것이므로 고소 당시 이혼한 생모라도 피해자에 대한 친권자로서 미성년자인 피해자의 법정대리인을 독립하여 고소할 수 있다(대판 1987.9.22, 87도1707).
③ 대판 1999.12.24, 99도3784 ④ 대판 2011.6.24, 2011도4451

02 **다음 중 고소와 관련된 설명으로 옳은 내용은?**

① 저작재산권을 양도받은 사람은 그 양도에 관한 등록을 하지 아니한 경우에는 저작재산권을 침해한 사람을 고소할 수 없다.

② 저작재산권자와 사이에 국내 상품화 계약을 체결한 사람은 저작재산권침해에 관하여 독자적으로 고소할 수 있는 권한이 있다.

③ 특허를 무효로 하는 심결이 확정되더라도 무효심결 확정 전의 고소라면 그러한 특허권에 기한 고소는 고소권자에 의한 적법한 고소로 볼 수 있다 할 것이다.

④ 피고인의 생모가 피고인의 그 딸에 대한 강제추행 등 범죄사실에 대하여 고소를 제기한 것은 형사소송법 제226조 소정의 피해자의 친족에 의한 피해자의 법정대리인에 대한 적법한 고소라 할 것이다.

| 해설 ① 저작재산권의 양도등록은 그 양도의 유효요건이 아니라 제3자에 대한 대항요건에 불과하고, 여기서 등록하지 아니하면 제3자에게 대항할 수 없다고 할 때의 "제3자"란 당해 저작재산권의 양도에 관하여 양수인의 지위와 양립할 수 없는 법률상 지위를 취득한 경우 등 저작재산권의 양도에 관한 등록의 흠결을 주장함에 정당한 이익을 가지는 제3자에 한하고, 저작재산권을 침해한 사람은 여기서 말하는 제3자가 아니므로, 저작재산권을 양도받은 사람은 그 양도에 관한 등록 여부와 관계없이 그 저작재산권을 침해한 사람을 고소할 수 있다(대판 2002.11.26, 2002도4849).
② 저작재산권자와 사이에 국내 상품화 계약을 체결한 사람은(저작물의 이용을 허락받은 자에 해당할 수는 있다고 하더라도 저작재산권자로 볼 수는 없으므로) 저작재산권침해에 관하여 독자적으로 고소할 수 있는 권한이 있다고 할 수 없다(대판 2006.12.22, 2005도4002).
③ 특허법 제225조 제1항 소정의 특허권침해죄는 피해자의 고소가 있어야 논할 수 있는 죄인바, 특허를 무효로 하는 심결이 확정된 때에는 특허법 제133조 제1항 제4호의 경우에 해당되지 아니하는 한 그 특허권은 처음부터 없었던 것으로 보게 되므로, 무효심결 확정 전의 고소라 하더라도 그러한 특허권에 기한 고소는

Answer 1.② 2.④

무효심결이 확정되면 고소권자에 의한 적법한 고소로 볼 수 없다 할 것이고, 이러한 고소를 기초로 한 공소는 형사소송법 제327조 제2호 소정의 공소제기의 절차가 법률의 규정에 위반되어 무효인 때에 해당한다고 할 수 있다(대판 2008.4.10, 2007도6325).
④ 대판 1986.11.11, 86도1982

03 고소권에 대한 설명 중 옳지 않은 것은 모두 몇 개인가?(다툼이 있는 경우 판례에 의함)

㉠ 무능력자의 법정대리인이 고소 후에 법정대리인의 지위를 상실하면 그 고소는 무효이다.
㉡ 친고죄에 대하여 고소할 자가 없는 경우 피해자와 내연의 부부관계에 있는 자는 신청에 의하여 고소권자로 지정받을 수 있다.
㉢ 피해자의 법정대리인에는 재산관리인, 파산관재인은 포함되지 아니한다.
㉣ 피해자의 법정대리인은 피해자의 동의가 없어도 고소할 수 있다.
㉤ 피해자의 법정대리인의 친족이 피의자인 때에는 피해자의 친족은 피해자나 법정대리인의 명시한 의사에 반하여도 고소할 수 있다.
㉥ 프로그램저작권이 명의신탁된 경우 제3자의 침해행위에 대한 고소권자는 명의신탁자 또는 명의수탁자이다.
㉦ 친고죄에 대하여 고소할 자가 없는 경우에 고소권자는 검사가 아니라 검사로부터 지정받은 자이다.
㉧ 공연음란행위를 한 자기의 직계존속을 고소할 수 없다.
㉨ 법원이 선임한 부재자 재산관리인이 그 관리대상인 부재자의 재산에 대한 범죄행위에 관하여 법원으로부터 고소권 행사에 관한 허가를 얻은 경우 부재자 재산관리인은 법정대리인으로서 적법한 고소권자에 해당한다.

① 1개 ② 2개 ③ 3개 ④ 4개

| 해설 ㉠ ×: 법정대리인의 지위는 고소시에 존재하면 충분하며, 범죄시에 존재하지 않았거나 고소 후에 지위를 상실하여도 고소의 효력에는 영향이 없다.
㉡ ○: 제228조
㉢㉣ ○: 피해자의 법정대리인은 피해자의 동의 없이 독립하여 고소할 수 있다. 여기서 법정대리인이란 친권자, 후견인 등과 같이 무능력자의 행위를 일반적으로 대리할 수 있는 자를 말하며 재산관리인, 파산관재인 또는 법인의 대표자는 포함되지 않는다.
㉤ ○: 피해자의 법정대리인이 피의자이거나 법정대리인의 친족이 피의자인 때에는 피해자의 친족은 독립하여 고소할 수 있다(제226조). 법정대리인의 고소권이 고유권임을 비춰볼 때 이 경우의 친족의 고소권도 고유권으로 새기는 것이 미성년자인 피해자 보호를 위해 타당하다고 본다. 따라서 친족은 피해자나 법정대리인의 명시한 의사에 반하여도 고소할 수 있다.
㉥ ×: 구 컴퓨터프로그램 보호법 제48조는 '프로그램저작권자 또는 프로그램배타적발행권자' 등의 고소가 있어야 공소를 제기할 수 있다고 규정하고 있는데, 프로그램저작권이 명의신탁된 경우 대외적인 관계에서는 명의수탁자만이 프로그램저작권자이므로 제3자의 침해행위에 대한 구 컴퓨터프로그램 보호법 제48조에서 정한 고소 역시 명의수탁자만이 할 수 있다(대판 2013.3.28, 2010도8467).
㉦ ○: 제228조
㉧ ×: 형법 제2편 제22장 성풍속에 관한 죄 중 제242조(음행매개), 제243조(음화반포 등), 제244조(공연음란죄)는 성폭력범죄이므로 자기의 직계존속을 고소할 수 있다(성폭력범죄의 처벌 등에 관한 특례법 제2조).
㉨ ○: 대판 2022.5.26, 2021도2488

Answer 3. ③

THEMA 27 고소의 제한 및 고소기간의 제한

고소의 제한	자기 또는 배우자의 직계존속은 고소하지 못한다(제224조). ▶ 성폭력특별법에 의한 성폭력범죄에 대하여는 자기 또는 배우자의 직계존속도 고소할 수 있음(제18조). 예 딸이 아버지를 강간죄로 고소 ▶ 가정폭력범죄의 처벌 등에 관한 특례법에 의해서도 자기 또는 배우자의 직계존속을 고소할 수 있음(제6조 제2항). 예 사위가 장인을 상해죄로 고소
고소 기간의 제한	1. 일반범죄의 경우 고소는 기간에 제한이 없으나, 친고죄의 경우에는 범인을 알게 된 날로부터 6개월을 경과하면 고소하지 못한다(제230조 제1항). ▶ 범인을 알게 된다 함은 통상인의 입장에서 보아 고소권자가 고소를 할 수 있을 정도로 범죄사실과 범인을 아는 것을 의미하고, 범죄사실을 안다는 것은 고소권자가 친고죄에 해당하는 범죄의 피해가 있었다는 사실관계에 관하여 확정적인 인식이 있음을 말한다(대판 2001.10.9, 2001도3106). 12. 순경, 16. 순경 1차 ▶ '범인을 알게 된 날'이란 범죄행위가 종료된 후에 범인을 알게 된 날을 가리키는 것으로서, 고소권자가 범죄행위가 계속되는 도중에 범인을 알았다 하여도, 고소기간은 범죄행위가 종료된 때로부터 계산하여야 하며, 동종행위의 반복이 예상되는 영업범 등 포괄일죄의 경우에는 최후의 범죄행위가 종료한 때에 전체 범죄행위가 종료된 것으로 보아야 한다(대판 2004.10.28, 2004도5014). 2. 범인이란 교사범 · 종범을 포함하며, 범인을 안다는 것은 범인이 누구인가를 특정할 수 있을 정도로 알게 된다는 것을 의미하고, 범인의 성명 · 주소 · 연령까지 알 필요는 없다. 3. 수인의 공범이 있는 경우에는 공범 중 1인을 알면 족하다. 상대적 친고죄의 경우 신분관계에 있는 공범을 알게된 날을 기준으로 한다. 14. 9급 검찰 · 마약수사 4. 고소할 수 있는 자가 수인인 때에는 1인의 기간해태(기간을 지나쳐 버린 경우)는 타인의 고소에 영향이 없다(제231조). 5. 친고죄의 경우에 고소할 수 없는 불가항력의 사유가 있는 때에는 그 사유가 없어진 날로부터 기산한다(제230조 제1항 단서). 6. 고소대리의 경우 고소권자가 범인을 안 날로부터 고소기간 진행 11. 9급 법원직, 24. 경찰간부 7. 범죄가 아직 진행 중인 경우에는 범인을 알게 되었을지라도 범죄가 종료한 때로부터 고소기간이 진행된다.

01 **고소에 관한 설명 중 가장 적절하지 않은 것은?**(다툼이 있는 경우 판례에 의함)

① 형사소송법 제230조 제1항 본문은 '친고죄에 대하여는 범인을 알게 된 날로부터 6월을 경과하면 고소하지 못한다.'고 규정하고 있는바, 여기서 범인을 알게 된다 함은 통상인의 입장에서 보아 고소권자가 고소를 할 수 있을 정도로 범죄사실과 범인을 아는 것을 의미하나, 범죄사실을 안다는 것이 고소권자가 친고죄에 해당하는 범죄의 피해가 있었다는 사실관계에 관하여 확정적인 인식이 있음을 말하는 것은 아니다.

Answer 1. ①

② 범죄피해자의 고소권은 형사절차상의 법적인 권리에 불과하므로 원칙적으로 입법자가 그 나라의 고유한 사법문화와 윤리관, 문화전통을 고려하여 합목적적으로 결정할 수 있는 넓은 입법형성권을 갖는다.
③ A와 B가 A의 별거하는 삼촌물건을 절취한 경우 피해자인 삼촌은 공범 중 1인을 안 날로부터 6월 이내에 고소하여야 하는 것이 아니라, 신분관계에 있는 범인을 안 날을 기준으로 해야 한다.
④ 수사기관이 고소권자를 참고인으로 신문한 경우, 그 진술에 범인의 처벌을 요구하는 의사표시가 포함되어 있고, 그 의사표시가 조서에 기재되었을 때에는 적법하게 고소가 이루어진 것으로 인정된다.

| 해설 ① 범인을 알게 된다 함은 통상인의 입장에서 보아 고소권자가 고소를 할 수 있을 정도로 범죄사실과 범인을 아는 것을 의미하고, 범죄사실을 안다는 것은 고소권자가 친고죄에 해당하는 범죄의 피해가 있었다는 사실관계에 관하여 확정적인 인식이 있음을 말한다(대판 2001.10.9, 2001도3106).
② 헌재결 2011.2.24, 2008헌바56
③ 수인의 공범이 있는 경우에는 공범 중 1인을 안 날로부터 기산하지만, 위 지문과 같은 상대적 친고죄에 있어서는 신분관계 있는 범인을 안 날을 기준으로 6개월 이내에 고소하여야 한다.
④ 대판 1966.1.31, 65도1089

02 **다음은 고소기간과 관련한 판례의 내용이다. 틀린 것은?**

① 고소기간은 범죄행위가 종료된 때부터 계산하여야 하며, 동종행위의 반복이 당연히 예상되는 영업범 등 포괄일죄의 경우에 고소기간은 최초의 범죄행위가 종료한 때부터 계산하여야 한다.
② 대리인에 의한 고소의 경우, 고소기간은 대리고소인이 아니라 정당한 고소권자를 기준으로 고소권자가 범인을 알게 된 날부터 기산한다.
③ 범행 당시 피해자의 나이는 14세 4개월 남짓임에도 그 지능지수가 49로 정신지체 수준에 해당한다면 피해자로서는 고소능력이 없고, 주위 사람들에게 고소의 의미와 취지 등을 설명 들었을 때 비로소 고소능력이 생겼다고 보아야 하며, 이때부터 고소기간은 계산되어야 한다.
④ 법정대리인의 고소기간은 법정대리인 자신이 범인을 알게 된 날로부터 진행한다.

| 해설 ① 고소기간은 범죄행위가 종료된 때부터 계산하여야 하며, 동종행위의 반복이 당연히 예상되는 영업범 등 포괄일죄의 경우에 고소기간은 최후의 범죄행위가 종료한 때부터 계산하여야 한다(대판 2004.10.28, 2004도5014).
② 대판 2001.9.4, 2001도3081
③ 대판 2007.10.11, 2007도4962
④ 법정대리인의 고소권은 무능력자의 보호를 위하여 법정대리인에게 주어진 고유권으로서 피해자의 고소권 소멸 여부에 관계없이 고소할 수 있는 것이므로 법정대리인의 고소기간은 법정대리인 자신이 범인을 알게 된 날로부터 진행한다(대판 1987.6.9, 87도857).

Answer 2. ①

THEMA 28 고소불가분의 원칙

의 의		고소불가분의 원칙은 고소 또는 그 취소의 효력이 미치는 범위에 관한 원칙으로서 주관적 불가분의 원칙과 객관적 불가분의 원칙이 있다. 전자에 관해서는 형사소송법에 규정이 있으나, 후자에 대해서는 이론적으로 이를 인정하고 있다. ▶ 반의사불벌죄, 조세범처벌법상 고발, 공정거래위원회 고발 등 ⇨ 적용 ×
객관적 불가분의 원칙	의의 및 취지	1. 의의 : 친고죄의 경우에 1개 범죄사실의 일부에 대한 고소 또는 고소의 취소는 그 범죄사실 전부에 대해 효력이 발생한다는 원칙을 고소의 객관적 불가분의 원칙이라 한다. 2. 취지 : 범죄사실의 신고가 반드시 정확할 수는 없고, 처벌의 범위까지 고소권자의 의사에 좌우되어서는 안 된다는 취지에서 인정된다. ▶ 수죄의 경우 : 객관적 불가분의 원칙은 1개의 범죄사실을 전제로 하는 원칙이므로 수죄, 즉 경합범에 대하여는 적용되지 않는다.
	적용 범위	1. 단순1죄의 경우 : 수개의 저작권법 위반행위(친고죄)가 포괄일죄의 관계에 있는 경우에 일부의 행위만을 고소한 경우에 그 고소는 포괄일죄의 관계에 있는 모든 행위 전부에 미친다. ▶ 강간의 수단인 폭행·협박에 대한 고소의 효력은 강간에 대해서도 미친다. 반대로 강간에 대해 고소가 없을 경우 그 일부인 폭행·협박만을 분리하여 기소할 수 없다(공소제기 ⇨ 공소기각판결 : 대판 2002.5.16, 2002도51 전원합의체). – 그러나 강간죄가 비친고죄로 된 현행법하에서는 위 판례의 내용은 별 의미가 없다. 2. 과형상 1죄의 경우 ① 모두 친고죄, 피해자 동일 : 과형상 1죄의 일부에 대한 고소 또는 취소는 전체범죄에 효력이 미친다. 예 동일 피해자에 대한 업무상 비밀누설죄(친고죄)와 모욕죄(친고죄)가 상상적 경합한 경우에 과형상 일죄의 일부에 대한 고소는 전체범죄에 대하여 효력이 미친다. ② 모두 친고죄, 피해자 상이 : 1인의 피해자가 하는 고소의 효력은 다른 피해자에 대한 범죄사실에는 미치지 않는다. 예 1개의 문서로 甲·乙·丙을 모욕한 경우 甲의 고소는 乙·丙에 대한 범죄사실에는 효력이 없다(∵ 친고죄를 인정하는 취지에 반하기 때문). 10. 경찰승진 ▶ 하나의 문서로 여러 사람을 모욕한 경우 피해자 1인의 고소는 다른 피해자에 대한 모욕에 대해서도 효력이 있다. (×) 13. 경찰간부 ③ 일부만 친고죄 : 동일 피해자에 대한 2개 이상의 죄가 친고죄와 비친고죄의 상상적 경합인 경우에 비친고죄에 대한 고소나 취소는 친고죄에 대하여 효력이 없다. 09. 7급 국가직, 10. 경찰승진 뿐만 아니라, 친고죄에 대한 고소나 그 취소는 비친고죄에 미치지 않는다(친고죄에 대한 고소나 그 취소와 무관하게 비친고죄는 처벌이 가능). 예 모욕죄(친고죄)와 감금죄(비친고죄)가 상상적 경합하는 경우 감금죄에 대한 고소의 효력은 모욕죄에 미치지 않는다.

<table>
<tr><td rowspan="2">주관적 불가분의 원칙</td><td>의의 및 취지</td><td>1. 친고죄의 공범 중 1인 또는 수인에 대한 고소 또는 고소의 취소는 다른 공범자에 대하여도 효력이 있다(제233조)는 원칙을 고소의 주관적 불가분의 원칙이라 한다. 12. 순경, 15. 9급 법원직, 16. 경찰승진
▶ 공범이라 함은 형법총칙에 규정된 공범(임의적 공범, 즉 단독으로 범할 수 있는 범죄를 수인이 범하는 경우)뿐 아니라 필요적 공범(단독으로는 범할 수 없고 2인 이상이 있어야 범할 수 있는 범죄)도 포함한다.
2. 고소권자가 처벌할 사람의 범위까지 정하는 것은 형사처벌의 공평성을 지나치게 그르치게 된다는 점에서 인정된다.</td></tr>
<tr><td>적용 범위</td><td>1. 절대적 친고죄 : 절대적 친고죄에 있어서는 언제나 이 원칙이 적용된다. 따라서 공범자 중 1인에 대한 고소나 그 취소의 효력은 전원에 대하여 미친다. 11. 9급 법원직, 16. 경찰승진
▶ 절대적 친고죄 ⇨ 모욕죄, 비밀침해죄, 업무상 비밀누설죄, 사자명예훼손죄
2. 상대적 친고죄
① 공범자 전원이 피해자와 신분관계가 있는 경우 ⇨ 이 원칙이 적용됨(1인의 친족에 대한 고소의 효력은 다른 친족에게도 미침)
예 조카 2명이 삼촌집에 가서 절도를 한 경우 친족상도례규정(형법 제328조 제2항)에 의거 조카들은 친고죄가 되는바, 삼촌이 조카 1명에게만 고소하여도 다른 조카에게도 고소의 효력이 미침.
② 공범자 중 일부가 비신분자인 경우 ⇨ 비신분자에 대한 고소의 효력은 신분자에게 미치지 않으며, 신분자에 대한 고소취소는 비신분자에게 효력이 없다. 10 · 11 · 13 · 16. 경찰승진, 12. 9급 검찰
예 조카와 타인이 공범으로 절도하였다면 조카는 친고죄가 되나 타인은 비친고죄가 된다. 따라서 타인에 대한 삼촌의 고소는 조카에게 미치지 아니하며, 삼촌의 조카에 대한 고소취소는 타인에게 효력이 없다.
③ 반의사불벌죄, 즉시고발(전속고발)사건은 고소주관적 불가분의 원칙 준용 ×(대판 2004.9.24, 2004도4066) 24. 순경 1차</td></tr>
</table>

01 **고소불가분에 관한 설명 중 가장 적절하지 않은 것은?**(다툼이 있으면 판례에 의함) 16. 경찰승진

① 상대적 친고죄의 경우 신분관계 있는 자에 대한 피해자의 고소취소는 비신분자에게도 효력이 있다.

② 절대적 친고죄의 공범 중 일부에 대하여만 처벌을 구하고 나머지에 대하여는 처벌을 원하지 않는다는 내용의 고소는 적법한 고소라고 할 수 없다.

③ 친고죄의 공범 중 그 1인 또는 수인에 대한 고소 또는 그 취소는 다른 공범자에 대하여도 효력이 있다.

④ 절대적 친고죄의 경우 공범 중 일부에 대하여 이미 제1심판결이 선고된 때에는 아직 제1심판결 선고 전의 다른 공범자에 대하여 고소를 취소할 수 없다.

Answer 1. ①

| 해설 | ① 상대적 친고죄의 경우 신분관계 있는 자에 대한 피해자의 고소취소는 비신분자에게는 효력이 미치지 아니한다(대판 1964.12.15, 64도481).
② 대판 2009.1.30, 2008도7462 ③ 제233조 ④ 대판 1985.11.12, 85도1940

02 고소불가분의 원칙과 관련한 내용으로 옳지 못한 것은 모두 몇 개인가?(판례에 의함)

㉠ 고소불가분의 원칙상 공범 중 일부에 대하여만 처벌을 구하고 나머지에 대하여는 처벌을 원하지 않는 내용의 고소는 적법한 고소라고 할 수 없다.
㉡ 검사가 친고죄로 구성하여 공소를 제기하였더라도 고소권자가 비친고죄로 고소한 사건이라면 친고죄에서 고소와 고소취소의 불가분 원칙이 적용되지 않는다.
㉢ 조세범처벌법에 의한 고발에 있어서는 고소 · 고발 불가분의 원칙이 적용되지 아니하므로, 고발의 구비 여부는 양벌규정에 의하여 처벌받는 자연인인 행위자와 법인에 대하여 개별적으로 논하여야 한다.
㉣ 고소와 고소취소의 불가분에 관한 규정을 반의사불벌죄에 준용하는 규정을 두지 아니한 것은 입법의 불비로 볼 것이다.

① 1개 ② 2개 ③ 3개 ④ 4개

| 해설 | ㉠ ○ : 대판 2009.1.30, 2008도7462
㉡ × : 고소권자가 비친고죄로 고소한 사건이더라도 검사가 사건을 친고죄로 구성하여 공소를 제기하였다면 친고죄에서 고소와 고소취소의 불가분 원칙이 당연히 적용되므로, 만일 공소사실에 대하여 피고인과 공범관계에 있는 사람에 대한 적법한 고소취소가 있다면 고소취소의 효력은 피고인에 대하여 미친다(대판 2015.11.17, 2013도7987).
㉢ ○ : 대판 2004.9.24, 2004도4066
㉣ × : 고소와 고소취소의 불가분에 관한 규정을 반의사불벌죄에 준용하는 규정을 두지 아니한 것은 처벌을 희망하지 아니하는 의사표시나 처벌을 희망하는 의사표시의 철회에 관하여 친고죄와는 달리 공범자간에 불가분의 원칙을 적용하지 아니하고자 함에 있다고 볼 것이지, 입법의 불비로 볼 것은 아니다(대판 1994.4.26, 93도1689).

03 다음 사례에 대한 설명으로 옳은 것은?(다툼이 있는 경우 판례에 의함) 12. 9급 검찰

- 甲은 용돈으로는 유흥비가 부족하게 되자 결혼하여 분가한 누나의 집에서 물건을 훔치기로 군대 동기 乙과 공모하였다.
- 이들은 누나의 집에서 결혼 예물인 다이아몬드 반지, 목걸이, 귀걸이 등의 재물을 훔쳤다.
- 甲의 누나는 乙에 대해서만 고소하였다.

① 乙에 대한 고소는 공동정범인 甲에게도 효력이 있다.
② 甲을 고소하지 않았으므로 乙에 대한 고소도 효력이 없다.
③ 甲의 누나와 신분관계가 없는 乙에 대한 고소는 乙에게만 효력이 있다.
④ 甲에게도 고소의 효력이 미치지만, 친족상도례가 적용되어 형이 면제된다.

Answer 2. ② 3. ③

| 해설 | 甲과 乙이 공범으로 절도한 경우에 피해자와 신분관계가 있는 자는 甲이므로 甲은 친고죄가 되나, 乙은 비친고죄가 된다. 따라서 피해자인 누나가 甲을 고소하기 전에는 乙에 대한 고소의 효력이 甲에 미치지 않는다.

04 **고소불가분의 원칙에 관한 다음 설명 중 옳은 것은?**

① 고소불가분의 원칙과 공소불가분의 원칙은 일치한다.
② 과형상 1죄의 각 부분이 피해자를 달리하는 경우에도 1인이 한 고소는 사건의 전부에 미친다고 함이 통설이다.
③ 상대적 친고죄에 있어서 친족 아닌 공범에 대한 고소는 그 효력이 친족에게는 미치지 않는다.
④ 주관적 불가분과 객관적 불가분의 원칙이 모두 형사소송법에 규정되어 있다.

| 해설 | ① 공소불가분의 원칙이란 범죄사실의 일부에 대한 공소는 그 효력이 전부에 미친다(제248조 제2항)는 것을 말하며, 이는 고소불가분의 원칙과는 달리 객관적 불가분의 원칙만 적용된다. 따라서 공범자 중 일부에 대한 공소제기의 효력은 다른 공범자에게는 미치지 아니한다(제248조).
② 1인의 피해자가 하는 고소의 효력은 다른 피해자에 대한 범죄사실에는 미치지 않는다.
④ 주관적 불가분의 원칙은 형사소송법에 규정이 있으나, 객관적 불가분의 원칙은 이론적으로 이를 인정하고 있다.

05 **甲 · 乙 · 丙은 '피고인들은 공모하여 여성잡지에 허위 사실을 게재함으로써 사망한 전 국회의원 A와 A의 전 보좌관 B 그리고 모델 C의 명예를 훼손하였다.'라는 사자명예훼손 및 출판물명예훼손의 공소사실로 기소가 되었다. 제1심 공판 도중 고소인** D(A의 처), E(A의 동생), **B는 乙 · 丙에 대해서만 고소를 취소하였고 또한 고소인 C도 乙 · 丙에 대해서만 처벌을 희망하는 의사표시를 철회하였다. 이 경우 법원이 甲에 대하여 취해야 할 조치로서 가장 옳은 것은?**(다툼이 있는 경우 판례에 의함)

12. 9급 교정 · 보호 · 철도경찰, 22. 해경승진

① 사자명예훼손 및 출판물명예훼손의 공소사실 모두에 대해서 실체재판을 하여야 한다.
② 사자명예훼손 및 출판물명예훼손의 공소사실 모두에 대해서 공소기각판결을 선고하여야 한다.
③ 사자명예훼손의 공소사실에 대해서는 실체재판을 하여야 하고, 출판물명예훼손의 공소사실에 대해서는 공소기각판결을 선고하여야 한다.
④ 사자명예훼손의 공소사실에 대해서는 공소기각 판결을 선고하여야 하고, 출판물명예훼손의 공소사실에 대해서는 실체재판을 하여야 한다.

| 해설 | A에 대해서는 사자명예훼손죄(친고죄), B · C에 대해서는 출판물에 대한 명예훼손죄(반의사불벌죄)의 문제이다. 공범인 경우에 친고죄에서는 1인에 대한 고소나 취소의 효력은 전원에 미치나, 반의사불벌죄의 경우는 불가분의 원칙이 적용되지 아니한다. 따라서 A의 유족 D, E의 乙 · 丙에 대한 고소취소는 甲에게도 미치게 되어 모두 공소기각판결을 내려야 한다. 그러나 B, C의 乙 · 丙에 대한 고소취소의 효력은 甲에게는 미치지 않으므로 甲에게는 유 · 무죄의 실체재판을 선고하여야 한다.

Answer 4. ③ 5. ④

THEMA 29 고소의 취소

의의 및 취지	① 고소의 취소라 함은 일단 제기한 고소를 철회하는 소송행위를 말한다. ▶ 공소제기 전 ⇨ 수사기관, 공소제기 후 ⇨ 수소법원 14. 9급 법원직 ② 범인과 피해자 사이의 사적 분쟁해결이 원만하게 이루어지도록 하기 위해서 인정된 제도이다.
고소취소의 시기	① 고소는 제1심판결 선고 전까지 취소할 수 있다(제232조 제1항). ② 반의사불벌죄 사건에 있어서 처벌을 원하는 의사표시의 철회에 관하여도 고소의 취소에 관한 규정이 준용된다(제232조 제3항). 따라서 제1심판결 선고 후에 행한 처벌희망의 의사표시 철회는 효력이 없다. ③ 친고죄의 공범 중 그 일부에 대하여 제1심판결이 선고된 후에는 제1심판결 선고 전의 다른 공범자에 대하여는 그 고소를 취소할 수 없고 그 고소의 취소가 있다 하더라도 그 효력을 발생할 수 없으며, 이러한 법리는 필요적 공범이나 임의적 공범이나를 구별함이 없이 모두 적용된다(대판 1985.11.12, 85도1940). 10・12・13・16. 경찰승진, 11. 9급 법원직, 14. 변호사시험, 15. 지능특채, 16. 순경 1차
고소취소권자	고소의 취소권자는 고소를 제기한 자이다. 그러나 고유의 고소권자(피해자)가 행한 고소는 대리권에 근거한 고소권자(예 피해자의 父)가 취소할 수 없으며, 역으로 대리권에 근거한 고소권자의 고소는 고유의 고소권자가 이를 취소할 수 있다.
고소취소의 방식	① 고소취소의 방식은 고소의 경우와 같다(제239조). 고소의 취소는 서면 또는 구술로써 할 수 있으며 구술에 의한 취소는 조서를 작성하여야 한다. 사법경찰관이 고소의 취소를 받은 때에는 즉시 수사서류와 함께 검찰에 송치한다(제239조). 고소의 취소는 공소제기 전에는 수사기관에, 공소제기 후에는 수소법원에 하여야 한다. 23. 9급 법원직 따라서 합의서가 작성된 것만으로는 고소취소라고 할 수 없다. ② 고소취소에 대하여도 대리가 허용된다(제236조). 고소취소의 대리인이 고소를 취소하면 고소권자 본인의 고소권이 소멸한다. ③ 고소를 취소한다는 의사 또는 반의사불벌죄에서 처벌희망의사의 철회는 명백하다고 믿을 수 있는 방법으로 하여야 한다.
고소취소의 효과	① 고소를 취소한 자는 다시 고소할 수 없으며(제232조 제2항), 고소취소에 대해서도 고소불가분의 원칙이 적용된다(제233조). 따라서 공범자의 1인 또는 수인에 대한 고소의 취소는 다른 공범자에 대해서도 효력이 있고(주관적 불가분의 원칙), 24. 순경 1차 1개 범죄사실의 일부에 대한 고소의 취소는 전부에 대하여 효력을 미친다(객관적 불가분의 원칙). ② 반의사불벌죄의 경우에도 고소취소규정이 준용되므로 처벌을 원치 않는 의사를 표시한 후에 다시 처벌을 구하는 것은 불가능하다.

관련판례

취소 인정	1. 피해자가 당사자 간의 원만한 합의로 민・형사상의 문제를 일체 거론하지 않기로 화해되었다는 취지의 합의서를 작성해 주고 관대한 처분을 바란다는 취지의 탄원서를 법원에 제출한 경우에는 고소의 취소가 있은 것으로 보아야 한다(대판 1981.11.10, 81도1171). 02. 7급 검찰, 03. 순경 2. "가해자와 피해자 간에 원만한 합의를 하였으므로 차후 민・형사상 어떠한 이의도 제기치 않을 것을 서약하면서 합의서를 제출합니다."라는 내용과 "합의금 이백 중 나머지 일백만원은 11월부터 매월 10만원씩 송금하기로 함."이라는 내용이 기재된 합의서를 제1심법원에 제출하였다면 피고인에 대한 처벌을 희망하지 아니한다는 의사를 명시적으로 표시한 것으로 봄이 상당하다(대판 2008.2.29, 2007도11339). 16. 경찰간부 3. 비록 합의서에 피고인에 대한 고소를 취소한다거나 형사책임을 묻지 않는다는 표현을 명시적으로 기재하지는 않았지만, 피고인의 처벌을 구하는 의사를 철회한다는 의사로 합의서를 제1심법원에 제출하였다면, 피고인에 대한 고소는 적법하게 취소되었다고 할 것이고, 따라서 그 후 피해자가 제1심법원에 증인으로 출석하여 위 합의를 취소하고 다시 피고인의 처벌을 원한다는 진술을 함으로써 고소취소를 철회하는 의사표시를 하였다고 하여도 그것은 아무런 효력이 없다(대판 2009.9.24, 2009도6779). 12. 경찰승진 4. 경찰에서 처벌의사를 밝혔던 피해자가 가해자와 함께 합의하고 그 합의서를 경찰에 제출하였다면 고소를 취소한 것으로 볼 수 있다(대판 2002.7.12, 2001도6777). 12. 경찰간부 5. 피해자 母명의로 작성된 합의서에 기재된 합의내용이 '피해자는 가해자측으로부터 50만원을 받아 합의를 하였기에 차후 이 사건으로 민・형사상의 이의를 제기하지 않겠다.'는 취지로 작성되어 있고, 그 이전에 母가 피고인에 대한 처벌의 의사를 별도로 표시한 바 없으며, 합의서 작성 당시 피해자가 14세에 불과한 경우 피해자 母명의로 작성된 합의서에 피해자 자신의 처벌불원의 의사가 포함되어 있다고 볼 여지가 있다(대판 2009.12.24, 2009도11859). 6. 고소취소는 범인의 처벌을 구하는 의사를 철회하는 수사기관 또는 법원에 대한 고소권자의 의사표시로서 서면 또는 구술로써 하면 족한 것이므로, 고소권자가 서면 또는 구술로써 수사기관 또는 법원에 고소를 취소하는 의사표시를 하였다고 보여지는 이상 그 고소는 적법하게 취소되었다고 할 것이고, 그 후 고소취소를 철회하는 의사표시를 다시 하였다고 하여도 그것은 효력이 없다 할 것이다(대판 2009.9.24, 2009도6779). 7. 피고인이 그 합의서를 수사기관에 제출한 이상 피해자의 처벌불원의사가 수사기관에 적법하게 표시되었으며, 이후 피고인이 피해자에게 약속한 치료비 전액을 지급하지 아니한 경우에도 민사상 치료비에 관한 합의금지급채무가 남는 것은 별론으로 하고 처벌불원의사를 철회할 수 없다(대판 2001.12.14, 2001도4283). 8. 검사의 진술조서 작성시에 고소취소의 진술이 있었다면 그 고소는 적법하게 취소되었다고 할 수 있다(대판 1983.7.26, 83도1431).

취소 부정

1. 고소인이 합의서를 피고인에게 작성해 준 것만으로는 고소취소라고 할 수 없다(대판 1983.9.27, 83도516). 10. 교정특채
2. "피의자들의 처벌을 원하는가요?"라는 물음에 대하여 "법대로 처벌하여 주시기 바랍니다."로 되어 있고, 이어서 "더 할 말이 있는가요?"라는 물음에 대하여 "젊은 사람들이니 한번 기회를 주시면 감사하겠습니다."로 기재되어 있었다면, 그 진술의 취지는 법대로 처벌하되 관대한 처분을 바란다는 취지로 보아야 하고 고소를 취소한 것으로 볼 수는 없다(대판 1981.1.13, 80도2210). 09. 경찰승진
3. 피고인이 제출한 합의서에 피해자의 성명이 기재되어 있기는 하나 피해자의 날인은 없고, 피해자의 법정대리인 父의 무인 및 인감증명서가 첨부되어 있을 뿐이어서 피해자 본인이 고소를 취소한다는 의사표시가 여기에 당연히 포함되어 있다고 볼 수는 없다(대판 2011.6.24, 2011도4451).
4. 부도수표가 제권판결에 의하여 무효로 됨으로써 수표소지인이 더 이상 발행인 등에게 수표금의 지급을 구할 수 없게 되었다고 하더라도, 이러한 사정만으로는 수표가 회수되거나 수표소지인이 처벌을 희망하지 아니하는 의사를 명시한 경우에 해당한다고 볼 수는 없다(대판 2006.5.26, 2006도1711).
5. 관련 민사사건에서 '이 사건과 관련하여 서로 상대방에 대하여 제기한 형사 고소 사건 일체를 모두 취하한다.'는 내용이 포함된 조정이 성립된 것만으로는 고소취소나 처벌불원의 의사표시를 한 것으로 보기 어렵다(대판 2004.3.25, 2003도8136).
6. 피해자가 고소장을 제출하여 처벌을 희망하는 의사를 분명히 표시한 후 고소를 취소한 바 없다면 비록 피해자가 고소 전에는 처벌을 원치 않았다 하더라도 그 후에 한 피해자의 고소는 여전히 유효하다(대판 1993.10.22, 93도1620).
7. 피고인이 甲의 명예를 훼손하고 甲을 모욕하였다는 내용으로 기소된 사안에서, 공소제기 후에 피고인에 대한 다른 사건의 검찰 수사과정에서 피고인에 대한 이전의 모든 고소 등을 취소한다는 취지가 기재된 합의서가 작성되었으나 그것이 제1심판결 선고 전에 법원에 제출되었다고 볼 자료가 없고, 오히려 甲이 제1심법정에서 증언하면서 위 합의건은 기소된 사건과 별개이고 피고인의 처벌을 원한다고 진술하여, 고소취소 및 처벌의사의 철회가 있었다고 할 수 없는데도, 이와 달리 적법한 고소취소 및 처벌의사의 철회가 있었다고 보아 공소를 기각한 원심판결에 법리오해의 위법이 있다(대판 2012.2.23, 2011도17264).
8. 피고인의 변호인에 의하여 고소인 명의의 합의서가 제1심법원에 제출되었으나 위 합의서는 고소인이 고소사실 일체에 대하여 상호간에 원만히 해결되었으므로 이후에 민·형사 간 어떠한 이의도 제기하지 아니할 것을 합의한다는 취지가 기재된 서면에 불과하고, 고소인은 제1심법정에 나와 고소취소의 의사가 없다고 말함으로써 오히려 피고인에 대한 처벌희망의사를 유지하고 있으므로 위 합의서로 고소취소의 효력이 발생할 수 없다(대판 1981.10.6, 81도1968). – 처벌을 구하는 의사를 철회한다는 취지의 합의서가 아닌 것으로 보는 판례임.
9. 동생집 현관에 '군입대 후 돈을 주고 제대시켰다.'는 등의 내용이 적힌 편지를 붙여 동생의 명예를 훼손한 혐의로 기소된 피고인에 대하여, 피해자(동생)가 상해부분에 대해서만 고소하겠다고 경찰에 진술한 것만으로는 피해자가 피고인에 대해 명예훼손의 공소사실에 관한 처벌을 희망하지 않은 의사를 표시했다거나 처벌을 희망하는 의사를 철회했다고는 볼 수 없다(대판 2009.12.24, 2009도11610).
10. 피해자가 피고인을 고소한 다음 증인소환을 연기해 달라고 하거나 기일변경신청을 하고 출석하지 않은 것만으로는 처벌희망의 의사표시의 철회로 볼 수 없다(대판 2001.6.15, 2001도1809).

01 **친고죄의 고소에 대한 설명으로 옳지 않은 것은?**(다툼이 있는 경우 판례에 의함)

19. 5급 검찰 · 교정승진

① 고소인이 검사에게 고소를 취하한다는 의사표시를 하였더라도 그 의사표시 당시 고소인의 내심의 의사가 피의자에 대한 처벌을 원하는 것이었다면 고소인의 고소는 적법하게 취소되었다고 할 수 없다.

② 고소취소는 공소제기 전에는 수사기관에, 공소제기 후에는 수소법원에 대하여 이루어져야 한다.

③ 고소취소 후 공소가 제기된 경우에는 형사소송법 제327조 제2호 소정의 '공소제기의 절차가 법률의 규정에 위반하여 무효인 때'에 해당하므로 법원은 판결로써 공소를 기각하여야 한다.

④ 고소는 제1심판결 선고 전까지 취소할 수 있고, 고소를 취소한 자는 다시 고소하지 못한다.

⑤ 비친고죄로 공소제기된 사건의 항소심에서 공소사실이 친고죄로 변경된 경우, 고소인이 적법하게 제기한 고소를 항소심에서 취소하더라도 친고죄에 대한 고소취소로서의 효력이 없다.

해설 ① 고소인이 검사에게 고소를 취하한다는 의사표시를 하였다면, 그 의사표시 당시 고소인의 내심의 의사가 피의자에 대한 처벌을 원하는 것이었다 하더라도 고소인의 고소는 적법하게 취소되었다고 할 수 있다(대판 2007.4.13, 2007도425).

② 대판 2012.2.23, 2011도17264

③ 대판 2002.7.12, 2001도6777

④ 제232조 제1항 · 제2항

⑤ 대판 2002.7.12, 2001도6777

02 **고소취소에 대한 설명으로 가장 적절하지 않은 것은?**(다툼이 있는 경우 판례에 의함) 21. 경찰승진

① 고소의 취소는 수사기관 또는 법원에 대한 고소한 자의 의사표시로서 서면 또는 구술로 할 수 있다.

② 피해자가 제1심 법정에서 피고인에 대한 처벌희망 의사표시를 철회할 당시 나이가 14세 10개월이었더라도 그 철회의 의사표시가 의사능력이 있는 상태에서 행해졌다면 법정대리인의 동의가 없었더라도 유효하다.

③ 피해자가 피고인을 고소한 사건에서, 법원으로부터 증인으로 출석하라는 소환장을 받은 피해자가 자신에 대한 증인소환을 연기해 달라고 하거나 기일변경신청을 하고 출석을 하지 않는 경우, 법원은 이를 피해자의 처벌불원의 의사표시로 볼 수 있다.

④ 피고인이 피해자로부터 합의서를 교부받아 피고인이 피해자를 대리하여 처벌불원의사서를 수사기관에 제출한 이상, 이후 피고인이 피해자에게 약속한 치료비 전액을 지급하지 아니한 경우에도 민사상 치료비에 관한 합의금지급채무가 남는 것은 별론으로 하고 피해자는 처벌불원의사를 철회할 수 없다.

Answer 1. ① 2. ③

| 해설 | ① 제237조
② 대판 2009.11.19, 2009도6058 전원합의체
③ 피해자가 피고인을 고소한 사건에서, 법원으로부터 증인으로 출석하라는 소환장을 받은 피해자가 자신에 대한 증인소환을 연기해 달라고 하거나 기일변경신청을 하고 출석을 하지 않는 것만으로는 피해자의 처벌불원의 의사표시로 볼 수 없다(대판 2001.6.15, 2001도1809).
④ 대판 2001.12.14, 2001도4283

03 고소취소에 대한 설명으로 가장 적절한 것은?(다툼이 있는 경우 판례에 의함)

① 항소심이 제1심의 공소기각 판결이 위법함을 이유로 제1심판결을 파기하고 사건을 제1심으로 다시 환송한 경우, 이미 제1심판결이 한번 선고되었던 이상 파기환송 후 다시 진행된 제1심 절차에서 고소취소는 허용되지 않는다.
② 고소는 대리인을 통해서 할 수 있지만, 고소의 취소는 대리가 허용되지 않는다.
③ 검사가 작성한 피해자에 대한 진술조서에 "법대로 처벌하여 주시기 바랍니다."라고 기재되어 있고, "더 할 말이 없나요?"라는 물음에 "젊은 사람들이니 한 번 기회를 주시면 감사하겠습니다."라고 조서에 기재되었다면 처벌의사를 철회한 것으로 볼 수 있다.
④ 친고죄에서 공범 중 일부에 대하여만 처벌을 구하고 나머지에 대하여는 처벌을 원하지 않는 내용의 고소는 적법한 고소라고 할 수 없고, 공범 중 1인에 대한 고소취소는 고소인의 의사와 상관없이 다른 공범에 대하여도 효력이 있다.

| 해설 | ① 종전의 제1심판결은 이미 파기되어 효력을 상실하였으므로 환송 후의 제1심판결 선고 전에는 고소취소의 제한사유가 되는 제1심판결 선고가 없는 경우에 해당한다. 따라서 파기환송 후 다시 진행된 제1심판결 선고 전에 고소가 취소되면 판결로써 공소를 기각하여야 한다(대판 2011.8.25, 2009도9112).
② 고소 또는 그 취소는 대리인을 통해서 할 수 있다(제236조).
③ 그 진술의 취지는 법대로 처벌하되 관대한 처분을 바란다는 취지로 보아야 하고 고소를 취소한 것으로 볼 수는 없다(대판 1981.1.13, 80도2210).
④ 대판 2009.1.30, 2008도7462

04 고소의 취소와 관련한 설명으로 옳지 않은 것은 모두 몇 개인가?(판례에 의함)

㉠ 피고인이 甲의 명예를 훼손하고 甲을 모욕하였다는 내용으로 기소된 사안에서, 공소제기 후에 피고인에 대한 다른 사건의 검찰 수사과정에서 피고인에 대한 이전의 모든 고소 등을 취소한다는 취지가 기재된 합의서가 작성되었다면, 고소취소 및 처벌의사의 철회가 있었다고 할 수 있다.
㉡ 피해자가 당사자 간의 원만한 합의로 민·형사상의 문제를 일체 거론하지 않기로 화해되었다는 취지의 합의서를 작성해 주고 관대한 처분을 바란다는 취지의 탄원서를 법원에 제출한 경우에는 고소의 취소가 있은 것으로 보아야 한다.

Answer 3.④ 4.④

ⓒ 비록 피고인의 처벌을 구하는 의사를 철회한다는 의사로 합의서를 제1심법원에 제출하였더라도, 합의서에 피고인에 대한 고소를 취소한다거나 형사책임을 묻지 않는다는 표현을 명시적으로 기재하지는 않았다면 피고인에 대한 고소는 적법하게 취소되었다고 할 수 없다.
ⓓ 관련 민사사건에서 '이 사건과 관련하여 서로 상대방에 대하여 제기한 형사 고소 사건 일체를 모두 취하한다.'는 내용이 포함된 조정이 성립된 것만으로는 고소취소나 처벌불원의 의사표시를 한 것으로 보기 어렵다.
ⓔ 피해자가 고소장을 제출하여 처벌을 희망하는 의사를 분명히 표시한 후 고소를 취소한 바 없더라도, 비록 피해자가 고소 전에 처벌을 원치 않았다면 그 후에 한 피해자의 고소는 무효이다.
ⓕ 피고인 甲이 백화점 내 점포에 입점시켜 주겠다고 속여 입점비 명목으로 돈을 편취하였다고 피해자 乙이 고소하여 기소된 경우, 고소기간이 경과된 후에 고소되었으면 공소기각판결을 하여야 한다(甲과 乙은 사돈지간임).

① 1개 ② 2개 ③ 3개 ④ 4개

| 해설 ㉠ ×: 합의서가 작성되었으나 그것이 제1심판결 선고 전에 법원에 제출되었다고 볼 자료가 없고, 오히려 甲이 제1심법정에서 증언하면서 위 합의건은 기소된 사건과 별개이고 피고인의 처벌을 원한다고 진술하여, 고소취소 및 처벌의사의 철회가 있었다고 할 수 없는데도, 이와 달리 적법한 고소취소 및 처벌의사의 철회가 있었다고 보아 공소를 기각한 원심판결에 법리오해의 위법이 있다(대판 2012.2.23, 2011도17264).

㉡ ○: 대판 1981.11.10, 81도1171

㉢ ×: 비록 합의서에 피고인에 대한 고소를 취소한다거나 형사책임을 묻지 않는다는 표현을 명시적으로 기재하지는 않았지만, 피고인의 처벌을 구하는 의사를 철회한다는 의사로 합의서를 제1심법원에 제출하였다면, 피고인에 대한 고소는 적법하게 취소되었다고 할 것이고, 따라서 그 후 피해자가 제1심법원에 증인으로 출석하여 위 합의를 취소하고 다시 피고인의 처벌을 원한다는 진술을 함으로써 고소취소를 철회하는 의사표시를 하였다고 하여도 그것은 아무런 효력이 없다(대판 2009.9.24, 2009도6779).

㉣ ○: 대판 2004.3.25, 2003도8136

㉤ ×: 피해자가 고소장을 제출하여 처벌을 희망하는 의사를 분명히 표시한 후 고소를 취소한 바 없다면 비록 피해자가 고소 전에는 처벌을 원치 않았다 하더라도 그 후에 한 피해자의 고소는 여전히 유효하다(대판 1993.10.22, 93도1620).

㉥ ×: 피고인이 백화점 내 점포에 입점시켜 주겠다고 속여 피해자로부터 입점비 명목으로 돈을 편취하였다며 사기로 기소된 사안에서, 피고인의 딸과 피해자의 아들이 혼인하여 피고인과 피해자가 사돈지간이라고 하더라도 민법상 친족으로 볼 수 없는데도, 2촌의 인척인 친족이라는 이유로 위 범죄를 친족상도례가 적용되는 친고죄라고 판단한 후 피해자의 고소가 고소기간을 경과하여 부적법하다고 보아 공소를 기각한 원심판결은 위법하다(대판 2011.4.28, 2011도2170).

05 고소취소에 관한 설명 중 옳은 것으로만 묶인 것은?(다툼이 있는 경우 판례에 의함)

㉠ 피해자가 제1심법정에서 피고인들에 대한 처벌희망 의사표시를 철회할 당시 나이가 14세 10개월이었더라도, 그 철회의 의사표시가 의사능력이 있는 상태에서 행해졌다면 법정대리인의 동의가 없었더라도 유효하다.
㉡ 피해자의 명시한 의사에 반하여 죄를 논할 수 없는 사건에 있어서 처벌을 희망하는 의사표시의 철회에 관하여도 고소의 취소에 관한 규정이 준용된다.
㉢ 가해자와 원만히 합의하였으므로 피해자는 가해자를 상대로 이 사건에 관한 어떤 민·형사상의 책임도 묻지 아니한다는 취지의 가해자와 피해자 사이의 협의서가 경찰에 제출되었다고 하더라도 고소를 취소한 것으로 볼 수 없다.
㉣ 피해자가 고소를 제기한 후 사망한 경우에 피해자의 부가 피해자를 대신하여 피해자가 이미 하였던 고소를 취소하더라도 이는 적법한 고소취소라고 할 수 없다.
㉤ 피해자가 고소 이전에 이미 피고인과 원만히 합의하면서 향후 피고인을 상대로 민·형사상 어떠한 이의도 제기하지 않기로 약정함으로써 고소권 포기의 의사를 표시한 이상, 그 이후 수사기관에 고소장을 제출하여 피고인의 처벌을 희망하는 의사를 분명히 표시하였다 하더라도 적법한 고소로서의 효력이 없다.
㉥ 하수급인의 처벌을 희망하지 아니하는 근로자의 의사표시가 있을 경우에는, 직상 수급인을 배제한 채 오로지 하수급인에 대하여만 처벌을 희망하지 아니하는 의사를 표시한 것으로 단정하여 해석하는 것은 타당하다.
㉦ 성인인 피해자의 경우라도 의사능력이 없으면 피해자의 아버지가 당연히 법정대리인이 된다고 볼 수 있으므로, 피해자의 아버지가 피고인에 대한 처벌을 희망하지 아니한다는 의사를 표시하였다면 처벌희망 여부에 관한 피해자의 의사표시로서 소송법적으로 효력이 발생할 수 있다.

① ㉠, ㉡, ㉢ ② ㉠, ㉡, ㉣ ③ ㉡, ㉢, ㉤, ㉥ ④ ㉡, ㉣, ㉤, ㉦

| 해설 ㉠ ○ : 대판 2009.11.19, 2009도6058
㉡ ○ : 제232조
㉢ × : 고소취소로 볼 수 있다(대판 2002.7.12, 2001도6777).
▶ 판례는 합의서가 제출되었다고 해서 무조건 고소취소로 보는 것은 아님에 주의하여야 한다. 따라서 '합의서'와 관련된 판례문제가 나오면 정답을 상대적으로 골라야 한다.
㉣ ○ : 대판 1969.4.29, 69도376
㉤ × : 고소 전에 고소권을 포기할 수 없으므로 적법한 고소로서의 효력이 있다(대판 1967.5.23, 67도471).
㉥ × : 하수급인의 처벌을 희망하지 아니하는 근로자의 의사표시가 있을 경우에는, 근로자가 직상 수급인에게 임금을 직접 청구한 적이 있는지, 하수급인이 직상 수급인에게 임금 미지급 사실을 알린 적이 있는지, 하수급인과 근로자의 합의 과정에 직상 수급인이 참여할 기회가 있었는지, 근로자가 합의 대상에서 직상 수급인을 명시적으로 제외하고 있는지, 변제나 면제 등을 통하여 하수급인의 책임이 소멸하였는지 등의 여러 사정을 참작하여 여기에 직상 수급인의 처벌을 희망하지 아니하는 의사표시도 포함되어 있다고 볼 수 있는지를 살펴보아야 하고, 직상 수급인을 배제한 채 오로지 하수급인에 대하여만 처벌을 희망하지 아니하는 의사를 표시한 것으로 단정할 것은 아니다(대판 2015.11.12, 2013도8417).
㉦ × : 피해자가 성년인 이상 의사능력이 없다는 것만으로 피해자의 아버지가 당연히 법정대리인이 된다고 볼 수도 없으므로, 피해자의 아버지가 피고인에 대한 처벌을 희망하지 아니한다는 의사를 표시하였더라도 그것이 반의사불벌죄에서의 처벌희망 여부에 관한 피해자의 의사표시로서 소송법적으로 효력이 발생할 수는 없다(대판 2013.9.26, 2012도568).

Answer 5. ②

종합문제

01 고소에 대한 설명 중 가장 적절하지 않은 것은?(다툼이 있으면 판례에 의함) 21. 경력채용

① 변호인이 친고죄의 피해자로부터 가해자에 대한 고소의 대리권을 수여받아 고소를 제기한 경우에 고소의 기간은 피해자 본인이 범인을 알게 된 날로부터 기산한다.

② 조카 2인이 친구 1인과 함께 동거하지 않는 삼촌의 재물을 절취한 경우 삼촌이 조카들의 친구에 대해서만 고소를 하면 조카들에 대해서는 고소의 효력이 미치지 않는다.

③ 고소의 주관적 불가분의 원칙은 반의사불벌죄와 전속고발권 사건에도 준용된다.

④ 친고죄에서 피해자의 고소권은 공법상의 권리이므로 법이 특히 명문으로 인정하는 경우를 제외하고는 자유처분을 할 수 없어 일단 한 고소는 취소할 수 있으나, 고소 전에 고소권을 포기할 수 없다.

| 해설 ① 대판 2001.9.4, 2001도3089

② 공범자 중 일부가 비신분자인 경우 비신분자에 대한 고소의 효력은 신분자에게 미치지 않으므로, 삼촌이 조카들의 친구에 대해서만 고소를 하면 조카들에 대해서는 고소의 효력이 미치지 않는다.

③ 고소의 주관적 불가분의 원칙은 반의사불벌죄와 전속고발권 사건에는 준용되지 아니한다(대판 2004.9.24, 2004도4066).

④ 대판 1967.5.23, 67도471

02 고소에 대한 설명이다. 다음 중 옳지 않은 것은 모두 몇 개인가?(다툼이 있는 경우 판례에 따름) 21. 해경

㉠ 친고죄에서 고소는 고소권 있는 자가 수사기관에 대하여 범죄사실을 신고하고 범인의 처벌을 구하는 의사표시로서 서면뿐만 아니라 구술로도 할 수 있고, 다만 구술에 의한 고소를 받은 검사 또는 사법경찰관은 조서를 작성하여야 하지만 그 조서가 독립된 조서일 필요는 없으며, 수사기관이 고소권자를 증인 또는 피해자로서 신문한 경우에 그 진술에 범인의 처벌을 요구하는 의사표시가 포함되어 있고 그 의사표시가 조서에 기재되면 고소는 적법하다.

㉡ 고소를 할 때는 소송행위능력, 즉 고소능력이 있어야 하나, 고소능력은 피해를 입은 사실을 이해하고 고소에 따른 사회생활상의 이해관계를 알아차릴 수 있는 사실상의 의사능력으로 충분하므로, 민법상 행위능력이 없는 사람이라도 위와 같은 능력을 갖추었다면 고소능력이 인정된다.

㉢ 친고죄에서 적법한 고소가 있었는지는 자유로운 증명의 대상이 되고, 일죄의 관계에 있는 범죄사실 일부에 대한 고소의 효력은 일죄 전부에 대하여 미친다.

㉣ 형사소송법 제228조에서는 "친고죄에 대하여 고소할 자가 없는 경우에 이해관계인의 신청이 있으면 검사는 14일 이내에 고소할 수 있는 자를 지정하여야 한다."라고 규정하고 있다.

㉤ 형사소송법 제230조 제1항에서는 "친고죄에 대하여는 범인을 알게 된 날로부터 6월을 경과하면 고소하지 못한다. 단, 고소할 수 없는 불가항력의 사유가 있는 때에는 그 사유가 없어진 날로부터 기산한다."라고 규정하고 있다.

Answer 1.③ 2.①

① 1개 ② 2개 ③ 4개 ④ 5개

| 해설 ㉠㉡㉢ ○ : 대판 2011.6.24, 2011도4451
㉣ × : 친고죄에 대하여 고소할 자가 없는 경우에 이해관계인의 신청이 있으면 검사는 10일 이내에 고소할 수 있는 자를 지정하여야 한다(제228조).
㉤ ○ : 제230조 제1항

03 고소에 관한 다음 설명 중 가장 옳지 않은 것은? 21. 9급 법원직

① 친고죄가 아닌 죄로 공소가 제기되어 제1심에서 친고죄가 아닌 죄의 유죄판결을 선고받은 경우, 제1심에서 친고죄의 범죄사실은 현실적 심판대상이 되지 아니하였으므로 그 판결을 친고죄에 대한 제1심판결로 볼 수는 없고, 따라서 친고죄에 대한 제1심판결은 없었다고 할 것이므로 그 사건의 항소심에서도 고소를 취소할 수 있다.

② 형사소송법이 고소취소의 시한과 재고소의 금지를 규정하고 반의사불벌죄에 위 규정을 준용하는 규정을 두면서도, 고소와 고소취소의 불가분에 관한 규정을 함에 있어서는 반의사불벌죄에 이를 준용하는 규정을 두지 아니한 것은 처벌을 희망하지 아니하는 의사표시나 처벌을 희망하는 의사표시의 철회에 관하여 친고죄와는 달리 공범자간에 불가분의 원칙을 적용하지 아니하고자 함에 있다.

③ 친고죄에서 구술에 의한 고소를 받은 수사기관은 조서를 작성하여야 하지만 그 조서가 독립된 조서일 필요는 없으며, 수사기관이 고소권자를 증인 또는 피해자로서 신문한 경우에 그 진술에 범인의 처벌을 요구하는 의사표시가 포함되어 있고 그 의사표시가 조서에 기재되면 고소는 적법하다.

④ 제1심 법원이 반의사불벌죄로 기소된 피고인에 대하여 소송촉진 등에 관한 특례법(이하 '소송촉진법'이라고 한다) 제23조에 따라 피고인의 진술 없이 유죄를 선고하여 판결이 확정된 경우, 소송촉진법 제23조의 2에 따라 제1심 법원에 재심을 청구하여 재심개시결정이 내려졌다면 피해자는 재심의 제1심 판결 선고 전까지 처벌을 희망하는 의사표시를 철회할 수 있다.

| 해설 ① 항소심에 이르러 비로소 고소인이 고소를 취소하였다면 이는 친고죄에 대한 고소취소로서의 효력은 없다(대판 1999.4.15, 96도1922 전원합의체).
② 대판 1994.4.26, 93도1689
③ 대판 2011.6.24, 2011도4451
④ 대판 2016.11.25, 2016도9470

Answer 3. ①

04 고소에 대한 설명으로 가장 적절하지 않은 것은?(다툼이 있는 경우 판례에 의함) 22. 경찰간부

① 고소장에 명예훼손죄라는 죄명을 붙이고, 명예훼손에 관한 사실을 적어 두었으나 그 사실이 명예훼손죄를 구성하지 않고 모욕죄를 구성하는 경우, 위 고소는 모욕죄에 대한 고소로서의 효력을 갖는다.

② 고소인이 사건 당일 범죄사실을 신고하면서 현장에 출동한 경찰관에게 고소장을 교부한 경우, 경찰서에 도착하여 최종적으로 고소장을 접수시키지 아니하기로 결심하고 고소장을 반환받았더라도, 고소장이 수사기관에 적법하게 수리되어 고소의 효력이 발생되었다고 할 수 있다.

③ 피해자의 법정대리인은 피해자의 고소권 소멸 여부에 관계없이 고소할 수 있고, 이러한 고소권은 피해자의 명시한 의사에 반하여도 행사할 수 있다.

④ 형사소송법 제236조(대리고소)에 의하면 고소 또는 그 취소는 대리인으로 하여금 하게 할 수 있는데, 이와 같은 대리인에 의한 고소의 경우, 고소기간은 대리고소인이 아니라 정당한 고소권자를 기준으로 고소권자가 범인을 알게 된 날부터 기산한다.

해설 ① 대판 1981.6.23, 81도1250
② 고소인이 사건 당일 범죄사실을 신고하면서 현장에 출동한 경찰관에게 고소장을 교부한 경우, 경찰서에 도착하여 최종적으로 고소장을 접수시키지 아니하기로 결심하고 고소장을 반환받은 것이라면 고소장이 수사기관에 적법하게 수리되어 고소의 효력이 발생되었다고 할 수 없다(대판 2008.11.27, 2007도4977).
③ 대판 1999.12.24, 99도3784
④ 대판 2001.9.4, 2001도3081

05 다음 설명 중 옳은 것은 모두 몇 개인가?(다툼이 있는 경우 판례에 의함) 23. 경찰간부

㉠ 甲이 자신의 친구 乙과 함께 다른 도시에 살고 있는 甲의 삼촌 A의 물건을 절취한 경우, A가 乙에 대해서만 고소를 하였다면, 그 고소의 효력은 甲에게도 미친다.
㉡ 甲이 제1심 법원에서 소송촉진 등에 관한 특례법에 따라 甲의 진술없이 A에 대한 폭행죄로 유죄를 선고받고 확정된 후 적법하게 제1심 법원에 재심을 청구하여 재심개시결정이 내려졌다면 A는 그 재심의 제1심 판결 선고 전까지 처벌희망의사표시를 철회할 수 없으나, 甲이 재심을 청구하는 대신 항소권회복청구를 함으로써 항소심재판을 받게 되었다면 그 항소심 절차에서는 처벌희망의사표시를 철회할 수 있다.
㉢ 수개의 범칙사실 중 일부만을 범칙사건으로 하는 고발이 있는 경우에 고발장에 기재된 범칙사실과 동일성이 인정되지 않는 다른 범칙사실에 대해서는 고발의 효력이 미치지 아니한다.
㉣ 甲과 乙이 공모하여 A에 대하여 사실적시에 의한 명예훼손을 한 혐의로 공소제기 되었으나 A가 甲에 대하여만 처벌불원의 의사를 표시하였다면, 법원은 A의 이러한 의사에 기하여 乙에 대하여 공소기각판결을 선고해서는 안 된다.

① 1개 ② 2개 ③ 3개 ④ 4개

Answer 4. ② 5. ②

| 해설 ㉠ ×: 甲의 범죄는 상대적 친고죄에 해당한다(형법 제328조 제2항). 상대적 친고죄에서 공범 중 일부만 피해자와 일정한 신분관계가 있는 경우 비신분자에 대한 고소나 고소취소의 효력은 신분관계에 있는 공범자에 대하여 미치지 아니한다(형법 제328조 제3항).

참고판례: 상대적 친고죄의 경우 신분자에 대한 고소취소는 비신분자에게 효력이 없다(대판 1964.12.15, 64도481).

㉡ ×: 피고인이 제1심 법원에 소송촉진법 제23조의2에 따른 재심을 청구하는 대신 항소권회복청구를 함으로써 항소심 재판을 받게 되었다면 항소심을 제1심이라고 할 수 없는 이상 항소심 절차에서는 처벌을 희망하는 의사표시를 철회할 수 없다(대판 2016.11.25, 2016도9470).

㉢ ○: 대판 2014.10.15, 2013도5650

㉣ ○: 명예훼손죄는 반의사불벌죄인데, 반의사불벌죄에는 고소의 주관적 불가분의 원칙이 적용되지 않는다.

참고판례: 대판 1994.4.26, 93도1689

06 고소에 대한 설명으로 가장 적절한 것은?(다툼이 있는 경우 판례에 의함) 23. 경찰승진

① 형사소송법 제236조의 대리인에 의한 고소의 경우, 대리권이 정당한 고소권자에 의하여 수여되었음이 실질적으로 증명되면 충분하고 그 방식에 특별한 제한은 없지만, 고소를 할 때 반드시 위임장을 제출하거나 '대리'라는 표시를 하여야 한다.

② 피해자가 경찰청 홈페이지에 '피고인을 철저히 조사해 달라'는 취지의 신고민원을 접수하는 형태로 피고인에 대한 조사를 촉구하는 의사표시를 한 것은 적법한 고소에 해당한다.

③ 수사기관이 고소권자를 증인 또는 피해자로서 신문한 경우에 그 진술에 범인의 처벌을 요구하는 의사표시가 포함되어 있고 그 의사표시가 조서에 기재되면 고소는 적법하게 이루어진 것이다.

④ 고소능력은 피해를 입은 사실을 이해하고 고소에 따른 사회생활상의 이해관계를 알아차릴 수 있는 사실상의 의사능력으로 충분하지만, 민법상 행위능력이 없는 사람은 위와 같은 능력을 갖추었더라도 고소능력이 인정되지 않는다.

| 해설 ① 형사소송법 제236조의 대리인에 의한 고소의 경우, 대리권이 정당한 고소권자에 의하여 수여되었음이 실질적으로 증명되면 충분하고, 그 방식에 특별한 제한은 없으므로, 고소를 할 때 반드시 위임장을 제출한다거나 '대리'라는 표시를 하여야 하는 것은 아니다(대판 2001.9.4, 2001도3081).

② 피해자가 경찰청 인터넷 홈페이지를 통해 이 사건 신고민원을 접수한 것은 형사소송법에 따른 적법한 고소가 아니다(대판 2012.2.23, 2010도9524).

③ 대판 1996.1.31, 65도1089

④ 고소능력은 피해를 입은 사실을 이해하고 고소에 따른 사회생활상의 이해관계를 알아차릴 수 있는 사실상의 의사능력으로 충분하므로, 민법상 행위능력이 없는 자라도 위와 같은 능력을 갖추었다면 고소능력이 인정된다(대판 2011.6.24, 2011도4451).

Answer 6. ③

07 **고소에 관한 다음 설명 중 가장 옳지 않은 것은?**(다툼이 있는 경우 판례에 의하고, 전원합의체 판결의 경우 다수의견에 의함) 23. 9급 법원직

① 법원이 선임한 부재자 재산관리인이 그 관리대상인 부재자의 재산에 대한 범죄행위에 관하여 법원으로부터 고소권 행사에 관한 허가를 얻은 경우 부재자 재산관리인은 형사소송법 제225조 제1항에서 정한 법정대리인으로서 적법한 고소권자에 해당한다고 보아야 한다.

② 법원은 고소권자가 비친고죄로 고소한 사건이더라도 검사가 사건을 친고죄로 구성하여 공소를 제기하였다면 공소장 변경절차를 거쳐 공소사실이 비친고죄로 변경되지 아니하는 한, 법원으로서는 친고죄에서 소송조건이 되는 고소가 유효하게 존재하는지를 직권으로 조사·심리하여야 한다.

③ 고소는 제1심판결 선고 전까지 취소할 수 있으나, 항소심에서 공소장의 변경에 의하여 또는 공소장변경절차를 거치지 아니하고 법원 직권에 의하여 친고죄가 아닌 범죄를 친고죄로 인정하였다면, 항소심이 실질적으로 제1심이라 할 것이므로, 항소심에서 고소인이 고소를 취소하였다면 이는 친고죄에 대한 고소취소로서의 효력이 있다.

④ 고소의 취소나 처벌을 희망하는 의사표시의 철회는 수사기관 또는 법원에 대한 법률행위적 소송행위이므로 공소제기 전에는 고소사건을 담당하는 수사기관에, 공소제기 후에는 고소사건의 수소법원에 대하여 이루어져야 한다.

해설 ① 대판 2022.5.26, 2021도2488 ② 대판 2015.11.17, 2013도7987
③ 항소심을 제1심이라 할 수는 없는 것이므로 항소심에 이르러 비로소 고소인이 고소를 취소하였다면 이는 친고죄에 대한 고소취소로서의 효력은 없다고 할 것이다(대판 1999.4.15, 96도1922 전원합의체).
④ 대판 2012.2.23, 2011도17264

08 **고소에 관한 설명으로 옳은 것을 모두 고른 것은?**(다툼이 있는 경우 판례에 의함) 24. 경찰간부

㉠ 고소는 어떤 범죄사실 등이 구체적으로 특정되어야 하는데, 그 특정의 정도는 범인의 동일성을 식별할 수 있을 정도로 인식하면 족하고 범인의 성명이 불명 또는 오기가 있었다거나, 범행일시·장소·방법 등이 명확하지 않거나 틀리는 것이 있다고 하더라도 고소의 효력에는 영향이 없다.

㉡ 법원이 선임한 부재자 재산관리인은 관리대상 재산에 관한 범죄행위에 대하여 법원으로부터 고소권행사 허가를 받은 경우, 독립하여 고소권을 가지는 법정대리인에 해당한다.

㉢ 고소조서는 반드시 독립된 조서일 필요가 없으므로 참고인으로 조사하는 과정에서 고소권자가 처벌을 희망하는 의사표시를 하고 그 의사표시가 참고인진술조서에 기재된 경우에도 고소는 유효하나, 다만 그러한 의사표시가 사법경찰관의 질문에 답하는 형식으로 이루어진 것은 유효하지 않다.

㉣ 친고죄 피해자 A의 법정대리인 甲의 고소기간은 甲이 범인을 알게 된 날로부터 진행하고, A가 변호사 乙을 선임하여 乙이 고소를 제기한 경우에는 乙이 범인을 알게 된 날부터 고소기간이 기산된다.

Answer 7. ③ 8. ①

> ㉤ 관련 민사사건에서 제1심판결 선고 전에 '이 사건과 관련하여 서로 상대방에 대하여 제기한 형사 고소 사건의 일체를 모두 취하한다'는 내용이 포함된 조정이 성립되었다면, 조정성립 후 고소인이 제1심 법정에서 여전히 피고인의 처벌을 원한다는 취지로 진술하더라도 고소를 취소한 것으로 볼 수 있다.

① ㉠, ㉡ ② ㉠, ㉡, ㉢ ③ ㉢, ㉣, ㉤ ④ ㉠, ㉡, ㉣, ㉤

| 해설 ㉠ ○ : 대판 1984.10.23, 84도1704
㉡ ○ : 대판 2022.5.26, 2021도2488
㉢ × : 그 조서는 반드시 독립된 조서가 아니라 하여도 수사기관이 고소권자를 증인 또는 피해자로서 신문한 경우에 그 진술에서 범인의 처벌을 요구하는 의사표시를 하고 그 의사표시를 그 조서에 기재하였을 경우에는 고소요건은 구비하였다고 해석하여야 할 것이다(대판 1966.1.31, 65도1089).
㉣ × : 법정대리인의 고소기간은 법정대리인 자신이 범인을 알게 된 날로부터 진행하며(대판 1987.6.9, 87도857), 대리고소인이 한 고소기간은 정당한 고소권자를 기준으로 고소권자가 범인을 알게 된 날부터 기산한다(대판 2001.9.4, 2001도3081).
㉤ × : '이 사건과 관련하여 서로 상대방에 대하여 제기한 형사 고소 사건 일체를 모두 취하한다'는 내용이 포함된 조정이 성립된 것만으로는 고소 취소나 처벌불원의 의사표시를 한 것으로 보기 어렵다(대판 2004.3.25, 2003도8136).

09 고소에 관한 설명으로 가장 적절하지 않은 것은?(다툼이 있는 경우 판례에 의함) 24. 경찰승진

① 법원이 선임한 부재자 재산관리인이 그 관리대상인 부재자의 재산에 대한 범죄행위에 관하여 법원으로부터 고소권 행사에 관한 허가를 얻은 경우, 부재자 재산관리인은 형사소송법 제225조 제1항에서 정한 법정대리인으로서 적법한 고소권자에 해당한다.

② 고소권자가 비친고죄로 고소한 사건이더라도 검사가 사건을 친고죄로 구성하여 공소를 제기하였다면 공소장 변경절차를 거쳐 공소사실이 비친고죄로 변경되지 아니하는 한, 법원으로서는 친고죄에서 소송조건이 되는 고소가 유효하게 존재하는지를 직권으로 조사・심리하여야 한다.

③ 고소의 취소는 수사기관 또는 법원에 대한 법률행위적 소송행위이므로 공소제기 전에는 고소사건을 담당하는 수사기관에 공소제기 후에는 고소사건의 수소법원에 대하여 이루어져야 한다.

④ 형사소송법이 고소 및 고소취소에 대하여 대리를 허용하는 규정을 두면서도 처벌불원의사에 대하여는 이에 관한 규정을 두지 않은 것은 해석에 의한 보충이 필요한 입법의 불비이자 법률의 흠결에 해당한다.

| 해설 ① 대판 2022.5.26, 2021도2488 ② 대판 2015.11.17, 2013도7987 ③ 대판 2012.2.23, 2011도17264
④ 형사소송법이 친고죄와 달리 반의사불벌죄에 관하여 고소취소의 시한과 재고소의 금지에 관한 규정을 준용하는 규정 외에 다른 근거규정이나 준용규정을 두지 않은 것은 이러한 반의사불벌죄의 특성을 고려하여 고소 및 고소취소에 관한 규정에서 규율하는 법원칙을 반의사불벌죄의 처벌불원의사에 대하여는 적용하지 않겠다는 입법적 결단으로 이해하여야 한다(대판 2023.7.17, 2021도11126 전원합의체).

Answer 9. ④

THEMA 30

고발에 관한 설명 중 가장 적절하지 않은 것은?(다툼이 있으면 판례에 의함)

① 고발이란 고소권자와 범인 이외의 제3자가 수사기관에 대해 범죄사실을 신고하여 범인의 처벌을 희망하는 의사표시를 말한다.

② 대리인에 의한 고발은 허용되지 않고, 고발기간의 제한이 없으며, 고발을 취소한 후에도 다시 고발을 할 수 있다.

③ 사법경찰관이 고소·고발을 받은 때에는 신속히 조사하여 관계서류와 증거물을 검사에게 송부하여야 한다.

④ 고발인이 농지전용행위를 한 사람을 甲으로 잘못 알고 甲을 피고발인으로 하여 고발하였으나, 乙이 농지전용행위를 한 이상 乙에 대하여는 고발의 효력이 미치지 않는다.

| 해설

① 고발이란 고소권자와 범인 이외의 제3자가 범죄사실을 수사기관에 고하여 그 소추를 촉구하는 것으로서 범인을 지정할 필요가 없으며, 지정한 범인이 진범인이 아니더라도 고발의 효력에는 영향이 없다.

② 고발의 방식·절차는 고소의 경우에 준한다(제237조, 제238조, 제239조). 다만, 대리인에 의한 고발이 허용되지 않고, 고발기간의 제한이 없으며, 고발을 취소한 후에도 다시 고발을 할 수 있다는 점이 고소와 다르다.

③ 제238조

④ 고발인이 농지전용행위를 한 사람을 甲으로 잘못 알고 甲을 피고발인으로 하여 고발하였다고 하더라도 乙이 농지전용행위를 한 이상 乙에 대하여도 고발의 효력이 미친다(대판 1994.6.15, 94도458).

» ④

01 **고발과 관련하여 가장 옳지 않은 것은?**(다툼이 있으면 판례에 의함) 11. 경찰승진

① 즉시고발의 경우 고발은 소송조건으로서의 성질을 갖는다.

② 즉시고발의 경우 피고발인 1인에 대한 고발의 효력은 그 피고발인에 대하여만 미칠 뿐이고 다른 공범자에게는 미치지 않는다.

③ 고발은 자기 또는 배우자의 직계존속에 대하여도 가능하다.

④ 공무원이라도 직무집행과 관련 없이 우연히 발견한 범죄까지 고발할 의무가 있는 것은 아니다.

| 해설 ③ 자기 또는 배우자의 직계존속에 대해서는 고발하지 못한다(제224조, 제235조).
④ 공무원은 그 직무를 행함에 있어 범죄가 있다고 사료된 때에는 고발하여야 한다(제234조 제2항). 그러나 직무집행과 관련 없이 우연히 발견한 범죄까지 고발의무가 있는 것은 아니다. 고발의무자로서 공무원은 수사기관은 포함되지 아니한다(수사기관은 범죄혐의를 발견하면 바로 수사를 개시하여야 하기 때문).

Answer 1. ③

02 **전속고발에 대한 설명으로 가장 적절하지 않은 것은?**(다툼이 있는 경우 판례에 의함)

21. 순경 1차

① 공정거래위원회의 고발이 있어야 공소를 제기할 수 있는 독점규제 및 공정거래에 관한 법률 위반죄를 적용하여 위반행위자들 중 일부에 대하여 공정거래위원회가 고발을 하였다면 나머지 위반행위자에 대하여도 위 고발의 효력이 미친다.

② 전속고발사건에 있어서 수사기관이 고발에 앞서 수사를 하고 甲에 대한 구속영장을 발부받은 후 검찰의 요청에 따라 관계 공무원이 고발조치를 하였다고 하더라도 공소제기 전에 고발이 있은 이상 甲에 대한 공소제기의 절차가 법률의 규정에 위반하여 무효라고 할 수는 없다.

③ 세무공무원 등의 고발이 있어야 공소를 제기할 수 있는 조세범처벌법 위반죄에 관하여 일단 불기소처분이 있었더라도 세무공무원 등이 종전에 한 고발은 여전히 유효하고, 따라서 나중에 공소를 제기함에 있어 세무공무원 등의 새로운 고발이 있어야 하는 것이 아니다.

④ 공정거래위원회가 사업자에게 독점규제 및 공정거래에 관한 법률의 규정을 위반한 혐의가 있다고 인정하여 동법 제71조에 따라 사업자를 고발하였다면, 법원이 본안에 대하여 심판한 결과 위반되는 혐의 사실이 인정되지 아니하더라도 이러한 사정만으로는 그 고발을 기초로 이루어진 공소제기 등 형사절차의 효력에 영향을 미치지 아니한다.

| 해설 ① 형사소송법 제233조가 공정거래위원회의 고발에도 유추적용된다고 해석한다면 이는 공정거래위원회의 고발이 없는 행위자에 대해서까지 형사처벌의 범위를 확장하는 것으로서, 결국 피고인에게 불리하게 형벌법규의 문언을 유추해석한 경우에 해당하므로 죄형법정주의에 반하여 허용될 수 없다(대판 2010.9.30, 2008도4762). 따라서 위반행위자들 중 일부에 대하여 공정거래위원회가 고발을 하였다면 나머지 위반행위자에 대하여는 위 고발의 효력이 미치지 아니한다.

② 대판 1995.3.10, 94도3373

③ 대판 2009.10.29, 2009도6614

④ 대판 2015.9.10, 2015도3926

03 **고발과 관련한 판례의 내용으로 옳지 않은 것은?**

① 출입국관리법 위반으로 기소된 사안에서, 당초 위 사건을 입건한 지방경찰청이 관할 출입국관리사무소장 고발 없이 수사를 하였다는 것만으로는 지방경찰청 및 검찰의 수사가 위법하다거나 공소제기절차가 법률의 규정에 위배되어 무효인 때에 해당하지 않는다.

② 동일한 부가가치세의 과세기간 내에 행하여진 조세포탈기간이나 포탈액수의 일부에 대한 조세포탈죄의 고발이 있는 경우 그 고발의 효력은 그 과세기간 내의 조세포탈기간 및 포탈액수 전부에 미친다.

③ 고발하였다는 사실이 주위에 알려진 경우라면 그 고발사실 자체만으로 고발인의 사회적 가치나 평가가 침해될 가능성이 있다고 볼 수 있다.

Answer 2. ① 3. ③

④ 세무서에서 근무하는 공무원이 그 관할 검찰청 검사장으로부터 범칙사건을 조사할 수 있는 자로 지명을 받지 않은 경우, 조세범처벌절차법에 따른 통고처분이나 고발을 할 권한이 없다.

| 해설 ① 대판 2011.3.10, 2008도7724
② 대판 2009.7.23, 2009도3282
③ 고발하였다는 사실이 주위에 알려졌다고 하여 그 고발사실 자체만으로 고발인의 사회적 가치나 평가가 침해될 가능성이 있다고 볼 수는 없다. 다만, 그 고발의 동기나 경위가 불순하다거나 온당하지 못하다는 등의 사정이 함께 알려진 경우에는 고발인의 명예가 침해될 가능성이 있다(대판 2009.9.24, 2009도6687).
④ 대판 1997.4.11, 96도2753

04 **고발에 관한 다음 설명 중 틀린 것은 모두 몇 개인가?**(판례에 의함)

㉠ 조세범칙사건에 대하여 관계 세무공무원의 즉시고발이 있으면 그로써 소추의 요건은 충족되는 것이나, 법원은 본안에 대하여 심판뿐만 아니라 필요하다면 즉시고발 사유에 대하여도 심사할 수 있다.
㉡ 통고처분을 할 것인지의 여부는 관세청장 또는 세관장의 재량에 맡겨져 있고, 따라서 관세청장 또는 세관장이 관세범에 대하여 통고처분을 하지 아니한 채 고발하였다는 것만으로는 그 고발 및 이에 기한 공소의 제기가 부적법하게 되는 것은 아니다.
㉢ 피고발인을 법인으로 명시한 다음, 법인의 등록번호와 대표자의 인적 사항을 기재한 고발장의 표시를 자연인인 개인까지를 피고발자로 표시한 것이라고 볼 수 있다.
㉣ 조세범처벌법 위반 사건에 대한 세무공무원의 고발취소는 제1심판결 선고 전에 한하여 취소할 수 있다.
㉤ 조세범칙행위에 대하여 고발을 한 후에 통고처분을 하였다면 그 통고처분은 효력이 없다.
㉥ 출입국사범 사건에서 지방출입국관서의 장의 적법한 고발이 있었는지 여부가 문제 되는 경우는 자유로운 증명으로 그 고발 유무를 판단하면 된다.

① 1개 ② 2개 ③ 3개 ④ 4개

| 해설 ㉠ ×: 조세범칙사건에 대하여 관계 세무공무원의 즉시고발이 있으면 그로써 소추의 요건은 충족되는 것이고, 법원은 본안에 대하여 심판하면 되는 것이지 즉시고발 사유에 대하여 심사할 수 없다(대판 2014.10.15, 2013도5650).
㉡ ○: 대판 2007.5.11, 2006도1993
㉢ ×: 고발에 있어서는 고소불가분의 원칙이 적용되지 아니하므로, 고발의 구비 여부는 양벌규정에 의하여 처벌받는 자연인인 행위자와 법인에 대하여 개별적으로 논하여야 한다. 따라서 피고발인을 법인으로 명시한 다음, 법인의 등록번호와 대표자의 인적 사항을 기재한 고발장의 표시를 자연인인 개인까지를 피고발자로 표시한 것이라고 볼 수는 없다(대판 2004.9.24, 2004도4066).
㉣ ○: 대판 1957.3.29, 4290형상58
㉤ ○: 대판 2016.9.28, 2014도10748
㉥ ○: 대판 2021.10.28, 2021도404

Answer 4.②

05 **2018. 1. 1.부터 2020. 12. 31.까지 사업자 甲은 다른 사업자 乙, 丙과 함께 독점규제 및 공정거래에 관한 법률**(이하 '공정거래법'이라고 한다)**에서 금지하고 있는 부당한 공동행위를 하였는데, 2021. 5. 1. 공정거래위원회는 이를 인지하여 조사한 후 甲만을 검찰에 고발하고, 乙과 丙에 대하여는 시정조치를 명하였다. 참고로 공정거래법상 부당한 공동행위를 할 경우에는 공정거래위원회의 고발이 있어야 공소를 제기할 수 있다. 이에 대한 설명으로 옳은 것은 모두 몇 개인가?**(다툼이 있는 경우 판례에 의함) 24. 경찰승진

> ㉠ 甲에 대한 공정거래위원회의 고발이 있기 전에 수사기관이 甲에 대한 공정거래법 위반 혐의를 수사하였다면 그 수사는 위법하다.
> ㉡ 공정거래위원회의 甲에 대한 고발은 친고죄에 관한 고소의 주관적 불가분 원칙을 규정한 형사소송법 제233조의 준용에 의하여 乙, 丙에 대하여도 그 효력이 발생한다.
> ㉢ 검사가 2021. 5. 20. 甲에 대하여 불기소처분을 한 이후 甲이 2022년도에 다시 공정거래법상 금지되고 있는 부당한 공동행위를 한 경우, 만약 공정거래위원회가 甲의 2022년도 위반행위에 대하여만 검찰에 고발하였더라도 甲의 2020년도 위반행위에 대하여 공소를 제기할 수 있다.
> ㉣ 공정거래위원회가 甲에게 공정거래법의 규정을 위반한 혐의가 있다고 인정하여 공정거래법에 따라 甲을 고발하였더라도, 해당 혐의에 관한 공정거래위원회의 처분이 위법하여 행정소송에서 취소된다면 공정거래위원회의 고발을 기초로 이루어진 공소제기의 효력이 부정된다.

① 1개 ② 2개 ③ 3개 ④ 4개

| 해설 ㉠ × : 고소나 고발이 있기 전에 수사를 하였다고 하더라도, 그 수사가 장차 고소나 고발이 있을 가능성이 없는 상태하에서 행해졌다는 등의 특단의 사정이 없는 한, 고소나 고발이 있기 전에 수사를 하였다는 이유만으로 그 수사가 위법하게 되는 것은 아니다(대판 1995.2.24, 94도252).
㉡ × : 공정거래위원회가 법 위반행위자 중 일부에 대하여만 고발을 한 경우에 그 고발의 효력이 나머지 법 위반행위자에게도 미치는지 여부, 즉 고발의 주관적 불가분원칙의 적용 여부에 관하여는 명시적으로 규정하고 있지 아니하고, 형사소송법도 제233조에서 친고죄에 관한 고소의 주관적 불가분원칙을 규정하고 있을 뿐 고발에 대하여 그 주관적 불가분의 원칙에 관한 규정을 두고 있지 않고 또한 형사소송법 제233조를 준용하고 있지도 아니하다. 따라서 공정거래위원회의 甲에 대한 고발은 乙, 丙에 대하여 그 효력이 발생하지 아니한다(대판 2010.9.30, 2008도4762).
㉢ ○ : 대판 2009.10.29, 2009도6614
㉣ × : 법원이 본안에 대하여 심판한 결과 공정거래법의 규정에 위반되는 혐의 사실이 인정되지 아니하거나 그 위반 혐의에 관한 공정거래위원회의 처분이 위법하여 행정소송에서 취소된다 하더라도 이러한 사정만으로는 그 고발을 기초로 이루어진 공소제기 등 형사절차의 효력에 영향을 미치지 아니한다(대판 2015.9.10, 2015도3926).

Answer 5. ①

02

THEMA 31 고소와 고발

구 분	고 소	고 발
의 의	범죄의 피해자 또는 고소권자가 수사기관에 대하여 범죄사실을 신고하여 범인의 처벌을 구하는 의사표시(예 수사의 단서, 친고죄의 경우 소송조건)	고소권자 및 범인 이외의 사람이 수사기관에 대하여 범죄사실을 신고하여 그 소추를 구하는 의사표시로 고발은 수사단서에 불과하나 예외적으로 소송조건으로 되는 경우가 있다(예 관세범 사건은 세관장 고발이 있어야 검사가 공소제기 가능).
주 체	고소권자	제3자
대 리	허 용	불허용
기 간	범인을 안 날로부터 6월	무제한
취 소	제1심판결 선고 전까지	무제한
취소 후 재고소·재고발	불허용	허 용
직계존속	불허용	불허용
방 식	서면 또는 구술	서면 또는 구술

01 고소와 고발의 이동에 관한 설명으로 틀린 것은?

① 양자는 일반적으로 수사의 단서가 됨에 불과하나 예외로 소송조건이 되는 경우가 있다.
② 고소는 제1심판결 선고 후에는 취소할 수 없지만 고발에는 이러한 제한이 없다.
③ 고소권자에는 일정한 제한이 있으나, 고발은 누구든지 범죄가 있다고 사료되는 때에는 할 수 있다.
④ 양자는 취소하면 다시 할 수 없는 점에서 같다.

해설 ① 고소나 고발은 수사의 단서에 불과하나, 친고죄의 고소, 즉시고발사건 등은 고소나 고발이 예외적으로 소송조건이 된다.
② 고발의 경우는 제한이 없다. 다만, 조세범처벌법 위반 사건과 관련하여 세무공무원의 고발취소는 제1심판결 선고 전에 한하여 취소할 수 있다(대판 1957.3.29, 4290형상58).
④ 고발의 취소 후에도 다시 고발을 할 수 있다는 점은 고소와 다르다.

Answer 1.④

02 **고소 · 고발에 관한 설명 중 가장 적절하지 않은 것은?**(다툼이 있는 경우 판례에 의함)

14. 경찰승진

① 고소불가분의 원칙은 친고죄뿐만 아니라 반의사불벌죄의 공범자 사이에도 적용된다.
② 즉시고발의 경우 피고발인 1인에 대한 고발의 효력은 그 피고발인에 대하여만 미칠 뿐이고 다른 공범자에게는 미치지 않는다.
③ 고발의 경우 자기 또는 배우자의 직계존속을 고발하지 못한다.
④ 고발은 대리가 허용되지 않는다.

| 해설 ① 고소불가분의 원칙은 친고죄에서 적용되며, 반의사불벌죄의 공범자 사이에는 적용되지 않는다(대판 1994.4.26, 93도1689).
② 대판 2010.9.30, 2008도4762
③ 제235조
④ 고발은 누구든지 할 수 있으므로 성질상 대리인에 의한 고발이 인정될 수 없다.

03 **고소와 고발에 대한 다음 설명 중 적절하지 않은 것은 모두 몇 개인가?**(다툼이 있는 경우 판례에 의함)

21. 경찰승진

㉠ 성폭력범죄의 처벌 등에 관한 특례법 제27조에 따라 성폭력범죄 피해자의 변호사는 피해자를 대리하여 피고인에 대한 처벌을 희망하는 의사표시를 철회하거나 처벌을 희망하지 않는 의사표시를 할 수 있다.
㉡ 세무공무원 등의 고발에 따른 조세범처벌법 위반 사건에 대하여 검사가 불기소처분을 하였다가 나중에 공소를 제기하는 경우에는 세무공무원 등의 새로운 고발이 있어야 한다.
㉢ 조세범처벌법상 수개의 범칙사실 중 일부만을 범칙사건으로 하는 고발이 있는 경우에 고발장에 기재된 범칙사실과 동일성이 인정되지 않는 다른 범칙사실에 대해서는 고발의 효력이 미치지 않는다.
㉣ 피해자가 반의사불벌죄의 공범 중 1인에 대하여 처벌을 희망하는 의사표시를 철회한 경우, 그 철회의 효력은 다른 공범자에 대해서도 미친다.

① 1개 ② 2개 ③ 3개 ④ 4개

| 해설 ㉠ ○ : 대판 2019.12.13, 2019도10678
㉡ × : 세무공무원 등의 고발에 따른 조세범처벌법 위반 사건에 대하여 검사가 불기소처분을 하였다가 나중에 공소를 제기하는 경우에도 세무공무원 등의 새로운 고발은 불필요하다(대판 2009.10.29, 2009도6614).
㉢ ○ : 대판 2014.10.15, 2013도5650
㉣ × : 피해자가 반의사불벌죄의 공범 중 1인에 대하여 처벌을 희망하는 의사표시를 철회한 경우, 그 철회의 효력은 다른 공범자에 대해서는 미치지 아니한다(대판 1994.4.26, 93도1689).

Answer 2. ① 3. ②

04 **다음 설명 중 가장 적절하지 않은 것은?**(다툼이 있는 경우 판례에 의함) 21. 순경 2차

① 반의사불벌죄에서 피고인 또는 피의자의 처벌을 희망하지 않는다는 의사표시 또는 처벌희망 의사표시 철회의 유무나 그 효력 여부에 관한 사실은 엄격한 증명의 대상이 아니라 자유로운 증명의 대상이다.

② 반의사불벌죄에 있어서 처벌불원의 의사표시의 부존재는 소극적 소송조건으로서 직권조사사항이므로 당사자가 항소이유로 주장하지 아니하더라도 항소심은 이를 직권으로 조사・판단하여야 한다.

③ 형사소송법은 형사소추권의 발동 여부를 사인(私人)인 피해자의 의사에 맡겨 장기간 불확정한 상태에 두어 생기는 폐단을 막기 위해서 친고죄에 대하여 고소기간을 범인을 알게 된 날부터 6월로 제한하고 있으며, 이는 소추조건인 고발에도 적용된다.

④ 고소권자가 비친고죄로 고소한 사건을 검사가 친고죄로 구성하여 공소를 제기하였다면 공소장 변경절차를 거쳐 공소사실이 비친고죄로 변경되지 아니하는 한, 법원은 친고죄에서 소송조건이 되는 고소가 유효하게 존재하는지를 직권으로 조사・심리하여야 한다.

| 해설 ① 대판 2010.10.14, 2010도5610 ② 대판 2009.12.10, 2009도9939
③ 친고죄처럼 소추조건에 해당하는 고발(전속적 고발)일지라도 고발은 그 시기의 제한은 없다.
④ 대판 2015.11.17, 2013도7987

05 **고소와 고발에 대한 설명으로 가장 적절하지 않은 것은?**(다툼이 있는 경우 판례에 의함) 22.경찰승진

① 고소능력은 피해를 받은 사실을 이해하고 고소에 따른 사회생활 상의 이해관계를 알아차릴 수 있는 사실상의 의사능력으로 충분하므로, 민법상의 행위능력이 없는 사람이라도 고소능력이 인정될 수 있다.

② 고소는 대리가 허용되지만, 고발은 대리가 허용되지 않는다.

③ 형사소송법 제225조 제1항이 규정하는 피해자의 법정대리인은 피해자 본인의 고소권이 소멸하더라도 고소권을 행사할 수 있으나, 피해자 본인의 명시한 의사에 반하여 이를 행사할 수는 없다.

④ 형사소송법 제230조 제1항 본문은 "친고죄에 대하여는 범인을 알게 된 날로부터 6월을 경과하면 고소하지 못한다."고 규정하고 있는바, 여기서 범인을 알게 된다 함은 통상인의 입장에서 보아 고소권자가 고소를 할 수 있을 정도로 범죄사실과 범인을 아는 것을 의미하고, 범죄사실을 안다는 것은 고소권자가 친고죄에 해당하는 범죄의 피해가 있었다는 사실관계에 관하여 확정적인 인식이 있음을 말한다.

| 해설 ① 대판 2011.6.24, 2011도4451 ② 제236조, 대판 1989.9.26, 88도1533
③ 형사소송법 제225조 제1항이 규정하는 피해자의 법정대리인은 피해자 본인의 고소권이 소멸하더라도 고소권을 행사할 수 있고, 피해자 본인의 명시한 의사에 반하여도 이를 행사할 수 있다(대판 1999.12.24, 99도3784). ④ 대판 2001.10.9, 2001도3106

Answer 4. ③ 5. ③

06 **고소와 고발에 대한 설명으로 옳은 것은?** 23. 7급 국가직

① 검사는 고소 또는 고발있는 사건에 관하여 공소를 제기하지 아니하는 처분을 한 경우에 고소인 또는 고발인의 청구가 있는 때에는 7일 이내에 고소인 또는 고발인에게 그 이유를 구두 또는 서면으로 설명하여야 한다.

② 수사기관은 고소장에 범죄사실로 기재된 내용이 불명확하고 특정되어 있지 않은 경우에도 고소의 수리를 거부하거나 진정으로 접수하여 처리할 수는 없다.

③ 법원이 선임한 부재자 재산관리인이 그 관리대상인 부재자의 재산에 대한 범죄행위에 관하여 법원으로부터 고소권행사에 관한 허가를 얻은 경우, 형사소송법 제225조 제1항에서 정한 법정대리인으로서의 적법한 고소권자에 해당한다.

④ 사법경찰관으로부터 불송치결정(형사소송법 제245조의 5 제2호)의 통지(형사소송법 제245조의 6)를 받은 고소인・고발인・피해자 또는 그 법정대리인은 해당 사법경찰관의 소속 관서의 장에게 이의를 신청할 수 있고, 사법경찰관은 그러한 신청이 있는 때에는 지체 없이 검사에게 사건을 송치하고 관계 서류와 증거물을 송부하여야 하며, 처리결과와 그 이유를 신청인에게 통지하여야 한다.

| 해설 ① 검사는 고소 또는 고발있는 사건에 관하여 공소를 제기하지 아니하는 처분을 한 경우에 고소인 또는 고발인의 청구가 있는 때에는 7일 이내에 고소인 또는 고발인에게 그 이유를 서면으로 설명하여야 한다(제259조).

② 검사는 고소 또는 고발사건으로 제출된 서류가 고소인 또는 고발인의 진술이나 고소장 또는 고발장에 따른 내용이 불분명하거나 구체적 사실이 적시되어 있지 않은 경우 이를 진정사건으로 수리할 수 있다(검찰사건사무규칙 제224조 제3항, 경찰수사규칙 제21조 제2항).

③ 대판 2022.5.26, 2021도2488

④ 사법경찰관으로부터 불송치통지를 받은 사람(고발인을 제외한다)은 해당 사법경찰관의 소속 관서의 장에게 이의를 신청할 수 있다(제245조의 7 제1항). 사법경찰관은 제1항의 신청이 있는 때에는 지체 없이 검사에게 사건을 송치하고 관계 서류와 증거물을 송부하여야 하며, 처리결과와 그 이유를 제1항의 신청인에게 통지하여야 한다(동법 제2항).

Answer 6. ③

07 고소·고발에 관한 설명으로 옳지 않은 것은 모두 몇 개인가?(다툼이 있는 경우 판례에 의함)

24. 순경 1차

> ㉠ 친고죄의 공범 중 그 1인 또는 수인에 대한 고소 또는 그 취소는 다른 공범자에 대하여도 효력이 있고, 여기의 공범에는 형법 총칙상의 공범뿐만 아니라 필요적 공범도 포함된다.
> ㉡ 조세범 처벌절차법에 따라 범칙사건에 대한 고발이 있는 경우 그 고발의 효력은 범칙사건에 관련된 범칙사실의 전부에 미치고 한 개의 범칙사실의 일부에 대한 고발은 그 전부에 대하여 효력이 생긴다.
> ㉢ 친고죄에 있어서 고소불가분의 원칙을 규정한 형사소송법 제233조는 반의사불벌죄에 관하여도 적용된다.
> ㉣ 고소인이 수사기관에서 조사를 받으면서 '법대로 처벌하되 관대한 처분을 바란다'는 취지로 한 진술은 고소의 취소라고 보기 어렵다.
> ㉤ 고소는 서면 또는 구술로 검사 또는 사법경찰관에게 하면 충분하므로, 경찰청 홈페이지에 '甲을 철저히 조사해 달라'는 취지의 민원을 접수한 것으로도 적법한 고소에 해당한다.

① 2개 ② 3개 ③ 4개 ④ 5개

| 해설 ㉠ ○ : 여기의 공범에는 형법 총칙상의 공범뿐만 아니라 필요적 공범도 포함된다.

㉡ ○ : 대판 2009.7.23, 2009도3282

㉢ × : 친고죄에 있어서 고소불가분의 원칙을 규정한 형사소송법 제233조는 반의사불벌죄에 관하여는 적용되지 아니한다(대판 1994.4.26, 93도1689).

㉣ ○ : 대판 1981.1.13, 80도2210

㉤ × : 피해자가 경찰청 인터넷 홈페이지에 '피고인을 철저히 조사해 달라'는 취지의 민원을 접수하는 형태로 피고인에 대한 조사를 촉구하는 의사표시를 한 것은 형사소송법에 따른 적법한 고소로 보기 어렵다(대판 2012.2.23, 2010도9524).

Answer 7. ①

THEMA 32 자 수

의 의	자수란 범인이 수사기관에 대하여 자신의 범죄사실을 신고하여 자신에 대한 처벌을 희망하는 의사표시를 말한다. ▶ 자수는 수사의 단서이면서 동시에 형법상 임의적 감면사유이다.
구별개념	자수는 수사기관에 대한 의사표시라는 점에서 반의사불벌죄의 경우 피해자에게 범죄사실을 알려서 용서를 구하는 자복과도 구별된다(자복은 임의적 감면사유라는 점에서 자수와 동일하므로 준자수라고도 함).
성 질	자수는 성질상 대리인에 의하여 할 수 없다. 그러나 범인이 부상이나 질병으로 인하여 타인에게 부탁하여 신고하는 것은 자수에 해당한다.
절 차	자수의 절차는 고소・고발의 방식에 관한 규정(제237조, 제238조)을 준용한다.

관련판례

1. 일단 자수가 성립한 이상 자수의 효력은 확정적으로 발생하고 그 후에 범인이 번복하여 수사기관이나 법정에서 범행을 부인한다고 하더라도 일단 발생한 자수의 효력이 소멸하는 것은 아니다(대판 1999.7.9, 99도1695). 10・15. 경찰승진
2. 신문지상에 혐의사실이 보도되기 시작하였는데도 자진출석하여 담당 검사에게 전화를 걸어 조사를 받게 해달라고 요청하여 출석시간을 지정받은 다음 자진출석하여 혐의사실을 모두 인정하는 내용의 진술서를 작성하고 검찰 수사과정에서 혐의사실을 모두 자백한 경우 피고인은 수사책임 있는 관서에 자기의 범죄사실을 자수한 것으로 보아야 하고 법정에서 수수한 금원의 직무관련성에 대하여만 수사기관에서의 자백과 차이가 나는 진술을 하였다 하더라도 자수의 효력에는 영향이 없다(대판 1994.9.9, 94도619). 11. 경찰승진
   ▶ **유사판례** : 범죄사실이 발각된 후에 신고하거나, 지명수배를 받은 후라 할지라도 체포 전에 자발적으로 신고한 이상 자수에 해당한다(대판 1968.7.30, 68도754).
3. 세관 검색시 금속탐지기에 의해 대마 휴대 사실이 발각될 상황에서 세관 검색원의 추궁에 의하여 대마 수입 범행을 시인한 경우, 자발성이 결여되어 자수에 해당하지 않는다(대판 1999.4.13, 98도4560). 11. 경찰승진
4. 법률상의 형의 감경사유가 되는 자수를 위하여는, 범인이 자기의 범행으로서 범죄성립요건을 갖춘 객관적 사실을 자발적으로 수사관서에 신고하여 그 처분에 맡기는 것으로 족하고, 더 나아가 법적으로 그 요건을 완전히 갖춘 범죄행위라고 적극적으로 인식하고 있을 필요까지는 없다(대판 1995.6.30, 94도1017). 10. 경찰승진
5. 뉘우침이 없는 자수는 자수라고 볼 수 없다(대판 1994.10.14, 94도2130). 10. 경찰승진
6. 범인이 수개의 범죄사실 중의 일부라도 수사기관에 자진 신고한 이상, 그 동기가 투명치 않고 그 후 공범을 두둔하더라도 그 자수한 부분 범죄사실에 대하여는 자수의 효력이 있다(대판 1969.7.22, 69도779). 10. 경찰승진
7. 제3자에게 자수의사를 전달하여 달라고 한 것만으로는 자수라고 할 수 없다(대판 1967.1.24, 66도1662). 03. 순경
8. 수사기관에의 신고가 자발적이라고 하더라도 그 신고의 내용이 자기의 범행을 명백히 부인하는 등의 내용으로 자기의 범행으로서 범죄성립요건을 갖추지 아니한 사실일 경우에는 자수는 성립하지 아니하고, 일단 자수가 성립하지 아니한 이상 그 이후의 수사과정이나 재판과정에서 범행을 시인하였다고 하더라도 이는 자백일뿐 새롭게 자수가 성립할 여지는 없다(대판 2011.12.22, 2011도12041).

9. 수사기관에 뇌물수수의 범죄사실을 자발적으로 신고하였으나 그 수뢰액을 실제보다 적게 신고함으로써 적용법조와 법정형이 달라지게 된 경우, 자수의 성립을 인정할 수 없다(대판 2004.6.24, 2004도2003). – 적게 신고한 부분까지도 자수효력 부정
10. 피고인이 자수하였다 하더라도 자수한 자에 대하여는 법원이 임의로 형을 감경할 수 있음에 불과한 것으로서 원심이 자수감경을 하지 아니하였다거나 자수감경 주장에 대하여 판단을 하지 아니하였다 하여 위법하다고 할 수 없다(대판 2004.6.11, 2004도2018). 19. 9급 검찰·마약·교정·보호·철도경찰
11. 법인의 직원 또는 사용인이 위반행위를 하여 양벌규정에 의하여 법인이 처벌받는 경우, 법인에게 자수감경에 관한 형법 제52조 제1항의 규정을 적용하기 위하여는 법인의 이사 기타 대표자가 수사책임이 있는 관서에 자수한 경우에 한하고, 그 위반행위를 한 직원 또는 사용인이 자수한 것만으로는 위 규정에 의하여 형을 감경할 수 없다(대판 1995.7.25, 95도391).
12. 범죄사실을 신고하는 한 범죄사실의 세부에 다소 차이가 있어도 관계가 없다(대판 1969.4.29, 68도1780).
13. 신고하는 방법에는 제한이 없으므로 3자를 통하여 자수를 할 수 있다(대판 1964.8.31, 64도252).

01 **자수·자복·자백에 관한 설명 중 틀린 것은?**(판례에 의함)

① 자수·자복은 형의 임의적 감면사유로 형법상 규정이 있다.

② 수사기관의 직무상의 질문 또는 조사에 응하여 범죄사실을 진술하는 것은 자백일 뿐 자수가 되는 것은 아니다.

③ 경찰관에게 검거되기 전에 친지에게 전화로 자수의사를 전달하였다면 이는 자수에 해당한다.

④ 범죄사실과 범인이 누구인가가 발각된 후라 하더라도 범인이 자발적으로 자기의 범죄사실을 수사기관에 신고한 경우 이는 자수에 해당한다.

해설 ① 형법 제52조 제1항·제2항

② 자수라 함은 범인이 스스로 수사책임이 있는 관서에 자기의 범행을 자발적으로 신고하고 그 처분을 구하는 의사표시를 말하고, 가령 수사기관의 직무상의 질문 또는 조사에 응하여 범죄사실을 진술하는 것은 자백일 뿐 자수로는 되지 않는다(대판 1992.8.14, 92도962).

③ 경찰관에게 검거되기 전에 친지에게 전화로 자수의사를 전달하였더라도 그것만으로는 자수로 볼 수 없다(대판 1985.9.24, 85도1489).

④ 범죄사실과 범인이 누구인가가 발각된 후라 하더라도 범인이 자발적으로 자기의 범죄사실을 수사기관에 신고한 경우에는 이를 자수로 보아야 한다(대판 1965.10.5, 65도597).

Answer 1. ③

02 자수에 대한 설명으로 옳은 것은?(다툼이 있는 경우 판례에 의함)

19. 9급 검찰 · 마약 · 교정 · 보호 · 철도경찰

① 피고인이 자수하였음에도 불구하고 법원이 형법 제52조 제1항에 따른 자수감경을 하지 않거나 자수감경 주장에 대하여 판단을 하지 않았더라도 위법하지 않다.

② 수사기관에의 자발적 신고 내용이 범행을 부인하는 등 범죄성립요건을 갖추지 아니한 경우에는 자수는 성립하지 않지만, 그 후 수사과정에서 범행을 시인하였다면 새롭게 자수가 성립될 여지가 있다.

③ 수사기관의 직무상의 질문 또는 조사에 응하여 범죄사실을 진술하는 경우라도 자수가 인정될 수 있다.

④ 범인이 수사기관에 뇌물수수의 범죄사실을 자발적으로 신고하였다면, 특정범죄 가중처벌 등에 관한 법률의 적용을 피하기 위해 그 수뢰액을 실제보다 적게 신고한 것일지라도 자수는 성립한다.

| 해설 | ① 대판 2004.6.11, 2004도2018

②③ 수사기관에의 신고가 자발적이라고 하더라도 그 신고의 내용이 자기의 범행을 명백히 부인하는 등의 내용으로 자기의 범행으로서 범죄성립요건을 갖추지 아니한 사실일 경우에는 자수는 성립하지 아니하고, 일단 자수가 성립하지 아니한 이상 그 이후의 수사과정이나 재판과정에서 범행을 시인하였다고 하더라도 이는 자백일뿐 새롭게 자수가 성립할 여지는 없다(대판 2011.12.22, 2011도12041).

④ 수사기관에 뇌물수수의 범죄사실을 자발적으로 신고하였으나 그 수뢰액을 실제보다 적게 신고함으로써 적용법조와 법정형이 달라지게 된 경우, 자수의 성립을 인정할 수 없다(대판 2004.6.24, 2004도2003). – 적게 신고한 부분까지도 자수효력 부정

03 자수에 대한 다음 설명 중 올바른 것은?(다툼이 있으면 판례에 의함)

① 범인이 수개의 범죄사실 중의 일부를 수사기관에 자진 신고하였으나 그 동기가 투명치 않고 그 후 공범을 두둔하였다면 그 자수한 부분 범죄사실에 대하여 자수의 효력이 없다.

② 법률상의 형의 감경사유인 자수를 위하여는, 범인이 자기의 범행으로서 범죄성립요건을 갖춘 객관적 사실을 자발적으로 수사관서에 신고하여 그 처분에 맡기는 것뿐만 아니라 법적으로 그 요건을 완전히 갖춘 범죄행위라고 적극적으로 인식하고 있어야 한다.

③ 세관 검색시 금속탐지기에 의해 대마 휴대 사실이 발각될 상황에서 세관 검색원의 추궁에 의하여 대마 수입 범행을 시인한 경우, 자수에 해당한다.

④ 신문지상에 혐의사실이 보도되기 시작하였는데도 수사기관으로부터 공식소환이 없으므로 자진출석하여 사실을 밝히고 처벌을 받고자 담당검사에게 전화를 걸어 조사를 받게 해달라고 요청하여 출석시간을 지정받은 다음 자진 출석하여 혐의사실을 인정하는 진술서를 작성한 경우 자수한 것으로 보아야 한다.

Answer 2. ① 3. ④

| 해설 ① 범인이 수개의 범죄사실 중의 일부라도 수사기관에 자진 신고한 이상, 그 동기가 투명치 않고 그 후 공범을 두둔하더라도 그 자수한 부분 범죄사실에 대하여는 자수의 효력이 있다(대판 1969.7.22, 69도779).
② 법률상의 형의 감경사유가 되는 자수를 위하여는, 범인이 자기의 범행으로서 범죄성립요건을 갖춘 객관적 사실을 자발적으로 수사관서에 신고하여 그 처분에 맡기는 것으로 족하고, 더 나아가 법적으로 그 요건을 완전히 갖춘 범죄행위라고 적극적으로 인식하고 있을 필요까지는 없다(대판 1995.6.30, 94도1017).
③ 세관 검색시 금속탐지기에 의해 대마 휴대 사실이 발각될 상황에서 세관 검색원의 추궁에 의하여 대마 수입 범행을 시인한 경우, 자발성이 결여되어 자수에 해당하지 않는다(대판 1999.4.13, 98도4560).
④ 대판 1994.9.9, 94도619

04 자수와 관련하여 옳은 것은 모두 몇 개인가?(다툼이 있으면 판례에 의함)

㉠ 일단 자수가 성립한 이상 자수의 효력은 확정적으로 발생하고 그 후에 범인이 번복하여 수사기관이나 법정에서 범행을 부인한다고 하더라도 일단 발생한 자수의 효력이 소멸하는 것은 아니다.
㉡ 수개의 범죄사실 중 일부에 관하여만 자수한 경우에는 그 부분 범죄사실에 대하여만 자수의 효력이 있다.
㉢ 사법경찰관이 자수를 받은 때에는 신속히 조사하여 관계서류와 증거물을 관할법원에 송부하여야 한다.
㉣ 범죄사실을 부인하거나 죄의 뉘우침이 없는 자수는 그 외형은 자수일지라도 법률상 형의 감경사유가 되는 진정한 자수라고는 할 수 없다.

① 1개 ② 2개 ③ 3개 ④ 4개

| 해설 ㉠ ○ : 대판 1999.7.9, 99도1695
㉡ ○ : 대판 1994.10.14, 94도2130
㉢ × : 사법경찰관이 자수를 받은 때에는 신속히 조사하여 관계서류와 증거물을 검사에게 송부하여야 한다(제240조, 제238조).
㉣ ○ : 대판 1994.10.14, 94도2130

Answer 4. ③

제4절 임의수사

THEMA 33 임의수사

<table>
<tr><td>의 의</td><td colspan="2">수사의 방법에는 임의수사와 강제수사가 있다.
임의수사란 강제력을 행사하지 않고 상대방의 동의나 승낙을 받아서 행하는 수사를 말하고, 강제수사는 강제처분에 의한 수사를 말한다.
▶ ┌ 임의수사 ⇨ 피의자신문, 참고인조사, 공무소에 대한 사실조회, 감정・통역・번역의 위촉 24. 경찰간부
└ 강제수사 ⇨ 체포, 구속, 압수・수색・검증
▶ 강제수사에는 영장주의와 법률주의가 적용되며, 위법수집증거에 대하여 증거능력을 부정
▶ 임의수사의 경우에도 법률이 수사활동의 요건・절차를 규정하고 있는 경우에 그에 위반하여 수집한 증거는 위법수집증거로서 증거능력 부정</td></tr>
<tr><td>수사의 원칙과 예외</td><td colspan="2">수사는 원칙적으로 임의수사에 의하고(임의수사의 원칙), 강제수사는 법률에 규정된 경우에 한하여 예외적으로 허용된다(제199조 제1항). 10・14・16. 경찰승진
그러나 임의수사라고 하여 인권침해의 가능성이 전혀 없는 것은 아니므로 형사소송법은 임의수사에 대해서도 일정한 경우 통제장치를 두고 있다(예 피의자신문에 관한 적법절차 규정).
▶ 비례원칙(수사는 필요한 한도 내에서 허용되어야 한다)은 임의수사에도 적용됨.
▶ 피의자에 대한 수사는 불구속상태에서 함을 원칙으로 한다(제198조 제1항). 11・14・16. 경찰승진
▶ 피고인에 대한 불구속재판원칙 ⇨ 규정 × 16. 경찰간부</td></tr>
<tr><td rowspan="4">임의수사와 강제수사의 한계영역</td><td colspan="2">임의수사에 해당하는가, 강제수사에 해당하는가에 관해 논란이 있는 문제로 임의동행, 전기통신의 감청, 사진촬영, 거짓말탐지기 사용, 보호실유치, 승낙수색・검증, 마취분석 등이 있다.</td></tr>
<tr><td>임의동행</td><td>임의동행이란 수사기관이 피의자의 동의를 얻어 함께 수사관서로 가는 수사방법을 말한다.
▶ 형사소송법 자체에는 임의동행을 허용하는 명문의 규정이 없다.
▶ 당사자의 진실한 동의를 전제로 한 임의동행은 임의수사의 일종으로서 허용된다고 보며, 다만 그 과정에서 강제력이나 심리적 압박이 개입된 경우에는 강제연행에 해당한다.
▶ 오로지 피의자의 자발적인 의사에 의하여 수사관서 등에의 동행이 이루어졌음이 객관적인 사정에 의하여 명백하게 입증된 경우에 한하여, 그 적법성이 인정되는 것으로 봄이 상당하다(대판 2006.7.6, 2005도6810). 09・15. 순경 2차, 16. 7급 국가직, 14・16・17. 경찰간부</td></tr>
<tr><td>전기통신감청</td><td>강제수사에 해당(별도 정리)</td></tr>
<tr><td>사진촬영</td><td>사진촬영의 법적 성질에 대하여 초상권을 침해한다는 점에서 강제수사의 일종이다(영장이 필요함). 다만, 사진촬영의 성질을 강제수사로 보더라도 일정한 조건이 충족된 때에는 영장 없는 촬영이 허용된다.</td></tr>
</table>

	사진촬영	▶ 일반음식점영업자인 피고인이 음향시설을 갖추고 손님이 춤을 추는 것을 허용하여 영업자가 지켜야 할 사항을 지키지 않았다는 이유로 식품위생법 위반으로 기소된 사안에서, 경찰관들이 범죄혐의가 포착된 상태에서 그에 관한 증거를 보전하기 위하여, 불특정 다수가 출입할 수 있는 이 사건 음식점에 통상적인 방법으로 출입하여 음식점 내에 있는 사람이라면 누구나 볼 수 있었던 손님들의 춤추는 모습을 확인하고 이를 촬영한 것은 영장 없이 이루어졌다 하여 위법하다고 볼 수 없다(대판 2023.7.13, 2019도7891).
	거짓말탐지기 사용	피검사자의 동의가 있는 경우에는 임의수사로서 허용 ▶ 대법원도 거짓말탐지기에 의한 검사는 피검사자가 동의한 때에만 증거로 할 수 있으며, 다만 일정한 조건을 구비하여 적법한 것으로 허용된다고 하더라도 공소사실의 존부를 인정하는 직접증거로는 사용할 수 없고, 진술의 신빙성 유무를 판단하는 정황증거로만 사용할 수 있을 뿐이라고 판시하고 있다(대판 1987.7.21, 87도968). 13. 9급 법원직
	보호실유치	보호실유치 ┌ 강제유치 : 영장필요 └ 승낙유치 : 임의수사방법으로 허용 ×
	기 타	승낙 수색 · 검증 ⇨ 임의수사, 계좌추적 ⇨ 강제수사, 마취분석 ⇨ 허용불가

01 임의수사에 대한 설명으로 가장 적절하지 못한 것은?

① 임의수사에도 수사의 필요성과 상당성은 인정되어야 하며, 수사는 임의수사가 원칙이다.
② 검사 또는 사법경찰관은 임의동행을 요구하는 경우 상대방에게 동행을 거부할 수 있다는 것과 동행하는 경우에도 언제든지 자유롭게 동행 과정에서 이탈하거나 동행 장소에서 퇴거할 수 있다는 것을 알려야 한다.
③ 거짓말탐지기에 의한 검사나 마취분석은 임의수사로 허용될 수 없다.
④ 형사소송법이 규정하고 있는 임의수사방법으로 피의자신문, 참고인조사, 공무소에 대한 사실조회, 감정 · 통역 · 번역의 위촉이 있다.

| 해설 ① 임의수사에도 수사의 필요성과 상당성이 요구되며, 수사는 원칙적으로 임의수사에 의하여야 하고 강제수사는 법률에 규정된 경우에 한하여 예외적으로 허용된다.
② 수사준칙 제20조
③ 우리 판례는 거짓말탐지기에 의한 조사방법도 상대방의 동의가 있는 한 적법한 것으로 허용하고 있다(대판 1984.2.14, 83도3146). 그러나 동의가 있고 일정한 요건을 갖춘 경우라 할지라도 공소사실의 존부를 인정하는 직접증거로는 사용할 수 없고, 진술의 신빙성 유무를 판단하는 정황증거로만 사용할 수 있을 뿐이라고 판시하고 있다(대판 1987.7.21, 87도968). 마취분석은 피의자의 동의와 상관없이 허용되지 아니한다.
④ 제200조, 제221조 제1항, 제199조, 제221조 제2항

Answer 1. ③

02 **임의동행 및 사진촬영에 대한 설명으로 적절하지 않은 것은?**(다툼이 있는 경우 판례에 의함)

① 임의동행은 경찰관 직무집행법 제3조 제2항에 따른 행정경찰 목적의 경찰활동으로 행하여지는 것 외에도 형사소송법 제199조 제1항에 따라 범죄 수사를 위하여도 가능하다. 이 사건의 경우 피고인의 마약류 투약 혐의가 상당하다고 판단하여 경찰서로 임의동행을 요구하였고, 동행장소인 경찰서에서 소변과 모발의 임의제출을 요구하였다면, 이러한 임의동행은 마약류 투약 혐의에 대한 수사를 위한 것이어서 형사소송법 제199조 제1항에 따른 임의동행에 해당한다.

② 누구든지 자기의 얼굴 기타 모습을 함부로 촬영당하지 않을 자유를 가지므로, 수사기관이 범죄를 수사함에 있어 타인의 얼굴 기타 모습을 영장 없이 촬영하였다면, 그 촬영은 어떠한 경우라도 허용될 수 없다.

③ 음주측정을 위하여 피의자를 경찰서로 동행할 당시 피의자에게 동행을 거부할 수 있음을 고지하고 동행을 요구하자 피의자가 고개를 끄덕이며 동의하는 의사표시를 하였고, 피의자는 동행 당시에 경찰관에게 욕을 하거나 특별한 저항을 하지 않고 순순히 응하였으며, 비록 술에 취하였으나 동행요구에 따를 것인지 여부에 관한 판단을 할 정도의 의사능력이 있었던 경우 동행의 자발성을 인정할 수 있다.

④ 임의동행이 불법인 경우 불법감금죄가 성립할 뿐 아니라 만일 피의자가 도주한 경우에도 도주죄가 성립할 수 없는데, 그 이유는 불법체포된 자는 '법률에 의하여 체포 또는 구금된 자'가 아니기 때문이다.

해설 ① 대판 2020.5.24, 2020도398

② 누구든지 자기의 얼굴 기타 모습을 함부로 촬영당하지 않을 자유를 가지나 이러한 자유도 국가권력의 행사로부터 무제한으로 보호되는 것은 아니고 국가의 안전보장·질서유지·공공복리를 위하여 필요한 경우에는 상당한 제한이 따르는 것이고, 수사기관이 범죄를 수사함에 있어 현재 범행이 행하여지고 있거나 행하여진 직후이고, 증거보전의 필요성 및 긴급성이 있으며, 일반적으로 허용되는 상당한 방법에 의하여 촬영을 한 경우라면 위 촬영이 영장 없이 이루어졌다 하여 이를 위법하다고 단정할 수 없다(대판 1999.9.3, 99도2317).

③ 대판 2013.3.14, 2012도13611

④ 대판 2006.7.6, 2005도6810

Answer 2. ②

02

THEMA 34 감청 등 통신제한조치

의 의		국가기관이 행하는 통신비밀침해 행위를 통신제한조치라고 하는데, 통신제한조치는 우편물의 검열과 전기통신의 감청 등으로 이루어진다. 전기통신(전화 · 전자우편 · 회원제정보서비스 · 모사전송 · 무선호출 등과 같이 유선 · 무선 · 광선 및 기타의 전자적 방식에 의하여 모든 종류의 음향 · 문언 · 부호 또는 영상을 송신하거나 수신하는 것)의 감청이라 함은 전기통신에 대하여 당사자의 동의없이 전자장치 · 기계장치 등을 사용하여 통신의 음향 · 문언 · 부호 · 영상을 청취 · 공독(共讀)하여 그 내용을 지득 또는 채록하거나 전기통신의 송 · 수신을 방해하는 것을 말한다(통신비밀보호법 제2조). ▶ 통신비밀보호법은 감청, 우편물의 검열, 통신사실 확인자료 제공, 타인 간의 대화녹음 등을 규정하고 있다. ▶ 통신비밀보호법상 '통신'이라 함은 우편물 및 전기통신을 말한다(제2조 제1호). 16. 경찰승진 ▶ 무전기와 같은 무선전화기를 이용한 통화 ⇨ 통신비밀보호법상 '전기통신'에 해당 16. 7급 국가직 ▶ 발신자 전화번호 추적이나 전자우편의 IP추적은 감청에 해당하지 않는다. ▶ 통신제한조치의 대상인 전기통신에는 전화뿐 아니라 전자우편도 포함된다. 15. 경찰승진 ▶ 이미 수신이 완료된 전자우편의 수집행위가 통신비밀보호법이 금지하는 '전기통신의 감청'에 해당한다고 볼 수 없다(대판 2012.11.29, 2010도9007). 16. 7급 국가직, 17. 변호사시험, 14 · 19. 순경 1차, 21. 경찰승진
범죄수사를 위한 통신 제한조치	대상 범죄	• 대상범죄 ○ [형법] 공무상 비밀누설죄, 뇌물관련범죄, 도주죄, 범인은닉죄, 집합명령위반죄, 06. 경찰승진 통화에 관한 죄, 08. 순경 살인의 죄(자살방조 포함), 04. 여경 협박죄, 11 · 12. 경찰승진 강간죄, 04. 여경, 12. 경찰승진 체포 · 감금죄, 08. 순경 약취 · 유인죄, 08. 순경 강제추행죄, 미성년자간음죄(형법 제305조), 경매입찰방해죄, 04. 여경, 10 · 12 · 14. 경찰승진 인질강요죄, 인질살해(상해)치사(치상)죄, 절도죄, 강도죄, 공갈죄 11 · 14 · 15. 경찰승진 [기타] 군형법의 일부, 국가보안법에 규정된 범죄, 군사기밀보호법에 규정된 범죄, 군사기지 및 군사시설보호법에 규정된 범죄, 마약류관리에 관한 법률에 규정된 범죄 중 일부, 폭력행위 등 처벌에 관한 법률에 규정된 범죄 중 일부, 총포 · 도검 · 화약류 등의 안전관리에 관한 법률에 규정된 범죄 중 일부, 특정범죄 가중처벌 등에 관한 법률에 규정된 범죄 중 일부, 특정경제범죄 가중처벌 등에 관한 법률에 규정된 범죄 중 일부, 국제상거래에 있어서 외국공무원에 대한 뇌물방지법에 규정된 범죄 일부(2019. 12. 31. 신설) • 대상범죄 × ⇨ 존속협박죄, 08. 순경 사기죄, 04. 여경, 10. 경찰승진 횡령죄, 배임죄, 장물죄, 손괴죄, 권리행사방해죄, 자동차불법사용죄, 상해죄, 폭행죄, 공무방해에 관한 죄, 미성년자 등에 대한 간음죄(형법 제302조), 08. 순경 업무상 위력 등에 의한 간음죄(형법 제303조)
	허가 절차	① 검사는 법원에 대하여 통신제한조치 허가 청구(사법경찰관은 검사에게 신청)(통신비밀보호법 제6조 제1항 · 제2항) ▶ 각 피의자별 또는 피내사자별 청구(사건단위 ×)

<table>
<tr>
<td></td>
<td></td>
<td>② 관할법원은 통신당사자의 쌍방 또는 일방의 주소지, 소재지, 범죄지 또는 통신당사자와 공범관계에 있는 자의 주소지, 소재지를 관할하는 지방법원 또는 지원(군사법원 포함)(동법 제6조 제3항)
③ 반드시 서면으로 청구, 청구이유에 관한 소명자료를 첨부하여야 한다(동법 제4항).
④ 통신제한조치의 기간은 2개월을 초과하지 못하고 그 기간 중 통신제한조치의 목적이 달성되었을 경우에는 즉시 종료하여야 한다(동법 제6조 제7항). 11 · 14 · 16. 경찰승진, 21. 순경 2차, 23. 해경승진
⑤ 2개월의 범위 안에서 통신제한조치기간의 연장을 청구할 수 있다(동조 제7항 단서). 22. 경찰간부
⑥ 검사 또는 사법경찰관이 동법 제6조 제7항 단서에 따라 통신제한조치의 연장을 청구하는 경우에 통신제한조치의 총 연장기간은 1년을 초과할 수 없다. 다만, 내란죄 · 외환죄 등 국가안보와 관련된 범죄 등에 대해서는 통신제한조치의 총 연장기간이 3년을 초과할 수 없다(동법 제6조 제8항). 21. 순경 2차</td>
</tr>
<tr>
<td rowspan="2">국가안보를 위한 통신 제한조치</td>
<td colspan="2">대통령령이 정하는 정보수사기관의 장은 국가안전보장에 상당한 위험이 예상되는 경우 또는 대테러활동에 필요한 경우에 한하여 통신제한조치를 할 수 있다(동법 제7조 제1항).</td>
</tr>
<tr>
<td>허가 절차</td>
<td>① 고등법원 수석판사의 허가 : 통신의 일방 또는 쌍방이 내국인인 때에 고등검찰청 검사의 신청으로 고등법원 수석판사의 허가를 받아 통신제한조치를 할 수 있다(동법 제7조 제1항 제1호). 05. 순경, 11. 경찰승진
② 대통령의 승인 : 대한민국에 적대하는 국가, 반국가활동의 혐의가 있는 외국기관 등의 구성원의 통신인 때에는 국가정보원장을 거쳐 대통령의 승인을 얻어 통신제한조치를 할 수 있다(동법 제7조 제1항 제2호).
③ 허가내용 : 4월을 초과하지 못함(고등법원의 수석판사 또는 대통령의 승인을 얻어 4월의 범위 안에서 통신제한조치의 기간을 연장가능)(동법 제7조 제2항).</td>
</tr>
<tr>
<td>긴급처분</td>
<td colspan="2">① 검사, 사법경찰관 또는 정보수사기관의 장은 긴급한 사유가 있는 때에는 법원의 허가 없이 통신제한조치를 할 수 있다(동법 제8조 제1항).
② 검사, 사법경찰관 또는 정보수사기관의 장은 통신제한조치의 집행에 착수한 후 지체 없이 법원에 허가청구를 하여야 한다(동법 제8조 제2항).
③ 사법경찰관이 긴급통신제한조치를 할 경우에는 미리 검사의 지휘를 받아야 한다. 다만, 특히 급속을 요하여 미리 지휘를 받을 수 없는 사유가 있는 경우에는 긴급통신제한조치의 집행착수 후 지체 없이 검사의 승인을 얻어야 한다(동법 제8조 제3항).
④ 검사, 사법경찰관 또는 정보수사기관의 장이 긴급통신제한조치를 하고자 하는 경우에는 반드시 긴급검열서 또는 긴급감청서에 의하여야 하며 소속기관에 긴급통신제한조치대장을 비치하여야 한다(동법 제8조 제4항).
⑤ 검사, 사법경찰관 또는 정보수사기관의 장은 긴급통신제한조치의 집행에 착수한 때부터 36시간 이내에 법원의 허가를 받지 못한 경우에는 해당 조치를 즉시 중지하고 해당 조치로 취득한 자료를 폐기하여야 한다(동법 제8조 제5항).
⑥ 검사, 사법경찰관 또는 정보수사기관의 장은 긴급통신제한조치로 취득한 자료를 폐기한 경우 폐기결과보고서를 작성하여 폐기일부터 7일 이내에 법원에 송부하고, 그 부본(副本)을 수사기록 또는 내사사건기록에 첨부하여야 한다(동법 제8조 제6항).</td>
</tr>
</table>

긴급처분	⑦ 정보수사기관의 장은 국가안보를 위협하는 음모행위, 직접적인 사망이나 심각한 상해의 위험을 야기할 수 있는 범죄 또는 조직범죄등 중대한 범죄의 계획이나 실행 등 긴박한 상황에 있고 제7조 제1항 제2호에 해당하는 자에 대하여 대통령의 승인을 얻을 시간적 여유가 없거나 통신제한조치를 긴급히 실시하지 아니하면 국가안전보장에 대한 위해를 초래할 수 있다고 판단되는 때에는 소속 장관(국가정보원장을 포함한다)의 승인을 얻어 통신제한조치를 할 수 있다(동법 제8조 제8항). ⑧ 정보수사기관의 장은 제8항에 따른 통신제한조치의 집행에 착수한 후 지체 없이 제7조에 따라 대통령의 승인을 얻어야 한다(동법 제8조 제9항). ⑨ 정보수사기관의 장은 제8항에 따른 통신제한조치의 집행에 착수한 때부터 36시간 이내에 대통령의 승인을 얻지 못한 경우에는 해당 조치를 즉시 중지하고 해당 조치로 취득한 자료를 폐기하여야 한다(동법 제8조 제10항).
집 행	① 통신제한조치를 청구한 검사·사법경찰관 또는 정보수사기관의 장이 집행한다. 이 경우 통신기관 등에 그 집행을 위탁하거나 요청할 수 있다(동법 제9조 제1항). ▶ 통신제한조치의 집행주체는 제3자에게 집행을 위탁하거나 협조를 받아 '대화의 녹음·청취'를 할 수 있는데, 이 경우 통신기관 등과는 달리 일반 사인에게는 당해 통신제한조치를 청구한 목적과 그 집행 또는 협조일시 및 대상을 기재한 대장을 작성하여 비치할 의무가 없다(대판 2015.1.22, 2014도10978 전원합의체). ▶ 통신기관 등은 어떠한 경우에도 전기통신에 사용되는 비밀번호를 누설할 수 없음(제9조 제4항). ② 검사는 통신제한조치를 집행한 사건에 관하여 공소제기 또는 불기소처분(기소중지 제외)을 한 때에는 그 처분을 한 날부터 30일 이내에 통신제한조치를 집행한 사실과 집행기관 및 그 기간 등을 우편물 검열의 경우는 그 대상자에게, 감청의 경우는 전기통신의 가입자에게 서면으로 통지하여야 한다(동법 제9조의 2 제1항). ▶ 사법경찰관은 공소제기 또는 불기소처분(기소중지 또는 참고인중지 결정은 제외) 통보를 받거나 검찰송치를 하지 아니하는 처분(수사중지 제외) 또는 내사사건에 관하여 입건하지 아니하는 처분을 한 때에 그 날부터 30일 이내에 위 사람에게 서면으로 통지하여야 한다(동법 제9조의 2 제2항). 15. 경찰승진, 21. 순경 2차 ▶ 정보수사기관의 장은 통신제한조치를 종료한 날부터 30일 이내에 위 사람에게 통신제한조치를 집행한 사실과 집행기관 및 그 기간 등을 서면으로 통지하여야 한다(동법 제9조의 2 제3항). ③ 국가의 안전보장·공공의 안녕질서를 위태롭게 할 현저한 우려가 있는 때, 사람의 생명·신체에 중대한 위험을 초래할 염려가 현저한 때에는 통지를 유예할 수 있다(동법 제9조의 2 제4항). ▶ 통지 생략은 불가 12. 경찰승진 ▶ 수사방해 우려 ⇨ 통지유예사유 × 23. 해경승진
통신제한 조치로 취득한 자료사용 제한	통신제한조치의 집행으로 인하여 취득된 내용은 통신제한조치의 목적이 된 범죄나 이와 관련되는 범죄를 수사·소추하거나 그 범죄를 예방하기 위하여 사용하거나 이러한 범죄로 인한 징계절차에 사용하는 경우, 통신의 당사자가 제기하는 손해배상소송에서 사용하는 경우, 기타 다른 법률의 규정에 의하여 사용하는 경우 외는 사용할 수 없다(동법 제12조).

통신제한 조치로 취득한 자료의 관리	"인터넷회선감청(패킷감청)을 가능하게 하는 통신비밀보호법 제5조 제2항 중 '인터넷회선을 통하여 송·수신하는 전기통신'에 관한 부분은 이에 대한 법적 통제수단이 미비하여 개인의 통신 및 사생활 비밀의 자유를 침해하므로 헌법에 합치되지 아니한다"는 헌법불합치 결정(헌재결 2018.8.30, 2016헌마263)에 따라 범죄수사를 위하여 인터넷회선에 대한 통신제한조치로 취득한 자료관리에 관한 규정인 제12조의 2를 신설하였다. ① 검사는 인터넷 회선을 통하여 송신·수신하는 전기통신을 대상으로 통신제한조치를 집행한 경우 그 전기통신을 사용하거나 사용을 위하여 보관하고자 하는 때에는 집행종료일부터 14일 이내에 통신제한조치를 허가한 법원에 보관 등의 승인을 청구하여야 한다(동법 제12조의 2 제1항). ② 사법경찰관은 인터넷 회선을 통하여 송신·수신하는 전기통신을 대상으로 통신제한조치를 집행한 경우 그 전기통신의 보관 등을 하고자 하는 때에는 집행종료일부터 14일 이내에 검사에게 보관 등의 승인을 신청하고, 21. 경찰승진 검사는 신청일부터 7일 이내에 통신제한조치를 허가한 법원에 그 승인을 청구할 수 있다(동법 제12조의 2 제2항). 21. 경찰승진·순경 2차 ③ 검사 또는 사법경찰관은 승인 청구나 신청을 하지 아니하는 경우에는 집행종료일부터 14일(검사가 사법경찰관의 신청을 기각한 경우에는 그 날부터 7일) 이내에 통신제한조치로 취득한 전기통신을 폐기하여야 하고, 법원에 승인청구를 한 경우(취득한 전기통신의 일부에 대해서만 청구한 경우를 포함한다)에는 법원으로부터 승인서를 발부받거나 청구기각의 통지를 받은 날부터 7일 이내에 승인을 받지 못한 전기통신을 폐기하여야 한다(동법 제12조의 2 제5항). 21. 경찰승진 ④ 검사 또는 사법경찰관은 통신제한조치로 취득한 전기통신을 폐기한 때에는 폐기의 이유와 범위 및 일시 등을 기재한 폐기결과보고서를 작성하여 피의자의 수사기록 또는 피내사자의 내사사건기록에 첨부하고, 폐기일부터 7일 이내에 통신제한조치를 허가한 법원에 송부하여야 한다(동법 제12조의 2 제6항). 21. 경찰승진
통신사실 확인자료 제공	① 검사 또는 사법경찰관은 수사 또는 형의 집행을 위하여 필요한 경우 전기통신사업자에게 통신사실 확인자료(예 통신일시, 통신 개시·종료시간, 위치추적자료 등)의 열람이나 제출을 요청할 수 있다(동법 제13조 제1항). ▶ 통신사실 확인자료 제공요청의 목적이 된 범죄와 관련된 범죄라 함은 통신사실 확인자료 제공요청 허가서에 기재한 혐의사실과 객관적 관련성이 있고 자료제공 요청대상자와 피의자 사이에 인적 관련성이 있는 범죄를 의미한다(대판 2017.1.25, 2016도13489). ② 검사 또는 사법경찰관은 실시간 위치정보 추적자료요청 및 특정한 기지국에 대한 통신사실 확인자료가 필요한 경우에는 다른 방법으로는 범죄의 실행을 저지하기 어렵거나 범인의 발견·확보 또는 증거의 수집·보전이 어려운 경우 등에만 자료의 열람이나 제출을 요청할 수 있다(동법 제13조 제2항). ▶ 보충적용의 예외 : 통신제한조치 대상범죄(제5조 제1항) 또는 전기통신을 수단으로 하는 범죄에 대한 통신사실 확인자료가 필요한 경우에는 보충성 요건의 제한을 받지 않고 제13조 제1항에 따라 열람이나 제출을 요청 가능(제13조 제2항 단서) ③ 통신사실 확인자료제공을 요청하는 경우에는 요청사유, 해당 가입자와의 연관성 및 필요한 자료의 범위를 기록한 서면으로 관할 지방법원(군사법원을 포함) 또는 지원의 허가를 받아야 한다. 다만, 긴급한 사유가 있는 때에는 통신사실 확인자료제공을 요청한 후 지체없이 그 허가를 받아 전기통신사업자에게 송부하여야 한다(제13조 제3항).

	▶ 긴급사유시 통신사실 자료제공을 요청한 후 36시간 이내에 법원의 허가를 받아 전기통신사업자에게 송부하여야 한다. (×) ④ 긴급한 사유로 통신사실 확인자료를 제공받았으나 법원의 허가를 받지 못한 경우에는 지체 없이 제공받은 통신사실 확인자료를 폐기하여야 한다(동법 제13조 제4항). ⑤ 전기통신사업자는 검사, 사법경찰관 또는 정보수사기관의 장에게 통신사실 확인자료를 제공한 때에는 자료제공현황 등을 연 2회 과학기술정보통신부장관에게 보고하고, 해당 통신사실 확인자료 제공사실 등 필요한 사항을 기재한 대장과 통신사실 확인자료 제공요청서 등 관련자료를 통신사실 확인자료를 제공한 날부터 7년간 비치하여야 한다(제13조 제7항). 과학기술정보통신부장관은 제13조 제7항을 위반하여 통신사실 확인자료 제공현황 등을 과학기술정보통신부장관에게 보고하지 아니하였거나 관련자료를 비치하지 아니한 자에게는 기간을 정하여 그 시정을 명할 수 있다(제15조의 3 신설 : 2024. 7. 24. 시행). ⑥ 검사 또는 사법경찰관은 통신사실 확인자료제공을 받은 사건에 관하여 공소를 제기하거나, 공소의 제기 또는 검찰송치를 하지 아니하는 처분(기소중지・참고인중지・수사중지결정은 제외한다), 입건하지 아니한 처분을 한 경우에 그 처분을 한 날부터 30일 이내, 기소중지・참고인중지・수사중지결정을 한 경우 그 처분을 한 날부터 1년이 경과한 때부터 30일 이내, 수사가 진행 중인 경우는 통신사실 확인자료제공을 받은 날부터 1년이 경과한 때부터 30일 이내에 통신사실 확인자료제공을 받은 사실과 제공요청기관 및 그 기간 등을 통신사실 확인자료제공의 대상이 된 당사자에게 서면으로 통지하여야 한다(동법 제13조의 3 제1항). ⑦ 국가의 안전보장, 공공의 안녕질서를 위태롭게 할 우려가 있는 경우, 피해자 또는 그 밖의 사건관계인의 생명이나 신체의 안전을 위협할 우려가 있는 경우, 증거인멸, 도주, 증인 위협 등 공정한 사법절차의 진행을 방해할 우려가 있는 경우, 피의자, 피해자 또는 그 밖의 사건관계인의 명예나 사생활을 침해할 우려가 있는 경우 에는 그 사유가 해소될 때까지 통지를 유예할 수 있다(제13조의 3 제2항). ▶ 통지생략 × ⑧ 검사 또는 사법경찰관은 통지유예사유가 해소된 때에는 그 날부터 30일 이내에 통지를 하여야 한다(제13조의 3 제4항). ⑨ 검사 또는 사법경찰관은 통지를 유예하려는 경우에는 소명자료를 첨부하여 미리 관할 지방검찰청 검사장의 승인을 받아야 한다(수사처의 경우 수사처장의 승인)(제13조의 3 제3항). ⑩ 검사 또는 사법경찰관으로부터 통신사실 확인자료제공을 받은 사실 등을 통지받은 당사자는 해당 통신사실 확인자료제공을 요청한 사유를 알려주도록 서면으로 신청할 수 있다(동법 제13조의 3 제5항). 신청을 받은 검사 또는 사법경찰관은 통지유예사유에 해당하는 경우를 제외하고는 그 신청을 받은 날부터 30일 이내에 해당 통신사실 확인자료제공 요청의 사유를 서면으로 통지하여야 한다(동법 제13조의 3 제6항).
타인 간의 대화 녹음・청취	• 제3자 ⇨ 타인 간의 대화를 비밀녹음하거나 청취할 수 없다(동법 제14조). • 대화의 일방 당사자 ⇨ 몰래 녹음한 경우에도 증거능력을 인정(대판 2010.10.14, 2010도9016) 16. 7급 국가직, 22. 9급 교정・보호・철도경찰

01 **통신비밀보호법상 통신제한조치에 대한 설명으로 가장 적절한 것은?**(다툼이 있는 경우 판례에 의함) 21. 경찰승진

① 전기통신의 감청은 전기통신이 이루어지고 있는 상황에서 실시간으로 전기통신의 내용을 지득·채록하는 경우와 통신의 송·수신을 직접적으로 방해하는 경우뿐만 아니라 이미 수신이 완료된 전기통신에 관하여 남아 있는 기록이나 내용을 열어보는 등의 행위도 포함한다.

② 사법경찰관이 통신비밀보호법 제8조에 따른 긴급통신 제한조치를 할 경우에는 미리 검사의 지휘를 받아야 한다. 다만, 특히 급속을 요하여 미리 지휘를 받을 수 없는 사유가 있는 경우에는 긴급통신 제한조치의 집행착수 후 지체 없이 검사의 승인을 얻어야 한다.

③ 형법상 절도죄, 강도죄, 사기죄, 공갈죄는 통신비밀보호법상 범죄수사를 위한 통신제한조치가 가능한 범죄이다.

④ 불법감청에 의하여 녹음된 전화통화의 내용은 통신비밀보호법에 의하여 증거능력이 없으나 피고인이나 변호인이 이를 증거로 함에 동의한 때에는 예외적으로 증거능력이 인정된다.

해설 ① '전기통신의 감청'은 전기통신이 이루어지고 있는 상황에서 실시간으로 그 전기통신의 내용을 지득·채록하는 경우와 통신의 송·수신을 직접적으로 방해하는 경우를 의미하는 것이지 이미 수신이 완료된 전기통신에 관하여 남아 있는 기록이나 내용을 열어보는 등의 행위는 포함하지 않는다 할 것이다(대판 2016.10.13, 2016도8137).
② 통신비밀보호법 제8조 제3항
③ 형법상 절도죄, 강도죄, 공갈죄는 통신비밀보호법상 범죄수사를 위한 통신제한조치가 가능한 범죄이나, 사기죄는 가능한 범죄가 아니다(통신비밀보호법 제5조 제1항).
④ 불법감청에 의하여 녹음된 전화통화의 내용은 통신비밀보호법에 의하여 증거능력이 없으며 피고인이나 변호인이 이를 증거로 함에 동의한 때에도 증거능력이 인정되지 아니한다(대판 2010.10.14, 2010도9016).

02 **통신제한조치 등에 관한 설명 중 가장 적절하지 않은 것은?**

① 종전에는 긴급통신제한조치가 단시간 내에 종료되어 법원의 허가를 받을 필요가 없는 경우에는 법원장에게 긴급통신제한조치통보서 송부제도가 있었으나, 개정법에서는 예외 없이 법원의 허가를 받아야 한다.

② 국가안보를 위한 통신제한조치의 경우 정보수사기관의 장은 통신의 일방 또는 쌍방당사자가 내국인인 때에는 고등법원 수석판사의 허가를 받아야 하며, 대한민국에 적대하는 국가, 반국가활동의 혐의가 있는 외국의 기관·단체와 외국인, 대한민국의 통치권이 사실상 미치지 아니하는 한반도 내의 집단이나 외국에 소재하는 그 산하단체의 구성원의 통신인 때에는 서면으로 대통령의 승인을 얻어야 한다.

③ 통신제한조치의 기간은 2개월을 초과하지 못하고 2개월의 범위 안에서 통신제한조치기간의 연장을 청구할 수 있다. 통신제한조치의 연장을 청구하는 경우에 통신제한조치의 총 연장기간은 2년을 초과할 수 없다. 내란죄·외환죄 등 국가안보와 관련된 범죄 등에 대해서는 통신제한조치의 총 연장기간은 3년을 초과할 수 없다.

Answer 1.② 2.③

④ 국가안보를 위한 통신제한조치기간은 4월을 초과하지 못하며, 4월의 범위 안에서 통신제한조치의 기간을 연장할 수 있다.

해설 ① 통신비밀보호법 제8조 제5항 ② 동법 제7조 제1항
③ 통신제한조치의 기간은 2개월을 초과하지 못하고 2개월의 범위 안에서 통신제한조치기간의 연장을 청구할 수 있다(동법 제6조 제7항). 통신제한조치의 연장을 청구하는 경우에 통신제한조치의 총 연장기간은 1년을 초과할 수 없다. 내란죄·외환죄 등 국가안보와 관련된 범죄 등에 대해서는 통신제한조치의 총 연장기간이 3년을 초과할 수 없다(동법 제6조 제8항).
④ 국가안보를 위한 통신제한조치기간은 4월을 초과하지 못하며, 4월의 범위 안에서 통신제한조치의 기간을 연장할 수 있다(동법 제7조 제2항).

02

03 다음 중 범죄수사를 위한 통신제한조치의 대상인 형법상의 범죄는 모두 몇 개인가?

㉠ 약취유인죄	㉡ 체포감금죄	㉢ 도주와 범죄은닉의 죄
㉣ 상해죄	㉤ 미성년자 등에 대한 간음죄	㉥ 존속협박죄
㉦ 통화에 관한 죄	㉧ 공갈죄	㉨ 경매입찰방해죄
㉩ 알선수뢰죄		

① 4개 ② 5개 ③ 6개 ④ 7개

해설 ㉠㉡㉢㉦㉧㉨㉩이 대상범죄이다.
미성년자간음죄(형법 제305조)는 대상범죄에 해당하나 미성년자 등에 대한 간음죄(형법 제302조)는 대상범죄가 아니며, 단순협박죄는 대상범죄에 해당하나 존속협박죄는 대상이 아니다.

04 통신비밀보호법상 사법경찰관의 통신제한조치(전기통신의 감청)에 관한 설명으로 옳은 것을 모두 고른 것은?

21. 순경 2차

㉠ 일정한 요건이 구비된 경우에는 검사에 대하여 각 피의자별 또는 각 피내사자별로 통신제한조치에 대한 허가를 신청하고, 검사는 법원에 대하여 그 허가를 청구할 수 있다.
㉡ 통신제한조치의 기간은 3개월을 초과하지 못하나 허가요건이 존속하는 경우에는 3개월의 범위에서 통신제한조치기간의 연장을 청구할 수 있다. 다만, 통신제한조치의 연장을 청구하는 경우에 통신제한조치의 총 연장기간은 1년(일정한 범죄의 경우는 3년)을 초과할 수 없다.
㉢ 통신제한조치를 집행한 사건에 관하여 검사로부터 공소를 제기하거나 제기하지 아니하는 처분(기소중지 또는 참고인중지 결정은 제외한다)의 통보를 받거나 검찰송치를 하지 아니하는 처분(수사중지 결정은 제외한다) 또는 내사사건에 관하여 입건하지 아니하는 처분을 한 때에는 그 날부터 30일 이내에 감청의 대상이 된 전기통신의 가입자에게 통신제한조치를 집행한 사실과 집행기관 및 그 기간 등을 서면으로 통지하여야 한다.
㉣ 사법경찰관은 인터넷 회선을 통하여 송신·수신하는 전기통신을 대상으로 통신제한조치를 집행한 경우 그 전기통신의 보관 등을 하고자 하는 때에는 집행종료일부터 10일 이내에 보관 등이 필요한 전기통신을 선별하여 검사에게 보관 등의 승인을 신청하고, 검사는 신청일부터 10일 이내에 통신제한조치를 허가한 법원에 그 승인을 청구할 수 있다.

Answer 3. ④ 4. ①

① ㉠, ㉢ ② ㉠, ㉣ ③ ㉡, ㉢ ④ ㉡, ㉣

| 해설 ㉠ ○ : 통신비밀보호법 제6조 제2항
㉡ × : 통신제한조치의 기간은 2개월을 초과하지 못하나 허가요건이 존속하는 경우에는 2개월의 범위에서 통신제한조치기간의 연장을 청구할 수 있다. 다만, 통신제한조치의 연장을 청구하는 경우에 통신제한조치의 총 연장기간은 1년(일정한 범죄의 경우는 3년)을 초과할 수 없다(통신비밀보호법 제6조 제7항 · 제8항).
㉢ ○ : 통신비밀보호법 제9조의 2 제2항
㉣ × : 인터넷 회선을 통하여 송신 · 수신하는 전기통신을 대상으로 통신제한조치를 집행한 경우 그 전기통신의 보관 등을 하고자 하는 때에는 집행종료일부터 14일 이내에 보관 등이 필요한 전기통신을 선별하여 검사에게 보관 등의 승인을 신청하고, 검사는 신청일부터 7일 이내에 통신제한조치를 허가한 법원에 그 승인을 청구할 수 있다(통신비밀보호법 제12조의 2 제2항).

05 **다음 중 틀린 것은 모두 몇 개인가?**(다툼이 있으면 판례에 의함)

㉠ 이미 수신이 완료되어 전자정보의 형태로 서버에 저장되어 있던 것을 3~7일마다 정기적으로 추출하여 수사기관에 제공하는 방식으로 통신제한조치를 집행한 경우는 통신비밀보호법이 정한 감청이라고 볼 수 없으므로 위법하다고 할 것이다.
㉡ 통신비밀보호법에서 말하는 '대화'에는 당사자가 마주 대하여 이야기를 주고받는 경우만을 의미하고, 당사자 중 한 명이 일방적으로 말하고 상대방은 듣기만 하는 경우는 포함되지 아니한다.
㉢ 통신사실 확인자료를 범죄의 수사나 소추를 위해 사용하는 경우 그 대상범죄를 통신사실 확인자료 제공요청의 목적이 된 범죄나 이와 관련되는 범죄로 한정하고 있는데, 여기서 관련되는 범죄란 혐의사실과 단순히 동종 또는 유사 범행이라는 사유만으로도 관련성이 있다고 할 수는 있다.
㉣ 범죄수사를 위한 통신제한조치 청구사건에서 통신당사자의 쌍방 또는 일방의 주소지, 소재지, 범죄지를 관할하는 지방법원 또는 지원은 통신제한조치 청구사건의 관할법원이 된다.
㉤ 정보수사기관의 장이 국가안전보장을 위해 통신제한조치를 하려면 법무부장관의 허가를 얻어야 한다.
㉥ 검사, 사법경찰관 또는 정보수사기관의 장은 긴급통신제한조치의 집행에 착수한 때부터 36시간 이내에 법원의 허가를 받지 못한 경우에는 해당 조치를 즉시 중지하고 해당 조치로 취득한 자료를 폐기하여야 한다.

① 1개 ② 2개 ③ 3개 ④ 없 음

| 해설 ㉠ ○ : 대판 2016.10.13, 2016도8137
㉡ × : 통신비밀보호법에서 말하는 '대화'에는 당사자가 마주 대하여 이야기를 주고받는 경우뿐만 아니라 당사자 중 한 명이 일방적으로 말하고 상대방은 듣기만 하는 경우도 포함된다(대판 2015.1.22, 2014도10978 전원합의체).
㉢ × : 통신비밀보호법은 통신사실 확인자료 제공요청에 의하여 취득한 통신사실 확인자료를 범죄의 수사나 소추를 위해 사용하는 경우 그 대상범죄를 통신사실 확인자료 제공요청의 목적이 된 범죄나 이와 관련되는 범죄로 한정하고 있는데, 여기서 관련되는 범죄란 혐의사실과 단순히 동종 또는 유사 범행이라는 사유만으로 관련성이 있다고 할 수는 없다. 그리고 피의자와 사이의 인적 관련성은 통신사실 확인자료 제공요청 허가서에 기재된 대상자의 공동정범이나 교사범 등 공범이나 간접정범은 물론 필요적 공범 등에 대한 피고사건에 대해서도 인정될 수 있다(대판 2017.1.25, 2016도13489).
㉣ ○ : 동법 제6조 제3항

Answer 5. ③

㉤ × : 정보수사기관의 장은 국가안전보장에 대해 정보수집이 필요한 때에는 통신의 일방 또는 쌍방당사자가 내국인일 때는 고등법원수석판사의 허가를 받아야 하고, 대한민국에 적대하는 국가 · 반국가활동의 혐의가 있는 외국의 기관 · 단체와 외국인, 대한민국의 통치권이 사실상 미치지 아니하는 한반도 내의 집단이나 외국에 소재하는 그 산하단체의 구성원의 통신일 때에는 대통령의 승인을 얻어 통신제한조치를 할 수 있다(통신비밀보호법 제7조 제1항).
㉥ ○ : 통신비밀보호법 제8조 제5항

06 **다음 중 통신비밀보호법상 통신제한조치에 관한 긴급처분의 요건으로 옳지 않은 것은?**

22. 해경승진

① 국가안보를 위협하는 음모행위
② 범인의 체포 또는 증거의 수집이 어려운 경우
③ 조직범죄의 계획이나 실행 등과 같은 긴박한 상황이 있는 경우
④ 직접적인 사망이나 심각한 상해의 위험을 야기할 경우

| 해설 검사, 사법경찰관 또는 정보수사기관의 장은 국가안보를 위협하는 음모행위, 직접적인 사망이나 심각한 상해의 위험을 야기할 수 있는 범죄 또는 조직범죄 등 중대한 범죄의 계획이나 실행 등 긴박한 상황에 있고 제5조 제1항 또는 제7조 제1항 제1호의 규정에 의한 요건을 구비한 자에 대하여 제6조 또는 제7조 제1항 및 제3항의 규정에 의한 절차를 거칠 수 없는 긴급한 사유가 있는 때에는 법원의 허가 없이 통신제한조치를 할 수 있다(동법 제8조 제1항).

07 **인터넷통신망을 통하여 흐르는 전기신호 형태의 패킷(packet)을 중간에 확보하여 그 내용을 지득하는 소위 패킷감청에 대한 설명으로 가장 적절한 것은?**(다툼이 있는 경우 판례에 의함)

21. 경찰승진

① 패킷감청은 사건과 무관한 불특정 다수의 방대한 정보까지 수집되어 개인의 통신 및 사생활의 비밀과 자유를 침해하기 때문에 헌법불합치결정이 선고되었고, 현재 패킷감청에 의한 통신제한조치는 허용되지 않는다.
② 사법경찰관은 통신비밀보호법에 따른 패킷감청을 집행하여 그 전기통신을 보관하고자 하는 때에는 집행종료일로부터 14일 이내에 보관 등이 필요한 전기통신을 선별하여 통신제한조치를 허가한 법원에 그 승인을 청구할 수 있다.
③ 법원이 패킷감청으로 취득한 자료의 보관을 위한 승인청구를 기각한 경우, 사법경찰관은 청구기각의 통지를 받은 날부터 7일 이내에 해당 전기통신을 폐기하고, 폐기결과보고서를 작성하여 7일 이내에 검사에게 송부하여야 한다.
④ 통신비밀보호법은 패킷감청으로 취득한 자료의 관리에 관한 절차(통신비밀보호법 제12조의 2)의 위반에 대해서는 벌칙 조항을 두고 있지 않다.

| 해설 ① "인터넷회선감청(패킷감청)을 가능하게 하는 통신비밀보호법 제5조 제2항 중 '인터넷회선을 통하여 송 · 수신하는 전기통신'에 관한 부분은 이에 대한 법적 통제수단이 미비하여 개인의 통신 및 사생활 비밀의 자유를 침해하므로 헌법에 합치되지 아니한다."는 헌법재판소의 헌법불합치 결정(2016헌마263)이

Answer 6. ② 7. ④

나왔고, 이에 따라 통신비밀보호법 제12조의 2가 신설되었으므로(신설 2020. 3. 24), 패킷감청의 위헌성은 해소되었다고 볼 수 있다. 따라서 현재 패킷감청에 의한 통신제한조치는 허용된다고 보여진다.
② 사법경찰관은 통신비밀보호법에 따른 통신제한조치를 집행한 경우 그 전기통신의 보관 등을 하고자 하는 때에는 집행종료일부터 14일 이내에 보관 등이 필요한 전기통신을 선별하여 검사에게 보관 등의 승인을 신청하고, 검사는 신청일부터 7일 이내에 통신제한조치를 허가한 법원에 그 승인을 청구할 수 있다(통신비밀보호법 제12조의 2 제2항).
③ 검사 또는 사법경찰관은 법원으로부터 승인서를 발부받거나 청구기각의 통지를 받은 날부터 7일 이내에 승인을 받지 못한 전기통신을 폐기하여야 한다(통신비밀보호법 제12조의 2 제5항).
검사 또는 사법경찰관은 통신제한조치로 취득한 전기통신을 폐기한 때에는 폐기의 이유와 범위 및 일시 등을 기재한 폐기결과보고서를 작성하여 피의자의 수사기록 또는 피내사자의 내사사건기록에 첨부하고, 폐기일부터 7일 이내에 통신제한조치를 허가한 법원에 송부하여야 한다(동법 제12조의 2 제6항).
④ 통신비밀보호법은 패킷감청으로 취득한 자료의 관리에 관한 절차(통신비밀보호법 제12조의 2)의 위반에 대해서는 벌칙 조항을 두고 있지 않다.

08 **통신제한조치에 대한 설명으로 가장 적절하지 않은 것은?**(다툼이 있는 경우 판례에 의함)

22. 경찰간부

① 통신제한조치의 기간은 2개월을 초과하지 못하고, 그 기간 중 통신제한조치의 목적이 달성되었을 경우에는 즉시 종료하여야 한다. 다만, 범죄수사를 위한 통신제한조치의 허가요건이 존속하는 경우에는 소명자료를 첨부하여 2개월의 범위에서 통신제한조치기간의 연장을 청구할 수 있다.
② 통신기관 등은 통신제한조치허가서에 기재된 통신제한조치 대상자의 전화번호 등이 사실과 일치하지 않을 경우에는 그 집행을 거부할 수 있으며, 어떠한 경우에도 전기통신에 사용되는 비밀번호를 누설할 수 없다.
③ 3인 간의 대화에 있어서 그 중 한 사람이 그 대화를 녹음하는 경우에 다른 두 사람의 발언은 그 녹음자에 대한 관계에서 '타인 간의 대화'라고 할 수 없다.
④ 통신제한조치의 집행주체가 제3자의 도움을 받지 않고서는 '대화의 녹음·청취'가 사실상 불가능하거나 곤란한 사정이 있는 경우에는 비례의 원칙에 위배되지 않는 한 제3자에게 집행을 위탁하거나 그로부터 협조를 받아 '대화의 녹음·청취'를 할 수 있는데, 이 경우 통신기관 등이 아닌 일반 사인에게는 당해 통신제한조치를 청구한 목적과 그 집행 또는 협조일시 및 대상을 기재한 대장을 작성하여 비치할 의무가 있다.

| 해설 ① 통신비밀보호법 제6조 제7항
② 통신비밀보호법 제9조 제4항
③ 대판 2006.10.12, 2006도4981
④ 비례의 원칙에 위배되지 않는 한 제3자에게 집행을 위탁하거나 그로부터 협조를 받아 '대화의 녹음·청취'를 할 수 있다고 봄이 타당하고, 그 경우 통신기관 등이 아닌 일반 사인에게 대장을 작성하여 비치할 의무가 있다고 볼 것은 아니다(대판 2015.1.22, 2014도10978 전원합의체).

Answer 8. ④

09 **통신제한조치에 관한 설명으로 옳지 않은 것은?**(다툼이 있는 경우 판례에 의함) 22. 소방간부

① 통신제한조치는 통신비밀보호법 제5조의 범죄를 계획 또는 실행하고 있거나 실행하였다고 의심할만한 충분한 이유가 있고, 다른 방법으로는 그 범죄의 실행을 저지하거나 범인의 체포 또는 증거수집이 어려운 경우에 한하여 허가할 수 있다.

② 전기통신의 감청은 전기통신이 이루어지고 있는 상황에서 실시간으로 전기통신의 내용을 지득·채록하는 경우, 통신의 송·수신을 직접적으로 방해하는 경우를 의미하는 것이므로 이미 수신이 완료된 전기통신에 관하여 남아 있는 기록이나 내용을 열어보는 등의 행위는 포함하지 않는다.

③ 피고인이 범행 후 피해자에게 전화를 걸어오자 피해자가 증거를 수집하려고 그 전화내용을 녹음한 경우 그것이 피고인 모르게 녹음된 것이라 하여 이를 위법하게 수집된 증거라고 할 수 없다.

④ 3인 간의 대화에서 그중 한 사람이 대화를 녹음하는 경우 다른 두 사람의 발언은 그 녹음자에 대한 관계에서 통신비밀보호법 제3조 제1항에서 정한 '타인 간의 대화'라고 할 수 없다.

⑤ 검사 또는 사법경찰관은 통신비밀보호법 제12조의 2 제5항에 따라 통신제한조치로 취득한 전기통신을 폐기한 때에는 폐기의 이유와 범위 및 일시 등을 기재한 폐기결과보고서를 작성하여 피의자의 수사기록 또는 피내사자의 내사사건 기록에 첨부하고 폐기일부터 14일 이내에 통신제한조치를 허가한 법원에 송부하여야 한다.

| 해설 ① 통신비밀보호법 제5조 제1항 ② 대판 2016.10.13, 2016도8137
③ 대판 1997.3.28, 97도240 ④ 대판 2006.10.12, 2006도4981
⑤ 검사 또는 사법경찰관은 통신비밀보호법 제12조의 2 제5항에 따라 통신제한조치로 취득한 전기통신을 폐기한 때에는 폐기의 이유와 범위 및 일시 등을 기재한 폐기결과보고서를 작성하여 피의자의 수사기록 또는 피내사자의 내사사건 기록에 첨부하고 폐기일부터 7일 이내에 통신제한조치를 허가한 법원에 송부하여야 한다(통신비밀보호법 제12조의 2 제6항).

10 **다음은 통신비밀보호법에 대한 설명이다. 아래 ㉠부터 ㉣까지의 설명 중 옳고 그름의 표시(○, ×)가 바르게 된 것은?**(다툼이 있는 경우 판례에 의함) 22. 경찰승진

㉠ 사람의 목소리인 이상 상대방에게 의사를 전달하는 말이 아닌 단순한 비명소리나 탄식 등이라 할지라도 통신비밀보호법이 보호하는 타인 간의 '대화'에 해당한다.
㉡ 통신비밀보호법상 '전기통신의 감청'은 전기통신이 이루어지고 있는 상황에서 실시간으로 전기통신의 내용을 지득·채록하는 경우와 통신의 송·수신을 직접적으로 방해하는 경우뿐만 아니라 이미 수신이 완료된 전기통신에 관하여 남아 있는 기록이나 내용을 열어보는 등의 행위를 포함한다.
㉢ 통신제한조치허가서에 의하여 허가된 통신제한조치가 '전기통신 감청 및 우편물 검열'뿐인 경우 그 후 연장결정서에 당초 허가 내용에 없던 '대화녹음'이 기재되어 있다고 하더라도 이는 대화녹음의 적법한 근거가 되지 못한다.

Answer 9. ⑤ 10. ④

㉣ 검사는 형의 집행을 위하여 필요한 경우 전기통신사업법에 의한 전기통신사업자에게 통신사실 확인자료의 열람이나 제출을 요청할 수 있고, 이 경우에는 관할 지방법원(군사법원을 포함한다.) 또는 지원의 허가를 받아야 한다.

① ㉠(○), ㉡(○), ㉢(×), ㉣(×) ② ㉠(○), ㉡(○), ㉢(×), ㉣(○)
③ ㉠(×), ㉡(×), ㉢(×), ㉣(○) ④ ㉠(×), ㉡(×), ㉢(○), ㉣(○)

| 해설 ㉠ × : 사람의 목소리인 이상 상대방에게 의사를 전달하는 말이 아닌 단순한 비명소리나 탄식 등이라 할지라도 통신비밀보호법이 보호하는 타인 간의 '대화'에 해당한다고 볼 수 없다(대판 2017.3.15, 2016도19843).
㉡ × : '전기통신의 감청'은 '감청'의 개념 규정에 비추어 전기통신이 이루어지고 있는 상황에서 실시간으로 전기통신의 내용을 지득·채록하는 경우와 통신의 송·수신을 직접적으로 방해하는 경우를 의미하는 것이지, 이미 수신이 완료된 전기통신에 관하여 남아 있는 기록이나 내용을 열어보는 등의 행위는 포함하지 않는다(대판 2016.10.13, 2016도8137).
㉢ ○ : 대판 1999.9.3, 99도2317 ㉣ ○ : 통신비밀보호법 제13조 제1항·제3항

11 통신비밀보호와 관련한 설명 중 옳지 않은 것으로만 묶인 것은?(다툼이 있으면 판례에 의함)

㉠ 통신사실 확인자료를 범죄의 수사를 위하여 사용하는 경우 대상 범죄는 통신사실 확인자료 제공요청의 목적이 된 범죄 및 이와 관련된 범죄에 한정되어야 한다. 여기서 관련된 범죄란 통신사실 확인자료 제공요청 허가서에 기재한 혐의사실과 객관적 관련성이 있어야 하는데 이는 범행 동기와 경위, 범행 수단 및 방법, 범행 시간과 장소 등을 증명하기 위한 간접증거나 정황증거 등으로 사용될 수 있는 경우에까지 인정되는 것은 아니다.
㉡ 통신사실 확인자료를 범죄의 수사를 위하여 사용하는 경우 자료제공요청 대상자와 피의자 사이에 인적 관련성이 있어야 하는데 통신사실 확인자료 제공요청 허가서에 기재된 대상자의 공동정범이나 교사범 등 공범이나 간접정범은 물론 필요적 공범 등에 대한 피고사건에 대해서도 인정될 수 있다.
㉢ 甲은 평소 친분이 있던 피해자 乙과 휴대전화로 통화를 마친 후 전화가 끊기지 않은 상태에서 "1~2분간 '악' 하는 소리와 '우당탕' 소리를 들었다."고 진술하는 경우, 甲의 진술은 공개되지 않은 타인간의 진술에 해당하여 증거로 사용할 수 없는 위법수집증거에 해당한다.
㉣ 사법경찰관은 감청의 실시를 종료하면 감청대상이 된 전기통신의 가입자에게 감청사실 등을 통지하여야 하지만, 통지로 인하여 수사에 방해가 될 우려가 있다고 인정할 때에는 통지하지 않을 수 있다.
㉤ 공개되지 않은 타인 간의 대화를 녹음 또는 청취하지 못하도록 한 통신비밀보호법 제3조 제1항에서 '공개되지 않았다.'는 것은 반드시 비밀과 동일한 의미이다.

① ㉠, ㉡ ② ㉠, ㉢, ㉣
③ ㉡, ㉢, ㉣ ④ ㉠, ㉢, ㉣, ㉤

| 해설 ㉠ × : 통신사실 확인자료를 범죄의 수사를 위하여 사용하는 경우 대상 범죄는 통신사실 확인자료 제공요청의 목적이 된 범죄 및 이와 관련된 범죄에 한정되어야 한다. 여기서 통신사실 확인자료 제공요청의 목적이 된 범죄와 관련된 범죄란 통신사실 확인자료 제공요청 허가서에 기재한 혐의사실과 객관적 관련성

Answer 11. ④

이 있고 자료제공 요청대상자와 피의자 사이에 인적 관련성이 있는 범죄를 의미한다. 그중 혐의사실과의 객관적 관련성은, 통신사실 확인자료 제공요청 허가서에 기재된 혐의사실 자체 또는 그와 기본적 사실관계가 동일한 범행과 직접 관련되어 있는 경우는 물론 범행 동기와 경위, 범행 수단 및 방법, 범행 시간과 장소 등을 증명하기 위한 간접증거나 정황증거 등으로 사용될 수 있는 경우에도 인정될 수 있다(대판 2017.1.25, 2016도13489).

㉡ ○ : 대판 2017.1.25, 2016도13489

㉢ × : 甲이 들었다는 '우당탕' 소리는 사물에서 발생하는 음향일 뿐 사람의 목소리가 아니므로 통신비밀보호법에서 말하는 타인 간의 '대화'에 해당하지 않는다. '악' 소리도 사람의 목소리이기는 하나 단순한 비명소리에 지나지 않아 그것만으로 상대방에게 의사를 전달하는 말이라고 보기는 어려워 특별한 사정이 없는 한 타인 간의 '대화'에 해당한다고 볼 수 없다. 따라서 甲의 위 진술을 상해 부분에 관한 증거로 사용하는 것이 피해자 등의 사생활의 비밀과 자유 또는 인격권을 위법하게 침해한다고 볼 수 없어 그 증거의 제출은 허용된다(대판 2017.3.15, 2016도19843).

비교판례 : 甲은 약 8분간의 전화통화를 마친 후 상대방에 대한 예우 차원에서 바로 전화통화를 끊지 않고 乙이 전화를 먼저 끊기를 기다리던 중, 타인과 인사를 나누면서 소개하는 목소리가 甲의 휴대폰을 통해 들려오고, 때마침 乙의 실수로 휴대폰의 통화종료 버튼을 누르지 아니한 채 이를 탁자 위에 놓아두자, 乙의 휴대폰과 통화연결상태에 있는 자신의 휴대폰 수신 및 녹음기능을 이용하여 이 사건 대화를 몰래 청취하면서 녹음한 경우, 甲은 대화에 원래부터 참여하지 아니한 제3자이므로, 통화연결상태에 있는 휴대폰을 이용하여 대화를 청취·녹음하는 행위는 작위에 의한 통신비밀보호법 제3조의 위반행위에 해당한다(대판 2016.5.12, 2013도15616).

㉣ × : 국가의 안전보장·공공의 안녕질서를 위태롭게 할 현저한 우려가 있는 때, 사람의 생명·신체에 중대한 위험을 초래할 염려가 현저한 때에는 통지를 유예할 수 있다(동법 제9조의 2 제4항).

▶ 통지 생략은 불가

▶ '수사에 방해가 될 우려가 있다고 인정할 때'에는 통지유예사유 ×

㉤ × : 공개되지 않은 타인 간의 대화를 녹음 또는 청취하지 못하도록 한 통신비밀보호법 제3조 제1항에서 '공개되지 않았다.'는 것은 반드시 비밀과 동일한 의미는 아니고, 구체적으로 공개된 것인지는 발언자의 의사와 기대, 대화의 내용과 목적, 상대방의 수, 장소의 성격과 규모, 출입의 통제 정도, 청중의 자격 제한 등 객관적인 상황을 종합적으로 고려하여 판단해야 한다(대판 2022.8.31, 2020도1007).

12 **통신비밀보호법에 의하여 녹음내용의 증거능력이 부정되는 것은 모두 몇 개인가?**(판례에 의함)

> ㉠ 제3자인 甲이 乙, 丙 간의 대화 또는 전화통화를 몰래 녹음한 경우
> ㉡ 제3자인 甲이 전화통화 당사자 일방인 乙의 동의만을 받고 乙, 丙 간의 전화통화를 몰래 녹음한 경우
> ㉢ 대화 또는 전화 통화자의 당사자 일방인 甲이 다른 당사자인 乙과의 대화 또는 전화통화를 몰래 녹음한 경우
> ㉣ 3인 간의 대화 도중 그중 한 사람이 두 사람의 대화를 녹음한 경우

① 0개　　② 1개　　③ 2개　　④ 3개

해설 ㉠ 증거능력(×) : 대판 2002.10.8, 2002도123

㉡ 증거능력(×) : 대판 2002.10.8, 2002도123

㉢ 증거능력(○) : 대판 2002.10.8, 2002도123

㉣ 증거능력(○) : 대판 2014.5.16, 2013도16404

Answer 12. ③

13 **범죄수사를 위한 통신제한조치와 관련한 설명 중 적절하지 않은 것은 모두 몇 개인가?**(판례에 의함)

㉠ 인터넷 개인방송의 방송자가 비밀번호를 설정하는 등으로 비공개 조치를 취한 후 방송을 송출하는 경우에는, 방송자로부터 허가를 받지 못한 사람은 당해 인터넷 개인방송의 당사자가 아닌 '제3자'에 해당하고, 이러한 제3자가 비공개 조치가 된 인터넷 개인방송을 비정상적인 방법으로 시청·녹화하는 것은 통신비밀보호법상의 감청에 해당할 수 있다.

㉡ 불법감청에 의하여 녹음된 전화통화의 내용은 법 제4조에 의하여 증거능력이 없다. 그러나 사생활 및 통신의 불가침을 국민의 기본권의 하나로 선언하고 있는 헌법규정과 통신비밀의 보호와 통신의 자유 신장을 목적으로 제정된 통신비밀보호법의 취지에 비추어 볼 때 피고인이나 변호인이 이를 증거로 함에 동의하였다면 달리 보아야 한다.

㉢ 골프장 운영업체(강원랜드)가 예약전용 전화선에 녹취시스템을 설치하여 예약담당직원과 고객 간의 골프장 예약에 관한 통화내용을 녹취한 행위는 통신비밀보호법 제3조 제1항 위반죄에 해당한다.

㉣ 수사기관이 甲으로부터 피고인의 마약류관리에 관한 법률 위반(향정) 범행에 대한 진술을 듣고 추가적인 증거를 확보할 목적으로, 구속수감되어 있던 甲에게 그의 압수된 휴대전화를 제공하여 피고인과 통화하고 위 범행에 관한 통화 내용을 녹음하게 한 행위는 불법감청에 해당한다.

㉤ 이용원을 경영하는 甲이 경쟁업체를 공중위생법위반죄로 고발하는 데 사용할 목적으로 乙의 동의를 얻어 乙로 하여금 같은 상가 내 미용실 丙에게 전화를 걸어 "귓불을 뚫어 주느냐."는 용건으로 통화하게 한 다음 그 내용을 녹음한 것은 통신비밀보호법 제3조 제1항 '타인간의 대화를 녹음한 경우'에 포함시킬 수는 없고, 동법 제3조 제1항의 전기통신감청에 해당하여 증거능력이 없다.

① 1개 ② 2개 ③ 3개 ④ 모두 옳다.

| 해설 ㉠ ○ : 대판 2022.10.27, 2022도9877

㉡ × : 불법감청에 의하여 녹음된 전화통화의 내용은 법 제4조에 의하여 증거능력이 없다. 그리고 사생활 및 통신의 불가침을 국민의 기본권의 하나로 선언하고 있는 헌법규정과 통신비밀의 보호와 통신의 자유 신장을 목적으로 제정된 통신비밀보호법의 취지에 비추어 볼 때 피고인이나 변호인이 이를 증거로 함에 동의하였다고 하더라도 달리 볼 것은 아니다(대판 2010.10.14, 2010도9016).

㉢ × : 골프장 운영업체(강원랜드)가 예약전용 전화선에 녹취시스템을 설치하여 예약담당직원과 고객 간의 골프장 예약에 관한 통화내용을 녹취한 행위는 예약업무를 수행하는 직원이 고객과 통화를 하면서 직접 녹취하는 경우와 다를 바 없고, 이는 결국 강원랜드가 이 사건 전화통화의 당사자로서 통화내용을 녹음한 때에 해당한다고 볼 것이므로 통신비밀보호법 제3조 제1항 위반죄에 해당하지 않는다(대판 2008.10.23, 2008도1237).

㉣ ○ : 수사기관이 甲으로부터 피고인의 마약류관리에 관한 법률 위반(향정) 범행에 대한 진술을 듣고 추가적인 증거를 확보할 목적으로, 구속수감되어 있던 甲에게 그의 압수된 휴대전화를 제공하여 피고인과 통화하고 위 범행에 관한 통화내용을 녹음하게 한 행위는 불법감청에 해당하므로, 그 녹음 자체는 물론 이를 근거로 작성된 녹취록 첨부 수사보고는 피고인의 증거동의에 상관없이 그 증거능력이 없다(대판 2010.10.14, 2010도9016).

㉤ ○ : 대판 2002.10.8, 2002도123

Answer 13. ②

14 **통신비밀보호법상 감청에 관한 설명으로 가장 적절하지 않은 것은?**(다툼이 있는 경우 판례에 의함)

24. 경찰승진

① 전화통화 당사자의 일방이 상대방 모르게 통화내용을 녹음하는 것은 감청에 해당하지 아니하지만, 제3자의 경우는 설령 전화통화 당사자 일방의 동의를 받고 그 통화내용을 녹음하였다 하더라도 그 상대방의 동의가 없었던 이상 통신비밀보호법 제3조를 위반한 불법감청에 해당한다.

② 통신비밀보호법 제3조 제1항 본문에 의하면 누구든지 이 법과 형사소송법 또는 군사법원법의 규정에 의하지 않고는 공개되지 않은 타인 간의 대화를 녹음하거나 청취하지 못하는데, 여기서 말하는 '공개되지 않았다.'는 것은 반드시 비밀과 동일한 의미는 아니다.

③ 인터넷개인방송의 방송자가 비밀번호를 설정하는 등 그 수신범위를 한정하는 비공개 조치를 취하지 않고 방송을 송출하는 경우, 그 시청자는 인터넷개인방송의 당사자인 수신인에 해당하고, 이러한 시청자가 방송 내용을 지득·채록하는 것은 통신비밀보호법에서 정한 감청에 해당하지 않는다.

④ A가 비공개 조치를 한 후 인터넷개인방송을 하는 가정에서 A와 잘 아는 사이인 甲이 불상의 방법으로 접속하거나 시청하고 있다는 사정을 알면서도 방송을 중단하거나 甲을 배제하는 조치를 취하지 아니하고, 오히려 甲의 시청 사실을 전제로 甲을 상대로 한 발언을 하기도 하는 등 계속 진행을 하였더라도, 甲이 해당방송을 시청하면서 음향·영상 등을 청취하거나 녹음하였다면 통신비밀보호법 제3조를 위반한 불법감청에 해당한다.

| 해설 ① 대판 2010.10.14, 2010도9016

② 대판 2022.8.31, 2020도1007

③ 대판 2022.10.27, 2022도9877

④ 방송자가 이와 같은 제3자의 시청·녹화 사실을 알거나 알 수 있었음에도 방송을 중단하거나 그 제3자를 배제하지 않은 채 방송을 계속 진행하는 등 허가받지 아니한 제3자의 시청·녹화를 사실상 승낙·용인한 것으로 볼 수 있는 경우에는 그 제3자 역시 인터넷개인방송의 당사자에 포함될 수 있으므로, 이러한 제3자가 방송 내용을 지득·채록하는 것은 통신비밀보호법에서 정한 감청에 해당하지 않는다(대판 2022.10.27, 2022도9877).

Answer 14. ④

최신판례

1. 피고인의 배우자가 피고인 모르게 피고인의 휴대전화에 자동녹음 애플리케이션을 실행해 두어 자동으로 녹음된 피고인과 배우자 사이의 전화통화 녹음파일을 증거로 사용할 수 있는지 여부에 대하여, 피고인의 배우자가 전화통화의 일방 당사자로서 피고인과 직접 대화를 나누면서 피고인의 발언 내용을 직접 청취하였으므로 전화통화 녹음파일을 증거로 사용할 수 있다(대판 2023.12.14, 2021도2299).
2. 피해아동의 담임교사인 피고인이 피해아동에게 수업시간 중 교실에서 "학교 안 다니다 온 애 같아."라고 말하는 등 정서적 학대행위를 하였다는 이유로 기소되었는데, 피해아동의 부모가 피해아동의 가방에 녹음기를 넣어 수업시간 중 교실에서 피고인이 한 발언을 몰래 녹음한 녹음파일, 녹취록 등의 증거능력이 문제된 사안에서, 대법원은, "이 사건 녹음파일 등은 통신비밀보호법 제14조 제1항을 위반하여 '공개되지 아니한 타인 간의 대화'를 녹음한 것이므로 통신비밀보호법 제14조 제2항 및 제4조에 따라 증거능력이 부정된다고 보아야 한다."라고 판시하였다(대판 2024.1.11, 2020도1538).
3. 대화가 이미 종료된 상태에서 그 대화의 녹음물을 재생하여 듣는 행위는 통신비밀보호법상 '청취'에 포함되지 않는다. 따라서 피고인이 배우자와 함께 거주하는 아파트 거실에 녹음기능이 있는 영상정보 처리기기(이른바 '홈캠')를 설치하였고, 거실에서 배우자와 그 부모 및 동생이 대화하는 내용이 위 기기에 자동 녹음되었는바. 이후 피고인이 홈캠에 녹음된 내용을 들었더라도 통신비밀보호법상 '청취'에 해당하지 않는다(대판 2024.2.29, 2023도8603).
4. 부인이 남편의 휴대전화에 몰래 설치한 '스파이앱'을 통해 남편과 피고(내연녀)가 나눈 전화통화를 녹음하여 부정행위의 증거로 제출한 경우 통신비밀보호법상 불법감청에 해당하므로 증거능력이 없다(대판 2024.4.16, 2023므16593).

THEMA 35 피의자신문

의 의	피의자신문이란 검사 또는 사법경찰관이 수사에 필요한 때 피의자의 출석을 요구하여 그 진술을 듣는 절차를 말한다(임의수사).
피의자신문의 절차 및 방식	1. 출석요구 : 수사기관은 피의자를 질문하기 위하여 피의자의 출석을 요구할 수 있다(제200조). ▶ 피의자는 출석의무가 없으므로 출석을 거부할 수 있고 신문도중에 언제라도 퇴거할 수 있다. ▶ 출석요구의 방법에는 제한이 없다. 13 · 17. 경찰간부 원칙적으로는 출석요구서의 발부, 전화, 구두 가능 ▶ 구속된 피의자가 수사기관의 피의자신문을 위한 출석요구에 불응하면서 조사실에 출석을 거부한 경우에는 구속영장의 효력에 의하여 피의자를 조사실로 구인할 수 있다(대결 2013.7.1, 2013모160). 14. 순경 2차, 15. 변호사시험, 16. 경찰승진 2. 진술거부권의 고지 ① 검사 또는 사법경찰관이 출석한 피의자로부터 진술을 들을 때에는 진술을 거부할 수 있음을 알려야 한다(제244조의 3). ▶ 진술거부권은 피의자가 진술의 자유를 알고 있거나 변호인이 있는 상태에서 출석한 경우라 하더라도 고지하여야 한다. ┌ 피내사자 ⇨ 고지의 대상 × 16. 순경 2차 └ 참고인 ⇨ 고지의 대상 × 17. 경찰간부 ② 진술거부권은 매 신문마다 고지할 필요는 없고 처음 시작할 때 한번 고지로 충분하다. ③ 진술거부권을 고지하지 않고 신문한 경우에 그 피의자신문조서는 비록 그 진술에 임의성이 인정되더라도 증거능력이 없다(대판 1992.6.23, 92도682). 09. 9급 · 7급 국가직, 11. 경찰승진, 14. 경찰간부 ④ 피의자가 진술을 거부할 권리와 변호인의 조력을 받을 권리를 행사할 것인지의 여부를 질문하고, 이에 대한 피의자의 답변을 조서에 기재하여야 한다. 24. 경찰간부 답변은 피의자로 하여금 자필로 기재하게 하거나, 검사 또는 사법경찰관이 피의자의 답변을 기재한 부분에 기명날인 또는 서명하게 하여야 한다(제244조의 3 제2항). 3. 구제신청의 고지 : 사법경찰관은 피의자를 신문하기 전에 수사과정에서 법령위반, 인권침해 또는 현저한 수사권 남용이 있는 경우 검사에게 구제를 신청할 수 있음을 피의자에게 알려주어야 한다(제197조의 3 제8항). 24. 경찰간부 4. 신문사항 및 신문방법 : 검사 또는 사법경찰관은 먼저 인정신문을 한다(제241조). 피의자는 인정신문에 대하여도 진술을 거부할 수 있다. 5. 피의자신문의 주체와 참여 ① 주체 : 검사 또는 사법경찰관 ② 참여 ┌ 검사가 피의자를 신문할 때 ⇨ 검찰청 수사관 또는 서기관이나 서기를 참여 └ 사법경찰관이 신문할 때 ⇨ 사법경찰관리를 참여(제243조) 6. 조서의 작성 ① 신문조서는 피의자에게 열람하게 하거나 읽어 들려주어야 하며, 진술한 대로 기재되지 아니하였거나 사실과 다른 부분의 유무를 물어 피의자가 증감 또는 변경의 청구 등 이의를 제기하거나 의견을 진술한 때에는 이를 조서에 추가로 기재하여야

	한다. 이 경우 피의자가 이의를 제기하였던 부분은 읽을 수 있도록 남겨두어야 한다(제244조 제2항). 21. 경찰승진, 24. 경찰간부 ② 피의자가 조서에 대하여 이의나 의견이 없음을 진술한 때에는 피의자로 하여금 그 취지를 자필로 기재하게 하고, 조서에 간인한 후 기명날인 또는 서명하게 한다(제244조 제3항).
피의자신문과 변호인참여권	1. 검사 또는 사법경찰관은 피의자 또는 그 변호인 · 법정대리인 · 배우자 · 직계친족 · 형제자매의 신청11 · 14. 경찰승진에 따라 정당한 사유가 없는 한 변호인을 피의자에 대한 신문에 참여하게 하여야 한다(제243조의 2 제1항). 08. 7급 국가직, 09. 9급 국가직, 10. 순경 · 9급 법원직, 14. 순경 2차, 15. 경찰승진 ▶ 변호인은 불구속피의자에 대한 피의자신문에도 참여할 수 있다. (○) 15. 9급 검찰 · 마약 · 교정 · 보호 · 철도경찰, 11 · 21. 경찰승진 2. 신문에 참여하고자 하는 변호인이 2인 이상인 때에는 피의자가 신문에 참여할 변호인 1인을 지정한다. 지정이 없는 경우에는 검사 또는 사법경찰관이 이를 지정할 수 있다(동조 제2항). 11. 9급 국가직, 10 · 12. 순경, 13. 순경 2차 · 9급 법원직, 15. 9급 검찰 · 마약 · 교정 · 보호 · 철도경찰, 11 · 14 · 16. 경찰승진 3. 변호인의 참여신청이 있는 경우에도 변호인이 상당한 시간 내에 출석하지 아니하거나 출석할 수 없는 경우에는 변호인의 참여 없이 피의자를 신문할 수 있다(검찰사건사무규칙 제9조의 2 제3항). 09. 순경 4. 신문에 참여한 변호인은 원칙적으로 신문 후 의견을 진술할 수 있다. 10. 7급 국가직 다만, 신문 중이라도 부당한 신문방법에 대하여 이의를 제기할 수 있고, 14. 9급 법원직 검사 또는 사법경찰관의 승인을 받아 의견을 진술할 수 있다(제243조의 2 제3항). 11. 순경, 12. 순경 1차 · 2차, 10 · 13. 9급 법원직, 11 · 14 · 16. 경찰승진 5. 참여변호인의 의견이 기재된 피의자신문조서는 변호인에게 열람하게 한 후 변호인으로 하여금 그 조서에 기명날인 또는 서명하게 하여야 한다(동조 제4항). 10 · 11. 순경, 14. 9급 법원직 6. 검사 또는 사법경찰관은 변호인의 신문참여 및 그 제한에 관한 사항을 피의자신문조서에 기재하여야 한다(동조 제5항). 13. 순경 2차 · 9급 법원직, 14. 경찰승진 ▶ 피의자신문조서에 기재할 수 있다. (×) 7. 검사 또는 사법경찰관의 변호인 참여 등에 관한 처분에 대하여 불복이 있으면 준항고 가능(제417조) 09. 순경, 10. 7급 국가직, 10 · 14. 경찰승진
신뢰관계자 동석	1. 검사 또는 사법경찰관은 피의자가 신체적 또는 정신적인 장애로 사물을 변별하거나 의사를 결정 · 전달할 능력이 미약한 때, 또는 피의자의 연령 · 성별 · 국적 등의 사정을 고려하여 그 심리적 안정의 도모와 원활한 의사소통을 위하여 필요한 경우에는 직권 또는 피의자, 법정대리인의 신청에 따라 피의자와 신뢰관계에 있는 자를 동석하게 할 수 있다(제244조의 5). 11 · 13 · 14. 경찰승진 ▶ 외국인의 경우에는 배려규정이 없다. (×) 2. 검사 또는 사법경찰관은 동석한 신뢰관계에 있는 자가 부당하게 신문의 진행을 방해한 때에는 동석을 중지시킬 수 있다(규칙 제126조의 2 제3항). 16. 경찰간부 3. 신뢰관계자는 동석이 허용되더라도 피의자를 대신하여 진술할 수 없다. 만약 동석한 사람이 피의자를 대신하여 진술한 부분이 피의자신문조서에 기재된다면 그 부분은 피의자의 진술을 기재한 것이 아니라, 동석한 사람의 진술을 기재한 조서에 해당한다(대판 2009.6.23, 2009도1322). 10 · 13. 경찰승진, 11. 9급 검찰, 17. 순경 1차

영상녹화	1. 피의자의 진술은 영상녹화할 수 있다(하여야 한다. ×). 이 경우 미리 영상녹화 사실을 알려주어야 하며, 10. 교정특채, 16. 경찰승진 조사의 개시부터 종료시까지의 전과정 및 객관적 정황을 영상녹화하여야 한다(제244조의 2 제1항). 15. 경찰승진, 19. 9급 교정·보호·철도경찰 ▶ 피의자의 경우 영상녹화사실을 미리 알려주는 것으로 족하며 동의를 받을 필요는 없다(참고인은 동의 필요). 따라서 거부하더라도 수사기관은 영상녹화 가능 09. 7급 국가직, 12. 9급 국가직, 12·13. 순경, 11·13·14. 경찰승진, 13·16. 경찰간부, 17. 순경 1차 2. 조사의 개시부터 종료까지의 전과정이란 조사가 개시된 시점부터 조사가 종료되어 피의자가 조서에 기명날인 또는 서명을 마치는 시점까지의 전과정을 의미한다(규칙 제134조의 2 제3항). 13·16. 경찰승진 3. 조사도중 영상녹화의 필요성이 발견된 때는 그 시점에서 진행 중인 조사를 중단하고, 중단한 조사를 다시 시작하는 때부터 조서에 기명날인 또는 서명을 마치는 시점까지의 전과정을 영상녹화하여야 한다(경찰수사규칙 제43조 제1항). 4. 조사를 마친 후 조서 정리에 오랜 시간이 필요한 경우에는 조서 정리과정을 영상녹화하지 않고, 조서 열람시부터 영상녹화를 다시 시작할 수 있다(경찰수사규칙 제43조 제2항). 5. 영상녹화가 완료된 때에는 피의자 또는 변호인 앞에서 지체 없이 그 원본을 봉인하고 피의자로 하여금 기명날인 또는 서명하게 하여야 한다(제244조의 2 제2항). 10. 교정특채, 09·15·16·21. 경찰승진 6. 영상녹화 원본을 봉인함에 있어 피의자 또는 변호인의 요구가 있는 때에는 영상녹화물을 재생하여 시청하게 하여야 한다. 13. 경찰간부, 15. 경찰승진 이 경우에 그 내용에 대하여 이의를 진술하는 때에는 그 취지를 기재한 서면을 첨부하여야 한다(동조 제3항). ▶ 영상녹화가 완료된 이후 피의자가 영상녹화물의 내용에 대하여 이의를 진술한 때에는 그 진술을 따로 영상녹화하여 첨부하여야 한다. (×) 09. 7급 국가직, 12. 순경, 13·16. 경찰승진, 21·23. 해경승진 7. 영상녹화물은 범죄사실을 인정하기 위한 증거로 사용할 수 없다. 08. 순경 탄핵증거로도 사용이 불가능하다(제318조의 2 제2항 반대해석). 13. 경찰간부
수사과정의 기록	검사 또는 사법경찰관은 피의자가 조사장소에 도착한 시각, 조사를 시작하고 마친 시각, 그 밖에 조사과정의 진행경과(예 조사 중간에 휴식시간 등)를 확인하기 위하여 필요한 사항을 피의자신문조서에 기록하거나 별도의 서면에 기록한 후 수사기록에 편철하여야 한다(제244조의 4 제1항). 12. 9급 국가직, 15·20·21. 경찰승진
조사의 제한	1. 검사 또는 사법경찰관은 구속영장의 청구 또는 신청 여부를 판단하는 등 불가피한 경우가 아닌 한 조사, 신문, 면담 등 그 명칭을 불문하고 피의자나 사건관계인에 대해 오후 9시부터 오전 6시까지 사이에 조사를 해서는 안 된다(수사준칙 제21조 제1항). 21. 7급 국가직 다만, 이미 작성된 조서의 열람을 위한 절차는 자정 이전까지 진행할 수 있다(동조 제1항 단서). 22. 경찰승진, 24. 경찰간부 2. 검사 또는 사법경찰관은 피의자나 사건관계인의 서면 요청에 따라 조서를 열람하는 경우나 구속영장의 청구 또는 신청 여부를 판단하는 등 불가피한 경우가 아닌 한 조사, 신문, 면담 등 그 명칭을 불문하고 피의자나 사건관계인을 조사하는 경우에는 대기시간, 휴식시간, 식사시간 등 모든 시간을 합산한 조사시간이 12시간을 초과하지 않도록 해야 한다(동 수사준칙 제22조 제1항). 21. 순경 1차, 21. 7급 국가직, 24. 경찰간부

	3. 검사 또는 사법경찰관은 특별한 사정이 없으면 총조사시간 중 식사시간, 휴식시간 및 조서의 열람시간 등을 제외한 실제 조사시간이 8시간을 초과하지 않도록 해야 한다(동 수사준칙 제22조 제2항). 4. 검사 또는 사법경찰관은 피의자나 사건관계인에 대한 조사를 마친 때부터 8시간이 지나기 전에는 다시 조사할 수 없다. 다만, 불가피한 경우(동 수사준칙 제22조 제1항 제2호)에 해당하는 경우에는 예외로 한다(동 수사준칙 제22조 제3항). 5. 검사 또는 사법경찰관은 조사에 상당한 시간이 소요되는 경우에는 특별한 사정이 없으면 피의자 또는 사건관계인에게 조사 도중에 최소한 2시간마다 10분 이상의 휴식시간을 주어야 한다(동 수사준칙 제23조 제1항).

01 **피의자신문에 관한 설명 중 가장 적절하지 않은 것은?**(다툼이 있는 경우 판례에 의함)

20. 경찰승진

① 피고인이 피의자신문조서에 기재된 피고인 진술의 임의성을 다투면서 그것이 허위자백이라고 다투는 경우, 법원은 구체적인 사건에 따라 피고인의 학력, 경력, 직업, 사회적 지위, 지능 정도, 진술의 내용, 조서의 형식 등 제반 사정을 참작하여 자유로운 심증으로 위 진술이 임의로 된 것인지 여부를 판단할 수 있다.

② 수사기관은 피의자가 신체적 또는 정신적 장애로 사물을 변별하거나 의사를 결정·전달할 능력이 미약한 때에는 신뢰관계에 있는 자를 동석하게 하여야 하며, 이 때 신뢰관계인이 동석하지 않은 상태로 행한 진술은 임의성이 인정되더라도 유죄인정의 증거로 사용할 수 없다.

③ 신문에 참여하고자 하는 변호인이 2인 이상인 때에는 피의자가 신문에 참여할 변호인 1인을 지정한다. 지정이 없는 경우에는 검사 또는 사법경찰관이 이를 지정할 수 있다.

④ 사법경찰관은 피의자가 조사장소에 도착한 시각, 조사를 시작하고 마친 시각, 그 밖에 조사과정의 진행경과를 확인하기 위하여 필요한 사항을 피의자신문조서에 기록하거나 별도의 서면에 기록한 후 수사기록에 편철하여야 한다.

해설 ① 임의성 유무가 다투어지는 경우에는 자유로운 증명으로 그 임의성 유무를 판단하면 된다(대판 1986.11.25, 83도1718).

② 수사기관은 피의자가 신체적 또는 정신적 장애로 사물을 변별하거나 의사를 결정·전달할 능력이 미약한 때에는 신뢰관계에 있는 자를 동석하게 할 수 있다(제244조의 5). 신뢰관계자 동석 여부는 재량이므로 신뢰관계인이 동석하지 않은 상태로 행한 진술을 위법수집증거라고 할 수는 없다.

③ 제243조의 2 제2항

④ 제244조의 4 제1항

Answer 1. ②

02 **피의자신문에 관한 설명 중 가장 적절한 것은?**(다툼이 있으면 판례에 의함)

① 공소시효가 임박하다는 이유로 심야조사를 하는 것은 위법이다.

② 형사소송법은 변호인의 피의자신문참여권을 명문으로 규정하고 있지는 않다.

③ 피의자의 변호인이 인정신문을 하기 전에 검사에게 피의자의 수갑을 해제하여 달라고 계속 요구하자 검사가 수사에 현저한 지장을 초래한다는 이유로 변호인을 조사실에서 퇴거시키는 조치는 변호인의 피의자신문참여권을 제한하는 것이 아니다.

④ 피의자가 조서에 대하여 이의나 의견이 없음을 진술한 때에는 피의자로 하여금 그 취지를 자필로 기재하게 하고 조서에 간인한 후 기명날인 또는 서명하게 한다. 피의자가 기명날인이나 서명을 거부한 때에는 그 사유를 기재하여야 한다.

해설 ① 공소시효가 임박한 경우 심야조사가 가능하다(수사준칙 제21조 제2항 제2호).

심야조사를 할 수 있는 경우(수사준칙 제21조 제2항)

1. 피의자를 체포한 후 48시간 이내에 구속영장의 청구 또는 신청 여부를 판단하기 위해 불가피한 경우
2. 공소시효가 임박한 경우
3. 피의자나 사건관계인이 출국, 입원, 원거리 거주, 직업상 사유 등 재출석이 곤란한 구체적인 사유를 들어 심야조사를 요청한 경우(변호인이 심야조사에 동의하지 않는다는 의사를 명시한 경우는 제외한다)로서 해당 요청에 상당한 이유가 있다고 인정되는 경우
4. 법무부장관, 경찰청장 또는 해양경찰청장이 정하는 경우로서 검사 또는 사법경찰관의 소속 기관의 장이 지정하는 인권보호 책임자의 허가 등을 받은 경우

② 형사소송법 제243조의 2 제1항에서 변호인의 피의자신문참여권을 명문으로 규정하고 있다.

③ 피의자의 변호인이 인정신문을 하기 전에 검사에게 피의자의 수갑을 해제하여 달라고 계속 요구하자 검사가 수사에 현저한 지장을 초래한다는 이유로 변호인을 조사실에서 퇴거시키는 조치는 정당한 사유 없이 변호인의 피의자신문참여권을 제한하는 것으로서 허용될 수 없다(대결 2020.3.17, 2015모2357).

④ 제244조 제3항, 제48조 제7항 단서 참조

03 **수사절차에 대한 설명으로 가장 적절하지 않은 것은?** 23. 경찰승진

① 검사 또는 사법경찰관은 조사에 상당한 시간이 소요되는 경우에는 특별한 사정이 없으면 피의자 또는 사건관계인에게 조사 도중에 최소한 2시간마다 10분 이상의 휴식시간을 주어야 한다.

② 검사 또는 사법경찰관은 피의자가 조사장소에 도착한 시각, 조사를 시작하고 마친 시각, 그 밖에 조사과정의 진행경과를 확인하기 위하여 필요한 사항을 피의자신문조서에 기록하거나 별도의 서면에 기록한 후 수사기록에 편철하여야 한다.

③ 수사는 원칙적으로 임의수사에 의하고 강제수사는 법률에 규정된 경우에 한하여 허용된다.

④ 사법경찰관은 형사소송법 제197조의 2 제1항에 따른 검사의 보완수사의 요구가 있는 때에는 정당한 이유가 없는 한 지체 없이 이를 이행하면 충분하고, 그 결과를 검사에게 통보할 의무는 없다.

Answer 2. ④ 3. ④

| 해설 ① 수사준칙 제23조 제1항 ② 제244조의 4 제1항 ③ 제199조 제1항
④ 사법경찰관은 형사소송법 제197조의 2 제1항에 따른 검사의 보완수사의 요구가 있는 때에는 정당한 이유가 없는 한 지체 없이 이를 이행하고, 그 결과를 검사에게 통보하여야 한다(제197조의 2 제2항).

04 **검사 또는 사법경찰관이 피의자를 신문하기 전에 알려주어야 할 사항으로 적절하지 아니한 것은?**

① 일체의 진술을 하지 아니하거나 개개의 질문에 대하여 진술을 하지 아니할 수 있다는 것
② 진술을 하지 아니하더라도 불이익을 받지 아니한다는 것
③ 진술을 거부할 권리를 포기하고 행한 진술은 법정에서 유죄의 증거로 사용되지 아니한다는 것
④ 신문을 받을 때에는 변호인을 참여하게 하는 등 변호인의 조력을 받을 수 있다는 것

| 해설 ③ 진술을 거부할 권리를 포기하고 행한 진술은 법정에서 유죄의 증거로 사용될 수 있다는 것을 고지하여야 한다(제244조의 3).

05 **피의자신문에 대한 설명으로 가장 적절한 것은?**(다툼이 있는 경우 판례에 의함)

① 검사 또는 사법경찰관은 변호인의 신문참여 및 그 제한에 관한 사항을 피의자신문조서에 기재하여야 한다.
② 피의자신문에 대한 변호인의 참여권은 구속된 피의자의 방어권을 실질적으로 보장하기 위한 취지이므로 불구속 피의자의 피의자신문에 대해서는 정당한 사유가 있는 경우에만 변호인의 참여가 허용된다.
③ 변호인에게 피의자신문 참여권을 인정하는 이유는 피의자 등이 가지는 '변호인의 조력을 받을 권리'를 충실하게 보장하기 위한 목적에서 비롯된 것이지, 그것이 변호인 자신의 기본권을 보장하기 위하여 인정되는 권리라고 볼 수는 없다.
④ 사법경찰관이 피의자에게 진술거부권을 행사할 수 있음을 알려 주고 그 행사 여부를 질문한 경우, 진술거부권 행사 여부에 대한 피의자의 답변이 자필로 기재되어 있지 않다면 '적법한 절차와 방식'에 따라 작성된 조서라 할 수 없으므로 언제나 그 증거능력을 인정할 수 없다.

| 해설 ① 제243조의 2 제5항 ② 피의자신문에 대한 변호인의 참여권은 구속 또는 불구속을 불문한다. 따라서 불구속 피의자의 피의자신문에 대해서도 정당한 사유가 없는 한 피의자에 대한 신문에 참여하게 하여야 한다. ③ 변호인이 피의자신문에 자유롭게 참여할 수 있는 권리는 피의자가 가지는 변호인의 조력을 받을 권리를 실현하는 수단이므로 헌법상 기본권인 변호인의 변호권으로서 보호되어야 한다(헌재결 2017.11.30, 2016헌마503).
④ 사법경찰관이 피의자에게 진술거부권을 행사할 수 있음을 알려 주고 그 행사 여부를 질문하였다 하더라도, 진술거부권 행사 여부에 대한 피의자의 답변이 자필로 기재되어 있지 아니하거나 그 답변 부분에 피의자의 기명날인 또는 서명이 되어 있지 아니한 사법경찰관 작성의 피의자신문조서는 '적법한 절차와 방식'에 따라 작성된 조서라 할 수 없으므로 그 증거능력을 인정할 수 없다(대판 2013.3.28, 2010도3359).

Answer 4.③ 5.①

06 **형사소송법 및 형사소송규칙상 신뢰관계에 있는 자의 동석에 대한 설명으로 가장 적절하지 않은 것은?**(다툼이 있는 경우 판례에 의함)

21. 경찰승진

① 법원은 범죄로 인한 피해자를 증인으로 신문하는 경우 증인의 연령, 심신의 상태, 그 밖의 사정을 고려하여 증인이 현저하게 불안 또는 긴장을 느낄 우려가 있다고 인정하는 때에는 직권 또는 피해자 · 법정대리인 · 검사의 신청에 따라 피해자와 신뢰관계에 있는 자를 동석하게 할 수 있다.

② 법원은 범죄로 인한 피해자가 13세 미만이거나 신체적 또는 정신적 장애로 사물을 변별하거나 의사를 결정할 능력이 미약한 경우에 재판에 지장을 초래할 우려가 있는 등 부득이한 경우가 아닌 한 피해자와 신뢰관계에 있는 자를 동석하게 하여야 한다.

③ 피해자와 신뢰관계에 있는 사람은 피해자의 배우자, 직계친족, 형제자매, 가족, 동거인, 고용주, 변호사, 그 밖에 피해자의 심리적 안정과 원활한 의사소통에 도움을 줄 수 있는 사람을 말한다.

④ 동석한 자는 법원 · 소송관계인의 신문 또는 증인의 진술을 방해하거나 그 진술의 내용에 부당한 영향을 미칠 수 있는 행위를 하여서는 아니되며, 재판장은 동석한 자가 부당하게 재판의 진행을 방해하는 때에는 그 행위의 중지를 명할 수 있으나, 동석 자체를 중지시킬 수는 없다.

| 해설 ① 제163조의 2 제1항 ② 제163조의 2 제2항 ③ 규칙 제84조의 3 제1항
④ 재판장은 동석한 자가 부당하게 재판의 진행을 방해하는 때에는 동석 자체를 중지시킬 수 있다(규칙 제84조의 3 제3항).

07 **피의자신문에 대한 설명 중 가장 적절하지 않은 것은?**(다툼이 있는 경우 판례에 의함)

① 수사기관이 진술자의 성명을 가명으로 기재하여 조서를 작성하였다고 해서 그 이유만으로 그 조서가 '적법한 절차와 방식'에 따라 작성되지 않았다고 할 것은 아니다.

② 검사 또는 사법경찰관의 형사소송법 제243조의 2에 따른 변호인의 참여 등에 관한 처분에 대하여 불복이 있으면 그 직무집행지의 관할법원 또는 검사의 소속검찰청에 대응한 법원에 그 처분의 취소 또는 변경을 청구할 수 있다.

③ 피의자와 신뢰관계에 있는 자의 동석을 허락하는 경우에도 동석한 사람으로 하여금 피의자를 대신하여 진술하도록 하여서는 안 되며, 동석한 사람이 피의자를 대신하여 진술한 부분이 조서에 기재되어 있다면 그 부분은 피의자의 진술을 기재한 것이 아니라 동석한 사람의 진술을 기재한 조서에 해당하므로, 그 사람에 대한 진술조서로서의 증거능력을 취득하기 위한 요건을 충족하지 못하는 한 이를 유죄 인정의 증거로 사용할 수 없다.

④ 피의자가 피의자신문조서를 열람한 후 이의를 제기한 경우 이를 조서에 추가로 기재해야 하며, 이의를 제기하였던 부분은 부당한 심증형성의 기초가 되지 않도록 삭제하여야 한다.

Answer 6. ④ 7. ④

| 해설 | ① 대판 2012.5.24, 2011도7757 ② 제417조 ③ 대판 2009.6.23, 2009도1322
④ 피의자가 피의자신문조서를 열람한 후 이의를 제기한 경우 이를 조서에 추가로 기재해야 하며, 이의를 제기하였던 부분은 읽을 수 있도록 남겨둬야 한다(제244조 제2항).

08 피의자신문조서의 작성과 관련한 내용으로 가장 적절하지 않은 것은?(다툼이 있으면 판례에 의함)

① 검사 작성의 피의자신문조서에 작성자인 검사의 서명날인이 되어 있지 아니한 경우, 피의자신문조서에 진술자인 피고인의 서명날인이 되어 있다거나, 피고인이 법정에서 그 피의자신문조서에 대하여 진정성립과 임의성을 인정하였다고 하더라도 무효이며 증거능력을 인정할 수 없다.

② 피의자신문조서 말미에 피고인의 서명만이 있고, 그 날인이나 간인이 없는 검사 작성의 피고인에 대한 피의자신문조서는 증거능력이 없다고 할 것이고, 그 날인이나 간인이 없는 것이 피고인이 그 날인이나 간인을 거부하였기 때문이어서 그러한 취지가 조서말미에 기재되었다거나, 피고인이 법정에서 그 피의자신문조서의 임의성을 인정하였다고 하여 달리 볼 것은 아니다.

③ 피의자신문조서를 작성함에 있어 피고인들에게 조서의 기재내용을 알려 주지 아니하였다면 피의자신문조서의 증거능력이 없다.

④ 피의자의 서명·날인 및 간인이 없는 피의자신문조서는 증거능력이 없다.

| 해설 | ① 검사 작성의 피의자신문조서에 작성자인 검사의 서명날인(현행법에 의하면 기명날인 또는 서명)이 되어 있지 아니한 경우, 피의자신문조서에 진술자인 피고인의 서명날인이 되어 있다거나, 피고인이 법정에서 그 피의자신문조서에 대하여 진정성립과 임의성을 인정하였다고 하더라도 무효이며 증거능력을 인정할 수 없다(대판 2001.9.28, 2001도4091).
② 피의자신문조서 말미에 피고인의 서명만이 있고, 그 날인(현행법에 의하면 서명 또는 기명날인)이나 간인이 없는 검사 작성의 피고인에 대한 피의자신문조서는 증거능력이 없다고 할 것이고, 그 날인이나 간인이 없는 것이 피고인이 그 날인이나 간인을 거부하였기 때문이어서 그러한 취지가 조서말미에 기재되었다거나, 피고인이 법정에서 그 피의자신문조서의 임의성을 인정하였다고 하여 달리 볼 것은 아니다(대판 1999.4.13, 99도237).
③ 피의자신문조서를 작성함에 있어 피고인들에게 조서의 기재내용을 알려 주지 아니하였다 하더라도 그 사실만으로는 피의자신문조서의 증거능력이 없다고 할 수 없다(대판 1993.5.14, 93도486).
④ 피의자의 서명·날인(현행법에 의하면 서명 또는 기명날인) 및 간인이 없는 피의자신문조서는 증거능력이 없다(대판 1992.6.23, 92도954).

09 형사절차상 영상녹화에 관한 설명 중 가장 적절하지 않은 것은?

17. 경찰승진

① 피의자의 진술을 영상녹화할 때에는 조사의 개시부터 종료까지 전과정 및 객관적 정황을 녹화하여야 한다.

② 영상녹화물은 조사가 행해지는 동안 조사실 전체를 확인할 수 있도록 녹화된 것으로 진술자의 얼굴을 식별할 수 있는 것이어야 하고, 재생화면에는 녹화 당시의 날짜와 시간이 실시간으로 표시되어야 한다.

Answer 8. ③ 9. ④

③ 피고인 또는 피고인이 아닌 자의 진술을 내용으로 하는 영상녹화물은 공판준비 또는 공판기일에서 피고인 또는 피고인이 아닌 자가 진술함에 있어서 기억이 명백하지 아니한 사항에 관하여 기억을 환기시켜야 할 필요가 있다고 인정되는 때에 한하여 피고인 또는 피고인이 아닌 자에게 재생하여 시청하게 할 수 있다.

④ 피고인이 아닌 피의자의 진술에 대한 영상녹화물의 조사를 신청하는 경우 검사는 영상녹화를 시작하고 마친 시각과 조사장소 등을 기재한 서면을 법원에 제출하여야 한다.

| 해설 ① 제244조의 2 제1항 ② 규칙 제134조의 2 제4항 · 제5항 ③ 제318조의 2 제1항
④ 형사소송규칙 제134조의 2 제2항 · 제6항의 내용인데, 이 규정은 2020. 12. 28. 개정시 삭제되었다.

10 진술의 영상녹화제도에 대한 설명으로 가장 적절하지 않은 것은?(다툼이 있는 경우 판례에 의함)

21. 경찰승진

① 피의자의 진술은 영상녹화할 수 있다. 이 경우 미리 영상녹화사실을 알려주어야 하며, 조사의 개시부터 종료까지의 전 과정 및 객관적 상황을 영상녹화하여야 한다.

② 영상녹화가 완료된 때에는 피의자 또는 변호인 앞에서 지체 없이 그 원본을 봉인하고 피의자로 하여금 기명날인 또는 서명하게 하여야 한다.

③ 피의자가 아닌 자의 진술을 영상녹화하고자 할 때에는 미리 피의자가 아닌 자에게 영상녹화 사실을 알려주고 동의를 받아야 한다.

④ 아동 · 청소년대상 성범죄 피해자 진술을 영상녹화하는 경우 피해자 또는 법정대리인이 거부하더라도 영상녹화를 하여야 한다. 다만, 가해자가 친권자 중 일방인 경우는 그러하지 아니하다.

| 해설 ① 제244조의 2 제1항 ② 제244조의 2 제2항 ③ 제221조 제1항
④ 아동 · 청소년대상 성범죄 피해자의 진술내용과 조사과정은 촬영, 보존하여야 한다(아동 · 청소년 성보호에 관한 법률 제26조 제1항). 피해자 또는 법정대리인이 거부하는 경우에는 영상녹화를 하여서는 아니된다. 다만, 가해자가 친권자 중 일방인 경우는 그러하지 아니하다(아동 · 청소년 성보호에 관한 법률 제26조 제2항).

11 다음 중 형사소송법과 형사소송규칙상 영상녹화에 대한 설명으로 가장 옳지 않은 것은?

23. 해경승진

① 피의자 진술에 대한 영상녹화가 완료된 이후 피의자 또는 변호인에게 영상녹화물을 재생하여 시청하게 하여야 하며, 그 내용에 대하여 이의를 진술하는 때에는 해당 내용을 삭제하고 그 진술을 영상녹화하여 첨부하여야 한다.

② 피고인 또는 피고인이 아닌 자의 진술을 내용으로 하는 영상녹화물은 공판준비 또는 공판기일에 피고인 또는 피고인이 아닌 자가 진술함에 있어서 기억이 명백하지 아니한 사항에 관하여 기억을 환기시켜야 할 필요가 인정되는 때에 한하여 피고인 또는 피고인이 아닌 자에게 재생하여 시청하게 할 수 있다.

Answer 10. ④ 11. ①

③ 검사는 피의자가 아닌 자가 공판준비 또는 공판기일에서 조서가 자신이 검사 또는 사법경찰관 앞에서 진술한 내용과 동일하게 기재되어 있음을 인정하지 아니하는 경우 그 부분의 성립의 진정을 증명하기 위하여 영상녹화물의 조사를 신청할 수 있다.

④ 법원은 검사가 영상녹화물의 조사를 신청한 경우 이에 관한 결정을 함에 있어 원진술자와 함께 피고인 또는 변호인으로 하여금 그 영상녹화물이 적법한 절차와 방식에 따라 작성되어 봉인된 것인지 여부에 관한 의견을 진술하게 하여야 한다.

| 해설 ① 피의자 또는 변호인의 요구가 있는 때에는 영상녹화물을 재생하여 시청하게 하여야 한다. 이 경우 그 내용에 대하여 이의를 진술하는 때에는 그 취지를 기한 서면을 첨부하여야 한다(제244조의 2 제3항). 해당 내용을 삭제하는 것은 아님.
② 제318조의 2 제2항 ③ 규칙 제134조의 3 제1항 ④ 규칙 제134조의 4 제1항

12 피의자신문에 대한 설명 중 적절하지 않은 것은 모두 몇 개인가?(다툼이 있는 경우 판례에 의함)

㉠ 피의자가 "변호인의 조력을 받을 권리를 행사할 것인가요?"라는 사법경찰관의 물음에 "예"라고 답변하였음에도 사법경찰관이 변호인의 참여를 제한하여야 할 정당한 사유 없이 변호인이 참여하지 아니한 상태에서 계속하여 피의자를 상대로 신문을 행한 경우, 그 내용을 기재한 피의자신문조서는 적법한 절차에 따르지 않고 수집한 증거에 해당한다.

㉡ 수사기관이 변호인의 피의자신문 참여를 부당하게 제한하거나 중단시킨 경우에는 준항고를 통해 다툴 수 있다.

㉢ 피의자가 변호인의 참여를 원한다는 의사를 명백하게 표시하였음에도 수사기관이 정당한 사유 없이 변호인을 참여하게 하지 아니한 채 피의자를 신문하여 작성한 피의자신문조서는 형사소송법 제312조에서 정한 '적법한 절차와 방식'에 위반된 증거일 뿐만 아니라, 형사소송법 제308조의 2에서 정한 '적법한 절차에 따르지 아니하고 수집한 증거'에 해당하므로 이를 증거로 할 수 없다.

㉣ 검사가 피고인의 공판절차에서 이미 증언을 마친 증인에게 수사기관에 출석할 것을 요구하여 그 증인을 상대로 위증의 혐의를 조사한 내용을 담은 피의자신문조서는 그 피고인이 증거로 함에 동의하더라도 증거능력이 인정되지 않는다.

㉤ 인지절차를 밟기 전에 수사를 하였다고 하더라도 그 수사가 장차 인지의 가능성이 전혀 없는 상태하에서 행해졌다는 등의 특별한 사정이 없는 한 인지절차가 이루어지기 전에 수사를 하였다는 이유만으로 그 수사가 위법하다고 볼 수는 없고, 따라서 그 수사과정에서 작성된 피의자신문조서나 진술조서 등의 증거능력도 이를 부인할 수 없다.

① 1개 ② 2개 ③ 3개 ④ 4개

| 해설 ㉠ ○ : 대판 2013.3.28, 2010도3359
㉡ ○ : 제417조
㉢ ○ : 대판 2013.3.28, 2010도3359
㉣ × : 피고인이 증거로 함에 동의하지 아니하는 한 그 증거능력이 없다(대판 2013.8.14, 2012도13665).
– 피고인이 증거로 함에 동의하면 증거능력 인정
㉤ ○ : 대판 2001.10.26, 2000도2968

Answer 12. ①

13 **검사와 사법경찰관의 상호협력과 일반적 수사준칙에 관한 규정의 내용으로 가장 적절한 것은?**

21. 순경 2차

① 검사 또는 사법경찰관은 피의자신문에 참여한 변호인이 피의자의 옆자리 등 실질적인 조력을 할 수 있는 위치에 앉도록 해야 하고, 정당한 사유가 없으면 피의자에 대한 신문이 아닌 단순 면담 등이라는 이유로 변호인의 참여·조력을 제한해서는 안 된다.

② 피의자신문에 참여한 변호인은 검사 또는 사법경찰관의 신문 후 조서를 열람하고 의견을 진술할 수 있으며, 신문 중이라도 부당한 신문방법에 대해서는 검사 또는 사법경찰관의 승인을 받아 이의를 제기할 수 있다.

③ 검사 또는 사법경찰관은 피의자의 범죄수법, 범행 동기, 피해자와의 관계, 언동 및 그 밖의 상황으로 보아 피해자가 피의자 또는 그 밖의 사람으로부터 생명·신체에 위해를 입거나 입을 염려가 있다고 인정되는 경우에는 피해자의 신청이 있는 때에 한하여 신변보호에 필요한 조치를 강구할 수 있다.

④ 검사 또는 사법경찰관은 피의자에게 출석요구를 하려는 경우에는 피의자와 조사의 일시·장소에 관하여 협의해야 하고 변호인이 있는 때에는 변호인과도 협의해야 하나, 피의자 외의 사람에 대한 출석요구의 경우에는 협의를 요하지 아니한다.

| 해설 ① 수사준칙 제13조

② 피의자신문에 참여한 변호인은 검사 또는 사법경찰관의 신문 후 조서를 열람하고 의견을 진술할 수 있으며, 신문 중이라도 부당한 신문방법에 대해서는 검사 또는 사법경찰관의 승인 없이 이의를 제기할 수 있다(수사준칙 제14조 제3항).

③ 검사 또는 사법경찰관은 피의자의 범죄수법, 범행 동기, 피해자와의 관계, 언동 및 그 밖의 상황으로 보아 피해자가 피의자 또는 그 밖의 사람으로부터 생명·신체에 위해를 입거나 입을 염려가 있다고 인정되는 경우에는 직권 또는 피해자의 신청에 신변보호에 필요한 조치를 강구해야 한다(수사준칙 제15조).

④ 검사 또는 사법경찰관은 피의자에게 출석요구를 하려는 경우에는 피의자와 조사의 일시·장소에 관하여 협의해야 하고 변호인이 있는 때에는 변호인과도 협의해야 한다(수사준칙 제19조 제2항). 제2항의 규정은 피의자 외의 사람에 대한 출석요구의 경우에도 적용한다(수사준칙 제19조 제6항).

14 **검사와 사법경찰관의 상호협력과 일반적 수사준칙에 관한 규정상 심야조사 및 장시간 조사에 대한 설명으로 가장 적절하지 않은 것은?**

22. 경찰승진

① 검사 또는 사법경찰관은 조사, 신문, 면담 등 그 명칭을 불문하고 피의자나 사건관계인을 조사하는 경우에는 원칙적으로 대기시간, 휴식시간, 식사시간 등 모든 시간을 합산한 조사시간이 12시간을 초과하지 않도록 해야 한다.

② 검사 또는 사법경찰관은 피의자나 사건관계인에 대해 원칙적으로 오후 9시부터 오전 6시까지 사이에 심야조사를 해서는 안 되지만, 이미 작성된 조서의 열람을 위한 절차는 예외적으로 오후 9시부터 오전 6시까지 사이에 진행할 수 있다.

Answer 13. ① 14. ②

③ 검사 또는 사법경찰관은 피의자를 체포한 후 48시간 이내에 구속영장의 청구 또는 신청 여부를 판단하기 위해 불가피한 경우 오후 9시부터 오전 6시까지 사이에 심야조사를 할 수 있다.

④ 검사 또는 사법경찰관은 사건의 성질 등을 고려할 때 심야조사가 불가피하다고 판단되는 경우 등 법무부장관, 경찰청장 또는 해양경찰청장이 정하는 경우로서 검사 또는 사법경찰관의 소속기관의 장이 지정하는 인권보호 책임자의 허가 등을 받은 때에는 오후 9시부터 오전 6시까지 사이에 심야조사를 할 수 있다.

해설 ① 수사준칙 제22조 제1항
② 검사 또는 사법경찰관은 조사, 신문, 면담 등 그 명칭을 불문하고 피의자나 사건관계인에 대해 오후 9시부터 오전 6시까지 사이에 조사를 해서는 안 된다. 다만, 이미 작성된 조서의 열람을 위한 절차는 자정 이전까지 진행할 수 있다(수사준칙 제21조 제1항).
③ 수사준칙 제21조 제2항 제1호
④ 수사준칙 제21조 제2항 제4호

15 **수사에 대한 설명으로 가장 적절하지 않은 것은?**(다툼이 있는 경우 판례에 의함) 22. 경찰간부

① 검사 또는 사법경찰관은 정당한 사유가 없으면 피의자신문에 참여한 변호인에게 피의자에 대한 법적인 조언·상담을 보장해야 하며, 법적인 조언·상담을 위한 변호인의 메모를 허용해야 한다.

② 구속영장발부에 의하여 적법하게 구금된 피의자가 피의자신문을 위한 출석요구에 응하지 아니하면서 수사기관 조사실에 출석을 거부하는 경우, 수사기관은 그 구속영장의 효력에 의하여 피의자를 조사실로 구인할 수 있다.

③ 피의자진술의 영상녹화는 조사가 개시된 시점부터 종료까지의 전 과정이 녹화된 것이어야 하며, 조사과정 일부에 대한 선별적 영상녹화는 허용되지 않는다.

④ 사기사건에 있어서 사법경찰관이 작성한 피의자신문조서에 대하여 피의자였던 피고인이 그 조서의 내용을 부인하는 경우, 피의자진술 과정에서 작성한 영상녹화물 재생을 통해 증거능력을 인정할 수 있다.

해설 ① 수사준칙 제13조 제1항
② 대결 2013.7.1, 2013모160
③ 제244조의 2 제1항
④ 사법경찰관이 작성한 피의자신문조서에 대하여 피의자였던 피고인이 그 조서의 내용을 부인하는 경우 증거능력이 부정되며, 피의자진술 과정에서 작성한 영상녹화물을 통해 대체적인 증명방법은 허용되지 아니한다(제312조 제3항).

Answer 15.④

16 피의자신문에 대한 설명 중 적절하지 않은 것은 모두 몇 개인가?(다툼이 있는 경우 판례에 의함)

> ㉠ 변호인이 피의자신문 중 부당한 신문방법에 대한 이의를 제기하였다는 이유만으로 변호인을 조사실에서 퇴거시킨 검사 또는 사법경찰관의 조치는 변호인의 피의자신문 참여권을 제한하는 것으로서 허용될 수 없다.
> ㉡ 검사가 국가보안법 위반죄로 구속영장을 발부받아 피의자신문을 한 다음, 구속 기소한 후 다시 피의자를 소환하여 공범들과의 조직구성 등에 관한 신문을 하면서 피의자신문조서가 아닌 일반적인 진술조서의 형식으로 조서를 작성하였다면 진술거부권을 고지하지 않았더라도 위법이 아니다.
> ㉢ 검찰주사가 피의자신문조서를 작성한 후 검사가 "이것이 모두 사실이냐."는 취지로 개괄적으로 질문한 사실이 있을 뿐, 피의사실에 관하여 위 피고인을 직접·개별적으로 신문한 바 없는 경우, 위 피의자신문조서는 검사작성의 피의자신문조서로 볼 수 없다.
> ㉣ 사법연수생인 검사 직무대리가 검찰총장으로부터 명 받은 범위 내에서 법원조직법에 의한 합의부의 심판사건에 해당하지 아니하는 사건에 관하여 검사의 직무를 대리하여 피고인에 대한 피의자신문조서를 작성할 경우, 그 피의자신문조서는 검사가 작성한 피의자신문조서와 동일하게 그 증거능력이 인정된다.
> ㉤ 피고인이 된 피의자의 진술을 영상녹화할 경우에는 진술거부권, 변호인의 참여를 요청할 수 있다는 점 등의 고지가 포함되어야 한다.
> ㉥ 검사가 조사실에서 피의자를 신문할 때 피의자에게 보호장비를 사용하지 말아야 하는 것이 원칙이고, 다만 도주, 자해, 다른 사람에 대한 위해 등 위험이 분명하고 구체적으로 드러나는 경우에만 예외적으로 보호장비를 사용하여야 한다.

① 1개　　② 2개　　③ 3개　　④ 4개

| 해설 ㉠ ○ : 대결 2020.3.17, 2015모2357
㉡ × : 피의자의 진술을 녹취 내지 기재한 서류 또는 문서가 수사기관에서의 조사 과정에서 작성된 것이라면, 그것이 '진술조서, 진술서, 자술서'라는 형식을 취하였다고 하더라도 피의자신문조서와 달리 볼 수 없다. 수사기관이 피의자를 신문함에 있어서 피의자에게 미리 진술거부권을 고지하지 않은 때에는 그 피의자의 진술은 위법하게 수집된 증거로서 진술의 임의성이 인정되는 경우라도 증거능력이 부인되어야 한다(대판 2009.8.20, 2008도8213).
㉢ ○ : 대판 2003.10.9, 2002도4372
㉣ ○ : 대판 2010.4.15, 2010도1107
㉤ ○ : 규칙 제134조의 2 제3항
㉥ ○ : 대결 2020.3.17, 2015모2357

Answer 16. ①

17 **피의자신문에 관한 설명으로 가장 적절하지 않은 것은?**(다툼이 있는 경우 판례에 의함)

24. 경찰간부

① 검사 또는 사법경찰관은 피의자신문 전에 진술거부권과 신문받을 때 변호인의 조력을 받을 수 있음을 고지해야 하나, 이러한 권리를 행사할 것인지의 여부에 대한 피의자의 답변을 반드시 조서에 기재할 필요는 없다.

② 검사 또는 사법경찰관은 조사, 신문, 면담 등 그 명칭을 불문하고 피의자에 대해 원칙적으로 오후 9시부터 오전 6시까지 사이에는 심야조사를 해서는 안 되며, 조서를 열람하거나 예외적으로 심야조사가 허용되는 경우를 제외하고는 총 조사시간은 12시간을 초과하지 않아야 한다.

③ 변호인의 수사방해나 수사기밀의 유출에 대한 우려가 없고, 조사실의 장소적 제약 등이 없음에도 수사관이 피의자신문에 참여한 변호인에게 '피의자 후방에 앉으라'고 요구한 행위는 변호인의 변호권을 침해하는 것이다.

④ 피의자의 진술은 피의자 또는 변호인의 동의없이도 영상을 녹화할 수 있으나, 다만 미리 영상녹화사실을 알려주어야 하며 조사의 개시부터 종료까지의 전 과정 및 객관적 정황을 영상녹화해야 한다.

| 해설 ① 검사 또는 사법경찰관은 피의자가 진술을 거부할 권리와 변호인의 조력을 받을 권리를 행사할 것인지의 여부를 질문하고, 이에 대한 피의자의 답변을 조서에 기재하여야 한다. 이 경우 피의자의 답변은 피의자로 하여금 자필로 기재하게 하거나 검사 또는 사법경찰관이 피의자의 답변을 기재한 부분에 기명날인 또는 서명하게 하여야 한다(제244조의 3 제2항).

② 수사준칙 제21조 제1항, 제22조 제1항

③ 헌재결 2017.11.30, 2016헌마503

④ 제244조의 2 제1항

Answer 17. ①

THEMA 36

1. 참고인과 증인의 비교

구 분	참고인	증 인
진술기관	수사기관에 대하여	법원 또는 법관에 대하여
구인 여부	×	○
각종의무	×	선서 · 출석 · 증언의 의무
제재 여부	× 10. 경찰승진	• 불출석시 ⇨ 500만원 이하 과태료, 비용부담, 감치 등 • 선서, 증언거부시 ⇨ 50만원 이하 과태료

2. 참고인과 피의자의 비교

구 분	참고인	피의자
진술여부권 고지의무	×	○
체포 · 구속의 대상	×	○
영상녹화	동 의	고 지

01 참고인조사에 대한 다음 설명 중 올바른 것은?

① 참고인은 일정한 체험사실을 법원에 진술한다는 점에서 증인과 동일하다.

② 참고인에 대하여도 진술거부권을 고지하여야 한다.

③ 참고인에 대하여는 과태료나 구인의 제재가 가해지지 않는다.

④ 참고인조사의 방법과 조서작성은 피의자신문의 절차와 무관하다.

| 해설 ① 증인은 법원에 대하여 참고인은 수사기관에 대하여 진술하는 자이다.
② 피의자에 대한 진술거부권의 고지는 필수적이나(제200조 제2항), 참고인에 대하여는 규정이 없다. 따라서 참고인에게는 진술거부권을 고지할 필요가 없다.
③ 증인에게는 과태료, 구인 등의 제재가 가능하지만 참고인에게는 그러한 제재가 가해지지 않는다.
④ 참고인에 대한 조사와 조서작성 방법은 피의자신문에 준한다(제48조 참조).

Answer 1. ③

02 참고인조사에 관한 내용으로 틀린 것으로만 묶인 것은?(다툼이 있으면 판례에 의함)

> ㉠ 수사기관이 참고인을 조사하는 과정에서 작성한 영상녹화물은 공소사실을 입증하는 본증으로 사용할 수 없다.
> ㉡ 성범죄 피해자에 대한 영상녹화물의 경우에는 독립적인 증거능력을 인정한다.
> ㉢ 공판준비 또는 공판기일에서 이미 증언을 마친 증인을 검사가 소환한 후 피고인에게 유리한 증언 내용을 추궁하여 이를 일방적으로 번복시키는 방식으로 작성한 진술조서는 피고인이 증거로 할 수 있음에 동의하더라도 증거능력이 없다.
> ㉣ 피해자의 진술을 들을 경우에 피해자가 13세 미만이거나 신체적 또는 정신적 장애로 사물을 변별하거나 의사를 결정할 능력이 미약한 경우에는 언제나 피해자와 신뢰관계에 있는 자를 동석하게 하여야 한다.
> ㉤ 검사는 피의자 아닌 자에 대한 조서의 성립의 진정을 증명하기 위해 영상녹화물의 조사를 신청할 수 있는데 영상녹화물에는 진술거부권·변호인참여를 고지할 수 있다는 점을 고지하는 내용이 포함되어 있어야 한다.

① ㉠, ㉡　② ㉡, ㉢, ㉣　③ ㉢, ㉣, ㉤　④ ㉡, ㉣, ㉤

해설 ㉠ ○ : 수사기관이 조사과정에서 작성한 영상녹화물은 진술조서의 실질적 진정성립을 증명하거나, 기억환기용으로 한정하고 있으므로, 공소사실을 입증하는 본증으로 사용할 수 없다(대판 2014.7.10, 2012도5041).
㉡ ○ : 성폭력범죄의 처벌 등에 관한 특례법 제30조 제6항, 아동·청소년 성보호에 관한 법률 제26조 제6항
㉢ × : 공판준비 또는 공판기일에서 이미 증언을 마친 증인을 검사가 소환한 후 피고인에게 유리한 증언 내용을 추궁하여 이를 일방적으로 번복시키는 방식으로 작성한 진술조서는 피고인이 증거로 할 수 있음에 동의하지 아니하는 한 증거능력이 없다(대판 2012.6.14, 2012도534).
㉣ × : 원칙적으로는 동석하여야 하나, 재판에 지장을 초래할 우려가 있는 등 부득이한 경우가 있는 경우에는 예외적으로 피해자와 신뢰관계에 있는 자를 동석하지 않을 수 있다(제221조 제3항, 제163조의 2).
㉤ × : 진술거부권·변호인참여를 고지할 수 있다는 점은 고지할 필요가 없다(규칙 제134조의 3 제3항).

03 형사소송법 및 형사소송규칙상 영상녹화에 대한 내용으로 가장 적절하지 않은 것은?

18. 순경 1차

① 검사 또는 사법경찰관은 수사에 필요한 때에는 피의자가 아닌 자의 출석을 요구하여 진술을 들을 수 있다. 이 경우 그의 동의를 받아 영상녹화할 수 있다.
② 검사는 피의자가 아닌 자가 공판준비 또는 공판기일에서 조서가 자신이 검사 또는 사법경찰관 앞에서 진술한 내용과 동일하게 기재되어 있음을 인정하지 아니하는 경우 그 부분의 성립의 진정을 증명하기 위하여 영상녹화물의 조사를 신청할 수 있다.
③ 법원은 검사가 영상녹화물의 조사를 신청한 경우 이에 관한 결정을 함에 있어 원진술자와 함께 피고인 또는 변호인으로 하여금 그 영상녹화물이 적법한 절차와 방식에 따라 작성되어 봉인된 것인지 여부에 관한 의견을 진술하게 하여야 한다.
④ 법원은 공판준비 또는 공판기일에서 봉인을 해체하고 영상녹화물의 전부 또는 일부를 재생하는 방법으로 조사하여야 한다. 이 때 영상녹화물은 그 재생과 조사에 필요한 전자적 설비를 갖춘 법정 외의 장소에서는 이를 재생할 수 없다.

Answer 2. ③　3. ④

해설 ① 제221조 제1항 ② 규칙 제134조의 3 제1항 ③ 규칙 제134조의 4 제1항
④ 법원은 공판준비 또는 공판기일에서 봉인을 해체하고 영상녹화물의 전부 또는 일부를 재생하는 방법으로 조사하여야 한다. 이 때 영상녹화물은 그 재생과 조사에 필요한 전자적 설비를 갖춘 법정 외의 장소에서 이를 재생할 수 있다(규칙 제134조의 4 제3항).

04 **참고인 조사에 관한 설명으로 가장 적절하지 않은 것은?**(다툼이 있는 경우 판례에 의함)

24. 경찰승진

① 진술거부권의 고지가 갖는 실질적인 의미를 고려해 볼 때, 피의자의 지위에 있지 아니한 참고인으로서 조사를 받으면서 수사기관으로부터 진술거부권을 고지받지 않았다면 그 진술조서는 위법수집증거로서 증거능력이 없다.

② 검사 또는 사법경찰관이 참고인을 조사하는 경우에는 조사장소에 도착한 시각, 조사를 시작하고 마친 시각, 그 밖에 조사과정의 진행경과를 확인하기 위하여 필요한 사항을 조서에 기록하거나 별도의 서면에 기록한 후 수사기록에 편철하여야 한다.

③ 참고인이 수사과정에서 진술서를 작성하였지만 수사기관이 그에 대한 조사과정을 기록하지 아니하여 형사소송법 제244조의 4 제3항, 제1항에서 정한 절차를 위반한 경우에는, 특별한 사정이 없는 한 '적법한 절차와 방식'에 따라 수사과정에서 진술서가 작성되었다 할 수 없으므로 그 증거능력을 인정할 수 없다.

④ 수사기관이 참고인을 조사하는 과정에서 형사소송법에 따라 작성한 영상녹화물은, 다른 법률에서 달리 규정하고 있는 등의 특별한 사정이 없는 한, 공소사실을 직접 증명할 수 있는 독립적인 증거로 사용될 수는 없다.

해설 ① 수사기관에 의한 진술거부권 고지의 대상이 되는 피의자의 지위는 수사기관이 조사대상자에 대한 범죄혐의를 인정하여 수사를 개시하는 행위를 한 때에 인정되는 것으로 봄이 상당하다. 따라서 이러한 피의자의 지위에 있지 아니한 자에 대하여는 진술거부권이 고지되지 아니하였다 하더라도 그 진술의 증거능력을 부정할 것은 아니다(대판 2014.4.30, 2012도725).
② 제244조의 4 제3항 ③ 대판 2015.4.23, 2013도3790 ④ 대판 2014.7.10, 2012도5041

05 **공무소 등에의 조회에 대한 설명 중 틀린 것은?**

① 수사기관의 조회요청에 대하여 상대방인 공무소가 회답하지 않는 경우 공무상 의무위반으로 처벌된다.

② 전과조회, 신원조회 등이 이에 속한다.

③ 그 법적 성질에 대하여 임의수사설과 강제수사설이 대립한다.

④ 형사소송법상 이에 관한 명문의 규정이 있다.

해설 ①②③ 수사기관은 수사에 관하여 공무소 기타 공・사단체에 조회하여 필요한 사항의 보고를 요구할 수 있다(제199조 제2항). 이를 널리 사실조회 또는 공무소에의 조회라 한다(예 전과조회). 조회내용에 대한 제한은 없으며, 상대방은 보고의무는 있으나 의무이행을 강제할 방법은 없다. 따라서 임의수사의 일종이다.
④ 제199조 제2항

Answer 4. ① 5. ①

CHAPTER 02

강제처분과 강제수사

ADVICE

형사소송에 있어서 개인의 자유와 권리를 침해할 가능성이 가장 큰 분야가 바로 강제처분이다. 따라서 본 장이 차지하는 비중은 아무리 강조해도 지나침이 없다. 어느 한 곳도 간과해서는 아니될 것이며, 전 분야 빠짐없이 철저한 학습이 요망된다.

➜ **체계상 도움말** : 형사소송법은 법원의 강제처분을 원칙으로 규정하고(제68조 내지 제145조), 강제수사에 관하여는 수사상의 체포와 구속(제200조의 2 내지 제214조의 3) 및 압수 · 수색 · 검증(제215조 내지 제218조)에 관한 규정을 두면서 법원의 강제처분에 관한 규정을 준용하고 있다(제209조, 제219조). 법원의 강제처분은 강제수사가 아니나 여기서는 강제처분의 공통성을 고려하여 법원의 강제처분도 강제수사와 함께 살펴보기로 한다.

제1절 서 설

THEMA 37 강제처분

<table>
<tr><td rowspan="2">의 의</td><td>협 의</td><td>형사절차에서 강제력을 내용로 하는 처분을 말함
예 체포, 구속, 압수, 수색, 수사기관의 검증, 감정유치, 소환, 제출명령</td></tr>
<tr><td>광 의</td><td>협의의 강제처분과 법원의 증거조사(예 법원의 검증, 증인신문, 감정 · 통역 · 번역)를 포함하는 개념</td></tr>
<tr><td>강제처분 법정주의</td><td colspan="2">헌법 제12조 제1항 후단 및 형사소송법 제199조 제1항은 강제처분이 반드시 법률에 근거를 두어야 함을 명시하고 있는데 이를 강제처분법정주의라고 한다.</td></tr>
<tr><td rowspan="3">영장주의</td><td>의 의</td><td>영장주의란 법원 또는 법관이 발부한 적법한 영장에 의하지 않으면 형사절차상의 강제처분을 할 수 없다는 원칙을 말한다(헌법 제12조 제3항).
▶ 사법경찰관이 법관에게 영장을 청구할 수 있도록 하기 위해서는 헌법개정이 필요함.
▶ 형집행장 ⇨ 검사가 발부(영장 ×)
▶ 영장 ⇨ 소환장, 체포영장, 구속영장, 압수 · 수색 · 검증영장, 감정유치장, 감정처분허가장</td></tr>
<tr><td>적용범위</td><td>영장주의는 법원과 수사기관의 강제처분 모두에 적용된다. 06. 순경</td></tr>
<tr><td>영장의 발부 및 집행</td><td>• 수사절차 : 검사 청구에 의하여 지방법원판사가 발부(허가장)
• 공소제기 후 공판절차 : 법원이 직권발부(명령장)
▶ 제시되는 영장은 반드시 정본이어야 하며, 사본의 제시는 허용되지 아니한다(대판 1997.1.24, 96다40547). 10. 경찰승진</td></tr>
</table>

		▶ 법관이 발부한 영장은 내용이 특정되어야 한다. 즉, 일반영장의 발부는 금지된다. 13. 경찰간부 ▶ 체포 · 구속영장 : 사전제시 원칙(예외 규정 ○), 압수 · 수색 · 검증 영장 : 사전제시(예외규정 ×) – 그러나 판례는 예외 허용
	영장주의 위반의 효과	구속취소(제93조, 제209조), 체포 · 구속적부심사(제214조의 2), 항고(제403조), 준항고(제417조), 증거능력부정(제308조의 2), 불법체포 · 구속 공무원의 형사책임(형법 제124조)
	영장주의의 예외	긴급체포, 현행범 체포, 체포목적의 수색, 체포현장에서 압수 · 수색 · 검증, 범죄장소에서 압수 · 수색 · 검증, 임의제출물의 압수, 공판정 압수 · 수색
종 류	주 체	• 수사기관의 강제처분 : 피의자체포(체포영장에 의한 체포, 긴급체포, 현행범체포), 피의자구속, 압수 · 수색 · 검증 • 수소법원의 강제처분 : 피고인구속, 피고인소환, 압수 · 수색, 제출명령, 피고인감정유치, 검증, 03. 행시 증인신문, 감정 · 통역 · 번역 • 수임판사의 강제처분 : 증거보전처분, 참고인에 대한 증인신문, 수사상 감정유치(피의자감정유치)
	대 상	• 대인적 강제처분 : 체포, 구속, 소환, 신체수색, 신체검증, 감정유치 • 대물적 강제처분 : 압수, 수색, 검증, 제출명령
	절 차	• 기소 전 강제처분 : 수사기관의 강제처분, 판사의 강제처분(증거보전, 증인신문) • 기소 후 강제처분 : 수소법원에 의한 강제처분
	정 도	• 직접적 강제처분 : 체포 · 구속 · 압수 · 수색 • 간접적 강제처분 : 소환 · 제출명령
강제처분에 대한 구제	사전구제	① 강제처분 법정주의 및 비례성 원칙 ② 영장주의 11. 경찰승진 ③ 무죄추정의 법리 ④ 구속 전 피의자신문 ⑤ 변호인제도 ⑥ 재구속 · 재체포의 제한 09. 경찰승진 ⑦ 자백배제의 법칙 ⑧ 자백보강의 법칙 ⑨ 진술거부권제도
	사후구제	① 구속취소 ② 구속집행정지 ③ 보 석 09. 경찰승진 ④ 체포 · 구속적부심사제도 09. 경찰승진 ⑤ 강제처분에 대한 준항고 ⑥ 형사보상제도 ⑦ 구속기간제한 ⑧ 검사의 구속장소감찰제도(사전적 구제 의미도 有)

01 강제처분에 관한 설명 중 옳지 않은 것은?

① 우리 헌법에 강제처분을 제한하는 규정이 있다.
② 직접 사람의 신체나 물건에 물리력을 가하는 것을 의미하고 단순히 일정한 의무를 과하는 것은 강제처분이 아니다.
③ 강제처분은 국민의 인권을 침해하는 것이므로 필요한 최소한에 국한하여야 한다.
④ 법원이나 법관의 권한에 속하는 것과 수사기관의 권한에 속하는 것이 있다.

| 해설 ① 우리 헌법상 강제처분으로 인한 인권침해를 방지하기 위하여 헌법 제12조, 제13조, 제16조 등 명문의 규정들을 두고 있다.
② 의무부과의 경우(소환, 제출명령)도 강제처분에 포함시키고 있음이 통설이다.

02 수소법원(受訴法院)의 강제처분에 관한 설명으로 옳지 않은 것은?

① 수소법원의 검증은 강제처분에 해당하지 않는다.
② 증거보전절차상의 강제처분(압수·수색 등)은 수소법원의 강제처분이 아니다.
③ 수소법원의 강제처분과 수명법관이나 수탁판사에 의한 강제처분은 직접적인 관계가 있다.
④ 수소법원의 강제처분에 대해서도 인권보장을 위한 제약을 두고 있다.
⑤ 피고인구속이라 함은 수소법원이 불구속피고인을 구속하는 것을 말한다.

| 해설 ① 수소법원의 검증은 증거조사의 일종으로서 법원이 행하므로 영장을 요하지 않을 뿐 광의의 강제처분에 해당한다.
③ 수명법관은 수소법원의 구성원이고 수탁판사의 강제처분은 수소법원으로부터 구속·압수 등의 강제처분을 촉탁받은 경우이므로(제77조, 제136조) 수소법원의 강제처분과 직접적 관계가 있다.

03 영장주의에 관한 설명 중 가장 적절하지 않은 것은?(다툼이 있는 경우 판례에 의함) 14. 경찰승진

① 마약류 관련 수형자의 마약류반응검사를 위한 소변강제채취는 법관의 영장을 필요로 하는 강제처분이므로 구치소 등 교정시설 내에서의 소변채취가 법관의 영장 없이 실시되었다면 헌법 제12조 제3항의 영장주의에 위배된다.
② 체포영장에 의하지 아니하고 체포된 피의자는 관할법원에 체포의 적부심사를 청구할 권리를 가진다.
③ 범죄의 피의자로 입건된 사람들에게 경찰공무원이나 검사의 신문을 받으면서 자신의 신원을 밝히지 않고 지문채취에 불응하는 경우 형사처벌을 통하여 지문채취를 강제하는 구 경범죄처벌법 제1조 제42호는 영장주의의 원칙에 위반되지 않는다.
④ 형사절차에 있어서 영장주의란 체포·구속·압수 등의 강제처분을 함에 있어서는 사법권 독립에 의하여 그 신분이 보장되는 법관이 발부한 영장에 의하지 않으면 안 된다는 원칙이다.

Answer 1. ② 2. ① 3. ①

| 해설 | ① 교도소의 안전과 질서유지를 위한 것으로 수사에 필요한 처분이 아닐 뿐만 아니라 검사대상자들의 협력이 필수적이어서 강제처분이라고 할 수도 없어 영장주의의 원칙이 적용되지 않는다(헌재결 2006. 7.27, 2005헌마277).
② 제214조의 2 제1항
③ 헌재결 2004.9.23, 2002헌가17
④ 헌재결 1997.3.27, 96헌바28

04 **강제처분으로부터 기본권을 보장하기 위한 제도 중 사후적 구제제도에 해당하는 것은 몇 개인가?**

㉠ 강제처분에 대한 준항고	㉡ 구속취소
㉢ 구속집행정지	㉣ 형사보상
㉤ 구속 전 피의자신문제도	

① 1개 ② 2개 ③ 3개 ④ 4개

| 해설 | ㉤ 구속 전 피의자신문제도는 판사가 피의자를 직접 대면하여 심문한 후 구속 여부를 결정하는 제도로서 인권보장을 위한 사전적 구제제도이다.

Answer 4. ④

제2절 인신구속제도

현행 형사소송법하에서의 인신구속제도는 체포와 구속제도로 대별할 수 있으며, 체포는 체포영장에 의한 체포(통상체포)와 영장에 의하지 아니하는 긴급체포, 현행범인의 체포로 구분된다. 이 점에서 영장에 의해서만 가능한 구속(피의자, 피고인)의 경우와는 다르다.
구속과 관련한 문제에 대해서는 해당 편에서 다루게 되겠지만 아래에서는 편의상 구속과 함께 도표화하였다.

❙ 현행법상 인신구속제도 ❙

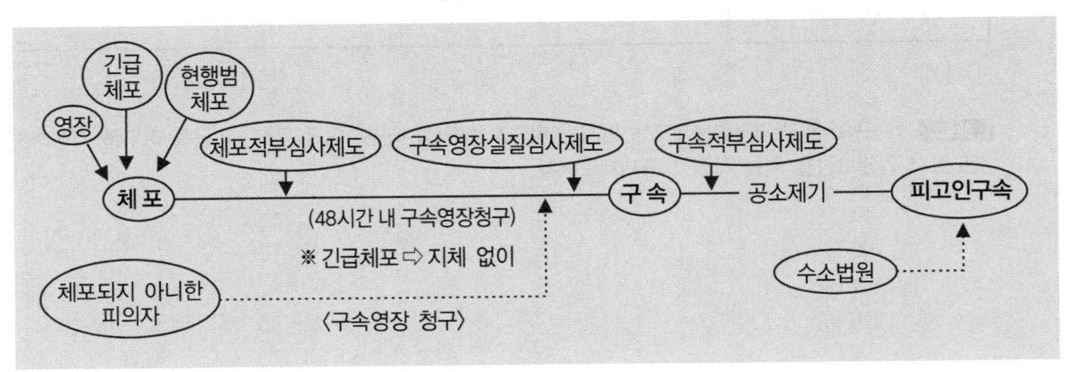

Ⅰ. 피의자체포

THEMA 38 체포영장에 의한 체포제도

의의 및 취지	체포영장에 의한 체포라 함은 죄를 범하였다고 의심할 만한 상당한 이유가 있는 피의자를 사전영장에 의하여 단시간 동안 수사관서 등 일정한 장소에 인치하는 제도이다. 피의자에 대한 간편한 인치제도를 마련함으로써 임의동행이나 보호실유치와 같은 탈법적인 수사관행을 근절하고, 불필요한 구속을 억제하기 위해 도입된 제도이다.	
체포 요건	일반사건의 경우 (제200조의 2 제1항)	① 피의자가 죄를 범하였다고 의심할 만한 상당한 이유가 있을 때(범죄혐의) ② 정당한 이유 없이 피의자에 대한 출석요구에 응하지 아니하거나 응하지 아니할 우려가 있는 때(체포의 필요성) ▶ 체포의 필요성이 없는 경우(도망 또는 증거인멸의 염려가 없는 경우)는 체포영장을 발부할 수 없다(제200조의 2 제2항). – ∴ 필요성이 있어야 체포하는 것이 아니라 필요성이 없는 경우에 체포를 허용하지 않은 소극적 요건
	경미사건의 경우 (동조 제1항 단서)	다액 50만원 이하의 벌금, 구류 또는 과료에 해당하는 사건 ⇨ 피의자가 일정한 주거가 없는 경우 또는 정당한 이유 없이 출석요구에 응하지 아니한 경우에 한하여 체포할 수 있다.

체포 절차

1. 체포영장의 청구

① 체포영장은 검사가 청구하고 관할 지방법원판사가 발부한다. 00. 7급 검찰 사법경찰관도 검사에 신청하여 검사의 청구로 관할 지방법원판사의 체포영장을 발부받아 피의자를 체포할 수 있다(제200조의 2 제1항).

② 동일범죄 사실에 관하여 그 피의자에 대하여 전에 체포영장을 청구하였거나, 발부받은 사실이 있는 때에는 다시 체포영장을 청구하는 취지 및 이유를 기재하여야 한다(제200조의 2 제4항). 13 · 16. 경찰승진

▶ 재체포제한 × 10 · 13. 경찰승진(피의자 재구속 ⇨ 다른 중요증거 발견을 요함)

2. 체포영장의 발부

① 검사는 체포의 필요를 인정할 자료를 제출하여야 하며(규칙 제96조 제1항), 피의자 등은 판사에게 유리한 자료를 제출할 수 있다(규칙 제96조 제3항).

② 체포영장의 청구를 받은 지방법원판사는 상당하다고 인정하는 때에는 체포영장을 발부한다(제200조의 2 제2항).

▶ 구속영장의 경우는 구속 전 피의자심문제도(제201조의 2)가 있으나 체포영장의 경우는 체포 전 피의자심문제도가 없다. 13. 경찰승진, 19. 9급 법원직

③ 체포영장에는 피의자의 성명, 주거, 죄명, 피의사실요지, 인치 · 구금할 장소, 발부연월일, 그 유효기간과 그 기간을 경과하면 집행에 착수하지 못하며 영장을 반환하여야 할 취지를 기재하고 법관이 서명날인하여야 한다(제200조의 6, 제75조 제1항).

▶ 체포영장을 집행하는 자의 성명 ⇨ 기재 ×

④ 체포영장을 발부하지 아니한 때에는 청구서에 그 취지 및 이유를 기재하고 서명날인하여 청구한 검사에게 교부한다(제200조의 2 제3항).

⑤ 영장의 유효기간은 7일이며, 판사가 상당하다고 인정하는 때에는 7일을 넘는 기간을 정할 수 있다(규칙 제178조). 14. 경찰승진

⑥ 체포(구속)영장청구에 대한 재판 ⇨ 항고나 준항고 대상 ×(대결 2006.2.18, 2006모646)

3. 체포영장의 집행

① 검사의 지휘로 사법경찰관리가 집행하며, 교도소 또는 구치소에 있는 피의자의 경우에는 검사의 지휘에 의하여 교도관이 집행한다(제200조의 6, 제81조 제3항). 22. 해경간부, 24. 경찰간부

② 체포 전에 피의사실의 요지, 체포의 이유와 변호인을 선임할 수 있음을 고지하여 변명할 기회를 주어야 하며(제200조의 5), 체포영장집행시 진술거부권을 알려주어야 한다(수사준칙 제32조 제1항).

체포영장을 집행함에는 체포영장을 제시하고 그 사본을 교부하여야 한다(제200조의 6, 제85조 제1항). 검사 또는 사법경찰관은 피의자에게 영장의 사본을 교부한 경우에는 피의자로부터 영장 사본 교부 확인서를 받아 사건기록에 편철한다(수사준칙 제32조의 2 제3항). 피의자가 영장의 사본을 수령하기를 거부하거나 영장 사본 교부 확인서에 기명날인 또는 서명하는 것을 거부하는 경우에는 검사 또는 사법경찰관이 영장 사본 교부 확인서 끝부분에 그 사유를 적고 기명날인 또는 서명해야 한다(수사준칙 제32조의 2 제4항).

▶ 제시된 영장 ⇨ 정본(원본)이어야 함(사본은 위법 : 대판 1996.8.8, 96다40547)

다만, 체포영장을 소지하지 아니한 경우에 급속을 요하는 때에는 피의자에 대하여 피의사실의 요지와 영장이 발부되었음을 고지하고 집행할 수 있다. 23. 9급 법원직 이 경우에 집행완료 후 신속히 체포영장을 제시하고 그 사본을 교부하여야 한다(제200조의 6, 제85조 제3항 · 제4항). 24. 경찰간부

	③ 체포영장을 집행함에는 영장 없이 타인의 주거에서 피의자를 수색하거나, 체포현장에서 압수 · 수색 · 검증을 할 수 있다(제216조 제1항). 13. 변호사시험 ▶ 다만, 영장에 의한 체포, 구속의 경우의 피의자 수색은 미리 수색영장을 발부 받기 어려운 긴급한 사정이 있는 때에 한정한다(제216조 제1항 제1호 단서 : 2019. 12. 31. 개정). ▶ 2019년 형사소송법 개정 전 제216조 제1항 제1호는 피의자를 체포 · 구속하는 경우에 타인의 주거 등에 대해 수색영장을 발부받을 수 없는 긴급한 사정이 있는지의 여부와 무관하게 영장 없는 수색을 허용하고 있었다. 헌법재판소는 '제216조 제1항 제1호 중 제200조의 2(영장에 의한 체포)에 관한 부분은 영장을 발부받기 어려운 긴급한 사정이 있는지 여부를 구별하지 아니하고 영장 없이 타인의 주거 등을 수색할 수 있도록 허용하고 있는데, 이는 헌법 제16조의 영장주의 예외 요건을 벗어나는 것으로서 영장주의에 위반된다.'는 이유로 2020. 3. 31.까지는 개정하라는 헌법불합치결정을 내렸다(헌재결 2018.4.26, 2015헌바370). 위와 같은 헌법재판소의 결정에 따라 제216조 제1항 제1호 단서에 긴급성을 추가하였다(2019. 12. 31. 개정). ▶ 헌법불합치결정을 하게 된 당해 사건 및 이 사건 헌법불합치결정 당시 구법 조항의 위헌 여부가 쟁점이 되어 법원에 계속 중인 사건에 대하여는 위헌성이 제거된 현행 형사소송법의 규정이 적용되어야 하므로, 이 사건 건조물을 수색하기에 앞서 수색영장을 발부받기 어려운 긴급한 사정이 있었다고 볼 수 없음에도 수색영장 없이 경찰이 이 사건 건조물을 수색한 행위는 적법한 공무집행에 해당하지 아니한다(대판 2021.5.27, 2018도13458). ④ 압수한 물건을 계속 압수할 필요가 있는 경우에는 지체 없이 압수 · 수색영장을 청구하여야 한다. 청구는 체포한 때로부터 48시간 이내에 하여야 한다(제217조 제2항). ⑤ 수사기관에 의한 구금장소의 임의적 변경은 피의자의 방어권이나 변호인의 접견교통권의 중대한 장애를 초래하는 위법한 조치이며 준항고의 대상이 된다. ⑥ 체포영장을 발부받은 후 피의자를 체포하지 아니하거나 체포한 피의자를 석방한 때에는 검사는 지체 없이 영장을 발부한 법원에 그 사유를 서면으로 통지하여야 하며, 영장의 원본을 첨부하여야 한다(제204조, 규칙 제96조의 19). 18. 순경 2차, 21. 해경승진, 22. 경찰승진
집행 후의 조치	1. 변호인이 있는 경우에는 변호인에게, 변호인이 없는 경우에는 변호인 선임권자 가운데 피의자가 지정한 자에게 피의사건명, 체포일시 · 장소, 피의사실의 요지, 체포이유와 변호인을 선임할 수 있음을 알려야 한다. 체포의 통지는 지체 없이 서면으로 하여야 하며(제200조의 6), 늦어도 24시간 이내에 하여야 한다(규칙 제51조 제2항). 급속을 요하는 경우에는 전화 또는 모사전송기 기타 상당한 방법에 의하여 통지할 수는 있으나 이 경우에도 체포통지는 다시 서면으로 하여야 한다(규칙 제51조 제3항). 15. 순경 3차 2. 피의자를 체포한 후 그를 다시 구속하고자 할 때에는 체포한 때로부터 48시간(24시간 ×) 내에 구속영장(제201조)을 청구하여야 하고, 10 · 14. 경찰승진 그 기간 내에 구속영장을 청구하지 아니하거나 발부받지 못한 때에는 피의자를 즉시(법정기간 내 ×) 석방하여야 한다(제200조의 2 제5항, 규칙 제100조 제2항). 13 · 16. 변호사시험, 22. 경찰승진 체포영장에 의하여 체포된 피의자를 구속영장에 의하여 구속한 때에는 구속기간은 체포된 때로부터 기산한다(제203조의 2). ▶ 구속과는 달리 체포기간은 연장제도 없음 ▶ 48시간 내에 구속영장을 청구하면 족하며 반드시 구속영장이 발부될 것을 요하는 것은 아님. ▶ 검사 또는 사법경찰관은 체포한 피의자를 석방하려는 때에는 피의자 석방서를 작성하여야 한다(수사준칙 제36조 제1항). 3. 체포 후 피의자 등은 체포적부심사를 청구할 수 있다(제214조의 2). 4. 체포되었다가 석방된 피의자라도 동일사건에 대하여 영장에 의한 재체포가 가능하다.

01 체포제도에 대한 설명으로 옳은 것은 몇 개인가?

㉠ 체포영장 유효기간은 체포권을 행사할 수 있는 기간을 말하는 것이 아니고 체포영장에 기하여 피의자를 유치할 수 있는 기간을 말한다.
㉡ 체포영장의 유효기간은 7일이며 법관은 상당하다고 인정할 때에는 14일을 넘지 아니하는 범위 내에서 유효기간을 정할 수 있다.
㉢ 체포사실의 통지의 경우 범죄사실의 요지는 통지하여야 하나, 피의사건명은 통지할 필요는 없다.
㉣ 체포영장이나 구속영장의 집행시 주거 등에서의 무영장 피의자 수색은 미리 수색영장을 발부받기 어려운 긴급한 사정이 있는 때에 한정한다.
㉤ 체포·구속영장 집행시 진술거부권을 알려주어야 하는데, 신문을 받을 때에는 변호인을 참여하게 하는 등 변호인의 조력을 받을 수 있다는 것도 그 내용에 해당한다.

① 1개 ② 2개 ③ 3개 ④ 없 음

해설 ㉠ ×: 체포영장 유효기간은 체포권을 행사할 수 있는 기간을 말한다(법원실무제요, 258면).
㉡ ×: 상당하다고 인정할 때에는 7일을 넘는 기간을 정할 수 있다(규칙 제178조).
㉢ ×: 피의사건명도 통지의 대상이다(제87조, 제200조의 6).
㉣ ○: 제216조 제1항 제1호
㉤ ×: 체포·구속영장 집행시 알려주어야 하는 사항으로는 일체의 진술을 하지 아니하거나 개개의 질문에 대하여 진술을 하지 아니할 수 있다는 것, 진술을 하지 아니하더라도 불이익을 받지 아니한다는 것, 진술을 거부할 권리를 포기하고 행한 진술은 법정에서 유죄의 증거로 사용될 수 있다는 것을 내용으로 한다(수사준칙 제32조 제2항). 신문을 받을 때에는 변호인을 참여하게 하는 등 변호인의 조력을 받을 수 있다는 것은 신문하기 전에 알려주어야 하는 내용이다(제244조의 3 제1항).

02 체포제도와 관련한 내용으로 옳은 것은 몇 개인가?(다툼이 있으면 판례에 의함)

㉠ 체포는 구속을 위한 전 단계의 조치로서 의의가 있다.
㉡ 구속의 규정을 준용하므로 체포역시 체포기간 연장제도가 있다.
㉢ 다액 50만원 이하의 벌금, 구류 또는 과료에 해당하는 사건에 관하여는 범인의 주거가 분명하지 아니한 때에 한하여 체포할 수 있다.
㉣ 체포 전에 피의사실요지, 체포이유와 변호인을 선임할 수 있음을 고지하여야 하나, 진술거부권은 고지할 필요가 없다.
㉤ 체포영장의 제시나 고지 등은 체포를 위한 실력행사에 들어가기 이전에 미리 하여야 하는 것이 원칙이나, 달아나는 피의자를 쫓아가 붙들거나 폭력으로 대항하는 피의자를 실력으로 제압하는 경우에는 붙들거나 제압하는 과정에서 하거나, 그것이 여의치 않은 경우에라도 일단 붙들거나 제압한 후에 지체 없이 행하여야 한다.
㉥ 체포영장에 의하여 체포된 피의자에 대하여 지체 없이 구속영장을 청구하지 아니한 때에는 피의자를 즉시 석방하여야 한다.
㉦ 체포영장을 청구받은 지방법원판사는 피의자가 죄를 범하였다고 의심할 만한 이유가 있는 경우에 체포의 사유를 판단하기 위하여 피의자를 구인한 후 심문할 수 있다.

Answer 1. ① 2. ①

① 1개 ② 2개 ③ 3개 ④ 없 음

| 해설 | ㉠ ×：형사소송법상 피의자 인신구속의 방법으로는 체포절차를 거쳐 구속하는 경우와 체포라는 사전절차 없이 피의자를 구속하는 경우가 있다. 체포제도는 이와 같이 구속의 사전절차로서의 의미만을 가지는 것이 아니라 구속을 피하면서 피의자에 대한 단기간의 신병확보를 가능하게 한다는 중요한 기능을 가지고 있다. 현행 형사소송법은 체포와 구속을 별개의 제도로 규정하고 있다(구속에 있어 체포전치주의를 채택 ×).

㉡ ×：체포기간은 48시간이며, 구속과는 달리 연장제도가 없다.

㉢ ×：체포영장을 발부받아 피의자를 체포하기 위하여는 피의자가 수사기관의 출석요구에 응하지 아니하거나 응하지 아니할 우려가 있어야 한다(제200조의 2 제1항). 그러나 경미사건의 경우는 주거부정 또는 출석불응의 경우에 한하여 체포할 수 있다(동조 제1항 단서).

㉣ ×：체포 전에 피의사실요지, 체포이유와 변호인을 선임할 수 있음을 고지하여 변명할 기회를 주어야 하며(제200조의 5), 체포영장집행시 진술거부권이 있음을 알려주어야 한다(수사준칙 제32조 제1항).

㉤ ○：대판 2008.2.14, 2007도10006

㉥ ×：체포영장에 의하여 체포된 피의자를 구속하고자 할 때에는 검사는 체포한 때로부터 48시간 이내에 구속영장을 청구하여야 하고, 그 기간 내에 구속영장을 청구하지 아니한 때에는 피의자를 즉시 석방하여야 한다(제200조의 2 제5항).

㉦ ×：구속영장발부와는 달리 체포영장을 발부하기 위하여 피의자를 구인한 후 심문할 수 없다.

03 체포제도와 관련한 내용으로 옳지 않은 것은 몇 개인가?(다툼이 있으면 판례에 의함)

㉠ 체포영장을 집행함에는 체포영장을 제시하여야 한다. 제시된 영장은 정본(원본)이어야 하며, 사본의 제시는 위법하다.

㉡ 체포영장을 발부받은 후 피의자를 체포하지 아니하거나 체포하지 못한 때에는 검사는 지체없이 영장을 발부한 법원에 그 사유를 서면으로 통지하여야 한다.

㉢ 변호인이 있는 경우에는 변호인에게, 변호인이 없는 경우에는 법정대리인·배우자·직계친족, 형제자매 가운데 피의자가 지정한 자에게 피의사건명, 체포일시·장소, 피의사실의 요지, 체포이유와 변호인을 선임할 수 있음을 알려야 한다. 체포의 통지는 지체 없이 서면으로 하여야 하며 24시간 이내에 하여야 한다.

㉣ 피의자를 체포한 후 그를 다시 구속하고자 할 때에는 체포한 때로부터 24시간 이내에 구속영장을 청구하여야 하고, 그 기간 내에 구속영장을 청구하지 아니하거나 구속영장은 청구하였으나 발부받지 못한 때에는 피의자를 즉시 석방하여야 한다.

㉤ 체포한 피의자를 석방한 때에는 사법경찰관은 30일 이내에 검사에게 석방사실을 통지하고 그 통보서 사본을 사건기록에 편철한다.

㉥ 헌법불합치결정 당시 구법 조항(제216조 제1항 제1호)의 위헌 여부가 쟁점이 되어 법원에 계속 중인 사건에 대하여는 위헌성이 제거된 현행 형사소송법의 규정이 적용되어야 하므로, 이 사건 건조물을 수색하기에 앞서 수색영장을 발부받기 어려운 긴급한 사정이 있었다고 볼 수 없음에도 수색영장 없이 경찰이 이 사건 건조물을 수색한 행위는 적법한 공무집행에 해당하지 아니한다.

① 1개 ② 2개 ③ 3개 ④ 4개

Answer 3. ②

| 해설 ㉠ ○ : 대판 1996.8.8, 96다40547
㉡ ○ : 제204조, 규칙 제96조의 19
㉢ ○ : 변호인이 있는 경우에는 변호인에게, 변호인이 없는 경우에는 법정대리인 · 배우자 · 직계친족, 형제자매 가운데 피의자가 지정한 자에게 피의사건명, 체포일시 · 장소, 피의사실의 요지, 체포이유와 변호인을 선임할 수 있음을 알려야 한다. 체포의 통지는 지체 없이 서면(구술 ×)으로 하여야 하며(제87조, 제200조의 6), 24시간 이내에 하여야 한다(규칙 제51조 제2항, 규칙 제100조 제1항). 급속을 요하는 경우에는 전화 또는 모사전송기 기타 상당한 방법에 의하여 통지할 수는 있으나 이 경우에도 체포통지는 다시 서면으로 하여야 한다(규칙 제51조 제3항, 규칙 제100조 제1항). 구속의 통지는 체포의 경우와 동일(제87조, 규칙 제51조 제2항).
㉣ × : 피의자를 체포한 후 그를 다시 구속하고자 할 때에는 체포한 때로부터 48시간(24시간 ×) 내에 구속영장(제201조)을 청구하여야 하고, 그 기간 내에 구속영장을 청구하지 아니하거나 구속영장은 청구하였으나 발부받지 못한 때에는 피의자를 즉시(법정기간 내 ×) 석방하여야 한다(제200조의 2 제5항, 규칙 제100조 제2항).
㉤ × : 체포한 피의자를 석방한 때에는 사법경찰관은 지체 없이 검사에게 석방사실을 통지하고 그 통보서 사본을 사건기록에 편철한다(수사준칙 제36조 제2항 제1호).
㉥ ○ : 대판 2021.5.27, 2018도13458

04 영장에 의한 체포에 대한 설명으로 가장 적절한 것은?(다툼이 있는 경우 판례에 의함)

22. 경찰승진

① 수사기관이 영장에 의한 체포를 하고자 하는 경우, 검사는 관할 지방법원 판사에게 체포영장을 청구할 수 있고, 사법경찰관리는 검사의 승인을 받아 관할지방법원 판사에게 체포영장을 청구할 수 있다.

② 체포한 피의자를 구속하고자 할 때에는 체포한 때부터 48시간 이내에 구속영장을 청구하여야 하고, 그 기간 내에 구속영장을 청구하지 아니하는 때에는 피의자를 즉시 석방하여야 한다.

③ 체포영장을 발부받은 후 피의자를 체포하지 아니한 경우 검사는 변호인이 있는 때에는 피의자의 변호인에게, 변호인이 없는 때에는 피의자 또는 피의자의 동거가족 중 피의자가 지정하는 자에게 지체 없이 그 사유를 서면으로 통지해야 한다.

④ 경찰관들이 체포를 위한 실력행사에 나아가기 전에 체포영장을 제시하고 미란다 원칙을 고지할 여유가 있었음에도 애초부터 미란다 원칙을 체포 후에 고지할 생각으로 먼저 체포행위에 나선 경우라도 이러한 행위를 위법하다고 할 수 없다.

| 해설 ① 사법경찰관은 검사에게 신청하여 검사의 청구로 관할지방법원 판사의 체포영장을 발부 받아 피의자를 체포할 수 있다(제200조의 2 제1항).
② 제200조의 2 제5항 ③ 체포영장 또는 구속영장의 발부를 받은 후 피의자를 체포 또는 구속하지 아니하거나 체포 또는 구속한 피의자를 석방한 때에는 지체 없이 검사는 영장을 발부한 법원에 그 사유를 서면으로 통지하여야 한다(제204조).
④ 경찰관들이 체포를 위한 실력행사에 나아가기 전에 체포영장을 제시하고 미란다 원칙을 고지할 여유가 있었음에도 애초부터 미란다 원칙을 체포 후에 고지할 생각으로 먼저 체포행위에 나선 행위는 적법한 공무집행이라고 보기 어렵다(대판 2017.9.21, 2017도10866).

Answer 4. ②

05 **다음 중 체포영장의 집행에 대한 설명으로 가장 옳지 않은 것은?** 22. 해경간부

① 검사는 체포영장을 발부받은 후 피의자를 체포하기 이전에 체포영장을 첨부하여 판사에게 인치·구금할 장소의 변경을 청구할 수 있다.

② 교도소에 있는 피의자에 대하여 발부된 체포영장은 교도소장의 지휘에 의하여 교도관이 집행한다.

③ 검사 또는 사법경찰관은 현행범으로 체포하는 경우에 영장 없이 타인의 주거에서 피의자를 수색하거나 체포현장에서 압수·수색·검증을 할 수 있다.

④ 사법경찰관리는 관할구역 외에서 체포영장을 집행을 할 수 있고, 당해 관할구역의 사법경찰관리에게 집행을 촉탁할 수 있다.

| 해설 ① 규칙 제96조의 3
② 검사의 지휘에 의하여 교도관이 집행한다(제81조 제3항, 제200조의 6).
③ 검사 또는 사법경찰관은 현행범으로 체포하는 경우에 영장 없이 타인의 주거에서 피의자를 수색하거나 체포현장에서 압수·수색·검증을 할 수 있다. 다만, 체포영장이나 구속영장의 집행시 주거 등에서의 무영장 피의자 수색은 미리 수색영장을 발부받기 어려운 긴급한 사정이 있는 때에 한정한다(제216조 제1항 제1호).
④ 제83조 제2항, 제200조의 6

06 **체포에 관한 설명으로 가장 적절하지 않은 것은?**(다툼이 있는 경우 판례에 의함) 24. 경찰간부

① 피의자가 죄를 범하였다고 의심할 만한 상당한 이유가 있고 정당한 이유 없이 출석요구에 응하지 아니하거나 응하지 아니할 우려가 있는 때라고 하더라도 명백히 체포의 필요가 없다고 인정되는 때에는 체포영장 청구를 받은 지방법원판사는 체포영장의 청구를 기각하여야 한다.

② 검사 또는 사법경찰관은 긴급체포되었다가 구속영장이 청구되지 아니하여 석방된 자를 영장없이는 동일한 범죄사실에 관하여 다시 체포하지 못한다.

③ 체포영장의 청구서에는 체포사유로서 도망이나 증거인멸의 우려가 있는 사유를 기재하여야 한다.

④ 체포영장을 집행하는 경우 피의자에게 반드시 체포영장을 제시하고 그 사본을 교부하여야 하며 신속히 지정된 법원 기타 장소에 인치하여야 한다.

| 해설 ① 규칙 제96조의 2
② 제200조의 4 제3항
③ 도망이나 증거인멸의 우려는 체포영장의 청구서에 기재하여야 할 사유는 아니다(규칙 제95조 참조).

Answer 5. ② 6. ③

체포영장청구서의 기재사항(규칙 제95조)

1. 피의자의 성명(분명하지 아니한 때에는 인상, 체격, 그 밖에 피의자를 특정할 수 있는 사항), 주민등록번호 등, 직업, 주거
2. 피의자에게 변호인이 있는 때에는 그 성명
3. 죄명 및 범죄사실의 요지
4. 7일을 넘는 유효기간을 필요로 하는 때에는 그 취지 및 사유
5. 여러 통의 영장을 청구하는 때에는 그 취지 및 사유
6. 인치구금할 장소
7. 법 제200조의 2 제1항에 규정한 체포의 사유
8. 동일한 범죄사실에 관하여 그 피의자에 대하여 전에 체포영장을 청구하였거나 발부받은 사실이 있는 때에는 다시 체포영장을 청구하는 취지 및 이유
9. 현재 수사 중인 다른 범죄사실에 관하여 그 피의자에 대하여 발부된 유효한 체포영장이 있는 경우에는 그 취지 및 그 범죄사실

④ 제85조 제1항, 제200조의 6

07 영장에 의한 체포에 관한 설명으로 가장 적절하지 않은 것은?(다툼이 있는 경우 판례에 의함)

24. 경찰승진

① 사법경찰관은 체포영장의 유효기간 내에 영장의 집행에 착수하지 못했거나 그 밖의 사유로 영장의 집행이 불가능하거나 불필요하게 되었을 때에는 그 영장을 청구한 검사에게 반환하고, 검사는 사법경찰관이 반환한 영장을 법원에 반환한다.

② 검사 또는 사법경찰관은 체포된 피의자의 배우자가 체포영장 등본의 교부를 청구하면 그 등본을 교부해야 한다.

③ 사법경찰관이 피의자를 영장에 의하여 체포한 후 구속한 경우에 있어서 구속기간은 피의자를 구속한 날부터 기산한다.

④ 검사는 체포영장을 발부받은 후 피의자를 체포하기 이전에 체포영장을 첨부하여 판사에게 인치·구금할 장소의 변경을 청구할 수 있다.

| 해설 ① 수사준칙 제35조 제1항·제3항
② 동 준칙 제34조
③ 사법경찰관이 피의자를 영장에 의하여 체포한 후 구속한 경우에 있어서 구속기간은 피의자를 체포한 날부터 기산한다(제203조의 2).
④ 규칙 제96조의 3

Answer 7. ③

THEMA 39 긴급체포

의의 및 취지	긴급체포라 함은 중대한 범죄혐의가 있고 체포의 필요성이 인정되며 긴급을 요하는 경우에 현행범인이 아닌 피의자를 영장 없이 먼저 체포하여 놓고 그 후에 구속이 필요할 경우 구속영장의 발부를 받는 제도로서 헌법 제12조 제3항 단서에서 그 근거를 마련하고 있다.
요 건	1. 범죄의 중대성 : 피의자가 사형 · 무기 또는 장기 3년 이상의 징역이나 금고에 해당하는 죄를 범하였다고 의심할 만한 상당한 이유가 있어야 한다(제200조의 3 제1항). 2. 긴급체포의 필요성 ① 증거를 인멸할 염려가 있거나 ② 피의자가 도망 또는 도망할 염려가 있어야 한다. ▶ 구속사유 중 주거부정(제70조 제1항 제1호) ⇨ 긴급체포 요건 × 3. 긴급성 : 미리 체포영장(구속영장 ×)을 받을 수 없는 경우 09. 순경 ▶ 긴급체포요건 구비 여부의 판단 ⇨ 체포 당시 상황을 기초(사후에 밝혀진 사정을 기초 ×) (대판 2008.3.27, 2007도11400) 21. 경찰승진 · 순경 1차, 22. 경찰승진, 23. 9급 법원직
절 차	1. 긴급체포는 검사 또는 사법경찰관이 행하며(제200조의 3 제1항), 긴급체포를 할 때에는 피의사실의 요지, 체포이유와 변호인을 선임할 수 있음을 말하고, 변명의 기회를 주어야 하며(제200조의 5), 진술거부권을 알려주어야 한다(수사준칙 제32조 제1항). 긴급체포서를 작성하여야 한다(제200조의 3 제3항). 22. 경찰승진 ▶ 사법경찰리 ⇨ 사법경찰관사무취급자의 지위에서는 긴급체포 가능(대판 1965.1.19, 64도740) 2. 사법경찰관이 긴급체포를 한 경우에는 즉시 검사의 승인을 얻어야 한다(동조 제2항). 21. 해경 ▶ 검사의 사전지휘 불필요 ▶ 검사의 긴급체포 ⇨ 법원 승인 필요 × 3. 검사는 사법경찰관의 긴급체포 승인 요청이 이유 없다고 인정하는 경우에는 지체 없이 사법경찰관에게 불승인 통보를 해야 한다. 이 경우 사법경찰관은 긴급체포된 피의자를 즉시 석방하고 그 석방 일시와 사유 등을 검사에게 통보해야 한다(수사준칙 제27조 제4항). 4. 피의자를 긴급체포할 때 영장 없이 타인의 주거에서 피의자를 수색하거나, 체포현장에서 압수 · 수색 · 검증을 할 수 있다(제216조 제1항). 5. 긴급체포된 피의자가 소유 · 소지 · 보관한 물건에 대해서는 체포한 때로부터 24시간(48시간 ×) 이내에 영장 없이 압수 · 수색 · 검증할 수 있다(제217조 제1항). 09 · 10 · 11. 9급 국가직, 11 · 13 · 14. 경찰승진, 21. 해경 6. 위 4, 5에 의해 압수한 물건을 계속 압수할 필요가 있는 때에는 지체 없이 압수 · 수색영장을 청구하여야 한다. 이 경우 압수 · 수색영장의 청구는 체포한 때(압수한 때 ×)로부터 48시간 이내에 하여야 한다(제217조 제2항). 13. 9급 교정 · 보호 · 철도경찰, 13 · 19. 9급 검찰 · 마약수사 7. 청구한 압수 · 수색영장을 발부받지 못한 때에는 압수한 물건을 즉시 반환하여야 한다(제217조 제2항 · 제3항). 8. 체포 후 변호인이 있으면 변호인에게, 변호인이 없으면 변호인선임권자(피의자의 법정대리인, 배우자, 직계친족과 형제자매) 중 피의자가 지정한 자에게 피의사건명, 체포일시 · 장소, 피의사실의 요지, 체포이유 및 변호인을 선임할 수 있다는 사실을 알려야 하며, 통지는 지체 없이 서면으로 하여야 한다(제200조의 6, 제87조).

	9. 검사 또는 사법경찰관이 피의자를 긴급체포한 경우에 피의자를 구속하고자 할 때에는 검사는 지체 없이 관할 지방법원판사에게 구속영장을 청구하여야 하고(사법경찰관은 검사에 신청), 청구는 체포한 때로부터 48시간 이내에 하여야 한다(제200조의 4 제1항). 10. 구속영장 청구시에는 긴급체포서를 첨부하여야 한다(동조 제1항 후단). 09. 9급 국가직 48시간 이내에 구속영장을 청구하지 아니하거나, 발부받지 못한 때에는 피의자를 즉시 석방하여야 한다(동조 제2항). 13·14. 경찰승진 11. 검사(사법경찰관 ×)는 구속영장을 청구하지 아니하고 석방한 경우에는 석방한 날로부터 30일 이내(즉시 ×)에 서면으로 법원에 통지하여야 한다(긴급체포서 사본 첨부). 13. 경찰승진 긴급체포 후 석방된 자 또는 그 변호인·법정대리인·배우자·직계친족·형제자매는 사후에 통지서 및 관련서류를 열람·등사할 수 있다(제200조의 4 제4항·제5항). 10. 9급 국가직, 11·14. 경찰승진, 17. 9급 교정·보호·철도경찰, 21. 해경 12. 사법경찰관은 긴급체포한 피의자에 대하여 구속영장을 신청하지 아니하고, 석방한 경우에는 즉시 검사에게 보고하여야 하며(제200조의 4 제6항), 10. 9급 국가직, 12. 순경 3차, 22. 경찰승진, 23. 순경 2차 그 보고서 사본을 수사기록에 편철하여야 한다(수사준칙 제36조 제2항 제2호).
재긴급 체포의 제한	긴급체포되었다가 구속영장을 청구하지 아니하였거나 발부받지 못하여 석방된 자는 영장 없이는 동일한 범죄사실에 관하여 다시 체포하지 못한다(제200조의 4 제3항). 17. 9급 교정·보호·철도경찰 따라서 체포영장이나 구속영장에 의한 체포는 가능하다. 10. 7급 국가직, 12. 순경 2차·교정특채, 13. 경찰간부, 14. 9급 법원직, 15. 순경 3차, 22. 경찰승진

01 **긴급체포에 대한 설명으로 가장 적절하지 않은 것은?**(다툼이 있는 경우 판례에 의함) 21. 순경 1차

① 긴급체포의 요건을 갖추었는지 여부는 사후에 밝혀진 사정을 기초로 판단하는 것이 아니라 체포 당시의 상황을 기초로 판단하여야 하고, 이에 관한 검사나 사법경찰관 등 수사주체의 판단에는 상당한 재량의 여지가 있다.

② 긴급체포 후 구속영장을 청구하지 아니하거나 발부받지 못하여 석방된 자는 영장 없이는 동일한 범죄사실에 관하여 체포하지 못한다.

③ 피의자를 긴급체포하는 경우에 필요한 때에는 영장 없이 체포 현장에서 압수·수색을 할 수 있고, 이에 따라 압수한 물건을 계속 압수할 필요가 있는 경우에는 지체 없이 압수·수색영장을 청구하여야 하며, 청구한 압수·수색영장을 발부받지 못한 때에는 압수한 물건을 즉시 반환하여야 하는 바, 이를 위반하여 압수·수색영장을 발부받지 아니하고도 즉시 반환하지 아니한 압수물은 피고인이나 변호인이 이를 증거로 함에 동의하지 않는 한 유죄 인정의 증거로 사용할 수 없다.

④ 긴급체포되어 조사를 받고 구속영장이 청구되지 아니하여 석방된 후 검사가 그 석방일로부터 30일 이내에 석방통지를 법원에 하지 아니하더라도, 긴급체포 당시의 상황과 경위, 긴급체포 후 조사 과정 등에 특별한 위법이 없는 이상, 그 긴급체포에 의한 유치 중에 작성된 피의자신문조서가 위법하게 작성되었다고 볼 수는 없다.

Answer 1. ③

| 해설 ① 대판 2008.3.27, 2007도11400 ② 제200조의 4 제3항
③ 형사소송법 제217조 제2항, 제3항에 위반하여 압수·수색영장을 청구하여 이를 발부받지 아니하고도 즉시 반환하지 아니한 압수물은 이를 유죄 인정의 증거로 사용할 수 없는 것이고, 피고인이나 변호인이 이를 증거로 함에 동의하였다고 하더라도 달리 볼 것은 아니다(대판 2009.12.24, 2009도11401).
④ 대판 2014.8.26, 2011도6035

02 긴급체포와 관련한 내용으로 옳은 것은?

① 사법경찰관이 피의자를 긴급체포한 경우에는 긴급체포서를 작성해야 하나, 검사가 피의자를 긴급체포한 경우에는 긴급체포서를 작성할 필요가 없다.
② 사법경찰관은 긴급체포한 피의자에 대하여 구속영장을 신청하지 아니하고 석방한 경우에는 즉시 검사에게 보고하여야 하며, 그 보고서 사본을 사건기록에 편철한다. 다만, 긴급체포에 대해 검사의 승인을 얻은 경우에는 예외이다.
③ 검사는 긴급체포된 피의자에 대하여 구속영장을 신청하지 아니하고 석방한 경우에는 30일 이내에 법원에 통지하여야 하는데 이 경우 긴급체포서 원본을 첨부하여야 한다.
④ 판례에 의하면 사법경찰리도 긴급체포의 권한이 있다는 입장이다.

| 해설 ① 검사 또는 사법경찰관은 피의자를 긴급체포한 경우에는 즉시 긴급체포서를 작성하여야 한다(제200조의 3 제3항). ② 이 경우의 보고는 검사의 승인 여부와 관계없이 언제나 행하여야 한다(수사준칙 제36조 제2항 제2호). ③ 사본을 첨부해야 한다(제200조의 4 제4항).
④ 긴급체포는 검사 또는 사법경찰관이 행하나(제200조의 3 제1항), 사법경찰리도 사법경찰관사무취급자의 지위에서는 긴급체포가 가능(대판 1965.1.19, 64도740)

03 사법경찰관이 피의자를 긴급체포한 경우에는 (㉠) 검사의 승인을 얻어야 하고, 검사 또는 사법경찰관이 피의자를 긴급체포한 후에는 (㉡) 긴급체포서를 작성하여야 한다. 사법경찰관이 긴급체포된 자에 대하여 구속영장을 신청하지 아니하고 석방한 경우에는 (㉢) 검사에게 보고하여야 한다. ( ) 안에 들어갈 말은?

① ㉠즉시, ㉡즉시, ㉢즉시
② ㉠24시간 이내에, ㉡48시간 이내에, ㉢즉시
③ ㉠즉시, ㉡즉시, ㉢48시간 이내에
④ ㉠즉시, ㉡48시간 이내에, ㉢즉시

| 해설 제200조의 3 제2항·제3항, 제200조의 4 제6항

04 사법경찰관 甲이 2018. 9. 1. 23 : 30에 乙을 살인죄로 긴급체포한 후의 조치 중 옳은 것은 모두 몇 개인가?

19. 경찰간부

㉠ 甲은 乙이 보관하는 식칼을 긴급히 압수할 필요가 있어 9. 2. 22 : 00에 영장 없이 압수하였다.
㉡ 甲은 긴급압수한 식칼을 계속 압수의 필요가 있다고 판단하여 체포한 때부터 48시간 이내에 압수·수색영장을 청구하였다.
㉢ 甲은 9. 3. 23 : 30까지 관할지방법원 판사로부터 乙에 대한 구속영장을 발부받아야 한다.

Answer 2.④ 3.① 4.②

ⓡ 甲은 구속영장을 청구하지 아니하고 乙을 석방한 경우에는 석방한 날부터 30일 이내에 서면으로 법원에 통지하여야 한다.

① 1개 ② 2개 ③ 3개 ④ 4개

해설 ㉠ ○ : 긴급체포된 자가 보관하고 있는 물건에 대하여 긴급히 압수할 필요가 있는 때에는 체포한 때로부터 24시간 이내에 영장 없이 압수할 수 있다(제217조 제1항).
㉡ ○ : 甲은 긴급압수한 식칼을 계속 압수할 필요가 있는 경우에는 체포한 때로부터 48시간 이내에 압수·수색영장을 청구하여야 하므로(제217조 제1항·제2항), 이 역시 타당하다.
㉢ × : 검사 또는 사법경찰관이 긴급체포한 경우 피의자를 구속하고자 할 때에는 지체 없이 검사는 관할지방법원 판사에게 구속영장을 청구하여야 하고, 사법경찰관은 검사에게 신청하여 검사의 청구로 관할지방법원 판사에게 구속영장을 청구하여야 한다. 이 경우 구속영장은 피의자를 체포한 때부터 48시간 이내에 청구하여야 한다(제200조의 4 제1항). 48시간 이내에 구속영장을 청구하면 족하고 그때까지 구속영장을 발부받아야 하는 것은 아니다.
㉣ × : 甲은 구속영장을 청구하지 아니하고 乙을 석방한 경우에는 즉시 검사에게 보고하여야 한다(제200조의 4 제6항). 검사(사법경찰관 ×)는 석방한 날로부터 30일 이내에 서면으로 법원에 통지하여야 한다(동조 제4항).

05 긴급체포에 관한 설명 중 옳지 않은 것은?(다툼이 있는 경우 판례에 따름) 21. 해경

① 甲이 필로폰을 투약한다는 제보를 받은 경찰관이 제보된 주거지를 甲이 살고 있는지 등 제보의 정확성을 사전에 확인한 후에 제보자를 불러 조사하기 위하여 甲의 주거지를 방문하였다가, 현관에서 담배를 피우고 있는 甲을 발견하고 사진을 찍어 제보자에게 전송하여 사진에 있는 사람이 제보한 대상자가 맞다는 확인을 한 후, 가지고 있던 甲의 전화번호로 전화를 하여 차량 접촉사고가 났으니 나오라고 하였으나 나오지 않고, 또한 경찰관임을 밝히고 만나자고 하는데도 현재 집에 있지 않다는 취지로 거짓말을 하자 甲의 집 문을 강제로 열고 들어가 甲을 긴급체포한 경우, 甲에 대한 긴급체포는 위법하다.
② 사법경찰관이 형사소송법 제200조의 3(긴급체포) 제1항의 규정에 의하여 피의자를 체포한 경우 즉시 검사의 승인을 얻어야 한다.
③ 검사 또는 사법경찰관은 형사소송법 제200조의 3(긴급체포)에 따라 체포된 자가 소유·소지 또는 보관하는 물건에 대하여 긴급히 압수할 필요가 있는 경우에는 체포한 때부터 24시간 이내에 한하여 영장 없이 압수·수색 또는 검증을 할 수 있다. 압수한 물건을 계속 압수할 필요가 있는 경우에는 지체 없이 압수·수색영장을 청구하여야 한다. 이 경우 압수·수색영장의 청구는 체포한 때부터 48시간 이내에 하여야 한다.
④ 긴급체포 후 석방된 자 또는 그 변호인·법정대리인·배우자·직계친족·형제자매나 가족, 동거인 또는 고용주는 통지서 및 관련 서류를 열람하거나 등사할 수 있다.

해설 ① 대판 2016.10.13, 16도5814 ② 제200조의 3 제2항 ③ 제217조 제1항·제2항
④ 긴급체포 후 석방된 자 또는 그 변호인·법정대리인·배우자·직계친족·형제자매는 통지서 및 관련 서류를 열람하거나 등사할 수 있다(제200조의 4 제5항).

Answer 5. ④

06 긴급체포에 대한 설명으로 틀린 것은?

① 음주측정거부, 무면허운전, 명예훼손죄, 폭행은 긴급체포 대상범죄이다.

② 긴급체포 후 체포영장이나 구속영장에 의한 체포는 가능하다.

③ 긴급체포된 피의자, 그 변호인, 법정대리인, 배우자, 직계친족, 형제자매나 동거인 또는 고용주는 긴급체포서를 보관하고 있는 검사, 사법경찰관 또는 법원사무관 등에게 그 등본의 교부를 청구할 수 있다.

④ 요건을 갖추지 못한 긴급체포는 위법한 체포에 해당하는 것이고, 그 체포에 의한 유치 중에 작성된 피의자신문조서는 위법하게 수집된 증거로서 유죄의 증거로 할 수 없다.

| 해설 ① 음주측정거부는 긴급체포 대상에 해당하나 무면허운전, 명예훼손죄, 폭행은 그 대상이 아니다.

대상 ○	대상 ×
• 업무상 과실범 또는 중과실범(단, 업무상 과실장물죄, 중과실장물죄 ⇨ 긴급체포 대상범죄 ×) • 음주운전 0.2% 이상(도로교통법 제44조 제1항, 제148조의 2 제3항 제1호) • 음주운전 또는 음주측정 거부로 벌금 이상 확정 후 10년 이내에 음주운전(0.03% 이상) 또는 음주측정거부 ⇨ 긴급체포 대상범죄 ○(도로교통법 제44조 제1항·제2항, 제148조의 2 제1항) : 위헌결정에 의한 개정(2023. 4. 4. 시행) • 음주측정거부(도로교통법 제44조 제2항, 제148조의 2 제1항 제2호)	• 직무유기, 음화제조, 공무상 비밀누설, 공연음란·위조통화지정행사, 도박, 공문서부정행사, 폭행(협박 ⇨ 대상범죄에 해당), 11. 경찰승진 사문서부정행사, 낙태, 음화반포, 명예훼손, 모욕, 14. 경찰승진 각종 과실범 • 무면허운전(도로교통법 제43조, 제152조 제1호) 10. 교정특채

② 제200조의 4 제3항 ③ 규칙 제101조 ④ 대판 2002.6.11, 2000도5701

07 긴급체포에 대한 설명으로 가장 적절한 것은?(다툼이 있는 경우 판례에 의함) 22. 경찰승진

① 사법경찰관은 피의자를 긴급체포한 경우 즉시 긴급체포서를 작성해야 하나, 검사가 피의자를 긴급체포한 경우에는 긴급체포서를 작성할 필요가 없다.

② 긴급체포의 요건을 갖추었는지 여부는 사후에 밝혀진 사정과 체포 당시의 상황을 종합적으로 고려하여 판단하여야 한다.

③ 긴급체포되었지만 구속영장을 청구하지 아니하거나 구속영장을 발부받지 못하여 석방된 자는 영장 없이는 동일한 범죄사실에 관하여 다시 체포하지 못한다.

④ 사법경찰관이 긴급체포한 피의자에 대하여 구속영장을 신청하지 아니하고 석방한 경우에는 7일 이내에 검사에게 보고하여야 한다.

| 해설 ① 검사 또는 사법경찰관은 피의자를 긴급체포한 경우 즉시 긴급체포서를 작성하여야 한다(제200조의 3 제3항).

② 긴급체포의 요건을 갖추었는지 여부는 사후에 밝혀진 사정을 기초로 판단하는 것이 아니라 체포 당시의 상황을 기초로 판단하여야 하고, 이에 관한 검사나 사법경찰관 등 수사주체의 판단에는 상당한 재량의 여지가 있다고 할 것이다(대판 2008.3.27, 2007도11400).

Answer 6. ① 7. ③

③ 제200조의 4 제3항
④ 사법경찰관이 긴급체포한 피의자에 대하여 구속영장을 신청하지 아니하고 석방한 경우에는 즉시 검사에게 보고하여야 한다(제200조의 4 제6항).

08 긴급체포에 대한 설명으로 가장 적절하지 않은 것은?(다툼이 있는 경우 판례에 의함) 23. 경찰승진

① 긴급체포의 요건을 갖추었는지 여부는 사후에 밝혀진 사정을 기초로 판단하는 것이 아니라 체포 당시의 상황을 기초로 판단하여야 하고, 이에 관한 검사나 사법경찰관 등 수사주체의 판단에는 상당한 재량의 여지가 있다.

② 검사는 사법경찰관의 긴급체포 승인 요청이 이유 없다고 인정하는 경우에는 지체 없이 사법경찰관에게 불승인 통보를 해야 하며, 이 경우 사법경찰관은 긴급체포된 피의자를 즉시 석방하고 그 석방 일시와 사유 등을 검사에게 통보해야 한다.

③ 피의자를 긴급체포하는 경우에 필요한 때에는 영장 없이 체포 현장에서 압수·수색을 할 수 있고, 이에 따라 압수한 물건을 계속 압수할 필요가 있는 경우에는 지체 없이 압수·수색영장을 청구하여야 하며, 청구한 압수·수색영장을 발부받지 못한 때에는 압수한 물건을 즉시 반환하여야 한다.

④ 형사소송법 제208조(재구속의 제한)의 '구속되었다가 석방된 자'에는 긴급체포나 현행범으로 체포되었다가 사후영장발부 전에 석방된 경우도 포함된다.

해설 ① 대판 2008.3.27, 2007도1140 ② 수사준칙 제27조 제4항
③ 제216조 제1항 제2호, 제217조 제2항·제3항
④ 제208조의 '구속되었다가 석방된 자'라 함은 구속영장에 의하여 구속되었다가 석방된 경우를 말하는 것이지, 긴급체포나 현행범으로 체포되었다가 사후영장발부 전에 석방된 경우는 포함되지 않는다(대판 2001.9.28, 2001도4291).

09 긴급체포에 관한 판례의 입장과 부합하지 않는 경우는?

① 체포시 행하는 고지는 체포를 위한 실력행사에 들어가기 이전에 미리 하여야 하는 것이 원칙이나, 달아나는 피의자를 쫓아가 붙들거나 폭력으로 대항하는 피의자를 실력으로 제압하는 경우에는 붙들거나 제압하는 과정에서 하거나, 그것이 여의치 않은 경우에라도 일단 붙들거나 제압한 후에는 지체 없이 행하여야 한다.

② 피고인에 대한 고소사건을 담당하던 경찰관은 피고인의 소재 파악을 위해 피고인의 거주지와 피고인이 경영하던 공장 등을 찾아가 보았으나, 피고인이 공장 경영을 그만 둔 채 거주지에도 귀가하지 않는 등 소재를 감추자 법원의 압수·수색영장에 의한 휴대전화 위치추적 등의 방법으로 피고인의 소재를 파악하려고 하던 중, 2004. 10. 14. 23 : 00경 주거지로 귀가하던 피고인을 발견하고, 피고인을 사기 혐의로 긴급체포한 것은 긴급체포 당시 상황으로 보아 그 요건충족 여부에 관한 경찰관의 판단이 경험칙에 비추어 현저히 합리성을 잃은 경우에 해당하므로 위법한 체포로 평가할 수 있다.

Answer 8. ④ 9. ②

③ 도로교통법위반 피의사건에서 기소유예 처분을 받은 자가 그 후 혐의 없음을 주장함과 동시에 수사경찰관의 처벌을 요구하는 진정서를 검찰청에 제출함으로써 이루어진 진정사건을 담당한 검사가, 위 기소유예처분에 대한 피의사건을 재기한 후 담당검사인 자신의 교체를 요구하고자 부장검사 부속실에서 대기하고 있던 재항고인(기소유예처분받은 피의자)을 위 도로교통법위반죄로 긴급체포하여 감금한 경우, 그 긴급체포는 형사소송법이 규정하는 긴급체포의 요건을 갖추지 못한 것으로서 당시의 상황과 경험칙에 비추어 현저히 합리성을 잃은 위법한 체포에 해당한다.

④ 경찰관들이 미란다 원칙상 고지사항의 일부만 고지하고 신원확인절차를 밟으려는 순간 범인이 유리조각을 쥐고 휘둘러 이를 제압하려는 경찰관들에게 상해를 입힌 경우, 그 제압과정 중이나 후에 지체 없이 미란다 원칙을 고지하면 되는 것이므로 위 경찰관들의 긴급체포업무에 관한 정당한 직무집행을 방해한 경우라고 보아야 한다.

| 해설 ① 대판 2000.7.4, 99도4341

② 피고인에 대한 고소사건을 담당하던 경찰관은 피고인의 소재 파악을 위해 피고인의 거주지와 피고인이 경영하던 공장 등을 찾아가 보았으나, 피고인이 공장 경영을 그만 둔 채 거주지에도 귀가하지 않는 등 소재를 감추자 법원의 압수·수색영장에 의한 휴대전화 위치추적 등의 방법으로 피고인의 소재를 파악하려고 하던 중, 2004. 10. 14. 23 : 00경 주거지로 귀가하던 피고인을 발견하고, 피고인이 계속 소재를 감추려는 의도가 다분하고 증거인멸 및 도망의 염려가 있다는 이유로 피고인을 사기 혐의로 긴급체포한 사실을 알 수 있는바, 위 법리 및 이 사건 긴급체포의 경위 등에 비추어 보면 피고인에 대한 긴급체포가 위법한 체포에 해당한다고 보기는 어렵다고 할 것이다(대판 2005.12.9, 2005도7569).

③ 대결 2003.3.27, 2002모81 ④ 대판 2007.11.29, 2007도796117

10 긴급체포에 대한 설명 중 적절하지 않은 것은 모두 몇 개인가?(다툼이 있으면 판례에 의함)

㉠ 사법경찰관에 의한 동행요구가 이를 거절할 수 없는 심리적 압박 아래 행하여진 사실상의 강제연행에 해당하는 경우 그로부터 6시간 상당이 경과한 이후에 긴급체포의 절차를 밟았다고 하더라도 긴급체포는 위법하다.

㉡ 피의자가 임의출석의 형식에 의하여 수사기관에 자진 출석한 후 조사를 받았고 그 과정에서 피의자가 장기 3년 이상의 범죄를 범하였다고 볼 상당한 이유가 드러나고, 도주하거나 증거를 인멸할 우려가 생긴다고 객관적으로 판단되는 경우에는 자진출석한 피의자에 대해서도 긴급체포가 가능하다.

㉢ 구속영장이 청구되거나 체포 또는 구속된 피의자, 그 변호인, 법정대리인, 배우자, 직계친족, 형제자매나 동거인 또는 고용주는 긴급체포서, 현행범인체포서, 체포영장, 구속영장 또는 그 청구서를 보관하고 있는 검사, 사법경찰관 또는 법원사무관 등에게 그 등본의 교부를 청구할 수 있다.

㉣ 사법경찰관은 피의자를 긴급체포하는 경우에 필요한 때에는 영장 없이 타인의 주거나 타인이 간수하는 가옥, 건조물, 항공기, 선차 내에서의 피의자 수색을 할 수 있다.

㉤ 긴급체포된 자가 소유·소지 또는 보관하는 물건에 대하여 긴급히 압수할 필요가 있어 체포한 때부터 24시간 이내에 영장 없이 압수·수색 또는 검증을 하는 경우 체포현장이 아닌 장소에서 긴급체포된 자가 소유·소지 또는 보관하는 물건을 대상으로 할 수 없다.

Answer 10. ②

ⓑ 사법경찰관이 피의자를 긴급체포한 경우에는 즉시 긴급체포서를 작성하여야 할 뿐만 아니라 즉시 검사의 승인을 얻어야 한다.
ⓢ 사법경찰관이 기소중지된 피의자를 해당 수사관서가 위치하는 특별시·광역시·도 또는 특별자치도 외의 지역에서 긴급체포하였을 때에는 12시간 내에 검사에게 긴급체포를 승인해 달라는 건의를 하여야 한다.

① 1개 ② 2개 ③ 3개 ④ 4개

| 해설 ㉠ ○ : 대판 2006.7.6, 2005도6810
㉡ ○ : 긴급체포의 요건을 구비한 것으로 보이므로 긴급체포가 가능하다.
㉢ ○ : 규칙 제101조
㉣ ○ : 제216조 제1항 제1호
㉤ × : 긴급체포된 자가 소유·소지 또는 보관하는 물건에 대하여 긴급히 압수할 필요가 있어 체포한 때부터 24시간 이내에 영장 없이 압수·수색 또는 검증을 하는 경우 체포현장이 아닌 장소에서도 긴급체포된 자가 소유·소지 또는 보관하는 물건을 대상으로 할 수 있다(대판 2017.9.12, 2017도10309).
ⓑ ○ : 제200조의 3 제2항·제3항
ⓢ × : 사법경찰관은 긴급체포 후 12시간 이내에 관할 지방검찰청 또는 지청의 검사에게 긴급체포를 승인해 달라는 건의를 하여야 한다. 다만, 사법경찰관이 기소중지된 피의자를 해당 수사관서가 위치하는 특별시·광역시·도 또는 특별자치도 외의 지역에서 긴급체포하였을 때에는 24시간 내에 검사에게 긴급체포를 승인해 달라는 건의를 할 수 있다(수사준칙 제27조 제1항).

11 **긴급체포에 관한 아래 ㉠부터 ㉣까지의 설명 중 옳고 그름의 표시(○, ×)가 바르게 된 것은?**(다툼이 있는 경우 판례에 의함)

㉠ 경찰관으로서는 체포하려는 상대방이 피고인 본인이 맞는지를 반드시 먼저 확인한 후에 미란다 원칙을 고지하여야 하는 것은 아니고, 그 상대방이 피고인인지를 확인하지 아니한 채로 일단 체포하면서 미란다 원칙을 고지하여도 무방하다.
㉡ 현직 군수인 피고인을 소환·조사하기 위하여 검사의 명을 받은 검찰주사보가 군수실에 도착하여 도시행정계장에게 행방을 확인하였더니, 군수가 검사가 자신을 소환하려 한다는 사실을 미리 알고 자택 근처에서 기다라고 있을 것이니 수사관이 오거든 그 곳으로 오라고 하였다고 하자 검찰주사보가 도시행정계장과 같이 가서 그 곳에서 수사관을 기다리고 있던 피고인을 긴급체포한 것은 정당하다.
㉢ 사법경찰관이 검사에게 긴급체포된 피의자에 대한 승인 건의와 함께 구속영장을 신청한 경우 검사는 긴급체포의 합당성이나 구속영장 청구에 필요한 사유를 보강하기 위하여 긴급체포한 피의자를 검찰청으로 출석시켜 직접 대면조사할 수 있다.
㉣ 변호사 甲에 대하여 무죄가 선고되자 검사가 무죄가 선고된 공소사실에 대한 보완수사를 한다며 甲의 변호사 사무실 사무장이던 乙에게 참고인조사를 위한 출석을 요구하여, 자진출석한 乙을 참고인 조사를 하지 아니한 채 곧바로 위증 및 위증교사 혐의의 피의자신문조서를 받기 시작하였고, 이에 甲이 검사실로 찾아와서 乙에게 나가라고 지시하여 乙이 나가려 하자, 검사가 乙을 긴급체포한 것은 위법하다.

Answer 11. ④

① ㉠(○), ㉡(×), ㉢(○), ㉣(×)
② ㉠(×), ㉡(○), ㉢(×), ㉣(×)
③ ㉠(×), ㉡(×), ㉢(○), ㉣(○)
④ ㉠(×), ㉡(×), ㉢(×), ㉣(○)

| 해설 ㉠ × : 경찰관으로서는 체포하려는 상대방이 피고인 본인이 맞는지를 먼저 확인한 후에 미란다 원칙을 고지하여야 하는 것이지, 그 상대방이 피고인인지를 확인하지 아니한 채로 일단 체포하면서 미란다 원칙을 고지할 것은 아니라고 보아야 한다(대판 2007.11.29, 2007도7961).
㉡ × : 피고인은 현직 군수직에 종사하고 있어 검사로서도 위 피고인의 소재를 쉽게 알 수 있었고, 피고인의 위 진술 이후 시간적 여유도 있었으며, 피고인도 도망이나 증거인멸의 의도가 없었음은 물론, 언제든지 검사의 소환조사에 응할 태세를 갖추고 있었고, 그 사정을 위 검찰주사보도 충분히 알 수 있었다 할 것이어서, 위 긴급체포는 그 당시로 보아서도 요건을 갖추지 못한 것으로 보여져 이를 실행한 검사 등의 판단이 현저히 합리성을 잃었다고 할 것이므로, 이러한 긴급체포는 위법하다(대판 2002.6.11, 2000도5701).
㉢ × : 사법경찰관이 검사에게 긴급체포된 피의자에 대한 긴급체포 승인 건의와 함께 구속영장을 신청한 경우, 검사의 구속영장 청구 전 피의자 대면조사는 긴급체포의 적법성을 의심할 만한 사유가 기록 기타 객관적 자료에 나타나고 피의자의 대면조사를 통해 그 여부의 판단이 가능할 것으로 보이는 예외적인 경우에 한하여 허용될 뿐, 긴급체포의 합당성이나 구속영장 청구에 필요한 사유를 보강하기 위한 목적으로 실시되어서는 아니 된다(대판 2010.10.28, 2008도11999).
㉣ ○ : 대판 2006.9.8, 2006도148

12 긴급체포에 관한 설명으로 가장 적절하지 않은 것은?(다툼이 있는 경우 판례에 의함)

24. 경찰승진

① 검사 또는 사법경찰관이 피의자를 긴급체포하는 경우에는 반드시 피의사실의 요지, 체포의 이유와 변호인을 선임할 수 있음을 말하고, 변명할 기회를 주어야 한다.
② 검사 또는 사법경찰관은 긴급체포된 자가 소유·소지 또는 보관하는 물건에 대하여 긴급히 압수할 필요가 있는 경우에는 체포한 때부터 24시간 이내에 한하여 영장 없이 압수·수색 또는 검증을 할 수 있으며, 이는 현행범인 체포의 경우에도 준용된다.
③ 사법경찰관이 검사에게 긴급체포된 피의자에 대한 긴급체포승인 건의와 함께 구속영장을 신청한 경우, 검사는 긴급체포의 적법성 여부를 심사하면서 수사서류뿐만 아니라 피의자를 검찰청으로 출석시켜 직접 대면조사할 수 있는 권한을 가진다.
④ 영장 없이는 긴급체포 후 석방된 피의자를 동일한 범죄사실에 관하여 체포하지 못하지만, 이와 같이 석방된 피의자라도 법원으로부터 구속영장을 발부받아 구속할 수 있다.

| 해설 ① 제200조의 5
② 현행범인 체포의 경우에는 제217조 제1항이 준용되지 않는다.
③ 대판 2010.10.28, 2008도11999
④ 대판 2001.9.28, 2001도4291

Answer 12. ②

13 **다음 사례에 관한 설명으로 가장 적절하지 않은 것은?**(다툼이 있는 경우 판례에 의함) 24. 순경 1차

> 甲은 2022. 1. 10.경 관할법원에 피해자 A를 상대로 허위의 지급명령을 신청하고 이에 속은 그 법원 판사로부터 위 신청서와 같은 취지의 지급명령을 송달받은 후 지급명령정본에 집행문을 부여받아 A로부터 1,000만원을 편취하였다. 신고를 받은 사법경찰관 P는 2023. 3. 10. 15 : 00경 甲이 운영하는 회사 사무실에서 甲을 사기죄로 적법하게 긴급체포하였고, 'A와 주고받은 대화내용'이 기재된 수첩(증 제1호)을 발견하자 임의제출을 거부하는 甲으로부터 영장 없이 이를 압수하였다.
> P는 체포 당일 경찰서에서 甲을 조사하였고, 甲은 "자신의 집에 A가 자신을 무고한 것임을 증명할 자료가 있다"라고 주장하며 범행을 부인하였다. P는 자료를 확보하기 위하여 2023. 3. 11. 16 : 00경 甲과 함께 甲의 집으로 갔으나 이를 발견하지 못하고 오히려 '甲이 A로부터 돈을 받은 내역'이 기재된 통장(증 제2호)을 발견하자 임의제출을 거부하는 甲으로부터 영장 없이 이를 압수하였다.
> 이후 P는 甲에 대하여 검사를 통해 적법하게 구속영장만을 청구하였으나, 지방법원 판사는 2023. 3. 12. 17 : 00경 甲의 방어권보장이 필요하다며 구속영장을 기각하였다. 이에 甲은 즉시 석방되었고, P는 위 통장(증 제2호)만을 환부하였다. 이후 甲은 위 사기죄로 불구속기소되었다.

① 만약 위 사기 혐의가 인정되고 甲이 허위의 내용으로 신청한 지급명령이 그대로 확정되었다면, 소송사기의 방법으로 승소판결을 받아 확정된 경우와 마찬가지로 사기죄는 이미 기수에 이른 것이다.

② P가 통장(증 제2호)을 환부한 후에도 수첩(증 제1호)을 계속 보관하는 것은 형사소송법 제216조 제1항 제2호의 '체포현장에서의 압수'에 의한 것이므로 적법하다.

③ P가 통장(증 제2호)을 압수한 것은 형사소송법 제217조의 요건을 갖추지 못하여 위법하다.

④ 만약 검찰송치 전 P가 甲의 사기 혐의에 대한 결정적인 객관적 증거를 추가로 확보하였다면, 甲이 외국으로 출국하려 하는 등 긴급한 사정이 있더라도, P는 甲을 위 사기 혐의를 이유로 재차 긴급체포할 수 없다.

| 해설 ① 대판 2004.6.24, 2002도4151

② 수첩(증 제1호)은 형사소송법 제216조 제1항 제2호의 '체포현장에서의 압수'에 의한 것이므로, 검사 또는 사법경찰관은 압수한 물건을 계속 압수할 필요가 있는 경우에는 지체 없이 압수 · 수색영장을 청구하여야 한다. 이 경우 압수 · 수색영장의 청구는 체포한 때부터 48시간 이내에 하여야 한다(제217조 제2항). 검사 또는 사법경찰관은 제217조 제2항에 따라 청구한 압수 · 수색영장을 발부받지 못한 때에는 압수한 물건을 즉시 반환하여야 한다(제217조 제3항). 따라서 P가 사후에 압수 · 수색영장을 발부받지 못했음에도 이를 계속 보관하는 것은 위법하다.

③ 검사 또는 사법경찰관은 긴급체포된 자가 소유 · 소지 또는 보관하는 물건에 대하여 긴급히 압수할 필요가 있는 경우에는 체포한 때부터 24시간 이내에 한하여 영장 없이 압수 · 수색 또는 검증을 할 수 있는데(제217조 제1항), P가 통장(증 제2호)을 압수한 것은 체포한 때로부터 24시간이 경과한 시점이므로 위법하다.

④ 제200조의 4 제3항

Answer 13. ②

THEMA 40 현행범인의 체포

의 의	현행범이란 범죄를 실행하고 있거나 실행하고 난 직후의 사람을 말한다(제211조 제1항). 한편 범죄의 실행 중이거나 실행의 직후인 자는 아니지만 일정한 경우 현행범으로 간주되는 경우가 있다(준현행범).
현행범 체포의 요건	1. 범죄의 실행 중에 있는 자(제211조 제1항) ① 범죄의 실행행위에 착수하여 아직 범죄의 종료에 이르지 아니한 자를 말한다. ② 미수범 ⇨ 실행의 착수가 있으면 충분 ③ 예비·음모를 벌하는 경우 ⇨ 예비·음모행위가 실행행위에 해당 ④ 교사범·방조범 ⇨ 정범의 실행행위가 개시된 때에 실행행위(공범의 성립은 정범의 실행을 전제로 하므로) 2. 범죄실행 직후인 자(제211조 제1항) ① 범죄의 실행 직후 ⇨ 범죄실행행위의 종료 직후를 말하며, 결과발생 유무와는 상관없다. 시간적 접착성, 장소적 접착성이 필요 ② 판단 ⇨ 체포하는 자의 입장(3자의 입장 ×)에서 범죄실행행위를 종료한 직후의 범인이라는 것이 명백한 경우를 의미(대판 2007.4.13, 2007도1249) 10·12·14·16. 경찰승진, 11·23. 순경 1차, 13. 순경 2차 3. 준현행범인(제211조 제2항) [1. 범인으로 불리며 추적되고 있는 자 13. 경찰간부 2. 장물이나 범죄에 사용되었다고 인정하기에 충분한 흉기나 그 밖의 물건을 소지하고 있는 자 3. 신체나 의복류에 증거가 될만한 뚜렷한 흔적이 있는 자 4. 누구냐고 묻자 도망하려고 하는 자 10. 교정특채, 11. 순경] ① 추적 중 ⇨ 원칙적으로 범죄종료 후로부터 추적·호창이 계속됨을 요하나 극히 단시간의 중단은 무방(예 범인을 추적하던 중 범인을 놓쳤다가 잠시 후 그 부근에서 범인을 발견한 경우는 준현행범에 해당) ② 순찰 중이던 경찰관이 교통사고를 낸 차량이 도주하였다는 무전연락을 받고 주변을 수색하다가 범퍼 등의 파손상태로 보아 사고차량으로 인정되는 차량에서 내리는 사람을 발견한 경우 ⇨ 형사소송법 제211조 제2항 제2호 적용, 준현행범으로서 영장 없이 체포할 수 있다(대판 2000.7.4, 99도4341). 04. 9급 법원직, 09. 순경 1차, 11. 순경 2차, 13·14. 7급 국가직, 15. 경찰승진 ③ 장물·흉기 소지 ⇨ 장물·흉기의 소지가 범죄실행행위의 종료와 시간적 접착성이 인정되어야 한다(예 범죄가 있은 수일 후에 장물 또는 흉기를 소지하고 있는 자는 준현행범이 아님). ④ 누구인지 물음에 도망 ⇨ 누구인지 묻는 주체는 수사기관에 한하지 않고 사인을 포함한다. ▶ 경찰관의 불심검문에 대하여 도망하려 한 자도 준현행범(다수설) 4. 범인, 범죄사실의 명백성 : 형법상 구성요건에 해당하고 위법성조각사유와 책임조각사유가 없음이 명백한 경우를 말한다. ▶ 형사미성년자는 현행범 체포 대상 ×, 친고죄의 고소가 없어도 현행범 체포 가능 5. 체포의 필요성 : 체포의 필요성, 즉 증거인멸의 우려, 도망하거나 도망할 염려가 있는 경우에 한하여 체포가 허용된다(대판 2011.5.26, 2011도3682). 11. 순경, 13. 순경 2차, 10·11·14·16. 경찰승진, 16. 순경 1차, 17. 경찰간부 ▶ 체포요건구비 여부 판단 ⇨ 당시 객관적 상황을 기초(대판 2008.3.27, 2007도11400) 22. 경찰승진

	▶ 경미범죄의 경우 : 50만원 이하의 벌금, 구류 또는 과료에 해당하는 죄의 현행범인에 대해서는 범인의 주거가 분명하지 아니한 경우에만 그 체포가 허용된다(제214조). 95. 7급 검찰, 13. 순경 2차, 14 · 15. 경찰승진 • 경미사건 ⇨ 사람이 살지 않는 빈집 침입, 노상방뇨, 장난전화, 무임승차 · 무전취식, 음주소란, 불안감조성, 125cc 이하 원동기장치의 자전거 무면허운전 • 관공서에서 주취 소란, 범죄나 재해사실 거짓신고 ⇨ 경미사건 ×(60만원 이하 벌금 · 구류 또는 과료) ∴ 제214조 적용(×)
체포 절차	1. 주체 : 현행범 체포는 누구든지 할 수 있다. 따라서 수사기관뿐 아니라 사인도 현행범인을 영장 없이 체포할 수 있다(사인 ⇨ 체포의무는 없고 체포권한만 가짐). 16. 순경 2차 2. 체포권한 ① 일반인의 현행범 체포 • 일반인이 현행범을 체포한 때에는 즉시 검사 또는 사법경찰관리에게 인도하여야 한다(제213조 제1항). 13. 경찰간부, 13 · 14 · 16. 순경 2차 ▶ '즉시'라고 함은 반드시 체포시점과 시간적으로 밀착된 시점이어야 하는 것은 아니고, '정당한 이유 없이 인도를 지연하거나 체포를 계속하는 등으로 불필요한 지체를 함이 없이'라는 뜻으로 볼 것이다(대판 2011.12.22, 2011도12927). 16. 7급 국가직 · 순경 2차, 23. 순경 1차 ▶ 검사나 사법경찰관리가 올 때까지 붙들고 있거나, 가장 가까운 경찰관서로 끌고가 경찰관에 인도하는 것이며, 이를 위해 필요한 최소한도의 폭력이 사용될 수 있다. 13. 변호사시험 사인이 체포한 현행범인을 인도하지 않고 석방하는 것은 허용되지 않는다. 12. 경찰간부 • 사법경찰관리가 현행범인의 인도를 받은 때에는 체포자의 성명 · 주거 · 체포사유를 묻고 필요한 경우 체포자에게 경찰관서에 동행할 것을 요구할 수 있다(동조 제2항). 11 · 16. 경찰승진, 13 · 14. 순경 2차 • 현행범인을 인도받은 사법경찰관리는 현행범인 인수서를 작성하여야 한다(경찰수사규칙 제52조 제2항). 00. 경찰승진 • 수사기관이 사인에 의해 체포된 현행범인을 인도받은 경우에도 피의사실요지, 체포이유와 변호인을 선임할 수 있음을 말하고 변명할 기회를 주어야 하며(제200조의 5, 제213조의 2), 진술거부권을 알려주어야 한다(수사준칙 제32조 제1항). 16. 7급 국가직 ② 사법경찰관리의 현행범 체포 • 사법경찰관리가 현행범을 체포할 때에는 일반 시민이 체포한 경우와는 달리 적법절차를 준수하여야 한다. 즉, 피의사실의 요지 및 체포의 이유와 변호인을 선임할 수 있음을 말하고 변명할 기회를 준 후가 아니면 체포할 수 없으며(제200조의 5), 체포시 진술거부권을 알려주어야 한다(수사준칙 제32조 제1항). 05. 순경, 10 · 14 · 16. 순경 2차, 10 · 15 · 16. 경찰승진, 16. 7급 국가직 · 경찰간부 • 사법경찰관리는 현행범을 체포하기 위하여 영장 없이 타인의 주거에 들어갈 수 있다(제216조 제1항 제1호). 21. 해경승진 ▶ 일반인은 타인의 주거에 들어가지 못함 3. 현행범 체포와 압수 · 수색 : 검사 또는 사법경찰관은 피의자를 현행범으로 체포하는 경우에는 체포현장에서 영장 없이 압수 · 수색 · 검증할 수 있다(제216조 제1항). 다만, 압수한 물건은 계속 압수할 필요가 있는 경우에는 구속영장과는 별도로 지체 없이 압수 · 수색영장을 청구하되 체포한 때로부터 48시간 이내에 하여야 한다. 영장을 발부받지 못하면 즉시 반환(제217조 제2항 · 제3항)

체포 후의 절차	1. 통지의무 : 변호인이 있는 경우에는 변호인에게, 변호인이 없는 경우에는 변호인선임권자(피의자의 법정대리인, 배우자, 직계친족과 형제자매) 중 피의자가 지정한 자에게 피의사건명, 체포일시와 장소, 범죄사실의 요지, 체포이유와 변호인을 선임할 수 있음을 서면으로 알려야 한다(제200조의 6, 제87조). 2. 구속영장청구 ① 현행범을 체포한 후 구속하고자 할 때에는 48시간 이내에 구속영장을 청구하여야 하고, 14. 경찰승진 청구하지 아니한 때에는 즉시 피의자를 석방하여야 한다(제213조의 2). 21. 순경 2차 ② 사인에 의해 현행범으로 체포된 경우 구속영장청구는 수사기관이 인도받은 때로부터 48시간 이내에 하여야 한다(대판 2012.12.22, 2011도12927). 21. 해경승진, 14 · 23. 9급 법원직, 21 · 23. 순경 2차 ③ 사법경찰관이 현행범인을 석방한 경우에는 지체 없이 그 사실을 검사에게 통보해야 하며, 석방일시와 사유 등을 적은 피의자석방서를 작성해 사건기록에 편철한다(수사준칙 제28조 제2항).

01 현행범 체포에 대한 설명으로 가장 적절한 것은?(다툼이 있는 경우 판례에 의함) 21. 경찰승진

① 현행범으로 체포하기 위하여는 행위의 가벌성, 범죄의 현행성 · 시간적 접착성, 범인 · 범죄의 명백성이 있으면 족하고, 도망 또는 증거인멸의 염려가 있어야 하는 것은 아니다.

② 신고를 받고 출동한 경찰관이 음주운전을 종료한 후 40분 이상이 경과한 시점에서 길가에 앉아 있던 피의자에게서 술냄새가 난다는 점만을 근거로 하여 피의자를 음주운전의 현행범으로 체포한 것은 적법한 공무집행이라고 볼 수 있다.

③ 현행범을 체포한 경찰관의 진술이라 하더라도 범행을 목격한 부분에 관하여는 여느 목격자의 진술과 다름없이 증거능력이 있다.

④ 수사기관이 일반인으로부터 체포된 현행범을 인도받고 현행범을 구속하고자 하는 경우 48시간 이내에 구속영장을 청구해야 하며, 그 48시간의 기산점은 일반인에 의한 체포시점으로 보아야 한다.

| 해설 ① 현행범으로 체포하기 위하여는 행위의 가벌성, 범죄의 현행성 · 시간적 접착성, 범인 · 범죄의 명백성 이외에 체포의 필요성, 즉 도망 또는 증거인멸의 염려가 있어야 한다(대판 2011.5.26, 2011도3682).
② 신고를 받고 출동한 경찰관이 음주운전을 종료한 후 40분 이상이 경과한 시점에서 길가에 앉아 있던 피의자에게서 술냄새가 난다는 점만을 근거로 하여 피의자를 음주운전의 현행범으로 체포한 것은 죄증이 명백하다고 할 수 없는 상태에서 이루어진 것으로서 적법한 공무집행이라고 볼 수 없다(대판 2007.4.13, 2007도1249). ③ 대판 1995.5.9, 95도535
④ 수사기관이 일반인으로부터 체포된 현행범을 인도받고 현행범을 구속하고자 하는 경우 48시간 이내에 구속영장을 청구해야 하며, 그 48시간의 기산점은 체포시가 아니라 수사기관이 인도받은 때라 할 것이다(대판 2011.12.22, 2011도12927).

Answer 1. ③

02 현행범인에 대한 설명으로 틀린 것은 모두 몇 개인가?

㉠ 친고죄의 경우 고소가 없으면 현행범인의 체포대상이 아니며, 형사미성년자인 경우 현행범으로 체포하지 못한다.
㉡ 수사기관이 누구냐고 물음에 도망하는 자는 준현행범인에 해당하나, 사인의 물음에 도망하는 자는 준현행범인이 아니다.
㉢ 결과가 발생하지 아니하면 현행범인이라 할 수 없다.
㉣ 경찰관의 현행범인 체포경위 및 그에 관한 현행범인체포서와 범죄사실의 기재에 다소 차이가 있더라도, 그것이 논리와 경험칙상 장소적·시간적 동일성이 인정되는 범위 내라면 그 체포행위가 공무집행방해죄의 요건인 적법한 공무집행에 해당한다.
㉤ 현역군인이라 할지라도 현행범인은 체포가 가능하며, 국회의원이라도 현행범인인 경우에는 회기 중 국회의 동의 없이 체포할 수 있다.
㉥ 도로에서 49cc 원동기장치자전거를 무면허운전(30만원 이하의 벌금이나 구류의 형에 해당)하고 가는 甲에 대하여 주거가 명백히 확인되었다면 현행범으로 체포할 수 없다.

① 1개 ② 2개 ③ 3개 ④ 4개

| 해설 | ㉠ × : 친고죄의 경우 고소가 없어도 현행범인 체포가 가능하며, 형사미성년자인 경우는 범죄가 불성립된 자이므로 현행범으로 체포하지 못한다.
㉡ × : 누구냐고 물음에 도망하려는 자는 준현행범이다. 묻는 주체는 반드시 경찰관임을 요하지 않고 사인의 경우도 포함한다.
㉢ × : 현행범인이란 범죄를 실행 중이거나 실행 직후인 자를 말하는데, 실행 직후란 실행행위를 종료한 직후를 말하고 결과 발생 여부와는 상관이 없다.
㉣ ○ : 피고인에 대한 현행범인체포서에는 사법경찰관리인 공소외 1이 "2007. 7. 23. 11 : 00" "부산 동래구 명륜1동 339-8 소재 동성장 여관 302호 내"에서 피고인을 현행범인으로 체포한 것으로 기재되어 있으나, 공소사실에는 현행범 체포의 일시가 "2007. 7. 23. 10 : 50경", 체포장소가 "부산 동래구 명륜1동 339-8 소재 동성장 여관 앞 노상"으로 되어 있는 사실을 알 수 있는바, 피고인에 대한 현행범인 체포경위 및 그에 대한 현행범인체포서와 범죄사실에 다소 차이가 있다고 하더라도 이러한 차이는 논리와 경험칙상 장소적·시간적인 동일성이 인정되는 범위 내에서의 차이로 볼 수 있으므로, 경찰관이 피고인을 현행범인으로 체포하여 경찰 지구대로 연행한 행위는 적법한 공무집행행위라고 볼 수 있다(대판 2008.10.9, 2008도3640).
㉤ ○ ㉥ ○ : 50만원 이하의 벌금, 구류 또는 과료에 해당하는 경미사건의 현행범인에 대하여는 범인의 주거가 분명하지 아니한 때에 한하여 현행범인으로 체포할 수 있다(제214조).

03 현행범 체포와 관련하여 옳지 않은 것은 몇 개인가?(판례에 의함)

㉠ 9시 10분 목욕탕 탈의실에서 구타하고 약 1분여 동안 피해자의 목을 잡고 있다가 그 곳에 있던 다른 사람들이 말리자 잡고 있던 목을 놓은 후 위 목욕탕 탈의실 의자에 앉아 있었는데, 그 무렵 위 목욕탕에서 이발소를 운영하고 있는 자가 피고인에게 옷을 입고 가라고 하여 피고인이 옷을 입고 있었던 중 경찰관들이 현장에 출동하여 9시 35분 현행범인으로 체포함은 적법하다.
㉡ 교사가 교장실에 들어가 불과 약 5분 동안 식칼을 휘두르며 교장을 협박하는 등의 소란을 피운 후 40여분 정도가 지나 경찰관들이 출동하여 교장실이 아닌 서무실에서 동행을 거부하는 그 교사를 현행범으로 체포한 경우 적법한 공무집행이다.

Answer 2. ③ 3. ③

ⓒ 사법경찰관리가 현행범인을 체포하는 경우에는 반드시 범죄사실의 요지, 체포의 이유와 변호인을 선임할 수 있음을 말하고 변명할 기회를 주어야 하고, 이와 같은 고지는 언제나 체포를 위한 실력행사에 들어가기 이전에 미리 하여야 한다.
ⓔ 차를 손괴하고 도망하려는 자를 체포함에 있어 멱살을 잡고 흔들어 피해자에게 전치 14일의 흉부 찰과상을 입게 된 사실이 인정되더라도 그것은 사회통념상 허용되는 행위라고 볼 것이므로 현행범에 대한 체포는 정당하다.
ⓜ 경찰관들이 주민들의 신고를 받고 현장에 도착한 당시 이미 싸움이 끝나 의자에 앉아 있던 자는 영장 없이 체포할 수 없다.
ⓑ 현행범인은 누구든지 영장 없이 체포할 수 있으며, 현행범을 체포하는 자는 일반 사인이라 하더라도 영장 없이 타인의 주거에 들어갈 수 있다.

① 1개 ② 2개 ③ 3개 ④ 4개

| 해설 ㉠ ○ : 대판 2006.2.10, 2005도7158
㉡ × : 교장실에 들어가 약 5분 동안 식칼을 휘두르며 소란을 피우다 부모의 만류로 그만둔 후 40분 정도 지나서 교장실이 아닌 서무실에서 체포하는 것은 현행범 체포에 해당하지 아니한다(대판 1991.9.24, 91도1314).
ⓒ × : 사법경찰관리가 현행범인을 체포하는 경우(긴급체포의 경우에도 동일)에는 반드시 범죄사실의 요지, 체포의 이유와 변호인을 선임할 수 있음을 말하고 변명할 기회를 주어야 하고, 이와 같은 고지는 체포를 위한 실력행사에 들어가기 이전에 미리 하여야 하는 것이 원칙이나, 달아나는 피의자를 쫓아가 붙들거나 폭력으로 대항하는 피의자를 실력으로 제압하는 경우에는 붙들거나 제압하는 과정에서 하거나, 그것이 여의치 않은 경우에라도 일단 붙들거나 제압한 후에 지체 없이 행하였다면 경찰관의 현행범인 체포는 적법한 공무집행이라고 할 수 있다(대판 2010.6.24, 2008도11226).
ⓔ ○ : 대판 1999.1.26, 98도3029 ⓜ ○ : 대판 1989.12.12, 89도1934
ⓑ × : 현행범인은 누구든지 영장 없이 체포할 수 있다. 사법경찰관리는 현행범인을 체포하기 위하여 영장 없이 타인의 주거에 들어갈 수 있으나(제216조 제1항 제1호), 일반 사인은 타인의 주거에 들어가 피의자를 수색할 수 없다.

04 현행범인 체포에 대한 설명으로 옳지 않은 것은 모두 몇 개인가?(다툼이 있는 경우 판례에 의함)

㉠ 학교 앞길에서 폭행 등 범행을 한 지 10분 후에 112신고를 받고 출동한 경찰관이 그 학교 운동장에서 범인을 체포한 경우에는 적법한 현행범 체포에 해당하지 아니한다.
㉡ 경범죄처벌법을 위반하여 관공서에서 주취소란행위를 하는 자는 주거가 분명한 때에는 현행범인 체포의 대상이 되지 아니한다.
ⓒ 사법경찰관이 피의자를 현행범으로 체포하면서 체포사유 및 변호인선임권을 고지하지 아니하였음에도 불구하고, 고지한 것으로 현행범체포서를 작성한 경우에는 허위공문서작성죄의 범의가 없다.
ⓔ 수사기관이 사인에 의해 체포된 현행범인을 인도받는 경우에도 피의자에 대하여 피의사실의 요지, 체포의 이유와 변호인을 선임할 수 있음을 말하고 변명할 기회를 주어야 한다.
ⓜ 민간인 A는 길을 가다가 어떤 여자가 달려오면서 "저 도둑놈 잡아라."라고 외치는 소리를 듣고 범인을 검거하였다면 준현행범 체포에 해당하며, A가 파출소에 범인을 인계하면 현행범인 체포서를 작성한다.

Answer 4. ④

① 1개 ② 2개 ③ 3개 ④ 4개

| 해설 ㉠ ×: 범행을 한 지 겨우 10분 후에 지나지 않고, 그 장소도 범행 현장에 인접한 위 학교의 운동장이며, 위 피해자의 친구가 112신고를 하고 나서 피고인이 도주하는지 여부를 계속 감시하고 있던 중 위 신고를 받고 출동한 경찰관들에게 피고인을 지적하여 체포하도록 한 경우라면 피고인은 "범죄 실행의 즉후인 자"로서 피고인을 체포하려고 한 행위는 현행범의 체포행위로서 적법한 공무집행이다(대판 1993.8.13, 93도926).
㉡ ×: 관공서에서 주취소란, 범죄나 재해사실 거짓신고 등은 경미사건(50만원 이하 벌금·구류·과료)에 해당되지 않으므로, 주거가 분명한 때에도 현행범 체포의 대상이 된다(경범죄처벌법 제3조 제3항).
㉢ ×: 피고인들에게 허위공문서작성에 대한 범의도 있었다고 보아야 한다(대판 2010.6.24, 2008도11226).
㉣ ○: 제200조의 5, 제213조의 2
㉤ ×: 사법경찰관리는 현행범인을 체포한 때에는 현행범인체포서를 작성하고, 현행범인을 인도받은 때에는 현행범인인수서를 작성해야 한다(경찰수사규칙 제52조 제2항).

02

05 **甲은 경찰관 P로부터 불심검문을 받고 운전면허증을 교부하였는데 P가 이를 곧바로 돌려주지 않고 신분조회를 위해 순찰차로 가는 것을 보자 화가 나 인근 주민들 여러 명이 있는 가운데 경찰관 P에게 큰 소리로 욕설을 하였다. 이에 P는 형사소송법 제200조의 5에 따라 미란다 원칙을 고지한 후 甲을 모욕죄의 현행범으로 체포하였고, 그 과정에서 甲은 P에게 반항하면서 몸싸움을 하다가 가슴과 다리 부위에 타박상 등을 가하였다. 이에 대한 설명으로 가장 적절하지 않은 것은?**(다툼이 있는 경우 판례에 의함) 22. 경찰승진

① P가 甲을 체포할 당시 甲은 모욕 범행을 실행하고 있거나 실행하고 난 직후의 사람에 해당하므로 현행범인에 해당한다.
② 甲은 P의 불심검문에 응하여 운전면허증을 교부하였지만, 도망하거나 증거를 인멸할 염려가 있으므로 체포의 필요성이 인정된다.
③ 甲에 대한 체포는 현행범인 체포의 요건을 갖추지 못하였다.
④ 甲에 대한 체포는 형사소송법 제200조의 3에서 규정하고 있는 긴급체포의 요건을 갖추지 못하였다.

| 해설 ①②③ 피고인은 경찰관의 불심검문에 응하여 이미 운전면허증을 교부한 상태이고, 경찰관뿐 아니라 인근 주민도 욕설을 직접 들었으므로, 피고인이 도망하거나 증거를 인멸할 염려가 있다고 보기는 어렵고, 피고인의 모욕 범행은 불심검문에 항의하는 과정에서 저지른 일시적·우발적인 행위로서 사안 자체가 경미할 뿐 아니라, 피해자인 경찰관이 범행현장에서 즉시 범인을 체포할 급박한 사정이 있다고 보기도 어려우므로, 경찰관이 피고인을 체포한 행위는 적법한 공무집행이라고 볼 수 없고, 피고인이 체포를 면하려고 반항하는 과정에서 상해를 가한 것은 불법체포로 인한 신체에 대한 현재의 부당한 침해에서 벗어나기 위한 행위로서 정당방위에 해당한다(대판 2011.5.26, 2011도3682).
④ 모욕죄의 법정형은 1년 이하의 징역·금고 또는 200만원 이하의 벌금에 처할 수 있는 범죄이므로(형법 제311조), 이는 긴급체포의 대상 범죄가 아니다.

Answer 5. ②

06 **소말리아 해적인 피고인들 등이 아라비아해 인근 공해상에서 대한민국 해운회사가 운항 중인 선박을 납치하여 대한민국 국민인 선원 등에게 해상강도 등 범행을 저질렀다는 내용으로 국군 청해부대에 의해 체포 · 이송되어 국내 수사기관에 인도된 후 구속 · 기소된 사안에 대한 설명으로 옳지 않은 것은 모두 몇 개인가?**(다툼이 있으면 판례에 의함) 16. 순경 2차

㉠ 형사소송법 제4조 제1항은 "토지관할은 범죄지, 피고인의 주소, 거소 또는 현재지로 한다."라고 정하고, 여기서 '현재지'라고 함은 공소제기 당시 피고인이 현재한 장소로서 임의에 의한 현재지뿐만 아니라 적법한 강제에 의한 현재지도 이에 해당한다.
㉡ 현행범인은 누구든지 영장 없이 체포할 수 있고, 검사 또는 사법경찰관리(이하 '검사 등'이라고 한다) 아닌 이가 현행범인을 체포한 때에는 즉시 검사 등에게 인도하여야 한다.
㉢ 여기서 '즉시'라고 함은 반드시 체포시점과 시간적으로 밀착된 시점이어야 하므로, '정당한 이유 없이 인도를 지연하거나 체포를 계속하는 등으로 불필요한 지체를 함이 없이'라는 뜻으로 볼 것이다.
㉣ 검사 등이 현행범인을 체포하거나 현행범인을 인도받은 후 현행범인을 구속하고자 하는 경우 48시간 이내에 구속영장을 청구하여야 하고, 그 기간 내에 구속영장을 청구하지 아니하는 때에는 즉시 석방하여야 한다.
㉤ 검사 등이 아닌 이에 의하여 현행범인이 체포된 후 불필요한 지체 없이 검사 등에게 인도된 경우 위 48시간의 기산점은 체포시가 아니라 검사 등이 현행범인을 인도받은 때라고 할 것이다.

① 0개 ② 1개 ③ 2개 ④ 3개

| 해설 ㉠㉡㉣㉤ ○ : 대판 2011.12.22, 2011도12927
㉢ × : '즉시'라고 함은 반드시 체포시점과 시간적으로 밀착된 시점이어야 하는 것은 아니고, '정당한 이유 없이 인도를 지연하거나 체포를 계속하는 등으로 불필요한 지체를 함이 없이'라는 뜻으로 볼 것이다(대판 2011.12.22, 2011도12927).

07 **현행범 체포와 관련한 다음 내용 중 옳은 것은?**(판례에 의함)

① 피고인이 집회금지 장소에서 개최된 옥외집회에 참가하였는데, 당시 경찰이 70명 가량의 전투경찰순경을 동원하여 집회 참가자에 대한 체포에 나서 9명을 현행범으로 체포하고, 그 과정에서 피고인은 전투경찰순경 甲에게 체포되어 바로 호송버스에 탑승하게 되면서 경찰관 乙에게서 피의사실의 요지 및 현행범인 체포의 이유와 변호인을 선임할 수 있음을 고지받고 변명의 기회를 제공받았다면, 형사소송법 제200조의 5에 규정된 고지가 이루어졌다고 볼 수 없다.
② 경찰관의 오만한 단속 태도에 항의한다는 이유로 피고인을 그 의사에 반하여 교통초소로 연행해 가자 이러한 강제연행에 항거하는 와중에서 경찰관의 멱살을 잡는 등 폭행을 가하였다면 공무집행방해죄가 성립한다.

Answer 6.② 7.④

③ 경찰관의 현행범인 체포경위 및 그에 관한 현행범인 체포서와 범죄사실의 기재에 다소 차이가 있다면, 그것이 논리와 경험칙상 장소적·시간적 동일성이 인정되는 범위 내라고 하더라도 그 체포행위가 적법한 공무집행에 해당한다고 할 수 없다.

④ 경찰관이 甲을 현행범으로 체포하려는 상황에서 乙이 경찰관을 폭행하여 乙을 현행범으로 체포하였는데, 乙이 경찰관의 현행범 체포업무를 방해한 일이 없다며 경찰관을 불법체포로 고소한 사안에서, 체포행위를 방해한 사실이 전혀 없다는 고소내용은 허위사실의 기재로서 그 자체로 독립하여 무고죄가 성립한다고 할 것이다.

| 해설 ① 피고인이 집회금지 장소에서 개최된 옥외집회에 참가하였는데, 당시 경찰이 70명 가량의 전투경찰순경을 동원하여 집회 참가자에 대한 체포에 나서 9명을 현행범으로 체포하고, 그 과정에서 피고인은 전투경찰순경 甲에게 체포되어 바로 호송버스에 탑승하게 되면서 경찰관 乙에게서 피의사실의 요지 및 현행범인 체포의 이유와 변호인을 선임할 수 있음을 고지받고 변명의 기회를 제공받은 사안에서, 집회의 개최상황, 현행범 체포의 과정, 미란다 원칙을 고지한 시기 등에 비추어 현행범 체포과정에서 형사소송법 제200조의 5에 규정된 고지가 이루어졌다고 본다(대판 2012.2.9, 2011도7193).

② 피고인이 교통단속 경찰관의 면허증 제시 요구에 응하지 않고 교통경찰관을 폭행한 사안에 대하여 경찰관의 면허증 제시 요구에 순순히 응하지 않은 것은 잘못이라고 하겠으나, 피고인이 위 경찰관에게 먼저 폭행 또는 협박을 가한 것이 아니라면 경찰관의 오만한 단속 태도에 항의한다고 하여 피고인을 그 의사에 반하여 교통초소로 연행해 갈 권한은 경찰관에게 없는 것이므로, 이러한 강제연행에 항거하는 와중에서 경찰관의 멱살을 잡는 등 폭행을 가하였다고 하여도 공무집행방해죄가 성립되지 않는다(대판 1992.2.11, 91도2797).

③ 경찰관의 현행범인 체포경위 및 그에 관한 현행범인 체포서와 범죄사실의 기재에 다소 차이가 있더라도, 그것이 논리와 경험칙상 장소적·시간적 동일성이 인정되는 범위 내라면 그 체포행위가 공무집행방해죄의 요건인 적법한 공무집행에 해당한다(대판 2008.10.9, 2008도3640).

④ 경찰관이 甲을 현행범으로 체포하려는 상황에서 乙이 경찰관을 폭행하여 乙을 현행범으로 체포하였는데, 乙이 경찰관의 현행범 체포업무를 방해한 일이 없다며 경찰관을 불법체포로 고소한 사안에서, 체포행위를 방해한 사실이 전혀 없다는 고소내용은 허위사실의 기재로서 그 자체로 독립하여 무고죄가 성립한다고 할 것이므로, 이를 두고 경찰관들의 직권남용으로서 사법기관이 판단할 문제라거나 허위사실의 기재로 볼 수 없는 표현에 불과하다고는 할 수 없다(대판 2009.1.30, 2008도8573).

08 **다음 중 현행범 체포와 관련한 내용으로 적절하지 않은 것은 모두 몇 개인가?**(다툼이 있으면 판례에 의함)

> ㉠ 사법경찰관이 현행범인으로 체포된 피의자를 석방하고자 하는 경우에는 미리 검사의 지휘를 받아야 하고, 체포된 현행범인을 석방한 때에는 지체 없이 피의자석방보고서를 작성하여야 한다.
>
> ㉡ 비록 피고인이 식당 안에서 소리를 지르거나 양은그릇을 부딪치는 등의 소란행위가 업무방해죄의 구성요건에 해당하지 않아 사후적으로 무죄로 판단된다고 하더라도, 피고인이 상황을 설명해 달라거나 밖에서 얘기하자는 경찰관의 요구를 거부하고 경찰관 앞에서 소리를 지르고 양은그릇을 두드리면서 소란을 피운 당시 상황에서는 객관적으로 보아 피고인이 업무방해죄의 현행범이라고 인정할 만한 충분한 이유가 있다.

Answer 8. ③

ⓒ 경미한 범죄에 불과한 경우 비록 그가 현행범인이라고 하더라도 영장 없이 체포할 수는 없으나, 범죄의 사전진압이나 교통단속의 목적을 이유로 그에게 임의동행을 강요할 수는 있다.
ⓔ 부산지방경찰청 외사계 소속 경사 甲에게 출입국관리법 위반죄 등의 현행범인으로 체포되어 지체 없이 피의사실의 요지, 체포이유, 변호인선임권 등을 고지하는 등의 절차를 밟지 않고 피고인의 승용차에 승차하여 이동하던 중 피고인이 뒷좌석 유리창을 내리고 도주하려는 것을 위 甲이 수갑을 채우면서 제지하려고 하자 주먹으로 위 甲의 얼굴을 1회 때리는 등 폭행한 사안에서 경찰관 甲의 체포행위는 적법한 공무집행이라고 볼 수 없다.
ⓜ 피고인은 전투경찰순경 甲에게 체포되어 바로 호송버스에 탑승하게 되면서 경찰관 乙에게서 피의사실의 요지 및 현행범인체포의 이유와 변호인을 선임할 수 있음을 고지받고 변명의 기회를 제공받은 경우에는 형사소송법 제200조의 5에 규정된 적법한 고지가 이루어졌다고 볼 수 없다.
ⓑ 피고인이 시비 중 피해자를 주먹으로 그 얼굴을 4, 5회 치고 배를 발로 찬 후 멱살을 잡고 그를 인근 파출소로 끌고가면서 폭행을 하였다면 비록 그 과정에서 피고인도 얻어 맞았다 하더라도 현행범 체포에 해당되지 아니한다.

① 1개 ② 2개 ③ 3개 ④ 4개

| 해설 ⓖ ×: 사법경찰관은 석방 후 지체 없이 석방사실을 검사에게 통보해야 하며, 석방일시와 사유 등을 기재한 피의자석방서를 작성해 사건기록에 편철한다(수사준칙 제28조 제2항).
ⓛ ○: 대판 2013.8.23, 2011도4763
ⓒ ×: 경미사건 현행범인 체포의 요건인 주거불명이 확인되지 아니한 상태에서 현행범인이라는 이유로 영장 없이 체포할 수 없으며, 임의동행을 강요할 수도 없다(서울형사지방법원 1992.12.23, 92고합1834 : 확정).
ⓔ ○: 대판 2006.11.23, 2006도2732
ⓜ ×: 피고인은 전투경찰순경 甲에게 체포되어 바로 호송버스에 탑승하게 되면서 경찰관 乙에게서 피의사실의 요지 및 현행범인체포의 이유와 변호인을 선임할 수 있음을 고지받고 변명의 기회를 제공받은 경우, 형사소송법 제200조의 5에 규정된 적법한 고지가 이루어졌다고 본다(대판 2012.2.9, 2011도7193).
ⓑ ○: 대판 1969.12.9, 69도1846

09 **다음 중 체포에 관한 설명으로 가장 옳지 않은 것은?**(다툼이 있는 경우 판례에 의함)

22. 해경승진

① 경찰관이 피의자의 집 문을 강제로 열고 들어가 피의자를 긴급체포한 경우, 피의자가 마약투약을 하였다고 의심할만한 상당한 이유가 있었더라도 경찰관이 이미 피의자의 주거지 및 전화번호 등을 모두 파악하고 있었고, 당시 증거가 급속하게 소멸될 상황도 아니었다면 미리 체포영장을 받을 시간적 여유가 없었던 경우에 해당하지 않는다.
② 경찰관이 시위에 참가한 6명의 조합원을 집회 및 시위에 관한 법률 위반 혐의로 현행범 체포 후 경찰서로 연행하였는데, 그 과정에서 체포의 이유를 설명하지 않다가 조합원들의 항의를 받고 1시간이 지난 후 그 이유를 설명한 것은 위법하다.

Answer 9. ④

③ 피의자의 소란행위가 업무방해죄의 구성요건에 해당하지 않아 사후적으로 무죄로 판단된다고 하더라도, 피의자가 경찰관 앞에서 소란을 피운 당시 상황에서는 객관적으로 보아 피의자가 업무방해죄의 현행범이라고 인정할 만한 충분한 이유가 있었다면 경찰관이 피의자를 체포하려고 한 행위는 적법하다.

④ 순찰 중이던 경찰관이 교통사고를 낸 차량이 도주하였다는 무전연락을 받고 주변을 수색하다가 범퍼 등의 파손상태로 보아 사고차량으로 인정되는 차량에서 내리는 사람을 발견하고 준현행범인으로 체포한 행위는 위법하다.

| 해설 ① 대판 2016.10.13, 2016도5814 ② 대판 2017.3.15, 2013도2168 ③ 대판 2013.8.23, 2011도4763 ④ 순찰 중이던 경찰관이 교통사고를 낸 차량이 도주하였다는 무전연락을 받고 주변을 수색하다가 범퍼 등의 파손상태로 보아 사고차량으로 인정되는 차량에서 내리는 사람을 발견하고 준현행범인으로 체포한 행위는 적법하다(대판 2000.7.4, 99도4341).

10 현행범인 체포와 관련한 설명 중 옳지 않은 것은 모두 몇 개인가?(다툼이 있는 경우 판례에 의함)

㉠ 지하철 역무책임자가 업무를 준비하던 중 피고인이 술에 취하여 역사 내에서 소리를 지르며 지나가는 승객에게 욕을 하는 등 시비를 걸고, 역무실 문과 매표실 문을 발로 차며 소리를 지르는 것을 보고, 신고하여 경찰관이 현행범으로 체포하여 40m 가량을 간 다음 순찰차량의 뒷좌석에 태우려 하자 피고인은 차량에 타지 않으려고 발버둥을 치며 경찰관의 안경을 떨어뜨려 손괴하고, 얼굴을 긁어 상처를 입힌 경우, 피고인의 행위는 현행범이 아닌데도 현행범으로 체포한 경찰관에 대한 정당행위에 해당하여 위법성이 조각된다.

㉡ 피고인이 甲과 주차문제로 언쟁을 벌이던 중, 112 신고를 받고 출동한 경찰관 乙이 甲을 때리려는 피고인을 제지하자 자신만 제지를 당한 데 화가 나서 손으로 乙의 가슴을 1회 밀치고, 계속하여 욕설을 하면서 피고인을 현행범으로 체포하며 순찰차 뒷좌석에 태우려고 하는 乙의 정강이 부분을 양발로 2회 걷어차는 등 폭행을 하는 행위는 경찰관의 정당한 직무집행을 방해한 것이다.

㉢ 甲은 빌라 주차장에 甲의 차량을 그대로 둔 채 귀가하였다. 빌라 측에서는 차량을 이동시켜 달라는 취지의 신고전화를 하였고, 이에 경찰관은 차량을 이동할 것을 요구하는 전화를 하였다. 甲은 위 빌라 주차장에 도착하여 술 냄새가 나고 눈이 빨갛게 충혈되어 있는 상태에서 차량을 약 2m 가량 운전하여 이동 · 주차하였으나, 차량을 완전히 뺄 것을 요구하던 공사장 인부들과 시비가 되었고, 경찰관은 다시 현장에 출동하여 음주감지기에 의한 확인을 요구하였으나 '이만큼 차량을 뺀 것이 무슨 음주운전이 되느냐.'며 응하지 아니하였고, 임의동행도 거부하였다. 이에 경찰관은 甲을 음주운전죄의 현행범으로 체포하여 위 지구대로 데리고 가 음주측정을 요구하였다. 경찰관이 甲을 현행범으로 체포한 것은 적법하고, 음주측정요구에 불응하였다면 음주측정불응죄에 해당한다.

㉣ 현행범인 체포에 대하여는 헌법과 형사소송법이 정한 체포적부심사라는 구제절차가 존재함에도 불구하고, 체포적부심사절차를 거치지 않고 제기된 헌법소원심판청구는 법률이 정한 구제절차를 거치지 않고 제기된 것으로서 보충성의 원칙에 반하여 부적법하다.

Answer 10. ②

① 1개 ② 2개 ③ 3개 ④ 4개

해설 ㉠ ×：지하철 역무책임자가 업무를 준비하던 중 피고인이 술에 취하여 역사 내에서 소리를 지르며 지나가는 승객에게 욕을 하는 등 시비를 걸고, 역무실 문과 매표실 문을 발로 차며 소리를 지르는 것을 보고, 신고하여 경찰관이 현행범으로 체포하여 40m 가량을 간 다음 순찰차량의 뒷좌석에 태우려 하자 피고인은 차량에 타지 않으려고 발버둥을 치며 경찰관의 안경을 떨어뜨려 손괴하고, 얼굴을 긁어 상처를 입힌 경우에 위 행위는 폭행죄로 의율하기에는 다소 애매한 점이 있다 하더라도, 적어도 역무 종사자의 정당한 업무를 방해한 행위로서 형법 제314조의 업무방해죄에 해당되는 범죄행위로 보기에는 충분하므로 경찰관이 피고인을 현행범으로 체포한 이상 그 체포는 당연히 적법한 것이라 할 것이다(대판 2006.9.28, 2005도6461).
㉡ ○：대판 2018.3.29, 2017도21537
㉢ ×：甲은 저녁을 먹으면서 술을 마신 뒤 위 식당 건너편 빌라 주차장에 주차되어 있던 甲의 차량을 그대로 둔 채 귀가하였다. 위 빌라 측에서는 다음 날 아침에 공사를 할 수 없다며 차량을 이동시켜 달라는 취지의 신고전화를 하였고, 이에 경찰관은 차량을 이동할 것을 요구하는 전화를 하였다. 甲은 위 빌라 주차장에 도착하여 술 냄새가 나고 눈이 빨갛게 충혈되어 있는 상태에서 차량을 약 2m 가량 운전하여 이동・주차하였으나, 차량을 완전히 뺄 것을 요구하던 공사장 인부들과 시비가 되었고, 그러던 중 누군가 피고인이 음주운전을 하였다고 신고를 하여 경찰관은 다시 현장에 출동하였고, 음주감지기에 의한 확인을 요구하였으나 '이만큼 차량을 뺀 것이 무슨 음주운전이 되느냐.'며 응하지 아니하였고, 임의동행도 거부하였다. 이에 경찰관은 甲을 음주운전죄의 현행범으로 체포하여 위 지구대로 데리고 가 음주측정을 요구하였다. 경찰관이 甲을 현행범으로 체포한 것은 사안이 경미하고, 도망하거나 증거를 인멸하였다고 단정하기 어려워 甲을 현행범으로 체포한 것은 위법하고, 그와 같이 위법한 체포상태에서 이루어진 음주측정요구 또한 위법하다고 보지 않을 수 없다. 따라서 음주측정요구에 불응하였더라도 음주측정불응죄에 해당하지 아니한다(대판 2017.4.7, 2016도19907).
㉣ ○：헌재결 2010.9.30, 2008헌마628

11 **현행범인의 체포에 관한 다음 설명 중 옳고 그름의 표시(○, ×)가 바르게 된 것은?**(다툼이 있는 경우 판례에 의함)

23. 순경 1차・전의경 경채

㉠ 사인의 현행범 체포과정에서 일어날 수 있는 물리적 충돌이 적정한 한계를 벗어났는지 여부는 그 행위가 소극적인 방어행위인가 적극적인 공격행위인가에 따라 결정된다.
㉡ 형사소송법 제211조 제1항이 현행범인으로 규정한 '범죄를 실행하고 난 직후의 사람'이라고 함은, 범죄의 실행행위를 종료한 직후의 범인이라는 것이 체포하는 자의 입장에서 볼 때 명백한 경우를 일컫는 것으로서, '범죄의 실행행위를 종료한 직후'라고 함은, 범죄행위를 실행하여 끝마친 순간 또는 이에 아주 접착된 시간적 단계를 의미하는 것으로 해석된다.
㉢ 현행범인은 누구든지 영장 없이 체포할 수 있고, 검사 또는 사법경찰관리가 아닌 자가 현행범인을 체포한 때에는 즉시 검사 등에게 인도하여야 하며, 이때 인도시점은 반드시 체포시점과 시간적으로 밀착된 시점이어야 한다.
㉣ 공장을 점거하여 농성 중이던 조합원들이 경찰과 부식반입 문제를 협의하거나 기자회견장 촬영을 위해 공장 밖으로 나오자, 전투경찰대원들은 '고착관리'라는 명목으로 그 조합원들을 방패로 에워싸고 이동하지 못하게 한 사안에서, 위 조합원들이 어떠한 범죄행위를 목전에서 저지르려고 하는 등 긴급한 사정이 있는 경우가 아니라면, 위 전투경찰대원들의 행위는 형사소송법상 체포에 해당한다.

Answer 11. ④

① ㉠(○), ㉡(×), ㉢(○), ㉣(×)
② ㉠(○), ㉡(○), ㉢(×), ㉣(○)
③ ㉠(×), ㉡(×), ㉢(○), ㉣(×)
④ ㉠(×), ㉡(○), ㉢(×), ㉣(○)

| 해설 ㉠ × : 적정한 한계를 벗어나는 현행범인 체포행위는 그 부분에 관한 한 법령에 의한 행위로 될 수 없다고 할 것이나, 적정한 한계를 벗어나는 행위인가 여부는 결국 정당행위의 일반적 요건을 갖추었는지 여부에 따라 결정되어야 할 것이지 그 행위가 소극적인 방어행위인가 적극적인 공격행위인가에 따라 결정되어야 하는 것은 아니다(대판 1999.1.26, 98도3029).
㉡ ○ : 대판 2007.4.13, 2007도1249
㉢ × : 검사 또는 사법경찰관리가 아닌 이가 현행범인을 체포한 때에는 즉시 검사 등에게 인도하여야 한다(형사소송법 제213조 제1항). 여기서 '즉시'라고 함은 반드시 체포시점과 시간적으로 밀착된 시점이어야 하는 것은 아니고, '정당한 이유 없이 인도를 지연하거나 체포를 계속하는 등으로 불필요한 지체를 함이 없이'라는 뜻으로 볼 것이다(대판 2011.12.22, 2011도12927).
㉣ ○ : 대판 2017.3.15, 2013도2168

12 체포절차에 대한 설명으로 가장 적절하지 않은 것은? 23. 경찰승진

① 사법경찰관은 검사에게 신청하여 검사의 청구로 관할지방법원 판사의 체포영장을 발부받아 피의자를 체포할 수 있지만, 다액 50만원 이하의 벌금, 구류 또는 과료에 해당하는 사건에 관하여는 피의자가 일정한 주거가 없는 경우 또는 정당한 이유없이 형사소송법 제200조의 규정에 의한 출석요구에 응하지 아니한 경우에 한한다.
② 사법경찰관이 체포영장을 집행함에는 피의자에게 이를 제시하는 것으로 충분하고, 신속히 지정된 법원 기타 장소에 인치하여야 한다.
③ 사법경찰관이 피의자를 체포한 때에는 변호인이 있는 경우에는 변호인에게, 변호인이 없는 경우에는 변호인선임권자 중 피의자가 지정한 자에게 지체 없이 서면으로 체포의 통지를 하여야 한다.
④ 사법경찰관리가 현행범인의 인도를 받은 때에는 체포자의 성명, 주거, 체포의 사유를 물어야 하고 필요한 때에는 체포자에 대하여 경찰관서에 동행함을 요구할 수 있다.

| 해설 ① 제200조의 2 제1항
② 사법경찰관이 체포영장을 집행함에는 피의자에게 반드시 이를 제시하고, 그 사본을 교부하여야 하며, 신속히 지정된 법원 기타 장소에 인치하여야 한다(제85조 제1항, 제200조의 6).
③ 제87조 제1항 · 제2항, 제200조의 6
④ 제213조 제2항

Answer 12. ②

13 **체포에 관한 다음 설명 중 옳지 않은 것만을 모두 고른 것은?**(다툼이 있는 경우 판례에 의함)

23. 순경 2차

㉠ 경찰관들이 성폭력범죄 혐의에 대한 체포영장을 근거로 체포절차에 착수하였으나 피의자가 흥분하여 타고 있던 승용차를 출발시켜 경찰관들에게 상해를 입히는 범죄를 추가로 저지르자, 경찰관들이 그 승용차를 멈춘 후 저항하는 피의자를 별도 범죄인 특수공무집행방해치상의 현행범으로 적법하게 체포하였더라도, 집행완료에 이르지 못한 성폭력범죄 체포영장은 사후에 그 피의자에게 제시하여야 한다.

㉡ 긴급체포의 요건을 갖추었는지 여부는 사후에 밝혀진 사정을 기초로 판단하는 것이 아니라 체포 당시 상황을 기초로 판단하여 수사주체의 판단에 상당한 재량의 여지가 있지만, 긴급체포 당시의 상황으로 보아서도 그 요건의 충족 여부에 관한 수사주체의 판단이 경험칙에 비추어 현저히 합리성을 잃은 경우에는 그 체포는 위법한 체포가 된다.

㉢ 사법경찰관은 긴급체포한 피의자에 대하여 구속영장을 신청하지 아니하고 석방한 경우에는 즉시 검사에게 보고하여야 하고, 검사는 석방한 날부터 30일 이내에 서면으로 긴급체포 후 석방된 자의 인적사항, 긴급체포의 일시・장소와 긴급체포하게 된 구체적 이유 등을 법원에 통지하여야 한다.

㉣ 체포한 피의자를 구속하고자 할 때에는 체포한 때부터 48시간 이내에 구속영장을 청구해야 하는데, 검사 또는 사법경찰관이 아닌 이에 의하여 현행범인이 체포된 후 불필요한 지체 없이 검사 등에게 인도된 경우 위 48시간의 기산점은 체포시이다.

① ㉠, ㉣　　② ㉠, ㉢, ㉣　　③ ㉡, ㉢　　④ ㉣

| 해설 ㉠ × : 집행완료에 이르지 못한 성폭력범죄 체포영장은 사후에 그 피의자에게 제시할 필요는 없다(대판 2021.6.24, 2021도4648).

㉡ ○ : 대판 2008.3.27, 2007도11400

㉢ ○ : 제200조의 4 제4항・제6항

㉣ × : 검사 또는 사법경찰관이 아닌 이에 의하여 현행범인이 체포된 후 불필요한 지체 없이 검사 등에게 인도된 경우 구속영장청구기간인 48시간의 기산점은 검사 등이 현행범인을 인도받은 때라고 할 것이다(대판 2011.12.22, 2011도12927).

Answer 15. ①

Ⅱ. 피의자와 피고인의 구속

THEMA 41 구속의 의의 · 요건 · 절차

<table>
<tr><td>의의
·
목적</td><td colspan="3">구속은 구인과 구금을 포함하는 개념
▶ 구인한 피고인(피의자)을 법원에 인치한 경우에 구금할 필요가 없다고 인정한 때에는 인치한 때로부터 24시간 이내(48시간 ×)에 석방하여야 한다(제71조, 제209조). 04. 법원주사보, 08. 순경, 15. 9급 법원직, 15 · 16. 순경 1차, 16. 순경 2차
▶ 구속은 형사절차의 진행(출석보장, 수사와 심리의 방해제거)과 형의 집행을 확보함을 목적으로 한다.</td></tr>
<tr><td>요 건</td><td colspan="3">1. 범죄의 혐의(객관적 혐의)
2. 구속사유
① 피의자(피고인)가 일정한 주거가 없는 때
② 피의자(피고인)가 증거를 인멸할 염려가 있는 때
③ 피의자(피고인)가 도망하거나 도망할 염려가 있는 때
1. 다액 50만원 이하의 벌금 · 구류 · 과료에 해당 범죄 ⇨ 피의자(피고인)의 주거부정만 구속사유이다. 10. 9급 법원직
2. 출석요구에 응하지 아니할 우려 ⇨ 구속사유 ×
3. 야간에 지나가는 여자에게 불안감을 조성한 경우는 경미사건이므로, 피의자가 주거부정인 때에만 구속사유가 된다(제70조 제2항, 제201조 제1항). 03. 순경, 13 · 15. 경찰승진, 15. 9급 법원직
4. 국회의원 ┌ 회기 중 : 동의 없이 체포 · 구속 불가(현행범 제외)
└ 회기 전 : 국회요구 ⇨ 회기 중 석방(현행범 제외)
▶ 구속사유심사시 고려사항(제70조 제2항, 제209조) : ㉠ 범죄의 중대성, ㉡ 재범의 위험성, ㉢ 피해자 및 중요 참고인 등에 대한 위해 우려 등 08. 순경, 10. 9급 법원직 · 7급 국가직, 24. 9급 검찰 · 마약 · 교정 · 보호 · 철도경찰</td></tr>
<tr><td rowspan="3">절 차</td><td rowspan="2">피의자</td><td>체포 전 청구</td><td>영장신청(사법경찰관) ⇨ 청구(검사) ⇨ 구인을 위한 구속영장발부 ⇨ 영장실질심사 ⇨ 영장발부 ⇨ 집행
▶ 구속 전에 반드시 체포를 거쳐야 하는 것은 아님(체포전치주의 채택 ×)
▶ 영장의 청구는 반드시 서면에 의하여야 하고(규칙 제93조), 구속의 필요성을 인정할 자료를 제출하여야 한다(제201조 제2항). 피의자도 자료 제출할 수 있다(규칙 제96조 제3항). - 체포 후 청구의 경우에도 동일</td></tr>
<tr><td>체포 후 청구</td><td>영장신청(사법경찰관) ⇨ 청구(검사) ⇨ 영장실질심사 ⇨ 영장발부 ⇨ 집행</td></tr>
<tr><td colspan="2">피고인</td><td>수소법원 직권(검사청구 불필요) ⇨ 사전청문(제72조) ⇨ 영장발부 ⇨ 집행</td></tr>
</table>

01 다음의 구속에 관한 기술 중 옳은 것은?

① 체포절차를 거치지 아니하면 구속영장에 의한 피의자구속이 허용되지 않는다.
② 피의자도 구속영장청구를 받은 판사에게 유리한 자료를 제출하여야 한다.
③ 현행 형사소송법에 의하면 사전영장에 의하지 아니하는 구속(무영장구속)을 예외적으로 허용하는 규정이 있다.
④ 구속은 구인과 구금을 포함하는 개념이다.

| 해설 ① 체포전치주의를 채택하고 있지 않다.
② 검사의 경우는 구속의 인정에 필요한 자료제출이 필수적이나(제201조 제2항), 피의자는 유리한 자료를 제출할 수 있다(규칙 제96조).
③ 구속은 사전영장에 의하여야 하고 무영장구속이라는 영장주의의 예외가 적용되지 아니한다. 따라서 체포제도와 다르다. 위 '사전영장'의 의미와 신병이 확보되지 않은 피의자에 대한 구속영장인 '사전구속영장'의 의미에 혼동이 없기를 바란다.

02 다음 구속에 관한 기술 중 틀린 것은?

① 검사가 구속기소한 피고인에 대해서는 다시 구속영장을 발부하여야 한다.
② 수소법원은 불구속상태에 있는 피고인을 구속할 수 있다.
③ 구인한 피고인을 법원에 인치한 경우에 구금할 필요가 없다고 인정한 때에는 그 인치한 때로부터 24시간 이내에 석방하여야 한다.
④ 긴급을 요하는 경우에도 사법경찰관이 직접 판사에게 청구할 수 없다.

| 해설 ① 피의자에 대한 구속영장은 공소제기에 의해서 피고인에 대한 구속영장으로 당연히 전환되므로 검사가 구속기소한 피의자에 대해서 수소법원이 다시 구속영장을 발부할 필요는 없다.
② 불구속피고인을 법원이 구속하는 것도 가능하나, 대부분의 피고인구속은 구속된 피의자를 공소제기하여 피고인구속으로 전환된 경우이다.
③ 제71조, 제209조
④ 구속영장의 청구권자는 검사에 한하며 사법경찰관은 검사에게 신청하여 검사의 청구에 의하여 구속영장을 발부받을 수 있다(사법경찰관에게 영장청구권을 인정하기 위해서는 개헌이 필요).

03 다음 중 구속사유에 해당하는 것은?

① 피의자가 자백을 거부한 때
② 출석요구에 응하지 않을 우려가 있는 때
③ 주거가 없으면서 과료에 해당하는 범죄를 저지른 때
④ 수사기관의 주관적인 범죄혐의가 인정되고 주거부정, 증거인멸의 염려, 도망 또는 도망의 우려가 있는 때

| 해설 ③ 경미사건(50만원 이하의 벌금 · 구류 · 과료)에 해당하는 범죄를 범한 경우는 주거부정인 때에만 구속사유이다(제70조 제2항, 제201조).

Answer 1. ④ 2. ① 3. ③

경미범죄의 체포 · 구속

구 분	사 유
구속영장	주거가 없는 경우(주거부정)
체포영장	주거가 없는 경우(주거부정), 출석요구에 불응
현행범 체포	주거가 분명하지 아니한 경우(주거부정)
긴급체포	×

02

04 **甲은 야간에 지나가는 27세의 여자 乙에게 불안감을 조성하여 112신고에 의하여 체포되었다. 甲을 구속할 이유로 맞는 것은?** 03. 순경

① 주거가 분명하지 않은 경우
② 출석에 불응할 우려가 있는 경우
③ 도망할 우려가 있는 경우
④ 증거를 인멸할 우려가 있는 경우

| 해설 50만원 이하의 벌금 · 구류 · 과료에 해당하는 사건에 대하여는 피의자가 주거부정인 때에만 구속사유가 된다(제70조 제2항, 제201조 제1항). 불안감조성은 경범죄처벌법에 해당하며, 법정형은 10만원 이하의 벌금 · 구류 또는 과료에 해당한다.

05 **다음 중 구속사유를 심사함에 있어서 고려하여야 할 사항이 아닌 것은?**

① 범죄의 중대성 ② 재범의 위험성
③ 피해자 등에 대한 위해 우려 ④ 범행상황

| 해설 개정법에서 법원이 구속사유를 심사함에 있어 범죄의 중대성, 재범의 위험성, 피해자 및 중요 참고인 등에 대한 위해 우려 등을 고려하여야 한다는 규정을 신설하였다(제70조 제2항).

Answer 4. ① 5. ④

THEMA 42 구속 전 피의자심문제도

의 의	1. 구속영장을 청구받은 판사가 피의자를 직접 심문하여 구속사유의 존부를 심리・판단하는 제도를 말한다(제201조의 2). ▶ 영장실질심사제도 ┌ 피의자구속(○) └ 피고인구속(×) ▶ 체포영장 ⇨ 영장실질심사제도 × 12. 경찰간부, 13. 경찰승진 2. 구속 전 피의자심문 ⇨ 필요적 심문(제201조의 2 제1항・제2항) 14. 경찰승진, 15. 9급 법원직 단, 미체포된 피의자가 도망 등의 사유로 심문이 불가능한 경우는 심문 생략이 가능함(제201조의 2 제2항 단서) 11・12・15. 순경
심문기일의 지정	1. 체포된 피의자 : 구속영장을 청구받은 판사는 지체 없이 피의자를 심문하여야 한다. 22. 경찰승진, 24. 경찰간부 특별한 사정이 없는 한 구속영장이 청구된 날의 다음 날까지(24시간 이내 ×) 심문하여야 한다(제201조의 2 제1항). 11. 순경, 13・14. 경찰승진, 15. 순경 1차・2차, 20. 9급 법원직 2. 미체포 피의자 : 피의자가 법원에 인치된 때로부터 가능한 한 빠른 일시로 지정(규칙 제96조의 12 제2항). 15. 7급 국가직 ▶ 심문의 시한 제한 ×
심문기일의 통지	1. 체포된 피의자 : 구속영장을 청구받은 판사는 즉시 심문기일과 장소를 검사, 피의자 및 변호인에게 통지하여야 한다(제201조의 2 제3항). 2. 미체포 피의자 : 구속영장을 청구받은 판사는 피의자를 인치한 후 즉시 심문기일과 장소를 검사・피의자 및 변호인에게 통지하여야 한다(제201조의 2 제3항).
심문 장소와 피의자 출석	1. 피의자심문은 법원청사 내에서 하여야 한다. 다만, 부득이한 사유 ⇨ 예외(규칙 제96조의 15) 2. 검사는 심문기일에 피의자를 출석시켜야 한다(제201조의 2 제3항). 그러나 피의자가 심문기일에의 출석을 거부하거나 질병 그 밖의 사유로 출석이 현저하게 곤란하고, 피의자를 심문법정에 인치할 수 없다고 인정되는 때에는 피의자의 출석 없이 심문절차를 진행할 수 있다(규칙 제96조의 13 제1항). 09. 순경, 14. 경찰간부, 15. 9급 법원직, 15・16・17. 경찰승진
심문절차	1. 피의자에 대한 심문절차는 공개하지 아니한다. 11. 순경 2차, 14. 경찰간부, 15・16・17. 경찰승진 다만, 판사는 상당하다고 인정하는 경우에는 피의자의 친족, 이해관계인의 방청을 허가할 수 있다(규칙 제96조의 14). 09. 순경, 15. 9급 법원직・7급 국가직, 13・14・16. 경찰승진, 24. 경찰간부 2. 심문기일에 피의자를 심문하는 경우에 법원사무관 등은 심문의 요지 등을 조서로 작성하여야 한다(제201조의 2 제6항). 09. 9급 법원직, 11. 순경 2차, 13. 경찰승진 이 심문조서는 공판조서의 작성 예에 따라 작성되어야 한다(제201조의 2 제10항). 3. 지방법원판사는 심문할 피의자에게 변호인이 없는 때에는 직권으로 변호인을 선정하여야 한다. 14. 9급 교정・보호・철도경찰, 15. 경찰간부・9급 법원직, 17・22. 경찰승진 이 경우 변호인의 선정은 피의자에 대한 구속영장 청구가 기각되어 효력이 소멸한 경우를 제외하고는 제1심까지 효력이 있다(제201조의 2 제8항). 10・11. 순경 1차, 09・16. 9급 법원직, 24. 9급 검찰・마약・교정・보호・철도경찰

	4. 법원은 변호인의 사정이나 그밖의 사유로 변호인 선정결정이 취소되어 변호인이 없게 된 때에는 직권으로 변호인을 다시 선정할 수 있다(제201조의 2 제9항). 22. 경찰승진 ▶ 다시 선정하여야 한다. (×) 11. 순경 1차 5. 영장실질심사 기일에 판사는 피의자에게 구속영장 청구서에 기재된 범죄사실의 요지를 고지하고, 피의자에게 일체의 진술을 하지 아니하거나 개개의 질문에 대하여 진술을 거부할 수 있으며, 이익이 되는 사실을 진술할 수 있음을 알려주어야 한다(규칙 제96조의 16 제1항). 6. 변호인은 구속영장이 청구된 피의자에 대한 심문이 시작되기 전에 피의자와 접견할 수 있다(규칙 제96조의 20 제1항). 09. 순경, 11. 순경 2차, 15. 7급 국가직
심문의 범위	판사는 구속 여부의 판단을 위하여 필요하다고 인정한 때에는 심문장소에 출석한 피해자 그 밖의 제3자를 심문할 수 있다(규칙 제96조의 16 제5항). 23. 9급 법원직
의견진술	1. 검사와 변호인은 판사의 심문이 끝난 후 의견을 진술할 수 있다. 다만, 필요한 경우에는 심문 도중에도 판사의 허가를 얻어 의견을 진술할 수 있다(규칙 제96조의 16 제3항). 09. 순경, 11. 순경 2차, 14. 경찰간부, 15. 7급 국가직, 13 · 16. 경찰승진, 23. 9급 법원직 2. 검사와 변호인은 의견을 진술할 수 있을 뿐 피의자를 신문(訊問)할 수는 없다(법관면전에서 자백획득을 위한 절차로 변질될 우려가 있기 때문). 12. 순경 2차, 20. 9급 법원직 3. 피의자는 판사의 심문 도중에도 변호인에게 조력을 구할 수 있다(동조 제4항). 11. 순경 2차, 14. 경찰간부, 16. 경찰승진 4. 피의자의 법정대리인, 배우자, 직계친족, 형제자매나 가족, 동거인 또는 고용주는 판사의 허가를 얻어 사건에 관한 의견을 진술할 수 있다(동조 제6항).
구속기간 불산입	피의자심문을 하는 경우 법원이 구속영장청구서 · 수사관계서류 및 증거물을 접수한 날부터 구속영장을 발부하여 검찰청에 반환한 날까지의 기간은 검사와 사법경찰관의 구속기간에 산입하지 아니한다(제201조의 2 제7항). 12. 순경 2차, 15 · 17. 경찰승진, 20. 9급 법원직, 13 · 24. 경찰간부
서류열람	피의자심문에 참여할 변호인은 지방법원판사에게 제출된 구속영장청구서 및 그에 첨부된 고소 · 고발장, 피의자의 진술을 기재한 서류와 피의자가 제출한 서류를 열람할 수 있다(규칙 제96조의 21 제1항). ▶ 제한가능(구속영장청구서는 제외)
준용규정	1. 피의자를 심문하는 경우에 법원사무관 등은 심문의 요지 등을 조서로 작성하여야 한다(제201조의 2 제6항). 09. 9급 법원직, 11. 순경 2차, 13. 경찰승진 2. 제52조(공판조서 작성상의 특례)는 준용대상에서 제외하고 있으므로, 조서작성의 일반원칙에 따라 조서기재 내용의 정확성 여부를 진술자에게 확인하고, 조서에 간인하여 서명날인을 받아야 한다(제48조 참조). 3. 조서는 당연히 증거능력이 인정된다(제315조).

01 구속 전 피의자심문제도에 대한 설명으로 적절하지 않은 것을 모두 고른 것은? 22. 경찰승진

㉠ 체포영장에 의한 체포 · 긴급체포 또는 현행범인의 체포에 의하여 체포된 피의자에 대하여 구속영장을 청구받은 판사는 구속의 사유를 판단하기 위하여 필요하다고 인정하는 때에는 피의자를 심문할 수 있다.
㉡ 구속 전 피의자심문시 피의자에게 변호인이 없는 때에는 지방법원판사는 직권으로 변호인을 선정하여야 한다.
㉢ 변호인은 구속영장이 청구된 피의자에 대한 심문 시작 전에 피의자와 접견할 수 있고, 피의자는 판사의 심문이 끝난 후에만 변호인에게 조력을 구할 수 있다.
㉣ 판사는 지정된 심문기일에 피의자를 심문할 수 없는 특별한 사정이 있는 경우에는 그 심문기일을 변경할 수 있으며, 법원은 변호인의 사정이나 그 밖의 사유로 변호인 선정결정이 취소되어 변호인이 없게 된 때에는 직권으로 변호인을 다시 선정할 수 있다.
㉤ 피의자심문을 하는 경우 법원이 구속영장 청구서 · 수사관계 서류 및 증거물을 접수한 날부터 구속영장을 발부하여 검찰청에 반환한 날까지의 기간은 사법경찰관이나 검사의 피의자 구속기간에 산입하지 아니한다.

① ㉠, ㉡ ② ㉠, ㉢ ③ ㉡, ㉢ ④ ㉢, ㉣, ㉤

| 해설 ㉠ × : 체포영장에 의한 체포 · 긴급체포 또는 현행범인의 체포에 의하여 체포된 피의자에 대하여 구속영장을 청구받은 판사는 지체 없이 피의자를 심문하여야 한다(제201조의 2 제1항).
㉡ ○ : 제201조의 2 제8항
㉢ × : 변호인은 구속영장이 청구된 피의자에 대한 심문 시작 전에 피의자와 접견할 수 있다(규칙 제96조의 20 제1항). 피의자는 판사의 심문 도중에도 변호인에게 조력을 구할 수 있다(규칙 제96조의 16 제4항).
㉣ ○ : 제201조의 2 제9항
㉤ ○ : 제201조의 2 제7항

02 구속 전 피의자심문(영장실질심사)에 대한 설명 중 옳은 것만을 모두 고른 것은? 23. 경찰간부

㉠ 판사는 구속 여부를 판단하기 위하여 필요한 사항에 관하여 신속하고 간결하게 심문하여야 하며, 피의자의 교우관계 등 개인적인 사항에 관하여 심문할 수는 없다.
㉡ 심문할 피의자에게 변호인이 없는 때에는 지방법원판사는 직권으로 변호인을 선정하여야 한다.
㉢ 피의자 심문에 참여할 변호인은 지방법원판사에게 제출된 구속영장청구서 및 그에 첨부된 고소 · 고발장, 피의자의 진술을 기재한 서류와 피의자가 제출한 서류를 열람할 수 있으나, 지방법원판사는 구속영장청구서를 제외하고는 위 서류의 전부 또는 일부의 열람을 제한할 수 있다.
㉣ 피의자가 출석을 거부하거나 질병 기타 부득이한 사유로 법원에 출석할 수 없는 때에는 경찰서에서 피의자에 대한 구속전 심문을 할 수 있다.
㉤ 피의자에 대한 구속전 심문절차는 공개하지 아니하지만, 판사는 상당하다고 인정하는 경우 이해관계인의 방청을 허가할 수 있다.

① ㉠, ㉡, ㉣ ② ㉠, ㉢, ㉤
③ ㉡, ㉢, ㉣, ㉤ ④ ㉠, ㉡, ㉢, ㉣, ㉤

Answer 1. ② 2. ③

해설 ㉠ × : 판사는 구속 여부를 판단하기 위하여 필요한 사항에 관하여 신속하고 간결하게 심문하여야 한다. 증거인멸 또는 도망의 염려를 판단하기 위하여 필요한 때에는 피의자의 경력, 가족관계나 교우관계 등 개인적인 사항에 관하여 심문할 수 있다(형사소송규칙 제96조의 16 제2항).
㉡ ○ : 형사소송법 제201조의 2 제8항 ㉢ ○ : 형사소송규칙 제96조의 21 제2항
㉣ ○ : 형사소송규칙 제96조의 15 ㉤ ○ : 형사소송규칙 제96조의 14

03 **사법경찰관 甲은 절도사건 피의자 A를 2013. 2. 5. 22 : 00에 긴급체포하였다. 같은 달 7일에 구속영장청구서, 수사관계서류 및 증거물이 법원에 접수되고 구속 전 피의자심문 후 구속영장이 발부되어 같은 달 8일 11 : 00에 구속영장, 수사관계서류 및 증거물이 검찰청에 반환되었다. 사법경찰관 甲은 언제까지 A를 구속할 수 있는가?** 13. 경찰간부

① 2013. 2. 15. 22 : 00
② 2013. 2. 16. 24 : 00
③ 2013. 2. 17. 24 : 00
④ 2013. 2. 18. 11 : 00

해설 사법경찰관이 피의자를 구속할 수 있는 기간은 10일이며, 체포한 2월 5일부터 기산하여 2월 14일 24 : 00까지이다. 그런데 피의자심문을 하는 경우 법원이 관계서류를 접수한 날로부터 구속영장을 발부하여 검찰청에 반환한 날까지의 기간은 구속기간에 산입하지 아니하므로(제201조의 2 제7항) 2월 7일부터 8일까지의 2일간은 구속기간에 불산입되어 사법경찰관은 피의자를 2013. 2. 16. 24 : 00까지 구속할 수 있다.

04 **사법경찰관 甲이 乙을 공갈죄로 긴급체포한 후 구속과 관련해서 아래의 절차가 이루어졌다. 사법경찰관 甲은 언제까지 乙을 검사에게 인치**(검찰청에 송치)**하여야 하는가?** 15. 순경 2차

㉠ 2015. 5. 1. 23 : 00 사법경찰관 甲이 乙을 긴급체포하여 조사
㉡ 2015. 5. 2. 14 : 00 사법경찰관 甲이 검사에게 구속영장을 신청하면서 구속영장신청서와 수사서류 등을 제출
㉢ 2015. 5. 2. 16 : 00 검사가 판사에게 구속영장을 청구하면서 법원에 구속영장청구서, 수사 관계서류 및 기록을 접수시킴
㉣ 2015. 5. 3. 10 : 00 판사의 구속 전 피의자심문, 12 : 00 구속영장 발부, 13 : 00 검찰청에 구속영장 및 수사기록 반환(15 : 00에 검찰청으로부터 경찰서에 서류 도착)
㉤ 2015. 5. 3. 18 : 00 구속영장 집행

① 2015. 5. 10. 24 : 00
② 2015. 5. 11. 23 : 00
③ 2015. 5. 11. 24 : 00
④ 2015. 5. 12. 24 : 00

해설 수사기관의 구속기간은 피의자를 실제로 체포 또는 구속한 날로부터 기산하며(제203조의 2), 사법경찰관이 피의자를 구속한 때에는 10일 이내에 검사에 인치하지 아니하면 석방하여야 한다(제202조). 사법경찰관의 피의자 구속기간은 10일이므로, 최초의 체포시점인 2015. 5. 1.부터 기산하여 2015. 5. 10. 24 : 00까지 피의자를 구속시킬 수 있다. 또한 구속 전 피의자심문을 하는 경우 법원이 관계서류를 접수한 날(2015. 5. 2)로부터 구속영장을 발부하여 검찰청에 반환한 날(2015. 5. 3)까지의 기간은 구속기간에 이를 산입하지 아니하므로(제201조의 2 제7항), 5월 2일과 5월 3일(2일간)은 피의자 구속기간 10일에 포함되지 않아 사법경찰관은 2015. 5. 12. 24 : 00까지 피의자를 구속할 수 있고 이 기간 내에 검사에게 인치하지 아니하면 석방하여야 한다.

Answer 3. ② 4. ④

05 **구속 전 피의자심문제도의 심문기일의 절차에 관하여 틀린 것은 모두 몇 개인가?**

> ㉠ 판사는 피의자에게 구속영장청구서에 기재된 범죄사실의 요지를 고지하고, 피의자에게 일체의 진술을 하지 아니하거나 개개의 질문에 대하여 진술을 거부할 수 있으며, 이익되는 사실을 진술할 수 있음을 알려주어야 한다.
> ㉡ 판사는 구속영장이 청구된 피의자를 심문하는 때에는 공범의 분리심문이나 그 밖에 수사상의 비밀보호를 위하여 필요한 조치를 하여야 하고, 법원사무관 등은 심문의 요지 등을 조서로 작성하여야 한다.
> ㉢ 구속 전 피의자심문시 피의자에게 변호인이 없는 때에는 지방법원판사는 직권으로 변호인을 선정해야 한다. 이 경우 변호인의 선정은 피의자에 대한 구속영장 청구가 기각되어 효력이 소멸한 경우를 제외하고는 제1심까지 효력이 있다.
> ㉣ 판사는 참석한 피해자에 대해서는 심문할 수 없다.
> ㉤ 피의자가 출석을 할 수 없는 경우에는 피의자가 출석이 가능해질 때까지 심문기일을 연기한다.
> ㉥ 구속영장이 청구된 피의자의 법정대리인, 배우자, 직계친족, 형제자매나 가족, 동거인 또는 고용주는 판사의 허가를 얻어 사건에 관한 의견을 진술할 수 있다.
> ㉦ 검사와 변호인은 피의자심문기일에 출석하여 의견을 진술할 수 있고, 필요한 경우에는 판사의 허가를 얻어 피의자를 심문할 수도 있다.
> ㉧ 피의자심문을 위해 유치할 필요가 있을 경우 경찰서 등에 유치할 수 있는데 12시간을 초과할 수 없다.

① 3개　② 4개　③ 5개　④ 6개

| 해설 ㉠ ○ : 규칙 제96조의 16 제1항
㉡ ○ : 제201조의 2 제5항 · 제6항 ㉢ ○ : 제201조의 2 제8항
㉣ × : 판사는 구속 여부의 판단을 위하여 필요하다고 인정하는 때에는 심문장소에 출석한 피해자 그 밖의 제3자를 심문할 수 있다(동조 제5항).
㉤ × : 판사는 피의자가 심문기일에의 출석을 거부하거나 질병 그 밖의 사유로 출석이 현저하게 곤란하고, 피의자를 심문 법정에 인치할 수 없다고 인정되는 때에는 피의자의 출석 없이 심문절차를 진행할 수 있다(규칙 제96조의 13).
㉥ ○ : 규칙 제96조의 16 제6항
㉦ × : 검사와 변호인은 판사의 심문이 끝난 후 의견을 진술할 수 있다. 다만, 필요한 경우에는 심문 도중에도 판사의 허가를 얻어 의견을 진술할 수 있다(규칙 제96조의 16 제3항). 검사와 변호인은 의견을 진술할 수 있을 뿐 피의자를 신문(訊問)할 수는 없다(법관면전에서 자백획득을 위한 절차로 변질될 우려가 있기 때문).
㉧ × : 24시간을 초과할 수 없다(제71조의 2, 제201조의 2 제10항).

06 **피의자에 대한 구속영장 청구 사건의 심문절차에 관한 설명 중 가장 옳지 않은 것은?**(다툼이 있는 경우 판례에 의하고, 전원합의체 판결의 경우 다수의견에 의함) 23. 9급 법원직

① 판사는 피의자가 심문기일에의 출석을 거부하거나 질병 그 밖의 사유로 출석이 현저하게 곤란하고, 피의자를 심문 법정에 인치할 수 없다고 인정되는 때에는 피의자의 출석 없이 심문절차를 진행할 수 있다.

Answer 5. ② 6. ④

② 검사와 변호인은 판사의 심문이 끝난 후에 의견을 진술할 수 있다. 다만, 필요한 경우에는 심문 도중에도 판사의 허가를 얻어 의견을 진술할 수 있다.

③ 심문기일의 통지는 서면 이외에 구술·전화·모사전송·전자우편·휴대전화 문자전송 그 밖에 적당한 방법으로 신속하게 하여야 한다. 이 경우 통지의 증명은 그 취지를 심문조서에 기재함으로써 할 수 있다.

④ 판사는 구속 여부의 판단을 위하여 필요하다고 인정하는 때에는 심문절차를 일시 중단하고 피해자 그 밖의 제3자가 의견을 진술하도록 할 수는 있으므로 심문장소에 출석한 피해자 그 밖의 제3자를 심문할 수는 없다.

해설 ① 규칙 제96조의 13 제1항
② 규칙 제96조의 16 제3항
③ 규칙 제96조의 12 제3항
④ 판사는 구속 여부의 판단을 위하여 필요하다고 인정하는 때에는 심문장소에 출석한 피해자 그 밖의 제3자를 심문할 수는 있다(규칙 제96조의 16 제5항).

07 구속 전 피의자심문에 관한 설명으로 가장 적절하지 않은 것은?(다툼이 있는 경우 판례에 의함)

24. 순경 1차

① 구속전피의자심문조서는 형사소송법 제315조 제3호의 '기타 특히 신용할 만한 정황에 의하여 작성된 문서'로서 증거능력이 인정된다.

② 체포되지 않은 피의자에 대하여 구속영장을 청구받은 판사는 피의자가 죄를 범하였다고 의심할 만한 이유가 있는 경우에 구인을 위한 구속영장을 발부하여 피의자를 구인한 후 심문하여야 한다. 다만, 피의자가 도망하는 등의 사유로 심문할 수 없는 경우에는 그러하지 아니하다.

③ 심문은 법원청사 내에서 하여야 하나, 피의자가 출석을 거부하거나 질병 기타 부득이한 사유로 법원에 출석할 수 없는 때에는 경찰서, 구치소 기타 적당한 장소에서 심문할 수 있다.

④ 심문할 피의자에게 변호인이 없어 지방법원판사가 직권으로 변호인을 선정한 경우, 그 선정은 피의자에 대한 구속영장 청구가 인용된 경우를 제외하고는 제1심까지 효력이 있다.

해설 ① 구속적부심문조서에 대해 형사소송법 제315조 제3호에 의하여 당연히 그 증거능력이 인정된다는 판례(대판 2004.1.16, 2003도5693)에 의할 때, 구속 전 피의자심문조서도 형사소송법 제315조 제3호의 '기타 특히 신용할 만한 정황에 의하여 작성된 문서'로서 증거능력이 인정된다고 볼 수 있다.
② 제201조의 2 제2항
③ 규칙 제96조의 15
④ 심문할 피의자에게 변호인이 없어 지방법원판사가 직권으로 변호인을 선정한 경우, 그 선정은 피의자에 대한 구속영장 청구가 기각되어 효력이 소멸하는 경우를 제외하고는 제1심까지 효력이 있다(제201조의 2 제8항).

Answer 7.④

THEMA 43 구속영장 발부 · 기재

<table>
<tr><td rowspan="2">영장발부</td><td>피의자</td><td>1. 검사로부터 구속영장의 청구를 받은 지방법원판사는 상당하다고 인정할 때에는 구속영장을 발부하고, 발부하지 아니한 때에는 구속영장청구서에 그 취지와 이유를 기재하고 서명날인하여 청구한 검사에게 교부한다(제201조 제4항).
▶ 피의자구속영장 ⇨ 허가장
2. 구속영장을 발부한 결정이나 기각한 결정에 대하여 불복방법이 없다(항고나 준항고가 허용되지 않음). 06 · 10.순경, 10. 9급 국가직 · 경찰승진, 13. 7급 국가직, 15. 순경 2차 · 경찰간부</td></tr>
<tr><td>피고인</td><td>1. 수소법원의 직권으로 구속영장을 발부한다(제73조).
▶ 상소기간 또는 상소제기로 이미 상소 중에 있는 사건은 소송기록이 아직 원심법원에 있거나 상소법원에 도달하기까지는 원심법원이 구속영장을 발부하여야 한다(규칙 제57조 제1항). 10. 경찰승진, 11. 순경
▶ 피고인구속영장 ⇨ 명령장
2. 피고인에 대하여 범죄사실의 요지, 구속의 이유와 변호인을 선임할 수 있음을 말하고 변명할 기회를 준 경우가 아니면 구속할 수 없다. 다만, 피고인이 도망한 경우에는 그러하지 아니하다(제72조). 15. 9급 법원직
▶ 제72조 위반 ⇨ 위법(다만, 절차적 권리가 실질적으로 보장되었다고 볼 수 있는 경우에는 위법 ×)(대결 2000.11.10, 2000모134) 14. 순경 1차
▶ 수소법원 등 법관이 취하여야 하는 절차(집행기관이 취하여야 하는 절차 ×)
3. 법원은 합의부원으로 하여금 제72조의 절차를 이행하게 할 수 있다(제72조의2 제1항). 법원은 피고인이 출석하기 어려운 특별한 사정이 있고 상당하다고 인정하는 때에는 검사와 변호인의 의견을 들어 비디오 등 중계장치에 의한 중계시설을 통하여 제72조의 절차를 진행할 수 있다(동조 제2항).</td></tr>
<tr><td>영장기재</td><td colspan="2">1. 구속영장에는 피의자 또는 피고인의 성명, 주거, 죄명, 피의사실 또는 공소사실의 요지, 인치 · 구금할 장소, 발부연월일, 유효기간과 유효기간이 경과되면 집행에 착수하지 못하고 영장을 반환해야 한다는 취지를 기재하고, 피의자의 경우에는 지방법원판사가, 피고인의 경우에는 재판장 또는 수명법관이 서명날인하여야 한다(제209조, 제75조 제1항).
2. 피의자나 피고인의 성명이 분명하지 않은 때에는 인상 · 체격 기타 피의자나 피고인을 특정할 수 있는 사항으로 표시하고 주거가 분명하지 않은 때에는 주거의 기재를 생략할 수 있다(제209조, 제75조 제2항 · 제3항). 91. 경찰승진
3. 피의자구속영장의 경우에는 영장청구검사의 성명과 그 검사의 청구에 의하여 발부한다는 취지를 기재하여야 한다(규칙 제94조).
4. 피의자 또는 피고인구속영장의 유효기간은 7일이며, 상당하다고 인정하는 때에는 7일을 넘는 기간을 정할 수 있다(규칙 제178조).
5. 피의자 또는 피고인구속영장은 수통 작성하여 사법경찰관리 수인에게 교부할 수 있으며, 이 때에는 그 사유를 구속영장에 기재하여야 한다. 96. 경찰승진</td></tr>
</table>

01 **구속영장 발부 및 기재와 관련한 설명으로 옳은 것은?**

① 영장의 발부를 기각한 지방법원판사의 재판에 대하여는 항고나 재항고 할 수 없다.

② 구속영장의 청구를 받은 지방법원판사는 이를 발부하지 아니한 때에는 영장을 청구한 검사에게 그 취지를 알려야 하나 방법에는 제한이 없다.

③ 피고인·피의자구속영장에는 검사의 성명을 기재하여야 하며, 주거가 분명하지 아니한 때에는 그 주거의 기재를 생략할 수 있다.

④ 형사소송법 제72조는 "피고인에 대하여 범죄사실의 요지, 구속의 이유와 변호인을 선임할 수 있음을 말하고 변명할 기회를 준 후가 아니면 구속할 수 없다."라고 규정하고 있는바, 이는 수소법원 등 법관이 취하여야 하는 절차가 아니라 구속영장을 집행함에 있어 집행기관이 취하여야 하는 절차에 관한 것이다.

| 해설 ① 대결 2006.12.18, 2006모646

② 구속영장의 청구를 받은 지방법원판사는 상당하다고 인정할 때에는 구속영장을 발부하고, 이를 발부하지 아니한 때에는 청구서에 취지와 이유를 기재하고 서명날인하여 청구한 검사에게 교부한다(제201조 제4항).

③ 피의자구속영장에는 청구 검사의 성명이 필요하나, 피고인구속영장에는 기재사항이 아니다(규칙 제94조). 구속영장 발부할 때 주거가 분명하지 아니한 때에는 그 주거의 기재를 생략할 수 있다(제75조 제3항, 제209조).

④ 형사소송법 제72조는 "피고인에 대하여 범죄사실의 요지, 구속의 이유와 변호인을 선임할 수 있음을 말하고 변명할 기회를 준 후가 아니면 구속할 수 없다."고 규정하고 있는바, 이는 피고인을 구속함에 있어 법관에 의한 사전 청문절차를 규정한 것으로서, 구속영장을 집행함에 있어 집행기관이 취하여야 하는 절차가 아니라 구속영장 발부함에 있어 수소법원 등 법관이 취하여야 하는 절차라 할 것이다(대결 2000.11.10, 2000모134).

02 **구속영장 발부와 기재방식에 관한 설명으로 틀린 것은?**(다툼이 있으면 판례에 의함)

① 검사로부터 구속영장의 청구를 받은 지방법원판사는 상당하다고 인정할 때에는 구속영장을 발부하고, 발부하지 아니한 때에는 구속영장청구서에 그 취지와 이유를 기재하고 서명날인하여 청구한 검사에게 교부한다.

② 형사소송법 제72조는 "피고인에 대하여 범죄사실의 요지, 구속의 이유와 변호인을 선임할 수 있음을 말하고 변명할 기회를 준 후가 아니면 구속할 수 없다."고 규정하고 있는바, 법원이 사전에 위 규정에 따른 절차를 거치지 아니한 채 구속영장을 발부하였다면 비록 공판절차에서 절차적 권리가 실질적으로 보장되었다고 볼 수 있는 경우라고 하더라도 그 발부결정은 위법하다.

③ 구속영장에는 피의자 또는 피고인의 성명, 주거, 죄명, 피의사실 또는 공소사실의 요지, 인치·구금할 장소, 발부연월일, 유효기간과 유효기간이 경과되면 집행에 착수하지 못하고 영장을 반환해야 한다는 취지를 기재하고, 피의자의 경우에는 지방법원판사가, 피고인의 경우에는 재판장 또는 수명법관이 서명날인하여야 한다.

Answer 1. ① 2. ②

④ 피의자 또는 피고인구속영장의 유효기간은 7일이며, 상당하다고 인정하는 때에는 7일을 넘는 기간을 정할 수 있다.

| 해설 ① 제201조 제4항

② 형사소송법 제72조는 "피고인에 대하여 범죄사실의 요지, 구속의 이유와 변호인을 선임할 수 있음을 말하고 변명할 기회를 준 후가 아니면 구속할 수 없다."고 규정하고 있는바, 이는 피고인을 구속함에 있어 법관에 의한 사전 청문절차를 규정한 것으로서, 구속영장을 집행함에 있어 집행기관이 취하여야 하는 절차가 아니라 구속영장 발부함에 있어 수소법원 등 법관이 취하여야 하는 절차라 할 것이므로, 법원이 피고인에 대하여 구속영장을 발부함에 있어 사전에 위 규정에 따른 절차를 거치지 아니한 채 구속영장을 발부하였다면 그 발부결정은 위법하다고 할 것이나, 위 규정은 피고인의 절차적 권리를 보장하기 위한 규정이므로 이미 변호인을 선정하여 공판절차에서 변명과 증거의 제출을 다하고 그의 변호 아래 판결을 선고받은 경우 등과 같이 위 규정에서 정한 절차적 권리가 실질적으로 보장되었다고 볼 수 있는 경우에는, 이에 해당하는 절차의 전부 또는 일부를 거치지 아니한 채 구속영장을 발부하였다 하더라도 그 발부결정이 위법하다고 볼 것은 아니다(대결 2000.11.10, 2000모134).

③ 제209조, 제75조 제1항

④ 규칙 제178조

최신판례

체포영장 또는 구속영장은 검사의 청구에 의하여 관할 지방법원 판사가 체포, 구속의 사유와 필요성 등을 엄밀하게 심사하거나 심리하여 그 발부 여부를 결정하는 것이므로, 검사에게 영장의 청구를 신청할 수 있을 뿐인 사법경찰관의 수사활동이나 판단·처분 등이 곧바로 판사의 영장의 발부 여부에 관한 결정을 기속하거나 좌우하는 것은 아니다(**대판** 2024.3.12, 2020다290569).

THEMA 44 구속영장의 집행

집행절차	1. 피의자와 피고인의 경우 원칙적으로 차이가 없다. 즉, 구속영장은 검사의 지휘에 의하여 사법경찰관리가 집행하며, 교도소 또는 구치소에 있는 피의자나 피고인에 대해서는 검사의 지휘에 의하여 교도관이 집행한다(제209조, 제81조 제1항). ▶ 다만, 피고인구속영장의 경우 급속을 요하는 때에는 재판장, 수명법관 또는 수탁판사가 그 집행을 지휘할 수 있으며, 이 경우에는 법원사무관 등에게 그 집행을 명할 수 있다(제209조, 제81조 제1항 단서 · 제2항). ▶ 피고인에 대한 구속영장이 2020. 2. 8. 발부되고 같은 날 17 : 00경 검찰에 반환되어 그 무렵 검사의 집행지휘가 있었는데도 사법경찰리가 그로부터 만 3일 가까이 경과한 2020. 2. 11. 14 : 00경 구속영장을 집행한 경우 정당한 사유 없이 지체된 기간 동안의 피고인에 대한 체포 내지 구금 상태는 위법하다(대판 2021.4.29, 2020도16438). 23. 9급 법원직 2. 검사는 관할구역 외에서 구속영장의 집행을 지휘할 수 있고 또는 당해 관할구역의 검사에게 집행지휘를 촉탁할 수 있다. 사법경찰관리는 관할구역 외에서 구속영장을 집행할 수 있고 또는 당해 관할구역의 사법경찰관리에게 집행을 촉탁할 수 있다(제209조, 제83조). 3. 피의자 · 피고인에 대하여 피의사실의 요지 또는 범죄사실의 요지, 구속의 이유와 변호인을 선임할 수 있음을 말하고, 변명할 기회를 주어야 한다(제200조의 5, 제209조, 제72조). 4. 구속영장을 집행함에는 피의자 · 피고인에게 반드시 이를 제시하고 그 사본을 교부하여야 한다. 구속영장을 소지하지 아니한 경우에 긴급을 요하는 때에는 피의사실의 요지 또는 공소사실의 요지와 영장이 발부되었음을 알리고 집행할 수 있다. 집행을 완료한 후에는 신속히 구속영장을 제시하고 그 사본을 교부하여야 한다(제209조, 제85조). ▶ 피의자에게 영장을 제시하거나 영장의 사본을 교부할 때에는 사건관계인의 개인정보가 피의자의 방어권 보장을 위해 필요한 정도를 넘어 불필요하게 노출되지 않도록 유의해야 한다(수사준칙 제32조의 2 제1항). 피의자에게 영장의 사본을 교부한 경우에는 피의자로부터 영장 사본 교부 확인서를 받아 사건기록에 편철하며(수사준칙 제32조의 2 제3항), 피의자가 영장의 사본을 수령하기를 거부하거나 영장 사본 교부 확인서에 기명날인 또는 서명하는 것을 거부하는 경우에는 검사 또는 사법경찰관이 영장 사본 교부 확인서 끝 부분에 그 사유를 적고 기명날인 또는 서명해야 한다(수사준칙 제32조의 2 제4항). 5. 사법경찰관리는 외국인을 체포 · 구속하는 경우 국내 법령을 위반하지 않는 범위에서 영사관원과 자유롭게 접견 · 교통할 수 있고, 체포 · 구속된 사실을 영사기관에 통보해 줄 것을 요청할 수 있다는 사실을 알려야 한다(경찰수사규칙 제91조 제2항).
집행 후 절차	1. 피고인을 구속한 때에는 공소사실의 요지와 변호인을 선임할 수 있음을 알려야 한다(제88조). 2. 피의자나 피고인을 구속한 때에는 변호인이 있는 경우에는 변호인에게, 변호인이 없는 경우에는 제30조 제2항(변호인선임권자)에 규정한 자 중 피의자나 피고인이 지정한 자에게 피의사건명 또는 피고사건명, 구속일시 · 장소, 범죄사실의 요지, 구속의 이유와 변호인을 선임할 수 있는 취지를 지체 없이 서면으로 알려야 한다(제209조, 제87조). ▶ 구속의 통지는 늦어도 24시간 이내에 하여야 하며 통지를 할 자가 없어서 통지를 못한 경우에는 그 취지를 기재한 서면을 기록에 편철하여야 한다. 급속을 요하는 경우에는 구속이 되었다는 취지 및 구속의 일시 · 장소를 전화 또는 모사전송기 기타 상당한 방법에 의하여 통지할 수 있으나 다시 서면으로 하여야 한다(규칙 제51조).

01 **구속에 관한 설명 중 가장 적절한 것은?**(다툼이 있는 경우 판례에 의함)

① 수사기관이 구속영장에 기재된 장소가 아닌 곳으로 구금장소를 임의적으로 변경하였더라도 영장이 발부된 이상 위법하다고는 볼 수 없다.

② 피의자를 구속한 때에는 피의자의 변호인에게 전화 등에 의하여 즉시 통지하여야 한다.

③ 불구속 상태의 피고인에 대하여 본안재판을 선고한 원심법원은 그 선고 이후에는 피고인을 구속할 권한이 없다.

④ 구속영장을 소지하지 아니한 경우에 급속을 요하는 때에는 피의자에 대하여 피의사실의 요지와 영장이 발부되었음을 고하고 집행할 수 있다.

해설 ① 구금장소의 임의적 변경은 청구인의 방어권이나 접견교통권의 행사에 중대한 장애를 초래하는 것이므로 위법하다고 할 것이다(대결 1996.5.15, 95모94).
② 피의자나 피고인을 구속한 때에는 변호인이 있는 경우에는 변호인에게, 변호인이 없는 경우에는 제30조 제2항(변호인선임권자)에 규정한 자 중 피의자나 피고인이 지정한 자에게 피의사건명 또는 피고사건명, 구속일시·장소, 범죄사실의 요지, 구속의 이유와 변호인을 선임할 수 있는 취지를 지체 없이 서면으로 알려야 한다(제209조, 제87조).
③ 상소기간 중 또는 상소 중의 사건에 관한 피고인의 구속결정은 소송기록이 상소법원에 도달하기까지는 원심법원이 이를 하여야 한다(규칙 제57조).
④ 제209조, 제85조

02 **구속영장의 집행절차에 관한 설명으로 타당하지 못한 것으로만 묶인 것은?**

㉠ 피의자를 법원 외의 장소에 유치하는 경우에 판사는 구인을 위한 구속영장에 유치할 장소를 기재하고 서명날인하여 이를 교부하여야 한다.
㉡ 영장발부받은 후 피의자를 체포나 구속하지 아니하거나 체포·구속한 피의자를 석방한 때에는 검사는 지체 없이 영장을 발부한 법원에 서면으로 통지하여야 하며, 체포 또는 구속취소로 피의자를 석방한 경우 체포영장 또는 구속영장의 원본을 첨부하여야 한다.
㉢ 피의자구속영장의 집행시, 급속을 요하는 경우에는 재판장, 수명법관 또는 수탁판사가 그 집행을 지휘할 수 있으며, 법원사무관 등에게 그 집행을 명할 수 있다.
㉣ 피의자구속영장은 검사의 지휘로 사법경찰관리가 집행하며, 교도소 또는 구치소에 있는 피의자에 대해서는 검사의 지휘로 교도관이 집행한다.
㉤ 구속영장에는 청구인을 구금할 수 있는 장소로 특정 경찰서 유치장으로 기재되어 있었는데, 그 신병이 조사차 국가안전기획부 직원에게 인도된 후 위 경찰서 유치장에 인도된 바 없이 계속하여 국가안전기획부 청사에 사실상 구금되어 있다면, 청구인의 방어권이나 접견교통권의 행사에 중대한 장애를 초래하는 것이므로 위법하다.
㉥ 구속영장을 집행함에는 피고인에게 반드시 이를 제시하고 그 사본을 교부하여야 하며 신속히 지정된 법원 기타 장소에 인치하여야 한다.

① ㉠, ㉡ ② ㉡, ㉢ ③ ㉢, ㉣, ㉤ ④ ㉣, ㉤, ㉥

Answer 1.④ 2.②

| 해설 ㉠ ○ : 규칙 제96조의 11 제2항
㉡ × : 영장발부받은 후 피의자를 체포나 구속하지 아니하거나 체포·구속한 피의자를 석방한 때에는 검사는 지체 없이 영장을 발부한 법원에 서면으로 통지하여야 한다(제204조). 피의자를 체포 또는 구속하지 아니하거나 못한 경우에 행하는 통지는 체포영장 또는 구속영장의 원본을 첨부하여야 한다(규칙 제96조의 19 제3항). 체포 또는 구속의 취소로 피의자를 석방한 경우는 체포영장 또는 구속영장의 원본을 첨부할 필요가 없다(규칙 제96조의 19 제3항).
㉢ × : 피고인구속영장의 집행시, 급속을 요하는 경우에는 재판장, 수명법관 또는 수탁판사가 그 집행을 지휘할 수 있으며, 법원사무관 등에게 그 집행을 명할 수 있다. 이 경우에 법원사무관은 사법경찰관리·교도관 또는 법원경위에게 보조를 요구할 수 있으며 관할구역 외에서도 집행할 수 있다(제81조 제1항 단서, 제2항).
– 피의자구속영장 집행에는 적용되지 않음.
㉣ ○ : 피의자구속영장은 검사의 지휘로 사법경찰관리가 집행하며(제81조 제1항 본문, 제209조), 교도소 또는 구치소에 있는 피의자에 대해서는 검사의 지휘로 교도관이 집행한다(제81조 제3항, 제209조).
㉤ ○ : 대결 1996.5.15, 95모94
㉥ ○ : 제85조 제1항, 제209조

03 구속과 관련한 다음 내용 중 올바른 것은 몇 개인가?

㉠ 피고인에 대한 구속영장을 집행하는 경우에 수색영장이 없으면 타인의 주거에 들어갈 수 없다.
㉡ 촉탁에 의하여 구속영장을 발부한 판사는 피고인을 인치한 때로부터 48시간 이내에 그 피고인임에 틀림없는가를 조사하여야 한다.
㉢ 영장발부 받은 후 피의자를 석방한 때에는 검사는 48시간 이내에 법원에 사유를 서면으로 통지하여야 하는데, 체포 후 구속영장 청구기간이 만료하여 석방한 경우에는 체포영장의 사본을 첨부하여야 한다.
㉣ 구속한 때에는 구속의 통지를 반드시 서면으로 행하나, 급속을 요한 때에는 모사전송 기타 상당한 방법으로 통지하면 되고, 그 후 서면으로 다시 할 필요는 없다.
㉤ 피고인을 구속한 때에는 즉시 공소사실의 요지와 변호인을 선임할 수 있음을 알려야 한다.

① 1개　　② 2개　　③ 3개　　④ 없 음

| 해설 ㉠ × : 수색영장을 발부 받기 어려운 긴급한 사정이 있는 경우에 한하여 영장 없이 타인의 주거에 들어갈 수 있다(제137조).
㉡ × : 48시간이 아니라 24시간이다(제78조 제1항).
㉢ × : 영장발부 받은 후 피의자를 석방한 때에는 검사는 지체 없이 영장을 발부한 법원에 사유를 서면으로 통지하여야 하며, 규칙 제96조의 19 제1항의 사유 중 제1호(통지사유 중 피의자를 체포 또는 구속하지 아니하거나 못한 경우)의 경우는 체포영장 또는 구속영장의 원본을 첨부하여야 한다(제204조, 규칙 제96조의 19 제3항).
㉣ × : 다시 서면으로 하여야 한다(규칙 제51조 제3항).
㉤ ○ : 제88조

Answer 3. ①

THEMA 45 구속기간

피의자 구속 기간	1. 사법경찰관이 피의자를 구속할 때에는 10일 이내에 피의자를 검사에 인치하지 아니하면 석방하여야 한다(제202조). 2. 검사가 피의자를 구속하거나 사법경찰관으로부터 피의자의 인치를 받은 때에는 10일 이내에 공소를 제기하지 아니하면 석방하여야 한다(제203조). ▶ 다만, 지방법원판사의 허가를 얻어 10일을 초과하지 않는 한도 내에서 1회에 한하여 구속기간을 연장할 수 있다(제205조 제1항). ▶ 사법경찰관의 구속 ⇨ 구속기간 연장 ×(따라서 검사 + 사법경찰관 최대구속 : 30일) ▶ 국가보안법 위반사건 ⇨ 사법경찰관에게 1회, 검사에게 2회에 한하여 구속기간의 연장을 허가할 수 있다(최대 구속기간 50일). 다만, 찬양 · 고무, 불고지 죄의 구속기간은 사법경찰관 10일, 검사 10일(1회 연장 가능)이다. 3. 구속기간 연장이나 그 신청을 기각하는 결정에 대해서는 항고 또는 준항고가 허용되지 않는다(대결 1997.6.16, 97모1). 23. 순경 2차
피고인 구속 기간	1. 피고인에 대한 구속기간은 2개월이다. 구속은 계속할 필요가 있는 경우에는 심급마다 2개월 단위로 2차에 한하여 결정으로 갱신할 수 있다. 다만, 상소심은 피고인 또는 변호인이 신청한 증거의 증거조사, 상소이유를 보충하는 서면의 제출 등으로 추가심리가 필요한 부득이한 경우에 3차에 한하여 갱신할 수 있다(제92조 제1항 · 제2항). 08 · 11 · 12. 순경, 18. 경찰간부 · 경찰승진, 21. 순경 2차 ▶ 제1심에서 구속된 경우 최장 18개월까지 구속가능 2. 상소제기기간 중 또는 상소 중의 사건에 관하여 소송기록이 원심법원에 있을 때에는 구속기간 갱신은 원심법원이 하여야 한다(제105조). ▶ 원심법원은 상소법원의 권한을 대행하는 것이므로 상소법원은 1차(예외적으로 2차)에 한해서 구속기간 갱신을 할 수 있게 된다. 3. 피고인에 대한 구속기간 갱신은 법원의 결정으로 한다. ▶ 피의자에 대한 구속기간 연장 ⇨ 지방법원판사가 행함. 4. 구속피고인에 대한 감정유치기간(제172조)과 기피신청기간(제22조), 공소장변경(제298조 제4항), 피고인의 심신상실과 질병(제306조 제1항 · 제2항) 등으로 공판절차가 정지된 기간 및 공소제기 전의 체포 · 구인 · 구금기간은 피고인구속기간에 산입되지 아니한다(제92조 제3항).
기간 계산	1. 구속기간연장 허가결정이 있는 경우에 그 연장기간은 구속기간 만료일 다음 날부터 기산한다(규칙 제98조). 10. 순경 · 9급 국가직, 15. 경찰간부, 12 · 17. 경찰승진 2. 피의자가 체포되거나 구인된 경우에 검사 또는 사법경찰관의 구속기간은 체포 · 구인한 날로부터 기산한다(제203조의 2). 10. 9급 국가직, 12. 순경, 13 · 14 · 15 · 17. 경찰승진 3. 구속기간의 계산은 초일을 1일로 산입하며, 16. 9급 법원직 기간의 말일이 공휴일 또는 토요일에 해당하는 경우에도 구속기간에 산입한다. 10. 순경, 17. 경찰승진 4. 구속된 피의자가 피고인으로 된 경우 그 피고인에 대한 법원의 구속기간은 공소제기시부터 기산한다(제92조 제3항). 10. 9급 국가직, 13. 순경 1차, 14. 9급 법원직, 15. 순경 2차

01 구속기간에 관한 설명 중 가장 적절한 것은?(다툼이 있는 경우 판례에 의함) 17. 경찰승진

① 현행범인으로 체포된 피의자의 구속기간은 구속영장이 발부된 때로부터 기산한다.

② 구속기간의 초일은 시간을 계산함이 없이 1일로 산정하고, 구속기간의 말일이 공휴일인 경우 구속기간에 산입하지 아니한다.

③ 구속기간연장허가결정이 있은 경우에 그 연장기간은 구속기간만료일부터 기산한다.

④ 피의자에 대한 구속기간 연장을 허가하지 않은 지방법원판사의 결정에 대하여 검사는 항고의 방법으로 불복할 수 없다.

| 해설 ① 피의자가 체포된 날로부터 기산한다(제203조의 2).
② 구속기간의 말일이 공휴일인 경우 구속기간에 산입한다(제66조 제3항).
③ 구속기간연장허가결정이 있은 경우에 그 연장기간은 종전 구속기간만료 다음 날로부터 기산한다(규칙 제98조).
④ 대결 1997.6.16, 97모1

02 법원의 구속기간과 갱신에 관한 다음 설명 중 가장 옳지 않은 것은? 21. 9급 법원직

① 구속기간은 2개월로 하며, 구속을 계속할 필요가 있는 경우에는 심급마다 2개월 단위로 2차에 한하여 결정으로 갱신할 수 있다. 다만, 상소심은 검사, 피고인 또는 변호인이 신청한 증거의 조사, 상소이유를 보충하는 서면의 제출 등으로 추가 심리가 필요한 부득이한 경우에는 3차에 한하여 갱신할 수 있다.

② 대법원의 파기환송 판결에 의하여 사건을 환송받은 법원은 형사소송법 제92조 제1항에 따라 2개월의 구속기간이 만료되면 특히 계속할 필요가 있는 경우에는 2차(대법원이 형사소송규칙 제57조 제2항에 의하여 구속기간을 갱신할 경우에는 1차)에 한하여 결정으로 구속기간을 갱신할 수 있는 것이고, 무죄추정을 받는 피고인이라고 하더라도 이러한 조치가 무죄추정의 원칙에 위배되는 것이라고 할 수는 없다.

③ 기피신청으로 소송진행이 정지된 기간, 공소장의 변경이 피고인의 불이익을 증가할 염려가 있다고 인정되어 피고인으로 하여금 필요한 방어의 준비를 하게 하기 위하여 결정으로 공판절차를 정지한 기간, 공소제기 전의 체포 · 구인 · 구금 기간은 법원의 구속기간에 산입하지 아니한다.

④ 구속 중인 피고인에 대하여 감정유치장이 집행되어 피고인이 유치되어 있는 기간은 법원의 구속기간에 산입하지 않지만 미결구금일수의 산입에 있어서는 구속으로 간주한다.

| 해설 ① 구속기간은 2개월로 하며(제92조 제1항), 구속을 계속할 필요가 있는 경우에는 심급마다 2개월 단위로 2차에 한하여 결정으로 갱신할 수 있다. 다만, 상소심은 피고인 또는 변호인(검사 ×)이 신청한 증거의 조사, 상소이유를 보충하는 서면의 제출 등으로 추가 심리가 필요한 부득이한 경우에는 3차에 한하여 갱신할 수 있다(제92조 제2항).
② 대판 2001.11.30, 2001도5225
③ 제92조 제3항 ④ 제172조 제8항, 제172조의 2 제1항

Answer 1.④ 2.①

03 다음 중 구속기간의 계산에 관한 설명으로 올바른 것은?

① 사법경찰관이 피의자를 2015년 1월 5일 23 : 00에 구속했을 경우 1월 15일 24 : 00까지 구속할 수 있다.

② 2015년 1월 1일에 구속된 자가 동년 1월 20일에 공소제기된 경우, 제1심 법원에서 구속을 계속할 수 있는 최장기간의 말일은 2015. 6. 30.까지 구속할 수 있다.

③ 피고인이 2004년 1월 7일 구속되고, 2004년 2월 1일 보석으로 석방되었다가 2004년 2월 15일 보석허가결정의 취소로 인하여 재수감된 경우 구속만기일은 2004년 3월 21일까지 이다.

④ 말일이 공휴일 또는 토요일이더라도 구속기간에 산입하고, 만일 12월 30일이 구속된 날이라면 구속기간 2개월의 만료일은 다음 해 2월 말일이다.

| 해설 ① 사법경찰관의 구속기간은 10일이고 구속기간 계산에서는 초일을 산입하고, 말일이 공휴일이라도 그날 완성되므로 2015년 1월 14일 24 : 00까지 구속할 수 있다.
② 제1심 법원에 의한 피고인구속기간은 2회 연장을 하였을 경우 최장 6개월이 된다. 문제는 수사절차 때 수사기관에 의해 구속된 피의자가 공소제기되어 피고인으로 된 경우 그 피고인에 대한 법원의 구속기간을 공소제기시부터 기산할 것인가 아니면 수사단계에서 실제로 체포 · 구속된 때부터 기산할 것인가에 대하여 다툼이 있을 수 있는데, 법원의 피고인구속기간은 공소제기일로부터 기산한다(제92조 제3항). 따라서 제1심 법원에서 구속을 계속할 수 있는 최장기간의 말일은 2015년 7월 19일이다.
③ 법원의 구속기간은 원칙적으로 2개월이므로 구속된 날인 1월 7일부터 기산하여 3월 7일 하루 전인 3월 6일 만료된다. 그러나 보석으로 석방되어 자유를 회복한 기간인 13일(2월 2일부터 2월 14일까지)은 구속기간에 넣으면 안 되므로 2개월의 구속만기일은 2004년 3월 19일까지이다.

04 다음 중 구속기간에 산입되지 않는 것은 몇 개인가?

㉠ 심신장애로 인한 공판절차 정지기간
㉡ 기피신청에 의한 소송진행 정지기간
㉢ 공소장변경으로 인한 공판절차 정지기간
㉣ 관할이전으로 인한 공판절차 정지기간
㉤ 호송 중의 가유치기간
㉥ 감정유치기간
㉦ 구속적부심사기간

① 2개 ② 3개 ③ 4개 ④ 5개

| 해설 ㉠㉡㉢의 기간은 구속기간에 산입되지 아니하며(제92조 제3항), ㉥(제172조의 2 제1항, 제221조의 3 제2항)과 ㉦(제214조의 2 제13항) 역시 구속기간에 산입되지 않는다.
㉣(규칙 제7조), ㉤(제86조)의 기간은 구속기간에 산입이 된다.

Answer 3. ④ 4. ④

05 구속기간에 관한 설명으로 옳지 않은 것으로만 묶인 것은?(다툼이 있으면 판례에 의함)

㉠ 구속기간은 2개월로 하며 구속을 계속할 필요가 있을 경우에는 심급마다 2개월 단위로 2차에 한하여 결정으로 갱신할 수 있으며, 상소심은 부득이한 경우 3차에 한하여 갱신할 수 있으므로 피고인에 대한 법원의 구속가능기간은 총 18개월이 된다.
㉡ 국가보안법 제7조(찬양 · 고무 등)의 죄의 경우 수사단계에서 피의자구속기간은 최대 50일까지 허용된다.
㉢ 지방법원판사는 10일을 초과하지 아니하는 한도에서 검사의 구속기간의 연장을 1회에 한하여 허가할 수 있으므로, 판사가 3일을 연장허가하여 줄 수도 있다.
㉣ 수사기관에 의한 피의자의 구속기간 산입의 기산점은 체포 · 구속의 경우 모두 법원으로부터 발부받은 구속영장을 집행한 초일이 아니라 실제로 체포 · 구속된 날부터 기산한다.
㉤ 상소기간 중 또는 상소 중의 사건에 관한 피고인의 구속, 구속기간갱신, 구속취소, 보석, 보석의 취소, 구속집행정지와 그 정지의 취소, 압수물 환부 · 가환부의 결정은 소송기록이 상소법원에 도달하기까지는 원심법원이 이를 하여야 한다.
㉥ 부정수표단속법에 의하여 벌금가납판결이 선고되어도 구속기간의 갱신을 할 필요가 없다.
㉦ 구속 중인 피고인에 대하여 공판심리 중 법원이 헌법재판소에 법률의 위헌 여부를 제청한 경우에는 헌법재판소의 결정이 있을 때까지 공판절차가 정지되고 공판절차가 정지된 기간은 구속기간에 산입되지 아니한다.

① ㉠, ㉡, ㉢ ② ㉡, ㉢, ㉤ ③ ㉡, ㉤, ㉥ ④ ㉤, ㉥, ㉦

| 해설 ㉠ ○ : 제92조 제1항 · 제2항
㉡ × : 국가보안법 제3조 내지 제10조의 죄에 대하여 사법경찰관에게 1회, 검사에게 2회에 한하여 구속기간 연장(총 50일)을 허가할 수 있다(동법 제19조). 그러나 헌법재판소는 국가보안법 제7조(찬양 · 고무), 제10조(불고지)의 죄에 관한 구속기간연장 규정은 위헌이라고 결정하였으므로(헌재결 1992.4.14, 90헌마82) 이 부분에 관한 죄는 사법경찰관 10일, 검사 10일(1회 연장 가능)이 구속기간이 된다. 즉, 최대 30일이다.
㉢ ○ : 제205조 제1항
㉣ ○ : 제203조의 2
㉤ × : 상소기간 중 또는 상소 중의 사건에 관한 피고인의 구속, 구속기간갱신, 구속취소, 보석, 보석의 취소, 구속집행정지와 그 정지의 취소의 결정은 소송기록이 상소법원에 도달하기까지는 원심법원이 이를 하여야 한다(규칙 제57조 제1항).
㉥ × : 벌금을 가납할 때까지 구속이 계속되므로 구속만기가 도래하면 갱신하여야 한다(부정수표단속법 제6조).
㉦ ○ : 헌법재판소법 제42조 제1항 · 제2항

Answer 5. ③

THEMA 46 재구속의 제한

현행법 규정	검사 또는 사법경찰관에 의하여 구속되었다가 석방된 자는 다른 중요한 증거가 발견된 경우를 제외하고는 동일한 범죄사실에 관하여 재차 구속하지 못한다(제208조 제1항). 서로 다른 범죄사실이라도 1개의 목적을 위하여 동시 또는 수단·결과의 관계에서 행하여진 행위는 동일한 범죄사실로 간주한다(동조 제2항). ▶ 국가보안법 위반으로 공소보류처분을 받은 피의자는 그 공소보류가 취소된 경우에 동일한 범죄사실로 재구속 가능(국가보안법 제20조 제4항) ▶ 다른 중요한 증거발견을 요건으로 하는 경우 ┌ 구속되었다가 석방된 피의자의 재구속(제208조 제1항) ├ 공소취소 후 재기소(제329조) └ 재정신청기각 후 재기소(제262조 제4항)
대법원 판례	1. 재구속 제한은 피의자에게만 적용되고 법원이 피고인을 구속한 경우에는 적용되지 않는다(대결 1985.7.23, 85모12). 2. 재구속 제한은 구속 자체의 효력에 관한 문제이고 공소제기 효력에는 영향을 미치지 않으므로 재구속 제한에 위반하더라도 공소제기 자체가 무효로 되는 것은 아니다(대판 1966.11.22, 66도1288).

01 **재구속금지의 원칙에 대한 설명 중 틀린 것은?**(다툼이 있으면 판례에 의함)

① 재구속금지의 원칙은 체포적부심절차에 의하여 석방된 피의자에 대하여도 적용된다.

② 피고인의 경우는 법원이 석방하였다가 다시 구속하여도 무방하다.

③ 보증금납입조건부로 석방된 피의자는 다른 중요한 증거를 발견한 경우를 제외하고는 재구속할 수 없다.

④ 재구속금지의 원칙은 구속사유가 된 범죄사실에 의해 수단·결과의 관계에 의해서 범하여진 범죄사실에까지 효력이 있다.

| 해설 ③ 보증금납입조건부로 석방된 피의자는 도망한 때, 도망하거나 죄증을 인멸할 염려가 있다고 믿을 만한 충분한 이유가 있는 때, 출석요구를 받고 정당한 이유 없이 출석하지 아니한 때, 주거의 제한 기타 법원이 정한 조건을 위반한 때를 제외하고는 동일한 범죄사실에 관하여 재차 체포 또는 구속하지 못한다(제214조의 3 제2항).

Answer 1. ③

02 **다른 중요한 증거가 발견되는 경우를 제외하고는 다시 할 수 없는 소송행위가 아닌 것은?**

① 피의자의 재구속
② 재정신청 기각결정이 있는 사건에 대한 소추
③ 공소취소
④ 구속적부심으로 석방된 피의자 재구속

| 해설 ① 제208조
② 제262조 제4항
③ 제329조
④ 도망하거나 죄증을 인멸하는 경우에만 재체포 · 재구속이 가능하다(제214조의 3 제1항).

03 **재체포 · 재구속에 대한 설명으로 옳은 것은?** 23. 9급 검찰 · 마약 · 교정 · 보호 · 철도경찰

① 보증금 납입을 조건으로 석방된 피의자가 주거의 제한이나 그 밖에 법원이 정한 조건을 위반한 때에는 동일한 범죄사실로 재차 체포하거나 구속할 수 있다.
② 체포 또는 구속 적부심사결정에 의하여 석방된 피의자가 도망하거나 범죄의 증거를 인멸할 염려가 있다고 믿을 만한 충분한 이유가 있는 때에는 동일한 범죄사실로 재차 체포하거나 구속할 수 있다.
③ 보증금 납입을 조건으로 석방된 피의자가 피해자, 당해 사건의 재판에 필요한 사실을 알고 있다고 인정되는 자 또는 그 친족의 생명 · 신체 · 재산에 해를 가하거나 가할 염려가 있다고 믿을 만한 충분한 이유가 있는 때에는 동일한 범죄사실로 재차 체포하거나 구속할 수 있다.
④ 검사 또는 사법경찰관에 의하여 영장에 의해 체포되었다가 석방된 자는 다른 중요한 증거를 발견한 경우를 제외하고는 동일한 범죄사실로 재차 체포하지 못한다.

| 해설 ① 보증금납입조건부로 석방된 피의자는 도망한 때, 도망하거나 죄증을 인멸할 염려가 있다고 믿을 만한 충분한 이유가 있는 때, 출석요구를 받고 정당한 이유 없이 출석하지 아니한 때, 주거의 제한 기타 법원이 정한 조건을 위반한 때 동일한 범죄사실에 관하여 재체포 · 재구속할 수 있다(제214조의 3 제2항). 따라서 ③은 재체포 · 재구속사유가 아니다.
② 체포 또는 구속 적부심사결정에 의하여 석방된 피의자가 도망하거나 범죄의 증거를 인멸하는 경우 동일한 범죄사실로 재차 체포하거나 구속할 수 있다(제214조의 3 제1항).
④ 검사 또는 사법경찰관에 의하여 영장에 의해 구속되었다가 석방된 자는 다른 중요한 증거를 발견한 경우를 제외하고는 동일한 범죄사실로 재차 구속하지 못한다(제208조 제1항). 검사 또는 사법경찰관에 의하여 영장에 의해 체포되었다가 석방된 자는 다른 중요한 증거를 발견한 경우가 아니라도 동일한 범죄사실로 재차 체포할 수 있다.

Answer 2. ④ 3. ①

THEMA 47 구속영장의 효력

<table>
<tr><td colspan="4">범 위</td><td colspan="2">구속영장의 효력이 미치는 범위 ⇨ 구속영장에 기재된 범죄사실에 한해서 미친다는 사건단위설이 다수설·판례</td></tr>
<tr><td rowspan="6">집행
정지와
실효</td><td rowspan="5">정
지</td><td rowspan="3">구속
집행
정지</td><td>피의자</td><td colspan="2">① 지방법원판사가 집행정지할 수 있음(제209조, 제101조 제1항).
▶ 직권으로만 가능(청구권 ×)
▶ 검사의견(급속을 요할시 생략가능) : 제101조 제2항, 제209조
▶ 보석취소사유(제102조)와 동일한 사유가 있을 때 지방법원판사는 직권 또는 검사의 청구로 구속집행정지를 취소할 수 있다(제209조, 제102조 제2항).
② 검사(검찰사건사무규칙 제86조), 사법경찰관(경찰수사규칙 제62조)이 집행정지결정 할 수 있음.
▶ 검사나 사법경찰관도 구속집행정지 취소 가능</td></tr>
<tr><td>피고인</td><td colspan="2">① 법원의 결정으로 구속집행정지 가능(제101조 제1항)
▶ 직권으로만 가능(청구권 ×)
② 검사의견(급속을 요할시 생략가능) : 제101조 제2항
③ 법원의 구속집행정지결정에 대하여 즉시항고 ×</td></tr>
<tr><td>국회석방요구</td><td colspan="2">당연히 구속집행이 정지(제101조 제4항)</td></tr>
<tr><td>보석</td><td colspan="3">자세한 정리는 '보석편' 참조</td></tr>
<tr></tr>
<tr><td colspan="2">실 효</td><td colspan="3">① 구속의 취소
② 구속적부심에 의한 석방
③ 구속기간 만료(판례는 당연히 상실된 것은 아니라는 입장이다)
④ 무죄 등 선고(무죄, 형면제, 선고유예, 집행유예, 벌금, 과료, 면소, 공소기각판결) 11. 순경
⑤ 사형, 자유형 확정
⑥ 구속 중인 소년에 대한 법원의 소년부 송치 결정이 있는 경우에 소년부판사가 소년 감호에 관한 결정을 한 때(소년법 제52조)</td></tr>
</table>

01 **법원의 구속집행정지와 구속의 실효에 관한 다음 설명 중 적절하지 않은 것을 모두 고른 것은?**
(다툼이 있는 경우 판례에 의함)

> ㉠ 구속집행정지 취소의 결정이 있는 경우 검사가 그 취소결정의 등본에 의하여 피고인을 재구금하여야 하며, 급속을 요한다는 이유로 재판장의 지휘에 따라 법원사무관 등이 집행할 수는 없다.
> ㉡ 구속의 집행정지 취소사유와 보석 취소사유는 동일하다.
> ㉢ 최근 헌법재판소의 결정에 의할 때, 검사는 법원의 구속집행정지결정에 관하여 즉시항고 할 수 없다.
> ㉣ 피고인이 도망한 때, 피고인이 사망한 때, 피고인이 소환을 받고 정당한 이유 없이 출석하지 아니한 때, 피고인이 증인으로 채택된 자에게 법정에 출석하여 증언을 하면 죽여버리겠다고 협박을 한 경우는 구속집행정지 취소사유이다.

① ㉠ ② ㉡, ㉢
③ ㉠, ㉣ ④ ㉢, ㉤

| 해설 ㉠ × : 급속을 요하는 경우 재판장, 수명법관 또는 수탁판사의 지휘에 따라 법원사무관 등이 집행할 수 있다(규칙 제56조 제1항 · 제2항).
㉡ ○ : 제102조 제2항
㉢ ○ : 헌재결 2012.6.27, 2011헌가36
㉣ × : 도망한 때, 도망하거나 죄증을 인멸할 염려가 있다고 믿을 만한 충분한 이유가 있는 때, 소환을 받고 정당한 사유 없이 출석하지 아니한 때, 피해자, 당해 사건의 재판에 필요한 사실을 알고 있다고 인정되는 자 또는 그 친족의 생명 · 신체 · 재산에 해를 가하거나 가할 염려가 있다고 믿을 만한 충분한 이유가 있는 때, 법원이 정한 조건을 위반한 때가 보석이나 구속집행정지의 취소사유이다(제102조 제2항).

02 **다음 중 검사의 의견을 물어야 할 경우와 가장 거리가 먼 것은?**

① 보석의 허가 ② 구속의 취소
③ 구속의 집행정지 ④ 보석허가의 취소

| 해설 **법원의 결정시 검사의 의견을 들어야 할 경우**

1. 공판절차의 정지(제306조 제1항 · 제2항)
2. 구속취소(제97조 제2항)
3. 보석허가(제97조 제1항)
4. 구속집행정지(제101조 제2항)
5. 간이공판절차 결정취소(제286조의 3)

Answer 1. ③ 2. ④

03 다음 중 구속의 집행정지 또는 구속의 실효성에 관한 설명으로 가장 옳지 않은 것은?

21. 해경간부

① 피고인 또는 변호인은 구속집행정지를 청구할 권리가 있다. 청구를 받은 법원은 48시간 이내에 구속된 피고인을 심문하여야 하고, 그 청구가 이유가 있다고 인정한 때에는 결정으로 구속의 집행정지를 명하여야 한다.

② 헌법 제44조에 의하여 구속된 국회의원에 대한 석방요구가 있으면 당연히 구속영장의 집행이 정지된다.

③ 무죄, 면소, 형의 면제, 형의 선고유예, 형의 집행유예, 공소기각 또는 벌금이나 과료를 과하는 판결이 선고된 때에는 구속영장은 판결선고와 동시에 바로 효력을 잃는다.

④ 구속의 사유가 없거나 소멸된 때에는 법원은 직권 또는 검사, 피고인, 변호인과 변호인 선임권자의 청구에 의하여 결정으로 구속을 취소하여야 한다.

| 해설 ① 피고인에 대한 구속집행정지 결정은 법원이 직권으로 행한다(제101조 제1항). 당사자에게는 구속집행정지신청권이 없으므로 가사 신청이 있더라도 법원의 직권발동을 촉구하는 의미밖에 없어 문서건명부에 접수하고 본안기록에 가철하면 족하다.
② 제101조 제4항
③ 제331조
④ 제93조

04 구속영장의 효력과 관련한 설명으로 가장 올바른 것은?(다툼이 있으면 판례에 의함)

① 부정수표단속법위반으로 법원이 피고인에게 벌금을 선고하는 경우에는 구속영장이 당연히 실효되는 것은 아니다.

② 면소의 판결, 구속의 취소, 무죄판결(10년 구형), 구속집행정지 등은 구속영장의 효력이 상실되는 경우이다.

③ 구속집행정지의 결정에 대해서 검사는 즉시항고를 할 수 있다.

④ 구속의 효력은 피의자나 피고인을 기준으로 하여 그에게 혐의가 가해지는 모든 범죄사실에 대하여 미친다.

| 해설 ① 부정수표단속법에 의해 벌금을 선고하는 경우에는 가납판결을 하여야 하며, 구속된 피고인에 대하여는 벌금을 가납할 때까지 구속한다(부정수표단속법 제6조).
② 면소의 판결, 구속의 취소, 무죄판결(10년 구형 포함)은 구속영장의 효력이 상실되나, 구속집행정지는 구속영장의 효력이 정지되는 경우이다.
③ 구속집행정지 결정에 대한 즉시항고 허용규정(제101조 제3항)은 위헌이라는 헌법재판소의 결정(헌재결 2012.6.27, 2011헌가36)에 따라 이제는 검사구속집행정지 결정에 대한 즉시항고가 불가능하다. 보석의 경우에도 즉시항고 불가(헌재결 1993.12.23, 93헌가2)
④ 구속의 효력은 원칙적으로 구속영장에 기재된 범죄사실에만 미친다(대결 1996.8.12, 96모46).

Answer 3.① 4.①

05 구속집행정지에 관한 설명으로 가장 적절하지 않은 것은?(다툼이 있는 경우 판례에 의함)

24. 경찰승진

① 검사는 법원으로부터 구속집행정지에 관한 의견요청이 있을 때에는 의견서와 소송서류 및 증거물을 지체 없이 법원에 제출하여야 하는데, 이 경우 특별한 사정이 없는 한 의견요청을 받은 다음 날까지 제출하여야 한다.

② 법원의 구속집행정지 결정에 대하여 검사는 보통항고를 할 수 있다.

③ 피의자 · 피고인에 대한 구속집행정지의 결정 여부는 법원의 권한이므로, 검사는 이를 할 수 없다.

④ 상소 중의 사건에 관한 피고인의 구속집행정지와 그 정지의 취소의 결정은 소송기록이 상소법원에 도달하기까지는 원심법원이 이를 하여야 한다.

| 해설 ① 규칙 제54조 제1항

② 제403조 제2항

③ 구속된 피의자에 대하여 지방법원판사는 구속집행을 정지할 수 있으며(제101조 제1항, 제209조), 피의자에 대한 구속집행정지는 검사 또는 사법경찰관이 직권으로 할 수도 있다. 검사가 구속 중인 피의자에 대한 구속집행정지의 결정을 할 경우 구속집행정지결정서에 따른다(검찰사건사무규칙 제86조).

사법경찰관이 피의자 구속집행정지를 할 경우에 구속의 집행을 정지한 사법경찰관은 지체 없이 구속집행정지 통보서를 작성하여 검사에게 그 사실을 통보하고, 그 통보서 사본을 사건기록에 편철해야 한다(경찰수사규칙 제62조).

④ 규칙 제57조 제1항

Answer 5. ③

THEMA 48 보석과 구속집행정지의 비교

구 분	보 석	구속집행정지
대 상	피고인 · 피의자	피고인 · 피의자
청구 여부	직권 또는 청구	직 권
검사의견	○	○
재판형식	결 정	결 정
즉시항고 가능 여부	×	×
보증금	○	×
구속영장의 효력	집행정지사유	집행정지사유
취소사유	제102조 제1항	제102조 제1항

01 보석과 구속의 집행정지에 관한 다음 설명 중 옳은 것은?

① 양자 모두 피고인측의 신청이나 법원의 직권으로 결정한다.
② 구속의 집행정지에는 검사의 의견을 필요로 하지 않는다.
③ 구속영장의 효력이 상실되지 아니한다.
④ 보석허가결정에는 반드시 피고인의 주거를 제한한다. 그러나 구속집행정지의 경우는 그러하지 않다.

| 해설 ① 피고인 보석은 청구와 직권에 의한 경우 모두 가능(제94조, 제95조)하나, 구속집행정지는 직권에 의해서만 가능하다(제101조 제1항).
② 검사의 의견을 물어야 한다(제101조 제2항).
④ 보석허가결정이나 구속집행정지결정 모두 피고인의 주거제한 등을 조건으로 할 수 있다(제98조 제3호, 제101조 제1항).

02 보석과 구속집행정지의 차이를 설명한 다음 사항 중 옳은 것은?

① 보석은 보증금을 납부할 것을 조건으로 할 수 있다는 점에서 구속집행정지와 구별된다.
② 보석허가결정을 함에는 검사의 의견을 물어야 하나, 구속집행정지의 경우에는 그러하지 아니하다.
③ 보석허가결정에서는 주거의 제한 등 조건을 부가할 수 있으나, 구속집행정지의 경우에는 그러한 조건을 부가할 수 없다.
④ 보석허가결정은 청구권자의 청구에 의해서만, 구속집행정지는 법원의 직권에 의해서만 이루어진다.

Answer 1. ③ 2. ①

| 해설 ② 양자 모두 그 결정을 함에 있어 검사의 의견을 물어야 한다.
③ 보석허가결정시 주거의 제한 등 조건을 부가할 수 있고(제98조 제3호), 구속집행정지의 경우에도 주거의 제한을 할 수 있다(제101조 제1항).
④ 보석허가결정은 직권 또는 청구에 의하여 가능하고, 구속집행정지는 법원의 직권에 의하여만 이루어 진다.

03 다음 중 구속의 집행정지와 피고인 보석의 차이점으로 가장 옳은 것은? 21. 해경승진

① 주거를 제한할 수 있는지의 여부
② 재판의 형식
③ 취소사유
④ 피고인에게 청구권이 있는지의 여부

| 해설 ① 양자 모두 주거를 제한할 수 있다(제98조 제3호, 제101조 제1항).
② 양자 모두 결정이라는 재판의 형식에 의한다(제97조 제1항, 제101조 제1항).
③ 양자 모두 그 취소사유가 동일하다(제102조 제2항).
④ 구속집행정지는 피고인에게 청구권이 인정되지 않지만, 보석은 청구권이 인정된다(제94조).

Answer 3. ④

THEMA 49 구속취소

의 의	1. 피의자에 대한 구속취소 : 구속의 사유가 없거나 소멸된 때에는 피의자에 대하여 지방법원판사는 직권 또는 검사, 피의자, 변호인 또는 변호인선임권자의 청구에 의하여 구속을 취소하여야 한다(제93조, 제209조). 검사도 구속취소가 가능하며, 사법경찰관도 구속취소가 가능하나 지체 없이 석방통보서를 작성하여 검사에게 석방사실을 통보하고, 그 통보서 사본을 사건기록에 편철해야 한다(경찰수사규칙 제61조 제2항). 검사에 송치해야 하는 사건의 구속취소는 검사의 동의를 받아야 함(동규칙 제61조 제1항). 2. 피고인에 대한 구속취소 : 피고인에 대하여 구속취소사유가 있는 때에는 법원은 직권 또는 검사, 피고인, 변호인과 변호인선임권자의 청구에 의하여 결정으로 구속을 취소하여야 한다(제93조).
사 유	구속사유가 없는 때라 함은 구속사유가 처음부터 존재하지 않았던 경우를 말하고, 구속사유가 소멸된 때라 함은 구속사유가 사후적으로 소멸한 때를 말한다.
절 차	1. 재판장이 피고인에 대한 구속취소결정을 함에는 검사의 의견을 물어야 한다. 단, 검사의 청구에 의하거나 급속을 요하는 경우에는 예외로 한다(제97조 제2항). 2. 검사는 구속취소결정을 따른 의견요청에 대하여 지체 없이 의견을 표명하여야 한다(동조 제3항). 3. 검사는 구속취소결정에 대하여 즉시항고할 수 있다(동조 제4항).

01 **구속의 취소에 관한 설명으로 옳은 것은?**

① 구속취소의 사유는 구속의 사유가 없거나 소멸한 때이다.
② 검사는 구속취소의 청구권이 없다.
③ 피고인의 구속을 취소하는 결정에 대해서 검사는 즉시항고를 할 수 없다.
④ 구속취소를 할 때 검사의 청구에 의한 경우 이외에만 검사의 의견을 물어야 한다.

| 해설 ② 검사도 구속취소청구권이 있다(제93조, 제209조).
③ 검사는 구속취소결정에 대하여 즉시항고할 수 있다(제97조 제4항).
④ 법원이 피고인에 대한 구속취소의 결정을 함에는 검사의 청구에 의하거나 급속을 요하는 경우 이외에는 검사의 의견을 물어야 한다(제97조 제2항).

Answer 1. ①

02 다음 중 구속취소와 관련한 판례의 내용으로 잘못된 것을 모두 고르면?

㉠ 다른 사유로 이미 구속영장이 실효된 경우라도, 피고인이 계속 구금되어 있으면 구속의 취소결정을 할 수 있다.
㉡ 제1심과 항소심판결 선고 전의 구금일수만으로도 본형의 형기 전부에 산입되고도 남는 경우라면, 피고인이 현재 집행유예기간 중에 있더라도 피고인을 구속할 사유는 소멸되었다고 볼 것이므로 피고인에 대한 구속은 취소하여야 한다.
㉢ 피고인에 대한 형이 그대로 확정된다고 하더라도 잔여형기가 8일 이내이고 또한 피고인의 주거가 일정할 뿐 아니라 증거인멸이나 도망의 염려도 없어 보인다면 구속취소사유가 된다.
㉣ 구속취소사건에 있어서는 공판절차를 필요로 하는 것이 아니므로 공판절차의 갱신에 관한 형사소송법 제301조는 그 적용이 없고, 따라서 제1심결정에 관여하지 아니한 법관이 항고에 대한 의견서를 첨부하여 항고법원에 송부하였다 하여 직접심리주의에 위배되는 위법이 있다고 할 수 없다.
㉤ 체포·구금 당시에 형사소송법에 규정된 사항을 고지받지 못하였고 구금기간 중 면회거부 등의 처분을 받은 것은 구속취소사유에 해당한다.

① ㉠, ㉤　② ㉡, ㉣　③ ㉡, ㉢, ㉣　④ ㉢, ㉣, ㉤

| 해설 ㉠ × : 형법 제37조 전단의 경합범 중 일부에 대하여 무죄, 일부에 대하여 유죄를 선고한 항소심판결에 대하여 검사만이 무죄부분에 대하여 상고한 경우, 피고인과 검사가 상고하지 아니한 유죄판결은 확정되고, 자유형(실형)의 판결이 확정된 때에는 구속영장은 실효되므로, 피고인을 계속 구금하기 위하여는 확정된 유죄부분에 대한 형집행의 절차를 취하여야 하는 것이지 형사소송법 제93조에 의한 구속의 취소결정을 할 수는 없다(대결 1999.9.7, 99초355).
㉡ ○ : 대결 1990.9.13, 90모48
㉢ ○ : 대결 1983.8.18, 83모42
㉣ ○ : 대결 1986.4.30, 86모10
㉤ × : 이와 같은 사유는 구속취소사유에 해당하지 아니한다(대결 1991.12.30, 91모76).

Answer 2. ①

THEMA 50 구속집행정지와 구속취소의 비교

구 분	구속집행정지	구속취소
보증금	×	×
직 권	○	청구 가능
즉시항고	×	○
영장효력상실	×	○

01 **구속의 집행정지와 구속의 취소에 대한 설명으로 틀린 것은?**

① 양자 모두 그 결정을 함에 있어 검사의 의견을 물어야 한다(단, 검사의 청구에 의한 구속취소의 경우는 제외).
② 구속의 집행정지는 법원의 결정을 통해 가능하나 예외도 있다.
③ 법원은 직권 또는 검사의 청구에 의하여 결정으로 구속의 집행정지를 취소할 수 있다.
④ 구속취소의 경우 검사가 3일 이내에 의견표명을 하지 아니한 때에는 결정에 반대한 것으로 간주한다.

| 해설 ④ 의견표명이 없을시 결정을 동의한 것으로 간주하는 규정은 삭제되었고, 검사는 지체 없이 의견을 표명하여야 한다로 개정되었다(제97조 제3항). 이는 특별한 사유가 없으면 의견요청을 받은 날의 다음 날까지 의견서를 제출하여야 한다(규칙 제54조 제1항).

02 **구속의 집행정지와 취소에 대한 설명으로 가장 적절하지 않은 것은?**(다툼이 있는 경우 판례에 의함) 21. 경찰승진

① 법원은 형사소송법 제101조 제4항에 따라 구속영장의 집행이 정지된 국회의원이 소환을 받고도 정당한 사유 없이 출석하지 아니한 때에는 그 회기 중이라도 구속영장의 집행정지를 취소할 수 있다.
② 검사가 구속된 피의자를 석방한 때에는 지체 없이 구속영장을 발부한 법원에 그 사유를 서면으로 통지하여야 한다.
③ 구속의 사유가 없거나 소멸된 때에는 법원은 직권 또는 검사, 피고인, 변호인과 형사소송법 제30조 제2항에 규정된 자의 청구에 의하여 결정으로 구속을 취소하여야 한다.
④ 법원은 상당한 이유가 있는 때에는 결정으로 구속된 피고인을 친족·보호단체 기타 적당한 자에게 부탁하거나 피고인의 주거를 제한하여 구속의 집행을 정지할 수 있고, 이때 급속을 요하는 경우를 제외하고는 검사의 의견을 물어야 한다.

Answer 1.④ 2.①

| 해설 | ① 법원은 형사소송법 제101조 제4항에 따라 구속영장의 집행이 정지된 국회의원이 소환을 받고도 정당한 사유 없이 출석하지 않더라도 그 회기 중에는 그 구속의 집행정지를 취소하지 못한다(제102조 제2항).
② 제204조
③ 제93조
④ 제101조 제1항 · 제2항

03 구속집행정지와 구속의 취소에 대한 설명으로 옳은 것은?

① 검사는 법원에 구속집행정지 취소를 청구할 수 없다.
② 구속집행정지결정에 대한 즉시항고가 가능하나 구속취소결정에 대한 즉시항고는 불가능하다.
③ 피고인 또는 그 변호인은 구속집행정지를 청구할 권리가 있다. 청구를 받은 법원은 48시간 이내에 구속된 피고인을 심문하여야 하고, 그 청구가 이유 있다고 인정한 때에는 결정으로 구속의 집행정지를 명하여야 한다.
④ 피고인 甲은 형사소송법 제72조에 정한 사전 청문절차 없이 발부된 구속영장에 기하여 구속되었다. 제1심 법원이 그 위법을 시정하기 위하여 구속취소결정 후 적법한 청문절차를 밟아 甲에 대한 구속영장을 발부하였고, 甲이 이 청문절차부터 제1 · 2심의 소송절차에 이르기까지 변호인의 조력을 받았다면, 법원은 甲에 대한 구속영장 발부와 집행에 관한 소송절차의 법령위반 등을 다투는 상고이유 주장은 받아들이지 않는다.

| 해설 | ① 구속의 집행정지는 법원의 직권에 의하나 그 취소는 직권 또는 검사의 청구에 따라한다.
② 구속을 취소하는 결정에 대해 즉시항고 할 수 있다(제97조 제3항).
③ 피고인에 대한 구속집행정지 결정은 법원의 직권으로 행하므로(제101조 제1항), 피고인 또는 그 변호인은 구속집행정지를 청구할 권리가 없다. 설령, 구속집행정지를 청구하였더라도 이는 법원의 직권발동을 청구하는 의미밖에 없다.
④ 대판 2019.2.28, 2018도19034

Answer 3. ④

THEMA 51 구속집행정지, 보석, 구속취소의 비교

구 분	구속집행정지	보 석	구속취소
보증금	×	○(보증금납입을 조건으로 할 경우)	×
직 권	○	청구 가능	청구 가능
즉시항고	×	×	○
영장효력상실	×	×	○

01 보석, 구속집행정지, 구속취소 등에 관한 다음 설명 중 옳은 것은 모두 몇 개인가?

㉠ 구속을 취소하는 결정에 대하여 검사는 즉시항고를 할 수 있으나, 구속의 집행을 정지하는 결정에 대해서는 검사가 즉시항고를 할 수 없다.
㉡ 재판장은 보석에 관한 결정을 하기 전에 검사의 의견을 물어야 하나, 급속을 요하는 경우에는 그러하지 아니하다.
㉢ 구속영장의 효력이 소멸하더라도 주거제한 등의 보석조건은 그대로 그 효력을 유지한다.
㉣ 법원은 보석을 취소하는 때에는 직권 또는 검사의 청구에 따라 보증금 또는 담보의 전부를 몰취하는 결정을 하여야 한다.
㉤ 보석은 직권이나 피고인측의 청구에 의하여도 할 수 있지만, 구속취소는 직권에 의할 뿐 피고인측이 청구할 수 없다.

① 1개 ② 2개 ③ 3개 ④ 4개

해설 ㉠ ○ : 헌법재판소의 위헌결정에 따라 제101조 제3항(구속집행정지결정에 대한 즉시항고 허용규정)이 삭제되었다.
㉡ × : 보석의 경우 급속을 요하는 경우에도 검사의 의견을 물어야 한다(제97조 제1항). 급속을 요하는 경우 예외가 인정되는 구속취소 · 구속집행정지와 구별된다.
㉢ × : 구속영장의 효력이 소멸한 때에는 주거제한 등의 보석조건은 즉시 그 효력을 상실한다(제104조의 2 제1항).
㉣ × : 보증금 또는 담보의 전부 또는 일부를 몰취할 수 있다(제103조 제1항).
㉤ × : 구속취소 역시 청구에 의할 수 있다(제209조, 제93조).

Answer 1. ①

THEMA 52

이중구속	이중구속이란 이미 구속영장이 발부되어 구속되어 있는 피고인 또는 피의자에 대하여 다시 구속영장을 집행하는 것을 말한다(허용). ▶ 구속기간이 만료될 무렵에 종전 구속영장에 기재된 범죄사실과 다른 범죄사실로 피고인을 구속하였다는 사정만으로는 피고인에 대한 구속이 위법하다고 할 수 없다(대결 2000.11.10, 2000모134). 11. 순경, 14 · 22. 경찰승진, 22. 소방간부, 23. 순경 2차, 17 · 24. 경찰간부, 24. 9급 검찰 · 마약 · 교정 · 보호 · 철도경찰 ▶ A죄의 구속이 집행 중인 상태에서 피고인이 B죄로 기소되고 그 후에 B죄에 대하여 구속영장이 발부되었다면 B죄의 구속기간의 기산점은 A죄에 대한 구속기간이 만료한 시점이 아니고 B죄에 대한 구속영장이 발부되어 집행된 시점이다.
별건구속	수사기관이 본래 수사하고자 하는 본건에 대하여는 구속의 요건이 구비되지 못하였기 때문에(예 객관적 혐의에 대한 증거불충분) 본건의 수사에 이용할 목적으로 구속의 요건이 구비된 별건으로 구속영장을 발부받아 피의자를 구속하는 것을 말한다. ▶ 별건구속은 허용될 수 없으나, 본건에 대한 적법한 구속영장으로 여죄를 수사하는 것은 문제될 것이 없다는 견해가 다수설이다(한계가 모호함).
검사의 체포 · 구속장소 감찰	1. 지방검찰청검사장(지청장)은 검사로 하여금 매월 1회 이상 관하 수사관서의 피의자 체포 · 구속장소를 감찰하게 하여야 한다(제198조의 2 제1항). 2. 검사는 체포 · 구속된 자를 심문하고 관계서류를 조사하여야 하며 적법절차에 의하지 아니한 것이라고 의심할 만한 상당한 이유가 있는 경우에는 즉시 석방하거나 사건을 검찰에 송치할 것을 명하여야 한다(동조 제2항).

01 **다음 구속관련 문제에 대한 설명으로 옳지 않은 것은?**

① 이중구속은 적법하나, 별건구속은 허용되지 않는다.

② 구속기간이 만료될 무렵에 종전 구속영장에 기재된 범죄사실과 다른 범죄사실로 피고인을 구속하였다면 위법하다.

③ 검사의 체포 · 구속장소 감찰대상 장소는 수사관서의 피의자 체포 · 구속장소이다.

④ 불법체포라고 인정되는 경우에는 검사는 체포된 자를 즉시 석방하거나 사건을 검찰에 송치할 것을 명하여야 한다.

| 해설 | ① 이중구속은 적법하나, 별건구속은 허용되지 않는다(다수설).
② 구속기간이 만료될 무렵에 종전 구속영장에 기재된 범죄사실과 다른 범죄사실로 피고인을 구속하였다는 사정만으로는 피고인에 대한 구속이 위법하다고 할 수 없다(대결 2000.11.10, 2000모134).
③ 제198조의 2 제1항
④ 제198조의 2 제2항

Answer 1. ②

종합문제

01 **체포 · 구속의 비교에 대한 설명으로 잘못된 것이 아닌 것은?**

① 체포 · 구속 기간은 차이가 있으나, 피의자심문제도가 있다는 점은 동일하다.
② 영장에 의하지 아니하고 강제처분을 할 수 있는 예외가 있는 점에서는 동일하다.
③ 구속의 요건은 체포의 요건보다 더 완화되어 있다.
④ 체포는 피의자가 대상이나, 구속은 피의자 · 피고인 모두 대상이다.

| 해설 | **체포 · 구속의 비교정리**

구 분	체 포	구 속
대 상	피의자	피의자 · 피고인
영장실질심사	×	○
무영장	○	×
기 간	짧다.	길다.
요 건	완화	강화

02 **다음 중 괄호 ( ) 안의 숫자를 큰 순서대로 나열한 것은?** 20. 해경 1차

㉠ 긴급체포된 피의자를 구속하기 위해서는 피의자를 체포한 때로부터 ( )시간 내에 구속영장을 청구하여야 한다.
㉡ 검사가 긴급체포된 피의자에 대하여 구속영장을 청구하지 아니하고 피의자를 석방한 경우에는 석방한 날부터 ( )일 이내에 긴급체포 후 석방된 자의 인적사항, 긴급체포의 일시 · 장소와 긴급체포하게 된 구체적 이유 등을 법원에 통지하여야 한다.
㉢ 피의자를 구속하는 경우 다액 ( )만원 이하의 벌금, 구류 또는 과료에 해당하는 범죄에 관하여는 피의자가 일정한 주거가 없는 경우에 한한다.
㉣ 사법경찰관이 피의자를 구속한 때에는 ( )일 이내에 피의자를 검사에게 인치하지 않으면 석방하여야 한다.

① ㉠－㉡－㉢－㉣
② ㉠－㉡－㉣－㉢
③ ㉢－㉠－㉡－㉣
④ ㉢－㉠－㉣－㉡

| 해설 | ㉠ 48(제200조의 4 제1항)
㉡ 30(제200조의 4 제4항)
㉢ 50(제201조 제1항)
㉣ 10(제202조)

Answer 1.④ 2.③

03 **다음 중 사전영장에 의한 구속절차를 순서대로 연결한 것으로 가장 적당한 것은?**

A. 영장신청	B. 영장실질심사
C. 영장청구	D. 구인장발부
E. 구속통지	F. 영장 제시 및 집행

① A－B－C－D－E－F
② A－C－D－B－F－E
③ C－A－B－D－F－E
④ C－A－E－B－F－D

| 해설 | 사법경찰관에 대한 영장신청이 있고 검사의 영장청구가 있으면 체포한 피의자의 경우 지체 없이, 체포되지 않은 피의자의 경우 구인을 위한 구속영장을 발부하여 피의자를 심문하여야 한다(영장실질심사). 이후 구속영장이 발부되면 영장을 제시 및 집행하고 구속이 완료된 후 지체 없이 구속의 통지를 한다.

04 **구속에 대한 설명으로 가장 적절하지 않은 것은?**(다툼이 있는 경우 판례에 의함) 22. 경찰승진

① 구속은 구금과 구인을 포함하며, 구인한 피고인을 법원에 인치한 경우에 구금할 필요가 없다고 인정한 때에는 그 인치한 때로부터 24시간 내에 석방하여야 한다.
② 구속영장 발부에 의하여 적법하게 구금된 피의자가 피의자신문을 위한 출석요구에 응하지 아니하면서 수사기관 조사실에 출석을 거부할 경우, 수사기관은 구속영장의 효력에 의하여 피의자를 조사실로 구인할 수 있다.
③ 구속영장을 소지하지 아니한 경우에 급속을 요하는 때에는 피의자에 대하여 피의사실의 요지와 구속영장이 발부되었음을 알리고 집행할 수 있으며, 이 경우 집행을 완료한 후에는 신속히 구속영장을 제시하여야 한다.
④ 구속기간이 만료될 무렵에 종전 구속영장에 기재된 범죄사실과 다른 범죄사실로 피의자를 구속하였다면, 피의자에 대한 구속은 예외 없이 위법하다.

| 해설 | ① 제69조, 제71조
② 대결 2013.7.1, 2013모160
③ 제85조 제3항·제4항, 제209조
④ 구속기간이 만료될 무렵에 종전 구속영장에 기재된 범죄사실과 다른 범죄사실로 피의자를 구속하였다는 사정만으로는 피고인에 대한 구속이 위법하다고 할 수 없다(대결 2000.11.10, 2000모134).

05 **구속에 관한 설명으로 옳지 않은 것은?**(다툼이 있는 경우 판례에 의함) 22. 소방간부

① 법원이 피고인의 절차적 권리를 실질적으로 보장하지 않은 채 구속영장을 발부하였다면 그 발부결정은 위법하다.
② 검사 또는 사법경찰관에 의하여 구속되었다가 석방된 자는 다른 중요한 증거를 발견한 경우를 제외하고는 동일한 범죄사실에 관하여 재차 구속하지 못하며, 이 경우 1개의 목적을 위하여 동시 또는 수단결과의 관계에서 행하여진 행위는 동일한 범죄사실로 간주한다.

Answer 3.② 4.④ 5.④

③ 피고인에 대한 구속기간은 2개월로 한다. 그럼에도 특히 구속을 계속할 필요가 있는 경우에는 심급마다 2개월 단위로 2차에 한하여 결정으로 갱신할 수 있다. 다만 상소심은 추가 심리가 필요한 부득이한 경우에 3차에 한하여 갱신할 수 있다.

④ 구속기간이 만료될 무렵에 종전 구속영장에 기재된 범죄사실과 다른 범죄사실로 피고인을 구속하는 경우에는 피고인의 절차적 권리를 실질적으로 침해하는 것이므로 피고인에 대한 구속은 위법하다.

⑤ 구속의 사유가 없거나 소멸된 때에는 법원은 직권 또는 검사, 피고인, 변호인과 변호인선임권자의 청구에 의하여 결정으로 구속을 취소하여야 한다.

| 해설 ① 대결 2016.6.14, 2015모1032
② 제208조 제1항 · 제2항
③ 제92조 제1항 · 제2항
④ 구속기간이 만료될 무렵에 종전 구속영장에 기재된 범죄사실과 다른 범죄사실로 피의자를 구속하였다는 사정만으로는 피고인에 대한 구속이 위법하다고 할 수 없다(대결 2000.11.10, 2000모134).
⑤ 제93조

06 구속에 대한 설명으로 가장 적절하지 않은 것은?(다툼이 있는 경우 판례에 의함) 22. 경찰간부

① 구속기간이 만료될 무렵에 종전 구속영장에 기재된 범죄사실과 다른 범죄사실로 새롭게 구속영장을 발부하여 피고인을 구속하였다는 사정만으로는 피고인에 대한 구속이 위법하다고 할 수 없다.

② 체포된 피의자에 대하여 피의자심문을 하는 경우 법원이 구속영장청구서 · 수사 관계 서류 및 증거물을 접수한 날부터 구속영장을 발부하여 검찰청에 반환한 날까지의 기간은 구속기간에 이를 산입하지 아니한다.

③ 사법경찰관이 구속영장을 반환하는 경우에는 그 영장을 청구한 검사에게 반환하고, 검사는 사법경찰관이 반환한 영장을 법원에 반환한다.

④ 검사 또는 사법경찰관은 피의자를 구속하였을 때에는 변호인이 있으면 변호인에게, 변호인이 없으면 변호인선임권자 가운데 피의자가 지정한 사람에게 24시간 이내에 서면 또는 구두의 방법으로 사건명, 체포 · 구속의 일시 · 장소, 범죄사실의 요지, 체포 · 구속의 이유와 변호인을 선임할 수 있음을 통지해야 한다.

| 해설 ① 대결 2000.11.10, 2000모134
② 제201조의 2 제7항
③ 수사준칙 제35조 제3항
④ 검사 또는 사법경찰관은 피의자를 구속하였을 때에는 변호인이 있으면 변호인에게, 변호인이 없으면 변호인선임권자 가운데 피의자가 지정한 사람에게 지체 없이(늦어도 24시간 이내) 서면으로 사건명, 체포 · 구속의 일시 · 장소, 범죄사실의 요지, 체포 · 구속의 이유와 변호인을 선임할 수 있음을 통지해야 한다(제87조, 제209조, 규칙 제51조, 수사준칙 제33조 제1항).

Answer 6. ④

07 **다음은 체포 · 구속에 관한 설명이다. ㉠부터 ㉤까지의 설명 중 옳고 그름의 표시(○, ×)가 모두 바르게 된 것은?**(다툼이 있는 경우 판례에 의함)

22. 순경 1차

㉠ 검사는 긴급체포한 피의자를 구속영장 청구 없이 석방한 경우에는 석방한 날로부터 30일 이내에 긴급체포서 사본과 함께 법정기재사항이 기재된 서면으로 법원에 통지하여야 하고, 만약 사후에 석방통지가 법에 따라 이루어지지 않은 사정이 있다면 그와 같은 사정만으로도 긴급체포 중에 작성된 피의자신문조서의 증거능력은 소급하여 부정된다.

㉡ 구속영장 발부에 의하여 적법하게 구금된 피의자가 피의자 신문을 위한 출석요구에 응하지 아니하면서 수사기관 조사실에 출석을 거부한다면 수사기관은 그 구속영장의 효력에 의하여 피의자를 조사실로 구인할 수 있는데, 이 경우 피의자신문절차도 강제수사의 한 방법으로 진행되어야 하므로 수사기관은 피의자를 신문하기 전에 진술거부권이 있음을 고지하여야 한다.

㉢ 검사의 구속영장 청구 전 피의자 대면조사는 강제수사가 아니므로 피의자는 검사의 출석 요구에 응할 의무가 없다.

㉣ 영장실질심사는 필요적 변호사건이므로 심문할 피의자에게 변호인이 없는 때에는 지방법원판사는 직권으로 변호인을 선정하여야 한다. 이 경우 변호인 선정의 효력은 구속영장 청구가 기각된 경우에도 제1심까지 효력이 있다.

㉤ 공동피의자의 순차적인 체포 · 구속적부심사청구가 수사방해를 목적으로 하고 있음이 명백한 때에는 법원은 피의자에 대한 심문 없이 결정으로 청구를 기각할 수 있으며, 이와 같은 결정에 대해서는 피의자가 항고할 수 없다.

① ㉠(○), ㉡(○), ㉢(×), ㉣(○), ㉤(×)
② ㉠(○), ㉡(×), ㉢(○), ㉣(○), ㉤(×)
③ ㉠(×), ㉡(○), ㉢(○), ㉣(×), ㉤(○)
④ ㉠(×), ㉡(×), ㉢(○), ㉣(×), ㉤(○)

| 해설 ㉠ × : 검사는 긴급체포한 피의자를 구속영장 청구 없이 석방한 경우에는 석방한 날로부터 30일 이내에 법원에 석방통지를 하지 않았더라도 긴급체포 당시의 상황과 경위, 긴급체포 후 조사 과정 등에 특별한 위법이 있다고 볼 수 없는 이상, 단지 사후에 석방통지가 법에 따라 이루어지지 않았다는 사정만으로 그 긴급체포에 의한 유치 중에 작성된 피의자신문조서들의 작성이 소급하여 위법하게 된다고 볼 수는 없다(대판 2014.8.26, 2011도6035).

㉡ × : 구속영장 발부에 의하여 적법하게 구금된 피의자가 피의자 신문을 위한 출석요구에 응하지 아니하면서 수사기관 조사실에 출석을 거부한다면 수사기관은 그 구속영장의 효력에 의하여 피의자를 조사실로 구인할 수 있다. 다만, 이러한 경우에도 피의자신문절차는 임의수사의 한 방법으로 진행되어야 하므로, 피의자는 일체의 진술을 하지 아니하거나 개개의 질문에 대하여 진술을 거부할 수 있고, 수사기관은 피의자를 신문하기 전에 진술거부권이 있음을 고지하여야 한다(대결 2013.7.1, 2013모160).

㉢ ○ : 대판 2010.10.28, 2008도11999

㉣ × : 변호인 선정의 효력은 구속영장 청구가 기각되어 효력이 소멸하는 경우를 제외하고는 제1심까지 효력이 있다(제201조의 2 제3항 · 제8항).

㉤ ○ : 제214조의 2 제3항 · 제8항

Answer 7. ④

08 구속에 대한 설명으로 가장 적절하지 않은 것은?(다툼이 있는 경우 판례에 의함) 23. 경찰승진

① 구속기간이 만료될 무렵에 종전 구속영장에 기재된 범죄사실과 다른 범죄사실로 피고인을 구속하였다는 사정만으로는 피고인에 대한 구속이 위법하다고 할 수 없다.

② 구속의 사유가 없거나 소멸된 때에는 법원은 직권 또는 검사, 피고인, 변호인과 형사소송법 제30조 제2항에 규정된 자의 청구에 의하여 결정으로 구속을 취소하여야 한다.

③ 구속영장 발부에 의하여 적법하게 구금된 피의자가 피의자신문을 위한 출석요구에 응하지 아니하면서 수사기관 조사실에 출석을 거부한다면 수사기관은 그 구속영장의 효력에 의하여 피의자를 조사실로 구인할 수 있으며, 이에 따른 피의자신문의 절차도 강제수사의 한 방법으로 진행되지 않을 수 없으므로 이 경우 피의자는 수사기관의 질문에 대하여 진술을 거부할 수 없다.

④ 법원은 상당한 이유가 있는 때에는 결정으로 구속된 피고인을 친족·보호단체 기타 적당한 자에게 부탁하거나 피고인의 주거를 제한하여 구속의 집행을 정지할 수 있으며, 이때 급속을 요하는 경우를 제외하고는 검사의 의견을 물어야 한다.

| 해설 ① 대결 2000.11.10, 2000모134
② 제93조
③ 구속영장 발부에 의하여 적법하게 구금된 피의자가 피의자신문을 위한 출석요구에 응하지 아니하면서 수사기관 조사실에 출석을 거부한다면 수사기관은 그 구속영장의 효력에 의하여 피의자를 조사실로 구인할 수 있다고 보아야 한다. 다만, 이러한 경우에도 그 피의자신문 절차는 어디까지나 임의수사의 한 방법으로 진행되어야 하므로, 피의자는 일체의 진술을 하지 아니하거나 개개의 질문에 대하여 진술을 거부할 수 있고, 수사기관은 피의자를 신문하기 전에 그와 같은 권리를 알려주어야 한다(대결 2013.7.1, 2013모160).
④ 제101조 제1항·제2항

09 구속에 관한 설명으로 옳고 그름의 표시(○, ×)가 바르게 된 것은?(다툼이 있는 경우 판례에 의함) 24. 경찰간부

㉠ 수사기관의 청구에 의하여 발부하는 구속영장은 허가장으로서의 성질을 가지며, 법원이 직권으로 발부하는 영장은 명령장으로서의 성질을 가진다.

㉡ 구속기간이 만료될 무렵에 종전 구속영장에 기재된 범죄사실과 다른 범죄사실로 다시 구속영장을 집행하는 것은 위법하다.

㉢ 적법하게 체포된 피의자에 대하여 구속영장을 청구받은 판사는 필요하다고 인정되는 때에는 지체 없이 영장실질심사를 위하여 피의자를 심문할 수 있으며, 심문할 피의자에게 변호인이 없는 때에는 판사는 직권으로 변호인을 선정하여야 한다.

㉣ 구속 전 피의자심문을 하는 경우 법원이 구속영장청구서·수사관계 서류 및 증거물을 접수한 날부터 구속영장을 발부하여 검찰청에 반환한 날까지의 기간은 사법경찰관 및 검사의 피의자 구속기간에 산입하지 아니한다.

㉤ 피의자에 대한 심문절차는 공개하지 아니하지만, 판사는 상당하다고 인정하는 경우에는 일반인의 방청을 허가할 수 있다.

Answer 8.③ 9.④

① ㉠(×), ㉡(×), ㉢(○), ㉣(×), ㉤(×)
② ㉠(○), ㉡(×), ㉢(○), ㉣(○), ㉤(○)
③ ㉠(○), ㉡(○), ㉢(×), ㉣(○), ㉤(○)
④ ㉠(○), ㉡(×), ㉢(×), ㉣(○), ㉤(×)

| 해설 ㉠ ○ : 헌재결 1997.3.27, 96헌바28
㉡ × : 구속기간이 만료될 무렵에 종전 구속영장에 기재된 범죄사실과 다른 범죄사실로 피고인을 구속하였다는 사정만으로는 피고인에 대한 구속이 위법하다고 할 수 없다(대결 2000.11.10, 2000모134).
㉢ × : 체포된 피의자에 대하여 구속영장을 청구받은 판사는 지체 없이 피의자를 심문하여야 한다(제201조의 2 제1항).
㉣ ○ : 제201조의 2 제7항
㉤ × : 피의자에 대한 심문절차는 공개하지 아니한다. 다만, 판사는 상당하다고 인정하는 경우에는 피의자의 친족, 피해자 등 이해관계인의 방청을 허가할 수 있다(규칙 제96조의 14).

10 **구속에 관한 설명으로 가장 적절하지 않은 것은?**(다툼이 있는 경우 판례에 의함) 24. 경찰승진

① 피고인이 구속된 경우에 변호인이 없는 때에는 법원은 직권으로 변호인을 선정하여야 하는데, 여기서 '피고인이 구속된 경우'란 피고인이 당해 형사사건에서 구속되어 재판을 받고 있는 경우 뿐만 아니라 피고인이 별건으로 구속되어 있거나 다른 형사 사건에서 유죄로 확정되어 수형 중인 경우도 이에 포함된다.
② 법관에 대한 기피신청이 있을 때에는 소송의 지연을 목적으로 함이 명백하거나 기피신청의 관할 규정에 위배된 경우를 제외하고는 소송진행을 정지하여야 하지만 급속을 요하는 경우에는 예외로 하고, 기피신청으로 소송진행이 정지되더라도 구속기간의 진행은 정지되지 아니한다.
③ 교도소에 구속된 자에 대한 공소장의 송달은 교도소장에게 송달하면 구속된 자에게 전달된 여부와 관계없이 효력이 생긴다.
④ 형집행정지 중에 있는 경우는 법률에 따라 구속 중인 경우에 해당한다고 볼 수 없다.

| 해설 ① 형사소송법 제33조 제1항 제1호의 '피고인이 구속된 때'라고 함은 피고인이 당해 형사사건에서 구속되어 재판을 받고 있는 경우를 의미하고, 피고인이 별건으로 구속되어 있거나 다른 형사사건에서 유죄로 확정되어 수형 중인 경우는 이에 해당하지 아니한다고 할 것이다(대판 2009.5.28, 2009도579).
② 대판 1990.6.8, 90도646
▶ 공판절차가 정지된 기간에도 구속기간은 진행된다는 종전의 규정하에서 나온 판례인데, 공판절차 정지기간은 구속기간에 산입되지 아니한다는 현행법(제92조 제3항)하에서는 기피신청으로 공판절차가 정지되면 구속기간의 진행도 정지되므로, 이제는 그 의미를 잃었다고 보아야 한다. 그러나 출제의 적절성 여부를 떠나 상대적으로 골라야 하는 객관식문제의 특성을 염두에 두면서 문제를 해결하여야 할 것으로 보인다.
③ 대결 1972.2.18, 72모3
④ 대판 1986.10.14, 86도588

Answer 10. ①

Ⅲ. 접견교통권

THEMA 53 접견교통권

의 의	접견교통권에는 두가지 측면이 내포되어 있다. 1. 접견교통권은 피고인 또는 피의자가 변호인·가족·친지 등 타인과 접견하고 서류 또는 물건을 수수하며, 의사의 진료를 받을 수 있는 권리를 말한다. ▶ 변호인과 상담하고 조언을 구할 권리는 변호인의 조력을 받을 권리(헌법 제12조 제4항) 그 자체에서 막바로 도출되는 것이다(헌재결 2004.9.23, 2000헌마138). 2. 변호인 또는 변호인이 되려는 자(변호인선임의뢰는 받았지만 아직 변호인선임신고가 되지 않은 자)도 신체구속을 당한 피고인이나 피의자와 접견하고 서류 또는 물건을 수수할 수 있으며 의사로 하여금 진료하게 할 수 있다(제34조). ▶ '변호인이 되려는 자'의 접견교통권은 피의자 등을 조력하기 위한 핵심적인 부분으로서, 피의자 등이 가지는 헌법상의 기본권인 '변호인이 되려는 자'와의 접견교통권과 표리의 관계에 있다. 따라서 피의자 등이 가지는 '변호인이 되려는 자'의 조력을 받을 권리가 실질적으로 확보되기 위해서는 '변호인이 되려는 자'의 접견교통권 역시 헌법상 기본권으로서 보장되어야 한다(헌재결 2019.2.28, 2015헌마1204). ▶ 변호인접견권에 대하여 형사소송법 제34조의 권리로 보았던 헌법재판소판례(헌재결 1991.7.8, 89헌마181)도 이제는 변경된 것으로 보아야 할 듯 싶다. ▶ 수형자에 대한 재심청구절차에는 적용 ×(대판 1998.4.28, 96다48831) ∴ 재심청구한 수형자의 접견제한 가능 09. 경찰승진
변호인과의 접견교통권	1. 주체와 상대방 : 피의자·피고인은 변호인과 접견할 권리가 있으며, 변호인은 피의자·피고인을 접견할 권리가 있다(접견교통권의 주체는 불구속피의자·피고인도 포함된다). ▶ 임의동행형식으로 연행된 피내사자 ⇨ 접견교통권 인정(대결 1996.6.3, 96모18) 11. 9급 국가직 2. 접견교통권의 보장 (1) 접견의 비밀보장 ① 변호인과의 자유로운 겹견은 신체구속을 당한 사람에게 보장된 변호인의 조력을 받을 권리의 가장 중요한 내용이어서 국가안전보장, 질서유지, 공공복리 등 어떠한 명분으로도 제한될 수 있는 성질의 것이 아니다(헌재결 1992.1.28, 91헌마111). 10. 경찰승진, 11. 9급 국가직, 17. 9급 법원직 ② 교도관이 참여하거나 대화를 감시하거나 그 내용을 청취해서도 안 된다. 16. 경찰간부, 17. 경찰승진·경찰간부 다만, 보이는 거리에서 감시하는 것은 가능하며, 구속장소의 질서유지를 위해 일요일이나 퇴근시간 등 일반적인 시간제한은 허용된다. 접견교통권이 즉시 허용되지 않는 경우도 접견교통권의 침해에 해당된다. 따라서 접견교통의 지연은 접견교통의 불허처분과 동일하다(판례). 수사 중이라는 이유로 변호인의 접견교통을 지연시켰다가 일정시간 경과 후에 허용하는 것도 변호인의 접견교통권의 제한으로 볼 수 있다.

	③ 헌법재판소가 91헌마111 결정에서 미결수용자와 변호인과의 접견에 대해 어떠한 명분으로도 제한할 수 없다고 한 것은 구속된 자와 변호인 간의 접견이 실제로 이루어지는 경우에 있어서의 '자유로운 접견', 즉 '대화내용에 대하여 비밀이 완전히 보장되고 어떠한 제한, 영향, 압력 또는 부당한 간섭 없이 자유롭게 대화할 수 있는 접견'을 제한할 수 없다는 것이지, 변호인과의 접견 자체에 대해 아무런 제한도 가할 수 없다는 것을 의미하는 것이 아니므로 미결수용자의 변호인 접견권 역시 국가안전보장·질서유지 또는 공공복리를 위해 필요한 경우에는 법률로써 제한될 수 있음은 당연하다(헌재결 2011.5.26, 2009헌마341). ▶ 미결수용자의 변호인 접견권은 국가안전보장·질서유지 또는 공공복리를 위해 필요한 경우 법률로써 제한될 수 있다. (○) ▶ '대화의 비밀'은 국가안전보장, 질서유지, 공공복리 등 어떠한 명분으로도 제한할 수 있는 성질은 아니나, 그 밖의 변호인과의 접견은 필요한 경우 법률로 제한할 수 있다. ④ 형사소송법 제34조가 규정한 변호인의 접견교통권은 신체구속을 당한 피고인이나 피의자의 인권보장과 방어준비를 위하여 필수불가결한 권리이므로, 법령에 의한 제한이 없는 한 수사기관의 처분은 물론, 법원의 결정으로도 이를 제한할 수 없는 것이다(대결 1990.2.13, 89모37). (2) 서류 또는 물건의 수수 : 피의자나 피고인이 변호인으로부터 수수한 서류나 우편물에 대해서는 이를 압수하거나 검열하는 것이 허용되지 않는다. 그러나 구금장소의 안전관계상 위험한 물건 등의 포함 여부를 확인하기 위한 정도의 검열과 수수금지는 허용된다. (3) 의사의 진료 : 변호인 또는 변호인이 되려는 자는 의사로 하여금 구속된 피의자·피고인을 진료하게 할 수 있다. 이는 인도적인 견지에서 요청되는 것이므로 원칙적으로 제한이 인정되지 않는다.
비변호인과의 접견교통권	1. 원칙적 보장 : 체포 또는 구속된 피의자 또는 피고인은 법률의 범위 내에서 타인과 접견하고, 서류 또는 물건을 수수하며, 의사의 진료를 받을 수 있다(제89조, 제200조의 6, 제209조). 2. 제한 : 비변호인과의 접견교통권은 법률(제89조)이나 법원(제91조) 또는 수사기관의 결정(다수설)에 의하여 제한할 수 있다. 11. 경찰승진, 17. 9급 법원직 ▶ 전면적·개별적, 조건부·기한부 금지도 가능, 다만 의류·양식·의료품의 수수를 금지하거나 압수하는 것은 허용되지 아니한다(제91조 단서). 11. 9급 국가직, 08·11·12. 경찰승진
접견교통권 침해에 대한 구제	1. 항고·준항고 : 법원의 접견교통권 제한결정에 대하여 불복이 있는 때에는 보통항고를 할 수 있고(제402조), 검사 또는 사법경찰관의 접견교통권의 제한은 구금에 대한 처분이므로 준항고에 의하여 취소 또는 변경을 청구할 수 있다(제417조). ▶ 구금시설의 직원(예 교도소장)에 의해 접견교통권이 침해된 경우에는 항고나 준항고가 불가능하므로 행정심판, 행정소송, 헌법소원 및 국가배상 등의 방법으로 구제받을 수 있다. 2. 증거능력의 배제

01 **변호인의 조력을 받을 권리에 대한 설명으로 가장 적절하지 않은 것은?**(다툼이 있는 경우 판례에 의함) 19. 순경 2차

① 형사소송법 제34조에 의한 변호인의 접견교통권은 법령에 의한 제한이 없는 한 수사기관의 처분은 물론 법원의 결정으로도 이를 제한할 수 없다.

② 헌법상 변호인의 조력을 받을 권리에 대한 보장은 국선변호인의 선정에만 그치는 것이고, 중립적 지위에서 형사재판을 담당하여야 하는 법원에 피고인을 위한 전면적인 후견적 조치를 요구하거나 그에 기하여 국선변호인에 대하여 구체적으로 특정한 변호활동을 하게 할 것까지 요구할 수는 없다.

③ 피의자에게 수인의 변호인이 있는 경우 검사는 피의자 또는 변호인의 신청이 없더라도 직권으로 대표변호인을 지정할 수 있다.

④ 판결내용 자체가 아니고, 다만 구속 등 소송절차가 법령에 위반된 경우에는, 그로 인하여 피고인의 방어권이나 변호인의 조력을 받을 권리가 본질적으로 침해되고 판결의 정당성마저 인정하기 어렵다고 보이는 정도에 이르지 않는 한, 그것 자체만으로는 판결에 영향을 미친 위법이라고 할 수 없다.

| 해설 | ① 대결 1990.2.13, 89모37

② 헌법상 보장되는 '변호인의 조력을 받을 권리'는 변호인의 '충분한 조력'을 받을 권리를 의미하므로, 일정한 경우 피고인에게 국선변호인의 조력을 받을 권리를 보장하여야 할 국가의 의무에는 형사소송절차에서 단순히 국선변호인을 선정하여 주는 데 그치지 않고 한 걸음 더 나아가 피고인이 국선변호인의 실질적인 조력을 받을 수 있도록 필요한 업무 감독과 절차적 조치를 취할 책무까지 포함된다고 할 것이다(대결 2012.2.16, 2009모1044 전원합의체).

③ 제32조의 2 제5항

④ 대판 2019.2.28, 2018도19034

02 **변호인의 조력을 받을 권리에 관한 설명 중 가장 적절하지 않은 것은?**(다툼이 있는 경우 판례에 의함) 20. 경찰승진

① 변호인의 조력을 받을 권리는 불구속 피의자・피고인 모두에게 포괄적으로 인정되는 권리이므로 신체 구속상태에 있지 아니한 자도 변호인의 조력을 받을 권리의 주체가 될 수 있다.

② 변호인이 되려는 의사를 표시한 자가 객관적으로 변호인이 될 가능성이 있다고 인정되는데도, 형사소송법 제34조에서 정한 '변호인 또는 변호인이 되려는 자'가 아니라고 보아 신체구속을 당한 피고인 또는 피의자와 접견하지 못하도록 제한하여서는 아니 된다.

③ 구치소장이 형의 집행 및 수용자의 처우에 관한 법률 및 그 시행규칙의 규정에 따라 변호인 접견실에 영상녹화, 음성수신, 확대기능 등이 없는 CCTV를 설치하여 미결수용자와 변호인간의 접견을 관찰하였다 하더라도 이를 통해 대화내용을 알게 되는 것이 불가능하였다면 변호인의 조력을 받을 권리를 침해한 것이라고 할 수 없다.

Answer 1.② 2.④

④ 교도관이 변호인 접견이 종료된 뒤 변호인과 미결수용자가 지켜보는 가운데 미결수용자와 변호인 간에 주고받는 서류를 확인하여 그 제목을 소송관계처리부에 기재하여 등재한 행위는 이를 통해 내용에 대한 검열이 이루어질 수 없었다 하더라도 침해의 최소성 요건을 갖추지 못하였으므로 변호인의 조력을 받을 권리를 침해한다.

| 해설 ① 헌재결 2004.9.23, 2000헌마138
② 대판 2017.3.9, 2013도16162
③ 헌재결 2016.4.28, 2015헌마243
④ 교도관이 수용자의 접견, 서신수수, 전화통화 등의 과정에서 수용자의 처우에 특히 참고할 사항을 알게 된 경우에 그 요지를 수용기록부에 기록하는 행위는 형집행법 제43조 제3항과 제8항에 근거를 두고 있는 것으로, 서류확인 및 등재는 변호인 접견이 종료된 뒤 이루어지고, 변호인과 미결수용자가 지켜보는 가운데 서류를 확인하여 그 제목 등을 소송관계처리부에 기재하여 등재하는 행위는 그 내용에 대한 검열이라 할 수 없을뿐 아니라 침해의 최소성 요건을 갖추었고, 법익의 균형성도 갖추었으므로, 서류 확인 및 등재행위는 변호인의 조력을 받을 권리를 침해한다고 할 수 없다(헌재결 2016.4.28, 2015헌마243).

03 접견교통권에 관한 설명 중 가장 적절한 것은?(다툼이 있는 경우 판례에 의함)

① 구속피의자의 비변호인과의 접견금지는 개별적 금지만 가능하고, 전면적 금지는 허용되지 않는다.
② 미결수용자가 변호인과 접견교통할 때 교도관은 보이는 거리에서 수용자를 감시하거나 접견에 참여하여 그 내용을 청취 또는 녹취할 수 있다.
③ 검사 또는 사법경찰관의 변호인의 접견 등 구금에 관한 처분이 위법한 것이라는 사실만으로는 그와 같은 위법이 판결에 영향을 미친것이 아닌 한 독립한 상소이유가 될 수 없다.
④ 구금시설의 직원(예 교도소장)에 의해 접견교통권이 침해된 경우에는 항고나 준항고가 가능하다.

| 해설 ① 전면적 · 개별적, 조건부 · 기한부 금지도 가능하나, 다만 의류 · 양식 · 의료품의 수수를 금지하거나 압수하는 것은 허용되지 아니한다(제91조 단서).
② 교도관은 내용을 청취 또는 녹취할 수는 없으나(형의 집행 및 수용자의 처우에 관한 법률 제84조 제1항 본문), 보이는 거리에서 감시는 할 수 있다(동조 제1항 단서).
③ 제403조 제1항, 제361조의 5, 제383조 참조
④ 법원의 접견교통권 제한결정에 대하여 불복이 있는 때에는 보통항고를 할 수 있고(제402조), 검사 또는 사법경찰관의 접견교통권의 제한은 구금에 대한 처분이므로 준항고에 의하여 구제받을 수 있으나(제417조), 구금시설의 직원(예 교도소장)에 의해 접견교통권이 침해된 경우에는 항고나 준항고가 불가능하므로 행정심판, 행정소송, 헌법소원 및 국가배상 등의 방법으로 구제받을 수 있다.

Answer 3. ③

04 다음 중 헌법상 보장된 권리에 해당하는 것은 모두 몇 개인가?(판례에 의함)

> ㉠ 구속된 피의자 또는 피고인이 갖는 변호인과의 접견교통권
> ㉡ 구속된 피의자 또는 피고인이 갖는 변호인 아닌 자와의 접견교통권
> ㉢ 미결수용자의 가족이 갖는 미결수용자와의 접견교통권
> ㉣ 변호인이 되려는 자가 갖는 구속된 피의자 또는 피고인과의 접견교통권

① 1개 ② 2개 ③ 3개 ④ 4개

해설 ㉠ ○ : 헌법 제12조 제4항을 근거로 한 헌법상 기본권으로 본다(헌재결 1992.1.28, 91헌마111).
㉡ ○ : 헌법에 규정이 없기 때문에 단순히 형사소송법상 권리(제89조, 제209조)로 볼 것인지 아니면 헌법상 기본권으로 볼 것인지에 대하여 문제가 된다. 헌법재판소는 헌법 제10조의 행복추구권에 포함되는 기본권의 하나인 일반적 행동자유권으로부터 나온다고 보고 있으며, 무죄추정의 원칙 규정인 헌법 제27조 제4항도 미결수용자의 교통접견권보장의 근거로 보고 있다(헌재결 2003.11.27, 2002헌마193).
㉢ ○ : 헌법 제10조가 보장하고 있는 인간으로서의 존엄과 가치 및 행복추구권 가운데 포함되는 헌법상의 기본권으로 보아야 할 것이다(헌재결 2003.11.27, 2002헌마193).
㉣ ○ : '변호인이 되려는 자'의 접견교통권은 피의자 등을 조력하기 위한 핵심적인 부분으로서, 피의자 등이 가지는 헌법상의 기본권인 '변호인이 되려는 자'와의 접견교통권과 표리의 관계에 있다. 따라서 피의자 등이 가지는 '변호인이 되려는 자'의 조력을 받을 권리가 실질적으로 확보되기 위해서는 '변호인이 되려는 자'의 접견교통권 역시 헌법상 기본권으로서 보장되어야 한다(헌재결 2019.2.28, 2015헌마1204).

05 접견교통권에 관한 설명으로 옳지 않은 것은?(다툼이 있는 경우 판례에 의함) 22. 소방간부

① 임의동행 형식으로 수사기관에 연행된 피의자 또는 피내사자에게는 변호인 또는 변호인이 되려는 자와 접견교통권이 인정된다.
② 신체구속을 당한 사람이 그 변호인을 자신의 범죄행위에 공범으로 가담시키려 하였다는 사정만으로 그 변호인의 신체구속을 당한 사람과의 접견교통을 금지하는 것은 정당화될 수 없다.
③ 변호인이 피의자에 대한 접견신청을 하였을 때 피의자가 변호인의 조력을 받을 권리의 의미와 범위를 정확히 이해하면서 이성적 판단에 따라 자발적으로 그 권리를 포기한 경우라도 피의자 등의 의사에 반하여 변호인의 접견이 강제될 수 있다.
④ 변호인의 조력을 받을 권리는 불구속 피의자 · 피고인 모두에게 포괄적으로 인정되는 권리이므로 신체 구속상태에 있지 아니한 자도 변호인의 조력을 받을 권리의 주체가 될 수 있다.
⑤ 변호인의 구속된 피고인과의 접견교통권에 관한 형사소송법 제34조는 형이 확정되어 집행 중에 있는 수형자에 대한 재심개시의 여부를 결정하는 재심청구절차에는 그대로 적용될 수 없다.

해설 ① 대결 1996.6.3, 96모18
② 대결 2007.1.31, 2006모656

Answer 4. ④ 5. ③

③ 변호인의 접견교통권은 피의자 등이 변호인의 조력을 받을 권리를 실현하기 위한 것으로서, 피의자 등이 헌법 제12조 제4항에서 보장한 기본권의 의미와 범위를 정확히 이해하면서도 이성적 판단에 따라 자발적으로 그 권리를 포기한 경우까지 피의자 등의 의사에 반하여 변호인의 접견이 강제될 수 있는 것은 아니다(대판 2018.12.27, 2016다266736).
④ 헌재결 2004.9.23, 2000헌마138
⑤ 대판 1998.4.28, 96다48831

06 접견교통권과 관련한 다음 설명 중 틀린 것은 모두 몇 개인가?(다툼이 있으면 판례에 의함)

㉠ 헌법 제12조 제4항 본문에 규정된 변호인의 조력을 받을 권리는 행정절차에서 구속을 당한 사람에게는 적용되지 아니한다.
㉡ 파업투쟁으로 인한 대량 연행자 발생시 '신속한 변호사 접견이 이루어질 수 있도록 적절한 조치를 취해 줄 것을 부탁한다.'는 내용의 공문을 노동조합으로부터 받은 변호사라는 사정만으로는 형사소송법 제34조에서 정한 접견교통권이 인정되지 아니한다.
㉢ 수용자에 대한 접견신청에 대한 허가 여부 결정 주체는 교도소장·구치소장 또는 그 위임을 받은 교도관이며, 피의자신문 도중에 변호인접견신청이 있는 경우에 그 허가 여부를 결정할 주체는 검사 또는 사법경찰관이다.
㉣ 수용자 접견시간 조항(형의 집행 및 수용자의 처우에 관한 법률 시행령 제58조 제1항)은 수용자의 접견을 '국가공무원 복무규정'에 따른 근무시간 내로 한정함으로써 피의자와 변호인 등의 접견교통을 제한하고 있는데, 위 조항은 형사소송법 제243조의 2 제1항에 따라 검사 또는 사법경찰관이 그 허가 여부를 결정하는 피의자신문 중 변호인 등의 접견신청의 경우에도 적용된다.
㉤ 변호인이 되려는 자의 접견교통권도 헌법상 기본권으로 보장되어야 한다.
㉥ 접견교통권의 주체는 체포·구속을 당한 피의자이고, 신체 구속상태에 있지 않은 피의자는 포함되지 않는다.
㉦ 국가정보원 사법경찰관이 경찰서 유치장에 구금되어 있던 피의자에 대하여 의사의 진료를 받게 할 것을 신청한 변호인에게 국가정보원이 추천하는 의사의 참여를 요구한 것은 변호인의 수진권을 침해하는 위법한 처분에 해당한다.

① 2개 ② 3개 ③ 4개 ④ 5개

| 해설 | ㉠ ×: 헌법 제12조 제4항 본문에 규정된 변호인의 조력을 받을 권리는 행정절차에서 구속을 당한 사람에게도 보장된다(헌재결 2018.5.31, 2014헌마346).
㉡ ×: 파업투쟁으로 인한 대량 연행자 발생시 '신속한 변호사 접견이 이루어질 수 있도록 적절한 조치를 취해 줄 것을 부탁한다.'는 내용의 공문을 노동조합으로부터 받은 변호사는 형사소송법 제34조에서 정한 접견교통권이 인정된다(대판 2017.3.9, 2013도16162).
㉢ ○: 헌재결 2019.2.28, 2015헌마1204
㉣ ×: 수용자 접견시간 조항(형의 집행 및 수용자의 처우에 관한 법률 시행령 제58조 제1항)은 수용자의 접견을 '국가공무원 복무규정'에 따른 근무시간 내로 한정함으로써 피의자와 변호인 등의 접견교통을 제한하고 있는데, 위 조항은 교도소장·구치소장이 그 허가 여부를 결정하는 변호인 등의 접견신청의 경우에 적용되는 조항으로서, 형사소송법 제243조의 2 제1항에 따라 검사 또는 사법경찰관이 그 허가 여부를 결정하는 피의자신문 중 변호인 등의 접견신청의 경우에는 적용된다고 볼 수 없다(헌재결 2019.2.28, 2015헌마1204).

Answer 6. ④

ⓜ ○ : 헌재결 2019.2.28, 2015헌마1204
ⓗ × : 신체구속 상태에 있지 않은 피의자도 당연히 접견교통권의 주체가 될 수 있다(헌재결 2004.9.23, 2000헌마138).
ⓢ × : 국가정보원 사법경찰관이 경찰서 유치장에 구금되어 있던 피의자에 대하여 의사의 진료를 받게 할 것을 신청한 변호인에게 국가정보원이 추천하는 의사의 참여를 요구한 것은 행형법시행령 제176조의 규정(현, 형의 집행 및 수용자의 처우에 관한 법률 시행령 제106조)에 근거한 것으로서 적법하고, 이를 가리켜 변호인의 수진권을 침해하는 위법한 처분이라고 할 수는 없다(대결 2002.5.6, 2000모112).

07 변호인의 접견교통권에 관한 설명 중 가장 옳은 것은?(다툼이 있으면 판례에 의함)

① 검사의 비변호인과의 접견금지 결정으로 피고인들의 접견이 제한된 상황하에서 피의자신문조서가 작성되었다는 사실만으로 바로 그 조서가 임의성이 없는 것이라고는 볼 수 없다.
② 변호인이 피의자를 접견할 때 국가정보원 직원이 승낙 없이 사진촬영을 한 경우라도 접견교통권 침해에 해당하지 아니한다.
③ 체포 및 압수·수색현장에서 변호인의 체포영장 등사 요구를 거절한 경우라면 변호인의 조력을 받을 권리를 침해한 행위라고 보아야 한다.
④ 구치소장이 미결수용자의 변호인 접견을 공휴일(현충일)이라는 이유로 불허한 처분은 미결수용자의 변호인의 조력을 받을 권리를 침해한 것이다.

해설 ① 대판 1984.7.10, 84도846
② 변호인이 피의자를 접견할 때 국가정보원 직원이 승낙 없이 사진촬영을 한 것은 접견교통권 침해에 해당한다(대판 2003.1.10, 2002다56628).
③ 체포 및 압수·수색현장에서 변호인의 체포영장 등사 요구를 거절한 것만으로 변호인의 조력을 받을 권리를 침해한 행위라고 보기 어렵다(대판 2017.11.29, 2017도9747).
④ 구치소장이 미결수용자의 변호인 접견을 공휴일(현충일)이라는 이유로 불허한 처분은 미결수용자의 변호인의 조력을 받을 권리를 침해하지 않는다(헌재결 2011.5.26, 2009헌마341).

08 접견교통권에 대한 설명으로 가장 적절하지 않은 것은?(다툼이 있는 경우 판례에 의함)

23. 경찰승진

① 변호인의 접견교통 상대방인 신체구속을 당한 사람이 그 변호인을 자신의 범죄행위에 공범으로 가담시키려고 하였다는 등의 사정만으로 그 변호인의 신체구속을 당한 사람과의 접견교통을 금지하는 것이 정당화될 수는 없다.
② 변호인이 되려는 의사를 표시한 자가 객관적으로 변호인이 될 가능성이 있다고 인정되는데도, 형사소송법 제34조에서 정한 '변호인 또는 변호인이 되려는 자'가 아니라고 보아 신체구속을 당한 피고인 또는 피의자와 접견하지 못하도록 제한하여서는 아니 된다.
③ 형사소송법 제34조가 규정한 변호인의 접견교통권은 법령에 의한 제한이 없더라도 수사기관의 처분은 물론 법원의 결정으로도 제한할 수 있다.

Answer 7. ① 8. ③

④ 피의자가 변호인의 참여를 원한다는 의사를 명백하게 표시하였음에도 수사기관이 정당한 사유 없이 변호인을 참여하게 하지 아니한 채 피의자를 신문하여 작성한 피의자신문조서의 증거 능력은 없다.

| 해설 ① 대결 2007.1.31, 2006모656 ② 대판 2017.3.9, 2013도16162
③ 형사소송법 제34조가 규정한 변호인의 접견교통권은 신체구속을 당한 피고인이나 피의자의 인권보장과 방어준비를 위하여 필수불가결한 권리이므로, 법령에 의한 제한이 없는 한 수사기관의 처분은 물론, 법원의 결정으로도 이를 제한할 수 없는 것이다(대결 1990.2.13, 89모37).
④ 대판 2013.3.28, 2010도3359

09 변호인의 접견교통권에 관한 설명 중 옳은 것은 몇 개인가?(다툼이 있으면 판례에 의함)

㉠ 수사기관이 피의자신문에 앞서 피의자에게 고지하여야 할 사항에는 진술거부권과 함께 변호인을 피의자신문에 참여하게 하는 등 변호인의 조력을 받을 권리도 포함된다.
㉡ 변호인접견 전에 피의자신문조서가 작성되었다면 증거능력이 없다.
㉢ 필요적 변호사건의 공판절차가 사선변호인과 국선변호인이 모두 불출석한 채 개정되어 국선변호인 선정 취소 결정이 고지된 후 변호인 없이 피해자에 대한 증인신문 등 심리가 이루어진 경우, 그와 같은 위법한 공판절차에서 이루어진 피해자에 대한 증인신문 등 일체의 소송행위가 모두 무효라고 볼 수는 없다.
㉣ 공범관계에 있지 않은 공동피고인들에 대하여 선정된 동일한 국선변호인이 공동피고인들을 함께 변론한 것은 위법하다.
㉤ 피의자가 구속되어 국가안전기획부에서 조사를 받다가 변호인의 접견신청이 불허되어 이에 대한 준항고를 제기 중에 검찰로 송치되어 검사가 피의자를 신문하여 제1회 피의자신문조서를 작성한 후 준항고절차에서 위 접견불허처분이 취소되어 접견이 허용된 경우에는 검사의 피의자에 대한 위 제1회 피의자신문은 변호인의 접견교통을 침해한 상황에서 시행된 것이다.

① 1개　② 2개　③ 3개　④ 4개

| 해설 ㉠ ○ : 제244조의 3 제1항
㉡ × : 변호인접견 전에 작성되었다는 이유만으로 피의자신문조서의 증거능력이 없다고 볼 수는 없다(대판 1990.9.25, 90도1613).
㉢ × : 필요적 변호사건의 공판절차가 사선변호인과 국선변호인이 모두 불출석한 채 개정되어 국선변호인 선정 취소 결정이 고지된 후 변호인 없이 피해자에 대한 증인신문 등 심리가 이루어진 경우, 그와 같은 위법한 공판절차에서 이루어진 피해자에 대한 증인신문 등 일체의 소송행위는 모두 무효라고 할 것이다(대판 1999.4.23, 99도915).
㉣ × : 공범관계에 있지 않은 공동피고인들 사이에서도 공소사실의 기재 자체로 보아 어느 피고인에 대한 유리한 변론이 다른 피고인에 대하여는 불리한 결과를 초래하는 사건에서는 공동피고인들 사이에 이해가 상반된다고 할 것이어서, 그 공동피고인들에 대하여 선정된 동일한 국선변호인이 공동피고인들을 함께 변론한 경우에는 형사소송규칙 제15조 제2항에 위반된다(대판 2014.12.24, 2014도13797). 따라서 이해가 상반되지 아니할 때에는 그 수인의 피고인 또는 피의자를 위하여 동일한 국선변호인을 선정할 수 있다(규칙 제15조 제2항).
㉤ ○ : 대판 1990.9.25, 90도1586

Answer 9. ②

10 접견교통권에 관한 설명 중 가장 적절하지 않은 것은?(다툼이 있는 경우 판례에 의함)

23. 순경 1차 · 전의경 경채

① 변호인의 접견교통의 상대방인 신체구속을 당한 사람이 그 변호인을 자신의 범죄행위에 공범으로 가담시키려고 하였다는 등의 사정만으로 그 변호인의 신체구속을 당한 사람과의 접견교통을 금지하는 것이 정당화될 수는 없다.

② 형사소송법 제34조에 따르면 변호인 또는 변호인이 되려는 자는 신체구속을 당한 피고인 또는 피의자와 접견하고 서류 또는 물건을 수수할 수 있으며 의사로 하여금 진료하게 할 수 있으므로, 변호인이 되려는 의사를 표시한 자가 객관적으로 변호인이 될 가능성이 있다고 인정된다면, 신체구속을 당한 피고인 또는 피의자와 접견하지 못하도록 제한해서는 안 된다.

③ 변호인의 구속된 피고인 또는 피의자와의 접견교통권은 피고인 또는 피의자 자신이 가지는 변호인과의 접견교통권과는 성질을 달리하는 것으로서 헌법상 보장된 권리라고 할 수 없으므로, 수사기관의 처분 등에 의하여 이를 제한할 수 있으며 반드시 법령에 의하여서만 제한 가능한 것은 아니다.

④ 변호인의 조력을 받을 권리를 보장하는 목적은 피의자 또는 피고인의 방어권 행사를 보장하기 위한 것이므로, 변호인의 조력을 받을 기회가 충분히 보장되었다고 인정될 수 있는 경우에는 미결수용자 또는 변호인이 원하는 특정한 시점에 접견이 이루어지지 못하였다 하더라도 그것만으로 곧바로 변호인의 조력을 받을 권리가 침해되었다고 단정할 수는 없다.

| 해설 ① 대결 2007.1.31, 2006모656

② 대판 2017.3.9, 2013도16162

③ '변호인이 되려는 자'의 접견교통권은 피의자 등을 조력하기 위한 핵심적인 부분으로서, 피의자 등이 가지는 헌법상의 기본권인 '변호인이 되려는 자'와의 접견교통권과 표리의 관계에 있다. 따라서 피의자 등이 가지는 '변호인이 되려는 자'의 조력을 받을 권리가 실질적으로 확보되기 위해서는 '변호인이 되려는 자'의 접견교통권 역시 헌법상 기본권으로서 보장되어야 한다(헌재결 2019.2.28, 2015헌마1204). 따라서 변호인 접견권에 대하여 형사소송법 제34조의 권리로 보았던 헌법재판소판례(헌재결 1991.7.8, 89헌마181 ; 대결 2002.5.6, 2000모112)도 이제는 변경된 것으로 보아야 할 듯 싶다. 뿐만 아니라 형사소송법 제34조가 규정한 변호인의 접견교통권은 신체구속을 당한 피고인이나 피의자의 인권보장과 방어준비를 위하여 필수불가결한 권리이므로, 법령에 의한 제한이 없는 한 수사기관의 처분은 물론, 법원의 결정으로도 이를 제한할 수 없는 것이다(대결 1990.2.13, 89모37).

④ 헌재결 2011.5.26, 2009헌마341

Answer 10. ③

11 접견교통권에 관한 설명으로 가장 적절하지 않은 것은?(다툼이 있는 경우 판례에 의함)

24. 경찰승진

① 미결수용자가 가지는 변호인과의 접견교통권은 그와 표리 관계인 변호인의 접견교통권과 함께 헌법상 기본권으로 보장되고 있다.

② 미결수용자의 변호인이 교도관에게 변호인 접견을 신청하는 경우 미결수용자의 형사사건에 관하여 변호인이 실제 변호를 할 의사가 있는지 여부는 교도관의 심사대상이 된다.

③ 임의동행의 형식으로 수사기관에 연행된 피의자에게도 변호인 또는 변호인이 되려는 자와의 접견교통권은 당연히 인정되고, 이는 임의동행의 형식으로 연행된 피혐의자의 경우에도 마찬가지이다.

④ 변호인의 접견교통권이 제한된 위법한 상태에서 얻어진 피의자의 자백은 그 증거능력을 부인하여 유죄의 증거에서 배제하여야 하며, 이러한 위법증거의 배제는 실질적이고 완전하게 증거에서 제외함을 뜻하는 것이다.

해설 ① 대판 2022.6.30, 2021도244

② 미결수용자의 변호인이 교도관에게 변호인 접견을 신청하는 경우 미결수용자의 형사사건에 관하여 변호인이 구체적으로 어떠한 변호 활동을 하는지, 실제 변호를 할 의사가 있는지 여부 등은 교도관의 심사대상이 되지 않는다. 따라서 이 사건 접견변호사들이 미결수용자의 개인적인 업무나 심부름을 위해 접견신청행위를 하였다는 이유만으로 교도관들에 대한 위계에 해당한다거나 그로 인해 교도관의 직무집행이 구체적이고 현실적으로 방해되었다고 볼 수 없다(대판 2022.6.30, 2021도244).

③ 대결 1996.6.3, 96모18

④ 대판 2007.12.13, 2007도7257

Answer 11. ②

Ⅳ. 체포·구속적부심사제도

THEMA 54 **체포 · 구속적부심사제도**

의의 · 연혁	1. 의의 : 체포 · 구속적부심사제도라 함은 수사기관에 의하여 체포되거나 구속된 피의자에 대하여 법원이 체포 · 구속의 적부를 심사하여 체포 또는 구속이 부적법하거나 부당한 경우에 피의자를 석방하는 제도를 말한다(제214조의 2 제1항). ▶ 사인(私人)에 의해 불법구금된 자 ⇨ 대상 × 2. 연혁 : 구속적부심사제도는 원래 영미법의 인신보호영장제도에서 유래, 우리나라는 1948년 미군정법령에 의하여 처음으로 도입. 그 후 체포적부심사까지 확대되었다.
심사청구	1. 청구권자 : 체포되거나 구속된 피의자, 그 피의자의 변호인 · 법정대리인 · 배우자 · 직계친족 · 형제자매 · 가족 · 동거인 · 고용주이다(제214조의 2 제1항). 10. 순경, 13. 경찰승진 · 9급 법원직 · 경찰간부, 13 · 14. 순경 2차, 10 · 15. 7급 국가직 ▶ 가족 · 동거인 · 고용주 ⇨ 체포 · 구속적부심사의 청구권자, 보석청구권자임에 주의! ▶ 체포 · 구속적부심사청구 후에 검사의 공소제기가 있어 피고인이 되었다고 하더라도 법원은 체포 · 구속적부심사를 계속하여야 한다(제214조의 2 제4항). ∴ 법원은 피고인에 대하여 적부심에 의한 석방결정 가능(피의자 ⇨ 청구권○, 피고인 ⇨ 청구권 ×, 대상 ○) ▶ 피의자 ⇨ 절차존속요건이 아니라 절차개시요건이다. 05. 경찰승진 ▶ 구속적부심사청구 후에 피의자에 대하여 공소제기가 있어 피고인 신분을 갖게 되면 체포 · 구속적부심사청구는 효력을 잃게 되므로 피고인에 대하여 법원은 석방을 명할 수 없다. (×) 10. 7급 국가직, 11. 9급 법원직, 12. 순경 1차, 10 · 13. 9급 국가직, 13. 순경 2차, 14. 경찰간부 2. 청구사유 : 체포 또는 구속이 불법한 경우(예 영장발부가 위법)뿐만 아니라 부당한 경우, 즉 체포 · 구속이 불법은 아니지만 체포 · 구속을 계속할 필요성이 없는 경우(예 합의, 피해변상) ▶ 구속을 계속할 필요가 있는가의 판단기준 ⇨ 심사시를 기준으로 판단(체포 · 구속시 ×) 3. 청구대상 : 적부심청구의 대상범죄는 제한이 없다. 4. 청구방법 : 체포 · 구속적부심사의 청구는 피의사건 관할법원에 하여야 한다. 5. 서류열람 ① 체포 · 구속적부심사를 청구한 피의자의 변호인은 법원에 제출된 구속영장청구서 및 그에 첨부된 고소 · 고발장, 피의자의 진술을 기재한 서류와 피의자가 제출한 서류를 열람할 수 있다(규칙 제104조의 2, 규칙 제96조의 21 제1항). ▶ 서류열람 가능(등사 ×) ▶ 구속적부심사 사건에서 구속된 피의자의 변호인에게 경찰서 수사기록 중 고소장과 피의자신문조서에 대한 열람 · 등사 허용(헌재결 2003.3.27, 2000헌마474) 10. 7급 국가직, 09 · 11 · 14 · 15. 경찰승진, 16. 순경 1차 ② 검사는 증거인멸 또는 피의자나 공범 관계에 있는 자가 도망할 염려가 있는 등 수사에 방해가 될 염려가 있는 때에는 법원에 서류(구속영장 청구서는 제외)의 열람 제한에 관한 의견을 제출할 수 있고, 법원은 검사의 의견이 상당하다고 인정하는 때에는 제1항에 규정된 서류의 전부 또는 일부의 열람을 제한할 수 있다(동조 제2항).

법원의 심사	1. 심사법원 : 지방법원합의부 또는 단독판사가 심사한다. 체포영장 또는 구속영장을 발부한 판사는 심사에 관여하지 못한다. 12. 9급 법원직, 11 · 13. 경찰승진 다만, 체포영장이나 구속영장을 발부한 법관 외에는 심문 · 조사 · 결정을 할 판사가 없는 경우에는 그러하지 아니하다(제214조의 2 제12항). 01. 순경, 03. 행시 2. 피의자심문 및 수사관계서류 등의 조사 ① 법원은 청구서가 접수된 때로부터 48시간 이내에 피의자를 심문하고 수사관계서류와 증거물을 조사한다(제214조의 2 제4항). 09. 9급 국가직, 13. 경찰간부, 14. 경찰승진, 14 · 15. 순경 2차, 15. 순경 1차 ② 체포 · 구속적부심사의 청구를 받은 법원은 지체 없이 청구인, 변호인, 검사 및 피의자를 구금하고 있는 관서의 장에게 심문기일과 장소를 통지하여야 한다(규칙 제104조 제1항). 16. 경찰승진 ▶ 통지는 전화, 모사전송, 전자우편, 휴대전화, 문자전송 그 밖에 적당한 방법으로 할 수 있다(동조 제3항). ③ 사건을 수사 중인 검사 또는 사법경찰관은 수사관계서류와 증거물을 심문기일까지 법원에 제출해야 하고, 피의자를 구금하고 있는 관서의 장은 피의자를 출석시켜야 한다(규칙 제104조 제2항). ⇨ 피의자의 출석은 절차개시 요건 96. 9급 법원직 ④ 검사, 변호인, 체포 · 구속적부심사청구인은 관할법원의 심문기일에 출석하여 의견을 진술할 수 있다(제214조의 2 제9항). 심문기일에 출석한 검사 · 변호인 · 청구인은 법원의 심문이 끝난 후 의견을 진술(피의자심문 ×)할 수 있다. 다만, 필요한 경우 심문 도중에도 판사의 허가를 얻어 의견을 진술할 수 있다(규칙 제105조 제1항). 체포 또는 구속된 피의자, 변호인, 청구인은 피의자에게 유리한 자료를 낼 수 있다(동조 제3항). ⑤ 피의자에게 변호인이 없는 경우에 제33조의 사유에 해당하는 때에는 법원은 국선변호인을 선임하여야 한다(제214조의 2 제10항). 09 · 11. 경찰승진 ▶ 국선변호인의 출석도 절차개시의 요건이다. ⑥ 법원이 피의자를 심문하는 경우에 법원사무관 등은 심의요지 등을 조서로 작성하여야 한다(제214조의 2 제14항). ▶ 작성된 심문조조서는 법관면전조서이므로 형사소송법 제315조 제3호에 의거 당연히 증거능력이 인정된다(대판 2004.1.16, 2003도5693). 11. 9급 법원직, 11 · 13. 경찰승진, 14. 순경 1차, 17. 경찰간부
법원의 결정	1. 석방결정과 기각결정 ① 법원은 심사결과청구가 이유 있다고 인정되면 결정으로 피의자의 석방을 명하여야 한다(제214조의 2 제4항). ② 법원은 심사결과 청구가 이유 없다고 인정되면 결정으로 그 청구를 기각해야 한다(제214조의 2 제4항). ▶ 심문 없이 결정으로 청구를 기각할 수 있는 사유 ⇨ 청구권자 아닌 자가 청구하거나, 동일한 체포영장 또는 구속영장의 발부에 대하여 재청구한 때, 13. 9급 법원직 공범 또는 공동피의자의 순차청구가 수사방해의 목적임이 분명한 때 10. 7급 국가직, 14 · 16. 경찰승진(제214조의 2 제3항). ③ 체포 · 구속적부심사청구의 기각결정과 석방결정에 대하여는 항고할 수 없다(제214조의 2 제8항). 11 · 12 · 13. 9급 법원직, 13. 경찰간부 · 순경 2차, 10 · 14 · 15. 순경 1차, 09 · 10 · 11 · 16. 경찰승진

<table>
<tr><td></td><td>2. 피의자의 보석(보증금납입조건부 피의자석방)
① 법원은 구속된 피의자에 대하여 구속적부심사의 청구가 있는 경우 그에 대하여 출석을 보증할 만한 보증금의 납입을 조건으로 하여 결정으로 피의자의 석방을 명할 수 있다(제214조의 2 제5항). 이를 피의자보석제도라 한다.
▶ 심사청구 후 공소제기된 자에게도 피의자보석 가능
▶ 체포적부심사청구절차 ⇨ 피의자보석 × 10. 순경, 11. 9급 법원직, 13. 9급 국가직, 14. 경찰승진, 14. 순경 1차, 16. 변호사시험
▶ 피고인보석과의 차이점
• 보증금납입조건부 피의자석방제도 : 구속적부심사를 청구한 피의자만을 대상, 법원의 직권 · 재량보석이다(보석청구권 ×). 11. 9급 법원직, 13. 9급 교정 · 보호 · 철도경찰, 14. 7급 국가직, 15. 순경 1차
• 피고인보석 : 구속피고인 대상, 직권 또는 청구(자세한 내용은 피고인보석편 참조)
② 보석허가결정은 보석금을 납입한 후가 아니면 집행하지 못하며, 구속적부심사청구인 이외의 자에게 보증금의 납입을 허가할 수 있다. 13. 9급 법원직 법원은 유가증권 또는 피의자 이외의 자가 제출한 보증서로서 보증금에 갈음할 것을 허가할 수 있다(제214조의 2 제7항, 제100조).
③ 보증금의 몰수
㉠ 임의적 몰수 : 피의자보석으로 석방된 자의 재체포 · 재구속 사유에 의거 재차 구속하거나, 공소제기된 후 법원이 피의자보석의 규정에 의거 석방된 자를 동일한 범죄사실에 관하여 재차 구속할 경우에 법원은 직권 또는 검사의 청구에 의하여 결정으로 보증금의 전부 또는 일부를 몰수할 수 있다(제214조의 4 제1항).
㉡ 필요적 몰수 : 피의자보석의 규정에 의하여 석방된 자가 동일한 범죄사실에 관하여 형의 선고를 받아 그 판결이 확정된 후 집행하기 위한 소환을 받고 정당한 이유 없이 출석하지 아니하거나 도망한 때에는 법원은 직권 또는 검사의 청구에 의하여 결정으로 보석금의 전부 또는 일부를 몰수하여야 한다(제214조의 4 제2항).
④ 항고 : 보증금납입조건부 피의자 석방결정에 대하여 피의자나 검사는 항고가능(대결 1997.8.27, 97모21) 13. 경찰승진, 23. 순경 2차</td></tr>
<tr><td>재체포
및
재구속의
제한</td><td>1. 체포 · 구속적부심사(제214조의 3 제1항) 12. 교정특채, 13. 경찰승진 · 9급 교정 · 보호 · 철도경찰, 14. 순경 2차, 15. 순경 3차 · 7급 국가직, 14 · 16. 순경 1차
① 도망하거나
② 범죄의 증거를 인멸한 때
▶ 도망 또는 증거인멸 우려(×)
▶ 출석을 요구받고 정당한 이유 없이 출석하지 아니한 때(×)
2. 보증금납입조건부 피의자석방(제214조의 3 제2항) 09. 경찰승진
① 도망한 때
② 도망하거나 범죄의 증거를 인멸할 염려가 있다고 믿을 만한 충분한 이유가 있는 때
③ 출석을 요구받고 정당한 이유 없이 출석하지 아니한 때
④ 주거의 제한이나 그 밖에 법원이 정한 조건을 위반한 때</td></tr>
</table>

01 **체포 · 구속적부심사에 대한 설명으로 옳지 않은 것은?**(다툼이 있는 경우 판례에 의함)

19. 9급 검찰 · 마약수사

① 체포 · 구속적부심사의 청구권자(형사소송법 제214조의 2 제1항)는 변호인선임권자(형사소송법 제30조 제2항)보다 범위가 넓다.

② 구속적부심사절차와 달리 체포적부심사절차에서는 보증금납입조건부 피의자석방결정을 할 수 없다.

③ 구속적부심사청구에 대한 법원의 결정에는 기각결정과 석방결정, 보증금납입조건부 석방결정이 있으며, 검사와 피의자는 이와 같은 법원의 결정에 대해 항고할 수 없다.

④ 구속적부심문조서는 특히 신용할 만한 정황에 의하여 작성된 문서이므로 특별한 사정이 없는 한, 증거동의 여부와 상관없이 당연히 증거능력이 인정된다.

| 해설 ① 체포 · 구속적부심사의 청구권자는 체포 또는 구속된 피의자, 그 피의자의 변호인 · 법정대리인 · 배우자 · 직계친족 · 형제자매 · 가족 · 동거인 · 고용주이고(제214조의 2 제1항), 변호인선임권자는 피고인 또는 피의자의 법정대리인, 배우자, 직계친족과 형제자매이므로(제30조) 전자가 후자보다 범위가 더 넓다.

② 제214조의 2 제5항 참조, 대결 1997.8.27, 97모21

③ 체포 · 구속적부심사청구의 기각결정과 석방결정에 대하여는 항고할 수 없으나(제214조의 2 제8항), 보증금납입조건부 피의자 석방결정에 대하여는 피의자나 검사는 항고 가능(대결 1997.8.27, 97모21)

④ 대판 2004.1.16, 2003도5693

02 **체포 · 구속적부심사에 관한 설명 중 가장 적절하지 않은 것은?**(다툼이 있으면 판례에 의함)

① 법원은 체포 또는 구속된 피의자에 대한 심문이 종료된 때로부터 24시간 이내에 체포 · 구속적부심사청구에 대한 결정을 하여야 한다.

② 체포 · 구속적부심청구를 받은 법원은 청구된 날의 다음 날까지 심문하여야 한다.

③ 청구권자 아닌 자의 청구, 동일한 체포영장 또는 구속영장의 발부에 대한 재청구, 공범 또는 공동피의자의 순차청구가 수사방해 목적임이 분명한 때 등은 심문 없이 결정으로 구속적부심사 청구를 기각할 수 있는 사유이다.

④ 긴급체포 등 체포영장에 의하지 아니하고 체포된 피의자의 경우에도 체포 · 구속적부심사를 청구할 권리를 가진다.

| 해설 ① 규칙 제106조

② 청구서가 접수된 때로부터 48시간 이내에 체포 · 구속된 피의자를 심문하여야 한다(제214조의 2 제4항).

③ 제214조의 2 제3항

④ 제214조의 2 제1항

Answer 1. ③ 2. ②

03 체포 · 구속적부심사제도에 관한 내용으로 올바른 것은 모두 몇 개인가?

㉠ 심문기일에 피의자가 반드시 출석하여야 하는 것은 아니다.
㉡ 관할법원이란 영장을 발부한 법원임을 요하지 않는다.
㉢ 지방법원의 합의부 또는 단독판사가 심사를 행한다.
㉣ 구속적부심사절차에 관하여 '피의자'라는 청구인적격은 '절차개시요건'이 아니라 '존속요건'이다.
㉤ 피의자는 판사의 심문이 끝나기 전에는 변호인에게 조력을 구할 수 없다.
㉥ 구속적부심사와 구속취소의 객체는 같다.
㉦ 피의자가 구속적부심을 청구한 후 적부심 결정 전에 공소가 제기되더라도 청구인의 절차적 기회가 박탈되는 것은 아니나 보증금납입을 조건으로 피의자를 석방할 수는 없다.
㉧ 구속된 피의자가 구속적부심을 청구하자 검사가 공소제기를 한 경우 법원은 구속적부심사청구를 기각하여야 한다.

① 1개 ② 2개 ③ 3개 ④ 4개

| 해설 ㉠ × : 사건을 수사 중인 검사 또는 사법경찰관은 수사관계서류와 증거물을 심문기일까지 법원에 제출해야 하고, 피의자를 구금하고 있는 관서의 장은 피의자를 출석시켜야 한다(규칙 제104조 제2항). 즉, 피의자의 출석은 절차개시 요건이다.
㉡ ○ : 체포 · 구속적부심사청구권자는 피의사건의 관할법원에 체포 또는 구속의 적부심사를 청구하여야 한다(제214조의 2 제1항). 여기서 피의사건 관할법원은 반드시 영장을 발부한 법원임을 요하지 않는다.
㉢ ○ : 제214조의 2 제1항(그러나 원칙적으로 구속적부심사사건은 지방법원 합의부가 담당하며, 체포적부심사청구사건은 단독판사가 담당한다 : 보석 · 구속집행정지 및 적부심 등 사건의 처리에 관한 예규 제21조 참조).
㉣ × : 피의자만이 청구권자이다. 다만, 적부심청구 후 공소제기되어 피고인이 된 경우에 그 피고인도 적부심결정을 받을 수는 있다(제214조의 2 제4항).
㉤ × : 심문기일에 출석한 검사, 변호인, 청구인은 법원의 심문이 끝난 후 의견을 진술할 수 있고, 필요한 경우에는 심문 도중에 판사의 허가를 얻어 의견을 진술할 수 있으나(규칙 제105조 제1항), 변호인의 조력은 심문 도중에도 구할 수 있다(규칙 제105조 제2항).
㉥ × : 구속적부심사는 원칙적으로 피의자에 대하여만 허용되나 구속취소는 피의자 · 피고인 모두에게 허용된다.
㉦ × : 심사청구 후 공소제기된 피의자도 보증금납입을 조건으로 석방할 수 있다(제214조의 2 제5항).
㉧ × : 피의자만이 청구권자이나 적부심사 청구 후 공소제기되어 피고인이 된 경우에 그 피고인도 적부심결정을 받을 수 있다(제214조의 2 제4항).

04 보석금의 납입을 조건으로 석방된 피의자에 대하여 인정되는 재체포 및 재구속금지의 예외사유로 명시되지 않는 것은?

① 도망하거나 범죄의 증거를 인멸할 염려가 있다고 믿을 만한 충분한 이유가 있는 때
② 출석요구를 받고 정당한 이유 없이 출석하지 아니한 때
③ 주거의 제한이나 그 밖에 법원이 정한 조건을 위반한 때
④ 피해자의 생명에 해를 가하려 한 때

| 해설 ①②③은 재체포 · 재구속금지 예외사유이나(제214조의 3 제2항 참고), ④는 피의자보석 불허사유이다.

Answer 3. ② 4. ④

보석피의자 재체포 · 재구속사유(제214조의 3 제2항)
1. 도망한 때
2. 도망하거나 범죄의 증거를 인멸할 염려가 있다고 믿을 만한 충분한 이유가 있는 때
3. 출석요구를 받고 정당한 이유 없이 출석하지 아니한 때
4. 주거의 제한이나 그 밖에 법원이 정한 조건을 위반한 때

05 체포 · 구속적부심사에 관한 설명 중 가장 적절한 것은?(다툼이 있는 경우 판례에 의함)

20. 경찰승진

① 법원 또는 합의부원, 검사, 변호인, 청구인이 구속된 피의자를 심문하고 그에 대한 피의자의 진술 등을 기재한 구속적부심문조서는 특히 신용할 만한 정황에 의하여 작성된 문서라고 할 것이므로 특별한 사정이 없는 한, 피고인이 증거로 함에 부동의 하더라도 형사소송법 제315조 제3호에 의하여 당연히 그 증거능력이 인정된다.

② 체포의 적부심사는 구속의 적부심사와 달리 국선변호인에 관한 규정이 준용되지 않으므로 체포된 피의자가 심신장애의 의심이 있는 경우에도 법원은 원칙적으로 국선변호인을 선정하지 않고 심사를 진행할 수 있다.

③ 형사소송법 제214조의 2 제4항의 규정에 의한 체포 · 구속적부심사결정에 의하여 석방된 피의자는 법원의 출석요구를 받고 정당한 이유 없이 출석하지 아니하거나 주거의 제한 기타 법원이 정한 조건을 위반한 경우를 제외하고는 동일한 범죄사실에 관하여 재차 체포 또는 구속하지 못한다.

④ 법원은 체포된 피의자에 대하여 피의자의 출석을 보증할 만한 보증금의 납입을 조건으로 하여 결정으로 석방을 명할 수 있다.

| 해설 ① 대판 2004.1.16, 2003도5693
② 체포 · 구속의 적부심사는 모두 국선변호인에 관한 규정인 제33조를 준용한다(제214조의 2 제10항).
③ 체포 · 구속적부심사결정에 의하여 석방된 피의자가 도망하거나 죄증을 인멸하는 경우를 제외하고는 동일한 범죄사실로 재차 체포 · 구속하지 못한다(제214조의 3 제1항).
④ 보증금납입을 조건으로 하는 피의자보석의 대상은 구속적부심을 청구한 피의자만을 대상으로 하고 있고, 체포적부심을 청구한 피의자는 대상이 되지 아니한다(제214조의 2 제5항, 대결 1997.8.27, 97모21).

06 2005년 3월 11일 12시에 경찰로부터 검찰로 송치된 구속피의자에 대하여 동년 3월 16일 구속적부심사청구가 있었고, 다음 날 수사기록이 법원에 제출되어 3월 19일에 기각결정이 있었으며, 동년 3월 20일 수사기록을 검찰청에 반환하였을 경우 검사의 구속기간은 최대한 언제까지인가?

① 3월 20일 12시　　② 3월 23일 24시
③ 3월 24일 12시　　④ 3월 24일 24시

| 해설 법원이 수사관계서류와 증거물을 접수한 때로부터 결정 후 검찰청에 반환된 때까지의 기간은 수사기관의 체포제한기간, 구속제한기간에 산입하지 아니한다(제214조의 2 제13항). 따라서 검사의 구속기간의 만료시점은 17일부터 20일까지 4일을 제외한 3월 24일 24시가 된다.

Answer 5. ①　6. ④

07 **강도사건 피의자 甲은 2014. 4. 12. 09 : 00 체포영장이 발부되어 2014. 4. 13. 10 : 00 체포되었다. 이에 甲의 변호인은 체포 당일 체포적부심을 청구하였고, 2014. 4. 14. 11 : 00 수사 관계 서류와 증거물이 법원에 접수되어 청구기각결정 후 2014. 4. 15. 13 : 00 검찰청에 반환되었다. 이 때 검사가 甲에 대한 구속영장을 법원에 청구할 수 있는 일시는 (㉠)까지이고, 사법경찰관이 구속영장에 의해 甲을 구속한 후 사법경찰관이 구속할 수 있는 일시는 (㉡)까지이다. 괄호 안에 들어갈 일시로 옳은 것은?**

15. 9급 검찰 · 마약 · 교정 · 보호 · 철도경찰

	㉠	㉡
①	2014. 4. 15. 10 : 00	2014. 4. 22. 24 : 00
②	2014. 4. 16. 12 : 00	2014. 4. 22. 24 : 00
③	2014. 4. 16. 12 : 00	2014. 4. 24. 24 : 00
④	2014. 4. 16. 24 : 00	2014. 4. 24. 24 : 00

| 해설 체포한 피의자를 구속하고자 할 때에는 체포한 때부터 48시간 이내(2014. 4. 15. 10 : 00까지)에 구속영장을 청구하여야 하나(제200조의 2 제5항), 서류가 접수 후 반환할 때까지의 시간(2014. 4. 14. 11 : 00~2014. 4. 15. 13 : 00)은 48시간에 산입하지 않으므로(제214조의 2 제13항), 2014. 4. 16. 12 : 00까지 구속영장을 청구하여야 한다. 수사기관이 피의자를 구속할 수 있는 기간은 10일인데(제202조, 제203조), 피의자를 실제로 체포한 날로부터 기산한다(제203조의 2). 검사는 10일을 초과하지 아니하는 범위 내에서 1차에 한하여 구속기간 연장허가를 받을 수 있지만(제205조 제1항), 사법경찰관에게는 구속기간연장제도가 없으므로 사법경찰관은 2014. 4. 22. 24 : 00까지 피의자를 구속할 수 있으나, 서류가 접수되어 반환된 때까지의 일수인 14일과 15일은 구속기간에 산입하지 않으므로(제203조의 2), 결국 사법경찰관은 2014. 4. 24. 24 : 00까지 甲을 구속할 수 있다.

08 **체포와 구속에 대한 설명으로 옳은 것만을 모두 고르면?**(다툼이 있는 경우 판례에 의함)

20. 9급 검찰 · 마약수사

> ㉠ 구속영장에 구금장소로 기재된 특정 경찰서 유치장에 피의자가 구속집행되었다가 같은 날 조사차 별도의 특별수사기관에 인도된 후 위 영장기재 경찰서 유치장에 인도되지 않고 그 수사기관에 사실상 계속 구금되어 있었다면, 이러한 사실상 구금장소의 임의적 변경은 위법하다.
> ㉡ 체포적부심사절차에서는 체포된 피의자를 보증금 납입을 조건으로 석방할 수 있다.
> ㉢ 공범 또는 공동피의자의 구속적부심사 순차청구가 수사방해의 목적임이 명백하더라도 법원은 피의자에 대한 심문 없이 그 청구를 기각해서는 아니 된다.
> ㉣ 체포적부심사청구를 받은 법원이 그 청구가 이유 있다고 인정한 때에는 결정으로 체포된 피의자의 석방을 명하여야 하며, 이 검사는 이 결정에 대하여 항고하지 못한다.

① ㉠, ㉢　　② ㉠, ㉣　　③ ㉡, ㉢　　④ ㉡, ㉣

| 해설 ㉠ ○ : 대결 1996.5.15, 95모94
㉡ × : 체포적부심사절차에서는 체포된 피의자를 보증금 납입을 조건으로 석방할 수 없다(제214조의 2 제5항).
㉢ × : 공범 또는 공동피의자의 구속적부심사 순차청구가 수사방해의 목적임이 명백한 때 법원은 피의자에 대한 심문 없이 그 청구를 기각할 수 있다(제214조의 2 제3항 제2호).
㉣ ○ : 제214조의 2 제8항

Answer 7. ③　8. ②

09 **피의자나 피고인이 피해자의 생명 · 신체 · 재산에 해를 가할 염려가 있는 경우에 피해자보호를 위하여 현행 형사소송법에 여러 장치를 마련하고 있다. 그중 거리가 먼 것은?**

① 필요적 보석 제외사유
② 구속적부심사로 석방된 자의 재구속사유
③ 구속집행정지의 취소사유
④ 보증금납입조건부 피의자석방의 제외사유

| 해설 피고인(피의자)이 피해자 또는 그 친족, 당해사건의 재판에 필요한 사실을 알고 있다고 인정된 자 또는 그 친족의 생명이나 신체 · 재산에 해를 가하거나 가할 염려가 있다고 믿을 만한 충분한 이유가 있을 때에는 필요적 보석의 제외사유(제95조), 피의자보석불허사유(제214조의 2 제5항), 구속집행정지취소사유(제102조), 보석취소사유(제102조)가 규정되어 있다.
② 구속적부심사로 석방된 자의 재구속사유는 도망하거나 증거를 인멸하는 경우이다(제214조의 3 제1항).

10 **보증금납입조건부 피의자석방제도와 피고인보석제도에 관한 설명으로 옳지 않은 것은 모두 몇 개인가?**

> ㉠ 보증금납입조건부 피의자석방제도는 법원의 직권보석이며(피의자에게 보석청구권을 인정하지 않음) 보석 여부는 법원의 재량사항이므로 재량보석이다.
> ㉡ 피고인 보석취소제도는 보증금납입조건부 피의자석방제도에도 준용된다.
> ㉢ 피고인보석의 경우에 법원이 보석을 결정함에 있어 검사의 의견을 물어야 하는 것처럼, 피의자보석의 경우에도 검사의 의견을 물어야 한다.
> ㉣ 피의자보석은 보석금을 납입할 것을 조건으로만 허용되는 것은 아니며, 만일 보석금을 납입한 후 석방된 경우 보증금환부는 피고인보석의 경우와 동일하다.
> ㉤ 피의자보석으로 석방된 자가 동일한 범죄사실에 관하여 형의 선고를 받고 그 판결이 확정된 후, 집행하기 위한 소환을 받고 정당한 이유 없이 출석하지 아니하거나 도망한 때에는 보증금의 전부 또는 일부를 몰수할 수 있다.

① 1개 ② 2개 ③ 3개 ④ 4개

| 해설 ㉠ ○ : 보증금납입조건부 피의자석방제도는 법원의 직권보석이며(피의자에게 보석청구권을 인정하지 않음), 보석 여부는 법원의 재량사항이므로 재량보석이다.
㉡ × : 피고인보석에는 보석취소제도(제102조 제2항)가 있으나, 보증금납입조건부 피의자석방제도에는 취소제도가 없다.
㉢ × : 피고인보석의 경우에는 법원이 보석을 결정함에 있어 검사의 의견을 물어야 하나(제97조 제1항), 피의자보석의 경우에는 검사의 의견을 물을 필요가 없다.
㉣ × : 보증금납입조건부 피의자석방제도는 반드시 보석금 납입을 조건으로 하며, 피고인보석에는 보증금환부규정(제104조)이 있으나, 피의자보석의 경우에는 보증금환부 규정이 없다.
㉤ × : 법원의 직권 또는 검사의 청구에 의하여 결정으로 보증금의 전부 또는 일부를 몰수하여야 한다(제214조의 4 제2항).

Answer 9. ② 10. ④

11 **체포 · 구속적부심사에 대한 설명으로 가장 적절하지 않은 것은?**(다툼이 있는 경우 판례에 의함)
22. 경찰승진

① 체포 · 구속적부심사의 청구권자는 체포되거나 구속된 피의자 또는 그 변호인, 법정대리인, 배우자, 직계친족, 형제자매나 가족, 동거인 또는 고용주이다.

② 고소로 시작된 형사피의사건의 구속적부심절차에서 피구속자의 변호를 맡은 변호인에게는 수사기록 중 고소장과 피의자신문조서의 내용을 알 권리 및 그 서류들을 열람 · 등사할 권리가 인정된다.

③ 구속적부심사청구에 대하여 법원은 기각결정과 석방결정, 보증금 납입조건부 석방결정을 할 수 있으며, 검사와 피의자는 이와 같은 결정에 대하여 항고할 수 없다.

④ 법원은 체포된 피의자에 대하여는 피의자의 출석을 보증할 만한 보증금의 납입을 조건으로 하여 결정으로 석방을 명할 수 없다.

| 해설 ① 제214조의 2 제1항 ② 헌재결 2003.3.27, 2000헌마474
③ 법원의 기각결정과 석방결정에 대하여는 불복할 수 없지만, 보증금 납입조건부 석방결정에 대하여는 보통항고를 할 수 있다(제214조의 2 제8항, 대결 1997.8.27, 97모21).
④ 대결 1997.8.27, 97모21

12 **구속적부심사제도에 대한 설명으로 가장 적절하지 않은 것은?** 22. 경찰간부

① 구속적부심사의 청구를 받은 법원은 청구서가 접수된 때부터 48시간 이내에 구속된 피의자를 심문하고 수사관계서류와 증거물을 조사하여 그 청구가 이유 없다고 인정한 때에는 결정으로 이를 기각하고, 이유 있다고 인정한 때에는 결정으로 구속된 피의자의 석방을 명하여야 한다.

② 보증금의 납입을 조건으로 하여 결정으로 석방된 피의자가 출석요구를 받고 정당한 이유 없이 출석하지 아니한 때에는 동일한 범죄사실에 관하여 재차 구속할 수 있다.

③ 구속영장을 발부한 법원은 구속적부심사의 심문 · 조사 · 결정에 관여하지 못하는데, 이는 구속영장을 발부한 법관 외에는 심문 · 조사 · 결정을 할 판사가 없는 경우에도 마찬가지이다.

④ 법원은 보증금의 납입을 조건으로 하여 결정으로 석방된 자가 동일한 범죄사실에 관하여 형의선고를 받고 그 판결이 확정된 후, 집행하기 위한 소환을 받고 정당한 이유 없이 출석하지 아니하거나 도망한 때에는 직권 또는 검사의 청구에 의하여 결정으로 보증금의 전부 또는 일부를 몰수하여야 한다.

| 해설 ① 제214조의 2 제4항 ② 제214조의 3 제2항 제3호
③ 체포영장 또는 구속영장을 발부한 법관은 체포 · 구속적부심사의 심문 · 조사 · 결정에 관여하지 못한다. 다만, 체포영장 또는 구속영장을 발부한 법관 외에는 심문 · 조사 · 결정을 할 판사가 없는 경우에는 그러하지 아니하다(제214조의 2 제12항).
④ 제214조의 4 제2항

Answer 11. ③ 12. ③

02

13 체포 · 구속적부심사에 관한 설명으로 가장 적절하지 않은 것은?(다툼이 있는 경우 판례에 의함)

24. 경찰승진

① 체포되거나 구속된 피의자 또는 그 변호인, 법정대리인, 배우자, 직계친족, 형제자매나 가족, 동거인 또는 고용주는 관할법원에 체포 또는 구속의 적부심사를 청구할 수 있다.

② 법원은 청구권자 아닌 사람이 구속의 적부심사를 청구하는 경우에는 심문 없이 결정으로 청구를 기각할 수 있는데, 이와 같은 기각결정에 대해서는 항고할 수 없다.

③ 법원은 구속된 피의자에 대하여 피의자의 출석을 보장할 만한 보증금의 납입을 조건으로 하여 결정으로 석방을 명할 수 있는데, 석방된 피의자가 출석요구를 받고 정당한 이유없이 출석하지 아니하더라도 동일한 범죄사실로 재차 체포하거나 구속할 수 없다.

④ 기소 전 보증금 납입 조건부 석방결정에 대하여 피의자나 검사가 그 취소의 실익이 있는 한 형사소송법 제402조에 의하여 항고할 수 있다.

해설 ① 제214조의 2 제1항

② 제214조의 2 제3항 · 제8항

③ 석방된 피의자가 출석요구를 받고 정당한 이유없이 출석하지 아니한 때에는 동일한 범죄사실로 재차 체포하거나 구속할 수 있다(제214조의 3 제2항).

④ 대결 1997.8.27, 97모21

Answer 13. ③

V. 보 석

THEMA 55 보석의 의의 · 종류

<table>
<tr><td>의 의</td><td colspan="2">보석이라 함은 일정한 조건을 붙여 구속의 집행을 정지하고 구금상태를 해제하는 제도를 말한다. 형사소송법은 피의자에 대하여 보증금납입조건부 석방제도(제214조의 2 제5항)를 도입함으로써 보석제도를 피고인뿐만 아니라 피의자에게도 확대하고 있다(이하 피고인보석을 중심으로 정리).</td></tr>
<tr><td rowspan="2">종 류</td><td>필요적 보석 (원칙)</td><td>보석청구가 있으면 다음과 같은 불허사유가 없는 한 보석을 허가하여야 한다(제95조). ⇨ 청구보석에 대하여만 인정 10. 9급 국가직, 12. 경찰승진
필요적 보석의 제외사유(제95조)
1. 피고인이 사형, 무기 또는 장기 10년이 넘는 징역이나 금고에 해당하는 죄를 범한 때(제1호) 11. 경찰승진, 15. 순경 1차
▶ 장기 10년 이상(×), 10년이 넘는(○)
▶ 공소사실과 죄명이 예비적 · 택일적으로 기재된 경우에 그중 1죄가 여기에 해당하면 족함.
2. 피고인이 누범에 해당하거나 상습범인 죄를 범한 때(제2호)
▶ 상습범 규정이 있는 경우뿐만 아니라 범죄가 상습적으로 행해진 경우(예 상습으로 살인) 포함(반대 견해 有)
3. 피고인이 죄증을 인멸하거나 인멸할 염려가 있다고 믿을 만한 충분한 이유가 있는 때(제3호)
▶ 단순한 증거인멸 염려(×), 증거인멸 염려에 대한 충분한 이유(○)
4. 피고인이 도망하거나 도망할 염려가 있다고 믿을 만한 충분한 이유가 있는 때(제4호)
5. 피고인의 주거가 분명하지 아니한 때(제5호)
6. 피고인이 피해자, 당해 사건의 재판에 필요한 사실을 알고 있다고 인정되는 자 또는 그 친족의 생명 · 신체나 재산에 해를 가하거나 가할 염려가 있다고 믿을 만한 충분한 이유가 있는 때(제6호)</td></tr>
<tr><td>임의적 보석</td><td>법원은 상당한 이유(예 질병)가 있으면 직권 또는 보석청구권자의 청구에 의하여 결정으로 보석을 허가할 수 있다(제96조). 10. 경찰승진 ⇨ 직권보석 또는 청구보석에 모두 인정
▶ 필요적 보석의 제외사유에 해당하여도 임의적 보석은 가능하다. 10. 9급 법원직</td></tr>
</table>

01 필요적 보석의 예외사유가 아닌 것은?

① 경합범에 해당하는 죄를 범한 때
② 누범에 해당하는 죄를 범한 때
③ 상습범에 해당하는 죄를 범한 때
④ 피고인이 죄증을 인멸하거나 인멸할 염려가 있다고 믿을 만한 충분한 이유가 있는 때

| 해설 ②③④는 필요적 보석의 제외사유이다.

02 피의자보석과 피고인보석의 차이점으로 바르게 연결한 것은?

㉠ 보석취소제도 인정 여부	㉡ 필요적 보석제도 인정 여부
㉢ 보석조건의 다양화	㉣ 검사의 의견을 물을지의 여부
㉤ 보석허가 결정에 대한 항고 여부	㉥ 보증금의 환부 여부

① ㉠, ㉡, ㉢, ㉣, ㉤
② ㉠, ㉡, ㉢, ㉣, ㉥
③ ㉡, ㉢, ㉣, ㉤, ㉥
④ ㉡, ㉢, ㉣, ㉤

| 해설 ㉠ 피고인보석은 취소제도(제102조 제2항)가 있지만 피의자보석은 취소제도가 없다.
㉡ 피고인보석과는 달리 피의자보석은 법원의 직권 재량보석이다.
㉢ 피의자보석은 보증금을 조건으로 하는 보석이라는 점에서 보석조건이 다양화 된 피고인보석과 다르다.
㉣ 피의자보석은 피고인보석과는 달리 검사의 의견을 물을 필요가 없다.
㉤ 피고인보석허가 결정에 대하여 항고가 가능하며(제403조 제2항), 피의자보석 결정에 대해서도 항고할 수 있다(대결 1997.8.27, 97모21).
㉥ 피의자보석의 경우는 피고인보석(제104조)과는 달리 보증금 환부 규정이 없다.

03 보석에 관한 다음 설명 중 옳은 것은?

① 형사소송법은 피의자에 대하여 보증금납입조건부 석방제도를 도입함으로써 보석제도를 피고인뿐만 아니라 피의자에게도 확대하고 있다.
② 필요적 보석의 제외사유에 해당하는 경우에는 임의적 보석도 불가능하다.
③ 피고인이 사형, 무기 또는 장기 10년 이상 징역이나 금고에 해당하는 죄를 범한 때는 필요적 보석 제외사유이다.
④ 우리 형사소송법은 임의적 보석을 원칙으로 하고 있다.

| 해설 ② 법원은 상당한 이유(예 질병)가 있으면 직권 또는 보석청구권자의 청구에 의하여 결정으로 보석을 허가할 수 있으며(제96조), 필요적 보석의 제외사유에 해당하여도 임의적 보석은 가능하다.
③ 피고인이 사형, 무기 또는 장기 10년이 넘는 징역이나 금고에 해당하는 죄를 범한 때(제96조 제1호)가 필요적 보석 제외사유 중의 하나이다.
④ 필요적 보석을 원칙으로 하고 있다(제95조).

Answer 1.① 2.② 3.①

THEMA 56 보석의 절차

<table>
<tr><td rowspan="2">보석의 청구</td><td>청구권자</td><td>보석청구권자는 피고인, 변호인, 법정대리인, 배우자, 직계친족, 형제자매, 가족, 동거인 또는 고용주이다(제94조). 09. 9급 법원직, 12 · 14 · 16. 경찰승진</td></tr>
<tr><td>청구방법</td><td>보석청구는 서면으로 하여야 한다(규칙 제53조 제1항). 공소제기 후 재판확정 전까지는 심급을 불문하고 보석청구를 할 수 있다. 상소기간 중에도 가능하다(제105조). 05. 7급 검찰
▶ 상소기간 중 또는 상소 중의 사건에 관하여 소송기록이 원심법원에 있는 때에는 보석청구는 원심법원에 하여야 한다(제105조). 10. 경찰승진, 14. 경찰간부</td></tr>
<tr><td>검사의견</td><td colspan="2">재판장은 보석에 관한 결정을 하기 전에 검사의 의견을 물어야 한다(제97조 제1항).
▶ 급속을 요하는 경우에도 검사의 의견을 물어야 한다. 11. 9급 법원직, 12. 경찰승진
▶ 검사 의견청취는 청구보석 · 직권보석 모두에 필요함(검사의 의견 ⇨ 법원을 구속하지 않음 ∴ 의견 청취 없어도 보석 취소 ×). 09 · 23. 9급 법원직</td></tr>
<tr><td>피고인심문</td><td colspan="2">① 보석의 청구를 받은 법원은 지체 없이 심문기일을 정하여 구속된 피고인을 심문하여야 한다(규칙 제54조의 2 제1항). 10. 경찰승진, 14. 경찰간부
심문 없이 결정할 수 있는 경우(규칙 제54조의 2)
• 보석청구권자 이외의 사람이 보석을 청구한 때
• 동일한 피고인에 대하여 중복하여 보석을 청구하거나 재청구한 때
• 공판준비 또는 공판기일(수사절차 ×)에 피고인에게 그 이익되는 사실을 진술한 기회를 준 때
• 이미 제출한 자료만으로 보석을 허가하거나 불허가할 것이 명백한 때
② 심문기일을 정한 법원은 즉시 검사 · 변호인 · 보석청구인 및 피고인을 구금하고 있는 관서의 장에게 심문기일과 장소를 통지하여야 하고, 피고인을 구금하고 있는 관서의 장은 위 심문기일에 피고인을 출석시켜야 한다(동조 제2항).
위 통지는 서면 외에 전화, 모사전송, 전자우편, 휴대전화, 문자전송 그 밖에 적당한 방법으로 할 수 있다(동조 제3항).</td></tr>
</table>

01 보석에 관한 다음 설명 중 옳은 것은?

① 보석청구권자는 피고인, 변호인, 법정대리인, 배우자, 직계친족, 형제자매이며, 가족, 동거인 또는 고용주는 보석청구권이 없다.

② 보석청구는 서면으로 하여야 하며, 공소제기 후 재판확정 전까지는 심급을 불문하고 보석청구를 할 수 있으나 상소기간 중에는 불가능하다.

③ 재판장은 보석에 관한 결정을 하기 전에 검사의 의견을 물어야 하며, 급속을 요하는 경우에도 검사의 의견을 물어야 한다.

④ 공판준비, 공판기일 또는 수사절차에서 그 이익되는 사실을 진술한 기회를 준 때는 피고인심문 없이 결정할 수 있다.

| 해설 ① 보석청구권자는 피고인, 변호인, 법정대리인, 배우자, 직계친족, 형제자매, 가족, 동거인 또는 고용주이다(제94조).
② 보석청구는 서면으로 하여야 한다(규칙 제53조 제1항). 공소제기 후 재판확정 전까지는 심급을 불문하고 보석청구를 할 수 있다. 상소기간 중에도 가능하다(제105조).
③ 제97조 제1항, 규칙 제54조의 2 제1항
④ 공판준비 또는 공판기일에 그 이익되는 사실을 진술한 기회를 준 때는 피고인심문 없이 결정할 수 있다(규칙 제54조의 2).

02 창원지방법원 진주지원 형사단독판사로부터 실형을 선고받고 구속된 피고인이 항소를 제기함과 동시에 보석을 신청한 경우 소송기록이 진주지원에 있을 때 그 보석에 관한 결정은 어느 법원에서 하여야 하는가?

02. 9급 법원직

① 부산고등법원
② 창원지방법원 진주지원 형사합의부
③ 창원지방법원 형사합의부
④ 창원지방법원 진주지원 형사단독판사

| 해설 ④ 상소기간 중 또는 상소 중의 사건에 관하여 구속기간의 갱신, 구속취소, 보석, 구속집행정지와 그 정지의 취소에 대한 결정은 소송기록이 원심법원에 있는 때에는 원심법원이 하여야 한다(제105조).

Answer 1. ③ 2. ④

THEMA 57 보석결정과 집행

법원의 결정	청구기각결정		청구가 부적법하거나 이유 없는 때 ▶ 청구를 기각한 결정에 대하여 청구권자는 보통항고를 할 수 있다(제403조 제2항). 08. 순경, 10. 9급 국가직
	보석허가결정	보석조건	법원은 보석을 허가하는 경우에 필요하고 상당한 범위 내에서 다음의 조건 중 하나 이상의 조건을 정하여야 한다(제98조). 1. 법원이 지정하는 일시·장소에 출석하고 증거를 인멸하지 않겠다는 서약서를 제출할 것 ▶ 가장 간편하게 이용할 수 있는 보석의 조건이다. 2. 법원이 정하는 보증금에 해당하는 금액을 납입할 것을 약속하는 약정서를 제출할 것 ▶ 경제적 약자에게도 보석의 기회를 부여하는 기능 3. 법원이 지정하는 장소로 주거를 제한하고 주거를 변경할 필요가 있는 경우에는 법원의 허가를 받는 등 도주를 방지하기 위하여 행하는 조치를 받아들일 것 4. 피해자, 당해 사건의 재판에 필요한 사실을 알고 있다고 인정되는 사람 또는 그 친족의 생명·신체·재산에 해를 가하는 행위를 하지 아니하고 주거·직장 등 그 주변에 접근하지 아니할 것 ▶ 피해자 보호를 달성하고 증거인멸의 우려를 감소 5. 피고인 아닌 자가 작성한 출석보증서를 제출할 것 6. 법원의 허가 없이 외국으로 출국하지 아니할 것을 서약할 것 ▶ 법원은 법 제98조 제6호의 보석조건을 정한 경우 출입국사무를 관리하는 관서의 장에게 피고인에 대한 출국을 금지하는 조치를 취할 것을 요구할 수 있다(규칙 제55조의 3 제2항). 7. 법원이 지정하는 방법으로 피해자의 권리회복에 필요한 금전을 공탁하거나 그에 상당하는 담보를 제공할 것 8. 피고인이나 법원이 지정하는 자가 보증금을 납입하거나 담보를 제공할 것 9. 그 밖에 피고인의 출석을 보증하기 위하여 법원이 정하는 적당한 조건을 이행할 것
		보석조건 결정시 고려사항	법원은 보석의 조건을 정함에 있어서 다음의 사항을 고려하여야 하며, 피고인의 자력 또는 자산 정도로는 이행할 수 없는 조건을 정할 수 없다(제99조). 09. 7급 국가직 보석조건 결정시 고려사항 07. 9급 법원직, 09. 7급 국가직, 08·09·13. 순경 1. 범죄의 성질 및 죄상(罪狀) 2. 증거의 증명력 ▶ 증거능력(×) 3. 피고인의 전과, 성격, 환경 및 자산 ▶ 피고인경력(×), 피해자에 대한 관계(×) 4. 피해자에 대한 배상 등 범행 후의 정황에 관련된 사항 ▶ 피해배상은 피고인의 도주 우려나 증거인멸 우려를 현저히 감소시키는 대표적인 사정이므로 2007년 개정법에서 추가되었다.

	보석조건의 변경	법원은 직권 또는 보석청구권자의 신청에 따라 결정으로 피고인의 보석조건을 변경하거나 일정기간 동안 당해 조건의 이행을 유예할 수 있다(제102조 제1항). 09. 7급 국가직, 10. 경찰승진, 14. 경찰간부 법원은 보석을 허가한 후에 보석의 조건을 변경하거나 보석조건의 이행을 유예하는 결정을 한 경우에는 그 취지를 검사에게 지체 없이 통지하여야 한다(규칙 제55조의 4).
	보석조건 실효	• 구속영장의 효력이 소멸한 때(제104조의 2 제1항) 07 · 11. 9급 법원직, 13. 순경 2차, 14 · 16. 경찰승진 • 보석이 취소된 때[단, 보증금 납입이나 담보제공에 관한 보석의 조건(제98조 제8호)은 자동실효 대상에서 제외]
	불 복	즉시항고 × 10. 9급 국가직
보석집행		1. 본인 서약서(제98조 제1호), 본인 보증금약정서(동조 제2호), 3자의 출석보증서(동조 제5호), 피해액공탁(동조 제7호), 보증금 또는 담보제공(동조 제8호)는 선이행 후석방 조건, 나머지는 선석방 후이행 조건으로 규정하였다(제100조 제1항). 09. 7급 국가직 2. 법원은 보석청구자 이외의 자에게 보증금의 납입을 허가할 수 있다(동조 제2항). 3. 법원은 유가증권 또는 피고인 외의 자가 제출한 보증서로써 보증금을 갈음할 수 있다(동조 제3항). 13. 순경 2차 4. 법원은 출석보증(제98조 제5호)을 조건으로 정한 경우에 피고인이 정당한 사유 없이 기일에 불출석한 경우에 결정으로 그 출석보증인에 대하여 500만원 이하의 과태료를 부과할 수 있다(제100조의 2 제1항). 즉시항고할 수 있다(동조 제2항). 5. 법원은 정당한 사유없이 보석조건을 위반한 경우에는 결정으로 피고인에 대하여 1천만원 이하의 과태료를 부과하거나 20일 이내의 감치에 처할 수 있다(규칙 제102조 제3항). 즉시항고 가능(동조 제4항) ▶ 보석조건위반 ┌ 출석보증인 : 과태료(감치 ×) 12. 경찰승진 └ 피고인 : 과태료 또는 감치

01 다음 중 보석의 조건이 아닌 것은?

① 법원이 지정하는 일시 · 장소에 출석하고 증거를 인멸하지 아니하겠다는 서약서를 제출할 것

② 법원이 지정하는 장소로 주거를 제한하고 이를 변경할 필요가 있는 경우에는 법원의 허가를 받는 등 도주를 방지하기 위하여 행하는 조치를 수인할 것

③ 피고인 외의 자가 작성한 출석보증서를 제출할 것

④ 법원의 허가 없이 외국으로 출국하지 아니할 것을 서약하거나 피고인에 대한 출국을 금지하는 조치를 수인할 것

해설 ①②③은 보석의 조건에 해당한다(제98조 참조).

Answer 1. ④

④ '법원의 허가 없이 외국으로 출국하지 아니할 것을 서약할 것'이 보석의 조건이고(제98조 제6호), 피고인에 대한 출국을 금지하는 조치를 수인할 것은 보석의 조건으로 규정한 내용이 아니다. 다만, 허가 없이 외국으로 출국하지 아니할 것을 서약할 것을 보석조건으로 정한 경우 법원은 출입국 사무를 관리하는 관서의 장에게 피고인에 대한 출국을 금지하는 조치를 취할 것을 요구할 수 있다(규칙 제55조의 3 제2항). 이에 의해 출국을 금지하는 조치를 취하게 되면 이 금지조치에 수인하여야 할 의무가 생긴다고 볼 수는 있을 것이다.

02 보석조건에 대한 설명으로 옳은 것은?

① 피고인이 아닌 보석청구권자도 피고인의 보석조건을 변경을 청구할 수 있다.
② 구속영장의 효력이 소멸시에는 법원은 결정으로 보석조건의 효력을 상실시켜야 한다.
③ 법원은 출석보증을 조건으로 정한 경우에 피고인이 정당한 사유 없이 기일에 불출석한 경우 출석보증인에 대하여 과태료나 감치에 처할 수 있다.
④ 피고인이 보증금을 납입하거나 담보를 제공할 것을 조건으로 한 보석허가결정이 취소되는 경우 보석조건은 즉시 효력을 상실한다.

해설 ① 제102조 제1항
② 구속영장의 효력이 소멸한 때에 보석조건은 즉시 그 효력을 상실하고, 법원의 결정을 기다려 상실하는 것은 아니다(제104조의 2).
③ 법원은 출석보증을 조건으로 정한 경우에 피고인이 정당한 사유 없이 기일에 불출석한 경우 출석보증인에 대하여 과태료를 부과할 수는 있으나, 감치에 처할 수는 없다(제100조의 2).
④ 보석취소시 보석조건은 즉시 효력을 상실하는 것이 원칙이나, 피고인 또는 법원이 지정하는 자가 보증금을 납입하거나 담보를 제공할 것을 조건으로 한 경우에는 그러하지 않다(동조 제2항 제2문).

03 보석집행절차와 관련된 설명 중 옳은 것은 몇 개인가?

㉠ 피고인에 대해 주거의 제한을 조건으로 보석허가결정을 한 경우 조건을 이행한 경우가 아니면 보석을 집행할 수 없다.
㉡ 법원의 허가 없이 외국으로 출국하지 않을 것을 서약할 것을 보석조건으로 한 경우, 법원은 이를 먼저 이행하지 않아도 보석허가결정을 집행할 수 있으며 먼저 조건을 이행하도록 정할 수는 없다.
㉢ 법원은 유가증권 또는 피고인 외의 자가 제출한 보증서로써 보증금에 갈음함을 허가할 수 있다.
㉣ ㉢의 보증서에는 보증금액을 언제든지 납입할 것을 기재하여야 한다.
㉤ 법원이 출입국사무를 관리하는 관서의 장에게 피고인에 대한 출국을 금지하는 조치를 취할 것을 요구할 수는 없다.
㉥ 치료감호 등에 관한 법률상 보호구속 중인 치료감호 대상자는 보석이 불가능하다.
㉦ 법원은 보석을 취소하는 때에는 직권으로 보증금 또는 담보의 전부 또는 일부를 몰취하여야 한다.

① 5개 ② 4개 ③ 3개 ④ 2개

Answer 2.① 3.④

해설 옳은 것은 ㉢㉣이다.
㉠ × : 조건을 먼저 이행하여야만 보석허가결정을 할 수 있는 경우는 다음의 5가지 경우이다(제100조 제1항). 따라서 주거를 제한하는 조치를 한 경우에는 이에 해당하지 않는다.

조건을 먼저 이행하여야 보석허가결정을 집행할 수 있는 경우

1. 법원이 지정하는 일시·장소에 출석하고 증거를 인멸하지 아니하겠다는 서약서를 제출할 것
2. 법원이 정하는 보증금 상당의 금액을 납입할 것을 약속하는 약정서를 제출할 것
3. 피고인 외의 자가 작성한 출석보증서를 제출할 것
4. 법원이 지정하는 방법으로 피해자의 권리회복에 필요한 금원을 공탁하거나 그에 상당한 담보를 제공할 것
5. 피고인 또는 법원이 지정하는 자가 보증금을 납입하거나 담보를 제공할 것

㉡ × : 그러나 이외의 조건이라도 법원은 필요하다고 인정하는 때에는 다른 조건에 관하여도 그 이행 이후 보석허가결정을 집행하도록 정할 수 있다(제100조 제1항).
㉢ ○ : 제100조 제3항
㉣ ○ : 제100조 제4항
㉤ × : 법원은 보석허가결정에 따라 석방된 피고인이 보석조건을 준수하는 데 필요한 범위 안에서 관공서나 그 밖의 공사단체에 대하여 적절한 조치를 취할 것을 요구할 수 있고, 특히 외국으로 출국하지 않을 것을 조건으로 한 경우 출입국사무를 관리하는 관서의 장에게 피고인에 대한 출국을 금지하는 조치를 취할 것을 요구할 수 있다(제100조 제5항, 규칙 제55조의 3 제2항).
㉥ × : 치료감호사건을 조사하면서 인신구속이 필요한 경우에 검사는 관할 지방법원판사에게 청구하여 치료감호영장을 발부받아 보호구속할 수 있다(치료감호 등에 관한 법률 제6조 제2항). 보호구속에 관해서는 피의자구속에 관한 형사소송법의 규정들이 준용되므로 보석이 가능하다(동법 제6조 제3항).
㉦ × : 법원은 보석을 취소하는 때에는 직권 또는 검사의 청구에 따라 결정으로 보증금 또는 담보의 전부 또는 일부를 몰취할 수 있다(제103조 제1항). 즉, 임의적인 사항이며 필수적 사항이 아니다.

04 보석에 관한 설명으로 옳은 것은?

① 법원은 보석허가결정을 집행한 후에 서약서, 보증금 약정서, 출석보증서, 피해액 공탁, 보증금 납입과 같은 보석조건을 이행하도록 정할 수 있다.
② 법원은 보석의 조건을 정함에 있어서 피고인의 전과·성격·환경을 고려하여 피고인의 자산 정도로는 이행할 수 없는 조건을 정할 수 있다.
③ 법원은 직권 또는 검사의 신청에 따라 결정으로 피고인의 보석조건을 변경하거나 일정기간 동안 당해 조건의 이행을 유예할 수 있다.
④ 법원은 정당한 사유 없이 보석조건을 위반한 피고인에 대하여 과태료 또는 감치의 결정을 할 수 있고, 이 결정에 대하여는 즉시항고를 할 수 있다.

해설 ① 서약서, 약정서, 출석보증서, 피해액 공탁, 보증금 납입 등의 조건은 먼저 이행을 한 후라야 보석을 집행할 수 있다(제100조 제1항).
② 이행할 수 없는 조건은 정할 수 없다(제99조).
③ 법원은 직권 또는 보석청구권자(제94조)의 신청에 의하여 보석조건을 변경하거나 이행을 유예할 수 있다 (제102조 제1항).
④ 제102조 제3항

Answer 4. ④

THEMA 58 보석 후의 절차

보석취소	① 법원은 직권 또는 검사의 청구에 의하여 결정으로 보석을 취소할 수 있다(제102조 제2항). ② 보석을 취소한 때에는 취소결정 등본에 의하여 피고인을 재구금해야 하며(규칙 제56조 제1항), 새로운 구속영장은 필요가 없다. 09. 경찰승진, 14. 순경, 15. 순경 1차, 10 · 19. 9급 법원직 보석취소사유(제102조 제2항) 1. 피고인이 도망한 때 09. 경찰승진 2. 피고인이 도망하거나 죄증을 인멸할 염려가 있다고 믿을 만한 충분한 이유가 있는 때 3. 소환을 받고 정당한 이유 없이 출석하지 아니한 때 4. 피해자, 당해 사건의 재판에 필요한 사실을 알고 있다고 인정되는 자 또는 그 친족의 생명 · 신체나 재산에 해를 가하거나 가할 염려가 있다고 믿을 만한 충분한 이유가 있는 때 5. 법원이 정한 조건을 위반한 때 ▶ 피해배상은 피고인의 도주 우려나 증거인멸 우려를 현저히 감소시키는 대표적인 사정이므로 2007년 개정법에서 추가되었다. ③ 보석취소 결정 ⇨ 항고 가능(제403조 제2항), 보석취소 결정 송달 ×
보석의 실효	• 보석이 취소된 경우(보증금 납입이나 담보제공한 경우는 제외) • 구속영장이 실효된 경우 14. 경찰승진 ▶ 구속영장이 실효된 경우 ┌ 무죄, 면소, 형의 선고유예, 집행유예, 벌금, 과료 등의 재판이 선고된 경우 ⇨ 완전 자유회복 └ 사형이나 자유형이 확정되는 경우 ⇨ 형집행단계로 전환 10. 9급 국가직 ▶ 보석 중의 피고인에 대해 제1심이나 제2심에서 실형이 선고되더라도 아직 확정되지 않았다면 보석이 취소되지 않는 한 보석의 효력은 지속
보증금 몰수 · 환부	① 임의적 몰취 : 법원이 보석을 취소할 때에는 직권 또는 검사의 청구에 따라 결정으로 보증금의 전부 또는 일부를 몰취할 수 있다(제103조 제1항). 11. 9급 법원직 ② 필요적 몰취 : 법원은 보증금의 납입 또는 담보제공을 조건으로 석방된 피고인이 동일한 범죄사실에 관하여 형의 선고를 받고 그 판결이 확정된 후 집행하기 위한 소환을 받고 정당한 이유 없이 출석하지 아니하거나 도망한 때에는 직권 또는 검사의 청구에 따라 결정으로 보증금 또는 담보의 전부 또는 일부를 몰취하여야 한다(제103조 제2항). ▶ 보석보증금 몰취 ⇨ 반드시 보석취소와 동시에 하여야할 필요 없음(대결 2001.5.29, 2000모22 전원합의체). 09. 전의경 특채, 16. 9급 검찰 · 마약 · 교정 · 보호 · 철도경찰, 23. 9급 법원직 ▶ 보증금 몰취 사물관할 ⇨ 지방법원 단독판사(대결 2002.5.17, 2001모53) ▶ 제103조(보증금 등 몰취)에서 규정하는 "보석된 자"란 보석허가결정에 의하여 석방된 사람 모두를 가리키는 것으로, 판결확정 전에 그 보석이 취소되었으나 도망 등으로 재구금이 되지 않은 상태에 있는 사람이라고 하여 여기에서 제외할 이유가 없다(대결 2002.5.17, 2001모53). ③ 보증금의 환부 : 법원은 구속 또는 보석을 취소하거나 구속영장의 효력이 소멸된 때에는 몰수하지 아니한 보증금 또는 담보를 청구한 날로부터 7일 이내에 환부하여야 한다(제104조). 13. 순경 1차, 14 · 16. 경찰승진

01 **보석에 대한 설명으로 옳은 것은?**(다툼이 있는 경우 판례에 의함)

① 피고인이 보석조건을 위반한 경우에는 법원은 보석을 취소하여야 한다.

② 보석은 무죄나 면소의 재판이 확정된 때에는 효력을 상실하지만 자유형이 확정된 경우에는 효력이 상실되지 않는다.

③ 보증금 몰수사건은 지방법원 단독판사의 관할이지만 소송절차 계속 중에 보석허가결정이나 그 취소결정을 본안 관할법원인 제1심 합의부가 한 경우 당해 합의부가 사물관할을 갖는다.

④ 구속 또는 보석을 취소하거나 구속영장의 효력이 소멸된 때에는 몰취하지 아니한 보증금 또는 담보를 청구한 날로부터 7일 이내에 환부하여야 한다.

| 해설 ① 법원은 직권 또는 검사의 청구에 의하여 보석을 결정으로 취소할 수 있다(제102조 제1항).
② 무죄나 면소형의 선고유예, 집행유예, 벌금, 과료 등의 재판이 선고되면 구속영장의 효력이 상실되므로 보석의 효력이 상실된다. 자유형판결이 확정된 경우에도 구속영장의 효력은 상실되므로 보석의 효력은 상실되며, 이 경우에는 형집행단계로 넘어가게 된다.
③ 보증금 몰수사건은 그 성질상 당해 형사본안 사건의 기록이 존재하는 법원 또는 그 기록을 보관하는 검찰청에 대응하는 법원의 토지관할에 속하고, 그 법원이 지방법원인 경우에 있어서 사물관할은 법원조직법 제7조 제4항의 규정에 따라 지방법원 단독판사에게 속하는 것이지 소송절차 계속 중에 보석허가결정 또는 그 취소결정 등을 본안 관할법원인 제1심 합의부 또는 항소심인 합의부에서 한 바 있었다고 하여 그러한 법원이 사물관할을 갖게 되는 것은 아니다(대결 2002.5.17, 2001모53).
④ 제104조

02 **다음 중 보석의 취소사유에 해당하지 않는 것은?**

① 도망 또는 증거를 인멸할 염려가 있다고 믿을 만한 충분한 이유가 있는 때

② 법원이 정한 조건을 위반한 때

③ 벌금에 해당하는 죄를 범하였을 때

④ 소환을 받고도 정당한 이유 없이 출석치 아니한 때

| 해설 ①②④는 보석취소사유

Answer 1. ④ 2. ③

정 리

필요적 보석 제외사유 (제95조)	피의자보석 제외사유 (제214조의 2 제5항)
1. 피고인이 사형, 무기 또는 장기 10년이 넘는 징역이나 금고에 해당하는 죄를 범한 때 2. 피고인이 누범에 해당하거나 상습범인 죄를 범한 때 3. 피고인이 죄증을 인멸하거나 인멸할 염려가 있다고 믿을 만한 충분한 이유가 있는 때 4. 피고인이 도망하거나 도망할 염려가 있다고 믿을 만한 충분한 이유가 있는 때 5. 피고인의 주거가 분명하지 아니한 때 6. 피고인이 피해자, 당해 사건의 재판에 필요한 사실을 알고 있다고 인정되는 자 또는 그 친족의 생명·신체나 재산에 해를 가하거나 가할 염려가 있다고 믿을 만한 충분한 이유가 있는 때	1. 범죄의 증거를 인멸할 염려가 있다고 믿을 만한 충분한 이유가 있는 때 2. 피해자, 당해 사건의 재판에 필요한 사실을 알고 있다고 인정되는 사람 또는 그 친족의 생명·신체나 재산에 해를 가하거나 가할 염려가 있다고 믿을 만한 충분한 이유가 있는 때

피고인보석 취소사유 (제102조 제2항)	보석으로 석방된 피의자 재구속사유 (제214조의 3 제2항)
1. 도망한 때 2. 도망하거나 죄증을 인멸할 염려가 있다고 믿을 만한 충분한 이유가 있는 때 3. 소환을 받고 정당한 이유 없이 출석하지 아니한 때 4. 피해자, 당해 사건의 재판에 필요한 사실을 알고 있다고 인정되는 자 또는 그 친족의 생명·신체나 재산에 해를 가하거나 가할 염려가 있다고 믿을 만한 충분한 이유가 있는 때 5. 법원이 정한 조건을 위반한 때	1. 도망한 때 2. 도망하거나 범죄의 증거를 인멸할 염려가 있다고 믿을 만한 충분한 이유가 있는 때 3. 출석요구를 받고 정당한 이유 없이 출석하지 아니한 때 4. 주거의 제한이나 그 밖에 법원이 정한 조건을 위반한 때

종합문제

01 보석제도에 대한 설명으로 가장 적절하지 않은 것은?(다툼이 있는 경우 판례에 의함) 19. 순경 1차

① 법원이 집행유예기간 중에 있는 피고인의 보석을 허가한 경우, 이러한 법원의 결정은 누범과 상습범을 필요적 보석의 제외사유로 규정한 형사소송법 제95조 제2호의 취지에 반하여 위법이라고 할 수 없다.

② 보석허가결정의 취소는 그 취소결정을 고지하거나 결정법원에 대응하는 검찰청 검사에게 결정서를 교부 또는 송달함으로써 즉시 집행할 수 있는 것이고, 그 결정등본이 피고인에게 송달되어야 집행할 수 있는 것은 아니다.

③ 형사소송법 제97조 제1항은 "재판장은 보석에 관한 결정을 하기 전에 검사의 의견을 물어야 한다."라고 규정하고 있으므로, 법원이 검사의 의견을 듣지 아니한 채 보석에 관한 결정을 하였다면 결정의 적정성 여부를 불문하고 절차상의 하자만으로도 그 결정을 취소할 수 있다.

④ 법원은 보석취소 후에 별도로 보증금몰수결정을 할 수도 있다.

해설 ① 대결 1990.4.18, 90모22
② 대결 1983.4.21, 83모19
③ 법원이 검사의 의견을 듣지 아니한 채 보석에 관한 결정을 하였더라도 그 결정이 적정한 이상 절차상의 하자만을 들어 그 결정을 취소할 수는 없다(대결 1997.11.27, 97모88).
④ 대결 2001.5.29, 2000모22 전원합의체

02 보석제도에 관한 다음 설명 중 가장 옳은 것은?

① 심문기일을 정한 법원은 즉시 검사, 변호인, 보석청구인 및 피고인을 구금하고 있는 관서의 장에게 심문기일과 장소를 통지하여야 하고, 피고인을 구금하고 있는 관서의 장은 위 심문기일에 피고인을 출석시켜야 한다.

② 피고인이 집행유예기간 중에 있는 때에는 보석을 허가할 수 없다.

③ 구속영장의 효력이 소멸한 경우와 보석이 취소된 경우에는 보석의 조건은 예외 없이 즉시 효력을 상실한다.

④ 보석취소의 결정이 있는 때에는 구속영장에 의하여 피고인을 재구금하여야 한다.

해설 ① 규칙 제54조의 2 제2항
② 피고인이 다른 사건으로 집행유예기간 중에 있더라도 보석을 허가할 수 있다(대결 1990.4.18, 90모22).
③ 구속영장의 효력이 소멸한 경우와 보석이 취소된 경우에 보석의 조건은 즉시 그 효력을 상실하나 보증금에 대한 보석조건(제98조 제8호)은 자동실효대상에서 제외된다(제104조의 2 제2항, 제103조).
④ 그 취소결정의 등본에 의하여 피고인을 재구금하여야 한다(규칙 제56조 제1항).

Answer 1. ③ 2. ①

03 보석에 대한 설명으로 옳지 않은 것은?(다툼이 있는 경우 판례에 의함) 19. 7급 국가직

① 구속영장의 효력이 소멸하는 경우에도 보석조건이 즉시 효력을 상실하는 것은 아니다.

② 법원은 직권 또는 보석청구권자의 청구에 의하여 결정으로 보석을 허가할 수 있다.

③ 법원이 보석을 취소하는 때에는 직권 또는 검사의 청구에 따라 결정으로 보증금 또는 담보의 전부 또는 일부를 몰취할 수 있다.

④ 상소기간 중 또는 상소 중의 사건에 관한 피고인보석의 결정은 소송기록이 상소법원에 도달하기까지는 원심법원이 하여야 한다.

| 해설 ① 구속영장의 효력이 소멸한 때에는 보석조건은 즉시 효력을 상실한다(제104조의 2 제1항).
② 임의적 보석에 해당하는 내용이다(제96조).
③ 제103조 제1항
④ 규칙 제57조 제1항

04 보석에 대한 설명으로 옳은 것은?(다툼이 있는 경우 판례에 의함)

① 검사의 의견청취절차는 보석에 관한 결정의 본질적 부분이므로 이를 거치지 아니한 보석 허가결정은 절차상의 하자로 인하여 취소되어야 한다.

② 보석으로 석방된 피고인이 재판 중 법원의 소환에 불응한 경우 법원은 직권 또는 검사의 청구에 따라 결정으로 보증금의 전부 또는 일부를 몰수하여야 한다.

③ 보석의 청구를 받은 법원은 24시간 이내에 심문기일을 정하여 구속된 피고인을 심문하여야 하고, 특별한 사정이 없는 한 보석의 청구를 받은 날부터 7일 이내에 그에 관한 결정을 하여야 한다.

④ 법원은 피고인이 정당한 사유 없이 보석조건을 위반한 경우에는 결정으로 피고인에 대하여 1천만원 이하의 과태료를 부과하거나 20일 이내의 감치처분을 내릴 수 있고, 이 결정에 대하여는 즉시항고가 가능하다.

| 해설 ① 검사의 의견청취의 절차는 보석에 관한 결정의 본질적 부분이 되는 것은 아니므로, 설사 법원이 검사의 의견을 듣지 아니한 채 보석에 관한 결정을 하였다고 하더라도 그 결정이 적정한 이상, 절차상의 하자만을 들어 그 결정을 취소할 수는 없다(대결 1997.11.27, 97모88).
② 법원은 보석을 취소하는 때에는 직권 또는 검사의 청구에 따라 결정으로 보증금 또는 담보의 전부 또는 일부를 몰취할 수 있으며(제103조 제1항), 판결이 확정된 후 집행하기 위한 소환을 받고 정당한 사유 없이 출석하지 아니하거나 도망한 때에는 직권 또는 검사의 청구에 따라 결정으로 보증금 또는 담보의 전부 또는 일부를 몰취하여야 한다(동조 제2항). 보석으로 석방된 피고인이 재판 중 법원의 소환에 불응한 경우에는 보증금 몰취사유가 아니다.
③ 보석의 청구를 받은 법원은 지체 없이 심문기일을 정하여 구속된 피고인을 심문하여야 한다(규칙 제54조의 2 제1항). 법원은 특별한 사정이 없는 한 보석의 청구를 받은 날부터 7일 이내에 그에 관한 결정을 하여야 한다(규칙 제55조).
④ 제102조 제3항 · 제4항

Answer 3. ① 4. ④

05 **보증금납입조건부 피의자석방과 보석에 대한 설명으로 옳지 않은 것은?**(다툼이 있는 경우 판례에 의함) 21. 7급 국가직

① 법원이 검사의 의견을 듣지 아니한 채 보석에 관한 결정을 하였다고 하더라도 그 결정이 적정한 이상, 이러한 절차상의 하자만을 들어 그 결정을 취소할 수 없다.

② 보석이 취소된 경우 보증금납입을 포함한 모든 보석조건은 즉시 그 효력을 상실한다.

③ 검사는 보증금납입조건부 피의자석방결정과 보석허가결정에 대해서 항고할 수 있다.

④ 보석취소결정을 비롯하여 고등법원이 한 최초 결정이 제1심 법원이 하였더라면 보통항고가 인정되는 결정인 경우에는 이에 대한 재항고와 관련한 집행정지의 효력은 인정되지 않는다.

| 해설 ① 대결 1997.11.27, 97모88

② 구속영장의 효력이 소멸한 때에는 보석의 조건은 즉시 그 효력을 상실한다(제104조의 2 제1항). 보석이 취소된 경우에도 보석의 조건은 효력을 상실하나, 보증금에 관한 보석의 조건(제98조 제8호)은 자동실효 대상에서 제외된다(제104조의 2 제2항).

③ 대결 1997.8.27, 97모21

④ 대결 2020.10.29, 2020모633

06 **다음 중 형사소송법상 보석에 관한 설명으로 가장 옳지 않은 것은?** 22. 해경승진

① 법원은 특별한 사정이 없는 한 보석의 청구를 받은 날부터 7일 이내에 그에 관한 결정을 하여야 한다.

② 법원은 보석허가결정 이후에 피고인의 보석조건을 변경할 수는 있으나, 일정기간 동안 당해 조건의 이행을 유예할 수는 없다.

③ 형사소송법 제98조 제1호(피고인 본인의 서약서), 제2호(피고인 본인의 보증금 약정서), 제5호(피고인 이외의 자의 출석보증서), 제7호(피해자의 권리 회복에 필요한 금원의 공탁이나 담보제공), 제8호(보증금납부 또는 담보제공)의 보석조건을 이행한 후가 아니면 보석허가결정을 집행하지 못한다.

④ 심문기일을 정한 법원은 즉시 검사, 피고인, 보석 청구인 및 피고인을 구금하고 있는 관서의 장에게 심문기일과 장소를 통지하여야 한다.

| 해설 ① 규칙 제55조

② 법원은 보석허가결정 이후에 피고인의 보석조건을 변경하거나 일정기간 동안 당해 조건의 이행을 유예할 수 있다(제102조 제1항).

③ 제100조 제1항

④ 규칙 제54조의 2 제2항

Answer 5. ② 6. ②

07 **보석제도에 관한 설명으로 가장 적절하지 않은 것은?**(다툼이 있는 경우 판례에 의함)

24. 경찰승진

① 보석불허가 이유로 피고인이 죄증을 인멸할 염려가 있다고 믿을 만한 충분한 이유가 있다고 설시한 것은 필요적 보석의 제외 사유에 해당함을 명시한 것이므로, 이를 보석불허가 사유를 명시하도록 한 규정에 어긋나는 설시라고 할 수 없다.

② 법원이 집행유예기간 중에 있는 피고인의 보석을 허가한 것은 누범과 상습범에 대하여는 보석을 허가하지 아니할 수 있다는 형사소송법 제95조 제2호의 취지에 위배되어 위법하다.

③ 법원이 검사의 의견을 듣지 아니한 채 보석에 관한 결정을 하였다고 하더라도 그 결정이 적정한 이상, 그와 같은 절차상의 하자만을 들어 그 결정을 취소할 수는 없다.

④ 제1심이 피고인에 대한 보석허가결정을 하여 그 결정 등본이 검사에게 송달되자, 검사가 그 결정에 대하여 즉시항고가 아닌 보통항고를 하였다면, 항고심이 이에 기하여 제1심의 보석허가 결정을 취소하는 결정을 할 수 있다.

| 해설 ① 대결 1991.8.13, 91모53

② 집행유예기간 중에 있는 피고인의 보석을 허가한 것이 누범과 상습범에 대하여는 보석을 허가하지 아니할 수 있다는 형사소송법 제95조 제2호의 취지에 위배되어 위법이라고 할 수 없다(대결 1990.4.18, 90모22).

③ 대결 1997.11.27, 97모88

④ 대결 1997.4.18, 97모26

Answer 7. ②

공편저자 약력

조충환

• 중앙대학교 법학박사(형사법전공)
現 • 교재집필 및 연구
前 • 중앙대·울산대 출강
• 노량진 남부경찰학원 대표강사
• 노량진 남부행정고시학원 대표강사
• 노량진 한교경찰학원 대표강사
• 노량진 베리타스경찰학원 대표강사
• 법무부 출간 교정지 출제위원
• 경찰청 인터넷방송 초빙교수

상 훈

• 중앙대 강의평가 우수강사 총장 표창(3회)
• 모범강사 전국학원연합회 회장표창

오상훈

• 고려대학교 법과대학 졸업
現 • 박문각경찰 형법·형사소송법 대표교수
前 • 베리타스 법학원 강사
• 윌비스 한림법학원 강사

양 건

現 • 박문각 경찰승진 형법 대표교수
• 공무원저널 형사법 판례교실 집필위원
• 법률저널 경찰·교정직 집필위원
前 • 조이에듀경찰학원 형법 대표강사
• 신림동 태학관 법정연구회 강의
• 종로행정고시학원 경찰승진 형법 대표강사
• 중앙경찰고시학원 형법 대표강사
• 경찰승진특강
• 노량진 한교경찰학원 대표강사(형법)
• 노량진 베리타스경찰학원 대표강사(형법)

2025 판례·기출증보판
조충환·양건

형사소송법

초판인쇄 : 2024년 6월 15일　초판발행 : 2024년 6월 20일
공편저자 : 조충환·양건·오상훈　발 행 인 : 박 용
발 행 처 : (주)박문각출판　등 록 : 2015. 4. 29 제2019-000137호
주 소 : 06654 서울시 서초구 효령로 283 서경 B/D
전 화 : 교재문의 (02) 6466-7202
팩 스 : (02) 584-2927

저자와의
협의하에
인지생략

정가 69,000원(전4권)

ISBN 979-11-7262-095-0
ISBN 979-11-7262-094-3(세트)